KB182049

초음파 진단의 이해

둘째판

송한덕

군자출판사

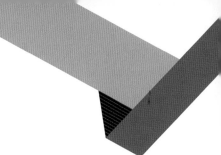

머리말

초판본이 발행된 후 사뭇 고귀한 학문에 누가 되지 않을까 우려가 앞서기도 했지만, 많은 분들이 관심과 성원을 보내주셔서 이를 더 나은 준비의 채찍질로 여기고 일일이 고마움을 전하는 바이다.

초음파 진단 영역을 정확하고 빠르게 익힐 수 있는 방법이 있나? 라고 많은 사람들이 질문을 한다. 저자의 생각으로는 초판분에 언급했던 내용이 중요하다고 여기기 때문에 다시 한번 언급하고자 한다. 인체 내에는 초음파의 장애요인이 많기 때문에 기계적인 원리를 숙지하지 못하고 검사를 실시할 경우, 불선명한 화상과 허상으로 인하여 초음파 화상의 판독이 어려울 수 있다. 그러므로 첫째로 초음파의 원리를 잘 인지하여야 허상을 피하고 선명한 화상을 얻을 수 있는 것이다. 또한 인체내의 정상적인 기본 초음파 상을 정확하게 인지하지 못하면 질병의 진단은 당연히 어렵기 때문에, 둘째로 초음파 해부학이라고 일컬을 수 있는 인체내의 정상적인 기본 초음파 상을 정확하게 익혀야 한다. 만일 초음파 진단에 입문하고자 한다면 초음파의 원리를 이해하고 기본 초음파 상을 충실히 익히는 가운데 자연히 기교의 능숙도가 증진되어 빠르고 정확하게 초음파의 진단영역을 익힐 수 있으리라 생각된다.

도플러 효과를 이용한 초음파의 진단은 칼라 초음파와 3D 초음파로 발전해 가고 있다. 도플러 칼라초음파를 이용한 혈류의 계측은 초음파의 진단 영역을 나날이 넓혀가고 있고 진단의 정확도를 한 층 더 높여가고 있기 때문에 이번 개정판에는 칼라 초음파의 원리를 삽입하여 칼라 초음파의 기초를 다루고자 하였다.

개정판을 준비하면서 좋은 화질의 화상과 보다 많은 진단과 전형적인 초음파 상을 얻고자 많은 노력을 하였으나 아직 미진한 부분이 너무 많아 부끄럽기 한이 없고 여러 제현들의 지도편달이 많기를 부탁드리는 바이다. 개정판에 쓰인 화상의 장치는 Acuson 128XP/10 mainframe, 66mm curved array transducer(3.5/2.5MHz curved array format), 19mm cardiac transducer(4.0MHz/3.5MHz/2.5MHz tri-frequency multiHertz), 38mm small parts/peripheral vascular transducer(10-5MHz/7.0-3.5MHz linear format), Avio film recorde FR-2000, Sony UP 1800 color page printer, 890 B&W printer 사용하였다.

본서가 간행되기까지 많은 분들이 아낌없는 도움을 주셨기에 이 자리를 빌어 조금이나마 감사의 뜻을 전하는 바이다. 많은 부분에서 물심양면으로 도움을 주신 중앙대학교 의과대학 장인택 교수님께 감사의 뜻을 전하는 바이다. 주야를 가리지 않고 교정에 힘써준 윤명한의원 이민우 원장, 동원한의원신동엽, 서영은 원장, 경희대학교 한의과대학 원전교실 이정환 선생, 현재는 군복무 중인 김제원 선생, 자료의 보완에 힘이 되어준 병리학교실 강희 선생, 사진의 분해와 기술에 가르침을 준 윤스튜디오 윤덕만 선생께 감사하는 바이다. 개정판의 출판을 위해 많은 힘을 기울인 군자출판사 장주연 사장과 편집 및 Illustration에 모든 힘을 쏟은 서향원 양과 군자출판사 직원 여러분에게 감사의 뜻을 표하는 바이다.

1999. 11.
진료실에서
저자씀

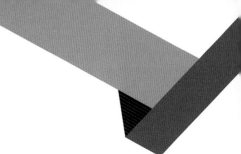

추천사

초판본이 나온 이후 초음파에 관심이 많은 분들로부터 적지 않은 관심과 격려가 있었다는 것을 잘 알고 있다. 개정판에는 도플러 효과를 이용한 칼라 초음파의 원리를 첨가하였고, 전반적인 화질이 개선되었으며 영상사진도 40% 이상 새로이 교체하여 초음파 영상의 판독에 도움을 주려고 하였다. 이는 초음파 진단기기의 기술적 발전과 성능의 향상에 힘입은 저자의 폭넓은 임상경험이 그대로 반영된 것으로 이점에서 개정판의 의의를 찾을 수 있다 하겠다.

초음파 진단 영역은 나날이 변화 발전하고 있어 질병을 보다 정확하게 진단하고 치료에 응용하고자 하는 의료인의 여망에 부응하고 있다. 인체에 피해를 끼치지 않으면서 많은 정보를 제공하는 초음파 진단의 특성은 이와 같은 발전을 더욱더 가속화 할 것이다.

최근에는 학생들도 이전에 비해 매우 적극적이고 진지한 자세로 실습시간에 임하고 있다. 이러한 분위기는 새 천년에 적합한 의료인을 변증과 변병에 대한 균형잡힌 인식을 지녀야 한다는 공감대가 이미 형성되었으며, 변병의 구체적인 방법으로서 초음파 진단의 중요성을 스스로 깨닫기 시작했다는 것을 의미한다.

그렇지만 중요성을 알고 있으면서도 초음파 영상의 정확한 판독이 쉽지 않아 접근하지 못하는 경우 를 많이 보아 왔다. 이 책은 초보자뿐만 아니라 초음파 기기를 사용하는 사람들이 초음파를 이해하고 임상에 응용하는데 많은 도움이 될 것임을 확신하는 바이다.

끝으로 내용을 보다 충실히 하기 위하여 많은 시간을 자료수집과 문헌정리에 힘쓴 송한덕 선생께 그 노고를 치하하며 아울러 이 책에 대한 많은 의료인들의 애정어린 지도와 편달을 부탁드립니다.

1999. 11.
경희대학교 한의과대학
병리학교실 주임교수 안규석

"초음파 진단의 이해" 둘째 판을 기념하며

현대 과학의 발전에 따라 현대 의학의 진단법과 치료법 역시 급격히 발전하고 있다. 이중 초음파 영상을 이용한 진단법은 환자 옆에서 항상 쉽게 이용할 수 있고, 비침습적일 뿐만 아니라, 이 진단법의 "sensitivity" 및 "specificity"가 매우 높아 cost effectiveness면에서 가장 훌륭한 진단법 중 하나이다.

이번에 송한덕 선생께서 약 5년 전에 출간한 "초음파 진단의 이해'의 두 번째 판을 출간한다는 소식에, 송한덕 선생의 새롭고 무한한 의학에 대한 탁월한 도전정신과 지속적이며 진지한 학문적인 태도에 우선 경의를 표하지 않을 수 없다.

몇몇 사람들 앞에서 2~3분의 간단한 연설을 할 때도 그 준비 및 연습에 노심초사하는 경우가 많은데 하물며 한사람의 힘으로 수백 쪽에 달하는 균형감각을 가진 과학적인 저서를 출간한다는 것은 송한덕 선생의 천부적인 성실성과 한의로서의 높은 자질이 없었으면 불가능한 것으로 생각된다.

이 책이 초음파 진단법에 입문하고자 하는 이들에게는 훌륭한 지침서가 되고, 초음파 진단법에 익숙한 이에게도 중요한 聖書로써 부족함이 없다고 자부하며, 새로운 천년이 시작될 때에 즈음한 새책의 탄생을 진심으로 축하한다.

중앙의대 용산병원
외과학교실
교수 張仁澤

차례

제1편 초음파의 원리

1장 초음파의 원리   2

01. 초음파(Ultrasound)   2
02. 초음파의 발생과 수신의 원리   3
03. 초음파의 전달   4
04. 반사(Reflection), 굴절(Refraction), 산란(Scatter)   6
05. 에코강도(Echogenicity)   6
06. 진동자의 Q-Factor(Quality Factor of Transducer)   8
07. 분해능력(Resolution)   8
08. 집속(Focus)   9
09. 전자주사의 원리(Principle of Electronic Scanning)   12
10. 실시간(Real Time)   13
11. 2차원 단면상(2-Dimensional Image)   14
12. 초음파 상(Ultrasonographic Image)의 표시 방법   16
13. 도플러 방법(Doppler Method)   18
14. 초음파 장치(Ultrasonographic Equipment)   29
15. 초음파 진단 장치의 조정   32
16. 허상(Artifact)   36
17. 기교(Techniques)   49
18. 초음파 상의 오리엔테이션(Orientation of Ultrasonographic Image)   51
19. 검사 전 환자의 준비   54
20. 환자의 체위   56
21. 호흡 조절   58

제2편 기본 초음파 상

2장 상복부의 기본 초음파 상   62

01. 기본 초음파 상과 해부학(Basic Ultrasound Image Anatomy)   62
02. 상복부의 기본 주사와 기본 초음파 상   62

3장 각 장기별 기본 초음파 상

Ⅰ. 상복부의 초음파 검사   **74**

01. 간   74

02. 담낭   87

03. 담관   91

04. 췌장   101

05. 신장   107

06. 비장   117

Ⅱ. 골반강 초음파 검사   **119**

01. 자궁   119

02. 난소   121

03. 방광   126

04. 전립선의 해부   128

Ⅲ. 심장의 초음파 검사   **130**

01. 심장   130

Ⅳ. 소화관의 초음파 검사   **143**

01. 소화관   143

Ⅴ. 표재성 장기의 초음파 검사   **150**

01. 갑상선   150

02. 유방   154

Ⅵ. 기타   **156**

01. 횡격막 각   156

02. 척추   157

제3편 초음파의 진단

4장 간(Liver)　160

01. 간경변증(Liver Cirrhosis)　160
02. 간세포암(Hepatocellular Carcinoma)　174
03. 간담관암(Hepatocholangiocarcinoma)　185
04. 전이성 간암(Metastatic Liver Carcinoma)　186
05. 간혈관종(Liver Hemangioma)　190
06. 간낭종(Hepatic Cyst)　196
07. 다낭성간(Polycystic Liver)　199
08. 지방간(Fatty Liver)　200
09. 불규칙 지방간(Irregular Fatty Liver)　202
10. 간내담관결석(Hepatolithiasis)　204
11. 간내 석회화(Intrahepatic Calcification)　205
12. 간내 문맥소근(Intrahepatic Radicle)　206
13. 간울혈(Liver Congestion)　207
14. 간염(Hepatitis)　208
15. 간농양(Hepatic Abscess)　210
16. 간내담관확장(Dilatation of Intrahepatic Bile Duct)　211
17. 담도기종(Pneumobilia)　212
18. 간의 여러 형태　213
19. 간 혈관의 기형　216
20. 간의 정상적인 위축　217

5장 담낭, 총담관(Gallgladder, Common Bile Duct)　218

01. 담낭 묘출의 기교　218
02. 담낭 담석증(Gallbladder Stone)　219
03. 급성담낭염(Acute Cholecystitis)　240
04. 만성담낭염(Chronic Cholecystitis)　241
05. 담니(膽泥, Bile Sludge)　242
06. Comet Tail Echo　244
07. 선근종증(Adenomyomatosis)　245
08. 담낭의 융기성 병변(Polypoid Lesion of the Gallbladder)　247
09. Cholesterol Polyp　250
10. 담낭암(Cancer of the Gallbladder)　251
11. 담낭의 선천적 기형(Congenital Anomalies of the Gallbladder)　253

12. 담낭벽의 비후   255
13. 총담관 결석증(Choledocholithiasis)   255
14. 총담관암(Cancer of the Common Bile Dict)   257

6장 췌장(Pancreas)   258

01. 췌장 묘출의 기교   258
02. 급성췌장염(Acute Pancreatitis)   259
03. 만성췌장염(Chronic Pancreatitis)   260
04. 췌석증(Pancreatolithiasis)   261
05. 췌장암(Pancreatic Cancer)   262
06. 췌장 낭종(Pancreatic Cyst)   265
07. 인슈리노마(Insulinoma)   267
08. 췌장 실질 에코의 변화   268
09. 췌장 종양을 의심하게 하는 경우   269

7장 신장(Kidney)   272

01. 단순성 신낭종(Simple Renal Cyst)   272
02. 다낭성신(Polycystic Kidney)   276
03. 신결석(Renal Stones)   278
04. 수신증(Hydronephrosis)   280
05. 신장암(Renal Cell Carcinoma)   285
06. 신우종양(Renal Pelvic Tumor)   286
07. 전이성 신종양(Metastatic Renal Tumor)   288
08. 가성종양(Pseudotumor)   289
09. 중복신우(Duplex Renal Pelvis)   292
10. 신혈관근지방종(Renal Angiomyolipoma)   293
11. 신결핵(Renal Tuberculosis)   294
12. 신경색(Renal Infarction)   295
13. 급성신부전(Acute Renal Failure)   296
14. 만성신부전(Chronic Renal Failure)   297
15. 신동맥류(Renal Aneurysm)   298
16. 신장석회침착증(Nephrocalcinosis)   299
17. 신장 기형   299
18. 부신낭종(Cyst of Adrenal Gland)   302

8장 비장(Spleen)   304

01. 비장의 계측 방법과 비장 종대   304
02. 비장 종대의 원인   304
03. 악성 림프종(Malignant Lymphoma)   307
04. 부비(Accessory Spleen)   308
05. 비장내 석회화(Splenic Calcification)   309
06. 비장낭종(Splenic Cyst)   310

9장 자궁(Uterus)   312

01. 정상 자궁의 크기와 형태의 변화   312
02. 자궁내막의 주기적 변화   314
03. 자궁 위치의 이상   318
04. 자궁내 피임 장치(Intrauterine Contraceptive Device: IUCD or IUD)   320
05. 자궁근종(Uterine Myoma, Fibro-myoma, Fibroid)   323
06. 자궁선근증(Uterine Adenomyosis)   329
07. 자궁내막증식증(Endometrial Hyperplasia)   330
08. 나보트 란(Naboth's Ovule)   331
09. 질 낭종(Vaginal Cysts)   333
10. 자궁 발육 부전   334
11. 자궁하수증   335
12. 선천성 자궁 기형   336
13. 자궁내막의 이상(The Abnormal Endometrium)   338
14. 자궁암   339
15. 산욕기(産褥期)의 관리 미흡으로 인한 자궁의 형태 변형   340
16. 자궁이 보이지 않을 경우   341

10장 난소(Ovary)   342

01. 난소의 주기적 변화   342
02. 난소 종양(Ovarian Masses)   345
03. 비종양성 난소낭종(Non-neoplastic Ovarian Cyst)   345
04. 종양성 난소낭종(Neoplastic Cyst)   349
05. 난소암(Ovarian Cancer)   352
06. 배란 유발제에 의한 난소 과잉 자극 증후군(Ovarian Hyperstimulation Syndrome) 354
07. 급성골반염(Acute Pelvic Inflammatory Disease)   355
08. 난관수종증(Hydrosalpinx)   356

11장 산과(Obstetrics) — 358

01. 초기 임신의 초음파 상 — 358
02. 태아의 Routine Study — 368
03. 정상 태아의 해부(Normal Fetal Anatomy) — 376
04. 자궁 수축(Uterine Contractures) — 388
05. 쌍태아(Twins) — 389
06. 유산(Abortion) — 390
07. 고사란(Blighted Ovum) — 392
08. 뇌수종(Hydrocephalus) — 394
09. 두피 부종(Scalp Edema) — 397
10. 전신 부종(General Edema) — 397
11. 포상기태(Hydatidiform Mole) — 398
12. 자궁외임신(Ectopic Pregnancy) — 399
13. 초기의 전치태반(Early Placenta Previa) — 400
14. 자궁근종과 임신 — 401
15. 산욕기의 자궁 — 402
16. 수신증(Hydronephrosis) — 403
17. 임신 초기의 약물 복용 — 404

12장 심장(Heart) — 406

01. 심낭수종증(Hydropericardium) — 406
02. 승모판 협착증(Mitral Stenosis) — 408
03. 대동맥판 폐쇄부전(Aortic Incompetence) — 410
04. 대동맥판 협착증(Aortic Stenosis) — 411
05. 인공심장판막(Prosthetic Cardiac Valve) — 412
06. 좌심실류(Light Ventricular Aneurysm) — 412
07. 부정맥(Arrhythmia) — 413
08. 심방세동(Atiral Fibrillation) — 413

13장 소화관(Gastro-Intestinal System) — 414

01. 급성위염(Acute Gastritis) — 414
02. 위암(Gastric Cancer) — 416
03. 위궤양(Gastric Ulcer) — 417
04. 만성위염(Chronic Gastritis) — 419
05. 위하수(Gastroptosis) — 420

06. 십이지장 궤양(Duodenal Ulcer)   421

07. 유문 협착(Pyloric Stenosis)   422

08. 대장암(Large Bowel Cancer)   423

09. 크론씨병(Crohn's Disease)   424

14장 기타   426

01. 유방암(Mammary Carcinoma)   426

02. 유선낭종증(Cyst of the Mammary Gland)   429

03. 유선 섬유선종(Fibroadenoma of the Mammary Gland)   430

04. 갑상선종(Goiter)   432

05. 바제도우씨 병(Basedow's Disease)   433

06. 갑상선암(Thyroid Carcinoma)   434

07. 갑상선결석증(Stone of the Thyroid Gland)   434

08. 갑상선낭종증(Cyst of the Thyroid Gland)   435

09. 육종(Sarcoma)   436

10. 전립선암(Prostatic Carcinoma)   438

11. 전립선비대증(Prostatic Hypertrophy)   439

12. 전립선결석(Prostatic Stone)   440

13. 전립선낭종(Prostatic Cyst)   440

14. 방광 낭종증(Cyst of the Bladder)   441

15. 방광결석(Cyst of the Bladder)   441

16. 음낭수종(Hydrocele)   442

17. 요도게실(Urethral Diverticulum)   443

18. 림프절암(Carcinoma of Lymph Node)   444

19. 림프절 전이(Lymphadenopathy)   445

20. 림프절염(Lymphadenitis)   446

21. 대동맥류(Aortic Aneurysm)   447

22. 근육내혈종   448

23. 흉수(Pleural Effusion)   449

참고문헌   452

찾아보기   454

Index   464

제1편
초음파의 원리

01 초음파의 원리

01 초음파의 원리

01 초음파(Ultrasound)

인간은 인체의 자극에 대해 느낄 수 있는 감각(sensation)과 감각의 세기나 시간의 경과 등을 구별할 수 있는 능력인 지각(perception)을 인지(awareness)함으로써 내부와 외부의 환경에 적응해 가고 있다.

보통의 감각인 오감(五感)중에서 청각은 소리(음파)를 느낀다. 인간이 귀로 들을 수 있는 소리의 주파수(가청 주파수)는 20~20,000Hz이다. 20,000Hz보다 높은 주파수를 가진 음파를 초음파(ultrasound)라 부르며 이는 귀로 들을 수 없다. 돌고래나 박쥐는 초음파를 느끼는 감각능력이 있다. 그들은 알고자 하는 대상을 향해 초음파를 발생시켜 보낸 후 되돌아오는 초음파(echo)를 인지하여 사물의 존재를 알아낸다(그림 1-1). 종(鍾)을 치면 소리가 사방으로 울려 퍼져 나가듯이 낮은 주파수를 가진 음파에서는 일정한 방향성 없이 모든 방향으로 퍼져 간다(그림 1-2). 그러나 높은 주파수를 가진 음파일수록 일정한 방향성을 가지므로 사람들은 이것을 이용하여 발전시켜 인체의 진단에 사용하기 시작하였다.

초음파 진단법이란 인체의 체표에서 초음파를 발생시키면 음향저항(acoustic impedance)의 차이가 있는 인체 조직, 즉 밀도나 경도의 차이가 있는 인체 조직에서 초음파를 반사하는 물리적 특성을 이용하여, 반사된 초음파의 메아리(echo)를 탐지하고 영상화함으로써 시각화하여 그 안의 내용물의 성상(nature)을 알아내는 것을 말한다.

복부 진단용 초음파는 1~6MHz(1MHz=106Hz), 표재성 장기에는 6~24MHz의 주파수를 갖는다. 초음파는 인체의 복부장기(abdominal organ)와 연부조직(soft tissue)에서는 잘 전달되지만 폐나 위장계통(gastrointestinal system)과 같이 공기로 가득 차 있는 기관이나 뼈(bone)에서는 잘 전달되지 않는다.

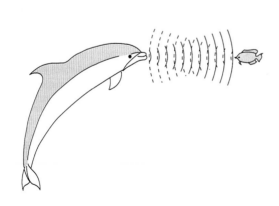

그림 1-1. 돌고래는 초음파를 사용하여 사물의 존재를 인지한다.

그림 1-2. 종을 치면 모든 방향으로 음파가 전달된다.

02 초음파의 발생과 수신의 원리

1917년에 랑게빈(Langevin)이 처음으로 고주파 전류에 석영(quartz) 결정을 진동시켜 초음파를 발생시켰다. 양면에 은의 전극이 붙어 있는 석영을 수십℃의 고온절연유에 담그고 전극 간에 직류 고전압을 수시간 가해서 분극 처리를 실시하면 압전성이 생긴다. 이러한 석영 조각의 양면에 전류가 공급될 때 본래의 두께보다 확장하거나 수축하면서 초음파를 발생한다. 이러한 현상(phenomenon)을 압전 효과(piezoelectric effect)라 부르며 이러한 특성을 가진 물질을 압전자(또는 진동자, piezoelectric element)라 부른다(그림 1-3). 이 압전효과는 1880년 Curie형제가 발견하였다.

초음파의 주파수는 진동자(transducer) 본래의 두께에 따라서 일정하게 정해지며 전류가 가해질 때 일정한 주파수의 초음파가 발생된다. 이와 반대로 진동자는 외부로부터 기계적 에너지(초음파)를 가해서 진동시키면 전류를 발생시킨다. 그러므로 진동자는 초음파를 발생시키고 수신하는 두 가지의 기능을 함께 갖고 있다(그림 1-4). 진동자는 일반적으로 지르콘산염(zirconate), 티탄산(titanate)으로 대표되는 세라믹(ceramic) 물질로 만들어지며 또한 더 새로운 압전자가 개발되어지고 있다. 초음파 검사시에 검사자 손에 잡고 조작하는 탐촉자(probe)의 선단에는 이 진동자가 있어 초음파의 발신과 수신(transmission and reception)을 번갈아 하고 있다.

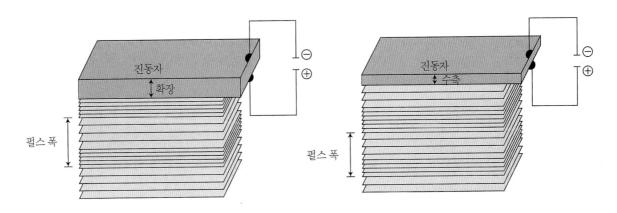

그림 1-3. **압전효과(piezoelectric effect)와 초음파의 발생**

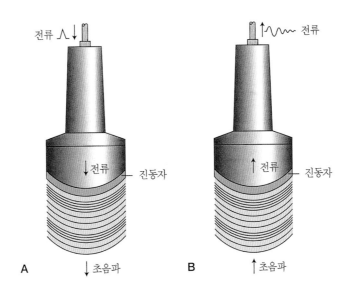

그림 1-4. **초음파의 발신(A)과 수신(B)**

03 초음파의 전달

초음파는 물질을 통한 역학적인 진동(mechanical vibration)의 전달이다. 외부의 진동자에 의해 발신된 진동은 순차적 운동이고 열진동처럼 무작위가 아니다. 표면의 소입자(particles)가 움직이자마자 그것에 인접한 소입자의 실제 힘이 변하므로 이 소입자들 또한 움직이기 시작한다(그림 1-5). 이러한 방법으로 역학적인 진동은 물질을 통해 매우 빠르게 지나간다.

인체 연부조직(soft tissue)을 매질로 한 초음파의 평균 진행 속도는 1,540m/sec이다. 여러 장기의 속도 값이 다르지만(표 1-1) 평균 속도의 10% 내에 있기 때문에 1,540m/sec의 속도는 매우 합리적이라고 볼 수 있다.

초음파의 전달 방법에는 연속파법과 펄스파법이 있다.

연속파법은 연속적으로 초음파를 발신하고 수신하는 방법을 말한다. 초음파를 연속적으로 발신하기 위하여 발신하는 진동자(transducer)와 수신하는 진동자가 분리되어 있다. 두 개로 분리된 진동자는 약간 안쪽으로 경사지게 설치하여 발신된 초음파와 수신될 초음파가 중복되게 만들어져 있다(그림 1-6A).

펄스파법은 짧은 펄스상 초음파를 이용하여 발신과 수신을 하나의 진동자에서 반복적(5,000~50,000r/sec)으로 수행하는 방법을 말한다. 하나의 진동자에서 펄스파를 짧은 시간(1μsec 정도) 동안만 진동하여 발신하고 그 다음 펄스파를 발신할 때까지의 시간 동안 반사되는 초음파를 수신한다(그림 I-6B). 인체 내의 초음파 전달 속도가 1,540m/sec이기 때문에 10cm 전달되는 시간은 65μsec가 걸리고, 반사되어 진동자에 돌아오는 시간까지 합하면 130μsec가 걸린다. 즉 초음파를 발신 직후부터 130μsec까지 반사된 초음파를 수신하면 10cm의 사이에 있는 모든 반사된 물체의 성상을 알 수 있는 것이다. 이와 같은 방법으로 펄스파법은 방위와 시간(거리)으로 반사체의 위치와 형태를 알아낼 수 있는 것이다.

담즙, 소변, 복수, 흉막액, 눈의 유리체(vitreous), 낭종 등과 같은 액체에서는 초음파 빔(beam)의 세기(intensity)가 손실 없이 잘 전달된다. 간, 비장, 췌장, 자궁, 신장 등과 같은 연부조직으로 구성된 장기에서는 매질의 종류에 따라 초음파 빔의 세기가 약간의 손실을 가지나 잘 전달된다. 뼈(bone), 공기(air), 지방(fat)은 초음파 빔의 진행을 방해하거나 지연시켜 전달되기 어렵게 하기 때문에 이들을 초음파의 3대 적(敵)이라 한다. 초음파 빔의 세기 감소는 초음파 빔이 전달되는 과정에서 일어나는 흡수(absorption), 반사(reflection), 산란(scatter)이 있기 때문이다. 초음파 진단의 기교 중에 초음파의 3대 적을 피하고 초음파를 잘 전달시키는 액체 및 연부조직을 통해 초음파 빔을 전달시켜 관찰하는 것을 음향창(acoustic window)을 이용한다고 말한다. 즉 음향창이란 음향의 전달을 잘되게 하는 중간매체라는 뜻이다.

주파수는 1초당 진동하는 수를 말한다. 초음파는 주파수가 높을수록 생체 내에서 흡수되기 쉬우므로 먼거리까지 도달하지 못한다. 이런 이유 때문에 1~6MHz의 주파수는 복부 진단용에 사용하고, 6~24MHz의 주파수는 표재성 장기에 사용한다.

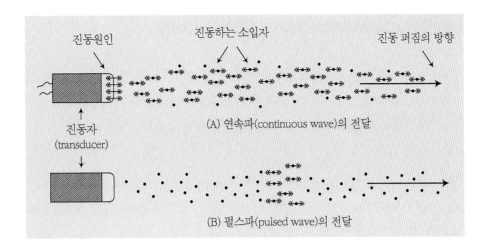

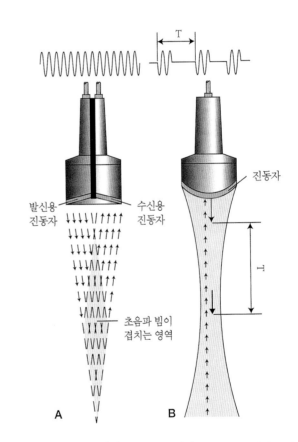

그림 1-5. **연속파(A)와 펄스파(B) 소리 진동의 전파**

표 1-1. **일반적 물질에서의 초음파의 속도와 음향저항 W.N.**

McDicken의 data.

음향저항은 물질의 밀도(density)가 알려지지 않은 곳에서는 계산될 수 없다.

Material	Speed(m/s)	Acoustic impedance (g/cm²s)
Amniotic fluid	1510	
Aqueous humour	1500	1.50×10^5
Air(NTP)	330	0.0004×10^5
Blood	1570	1.61×10^5
Bone	3500	7.80×10^5
Brain	1540	1.58×10^5
Cartilage	1660	
Castor oil	1500	1.43×10^5
CSF	1510	
Fat	1450	1.38×10^5
Kidney	1560	1.62×10^5
Lens of eye	1620	1.84×10^5
Liver	1550	1.65×10^5
Muscle	1580	1.70×10^5
Perspex	2680	3.20×10^5
Polythene	2000	1.84×10^5
Skin	1600	
Soft tissue(average)	1540	1.63×10^5
Tendon	1750	
Tooth	3600	
Vitreous humour	1520	1.52×10^5
Water(20℃)	1480	1.48×10^5

그림 1-6. **연속파법(A)과 펄스파법(B)의 초음파 전달과 수신 방법**

A 연속파법은 2개의 진동자(transducer)를 가지고 각각 초음파를 전달과 수신한다. 전달용 진동자는 연속적으로 초음파를 전달하고, 수신용 진동자는 연속적으로 초음파를 수신한다.

B. 펄스파법은 하나의 진동자를 가지고 발신과 수신을 교대로 한다. 진동자는 짧은 순간의 펄스상 초음파를 발신한 후 일정한 시간(T)이 경과한 후에 다시 펄스상 초음파를 발신할 때까지의 시간에 초음파를 수신한다.

반사(Reflection), 굴절(Refraction), 산란(Scatter)

초음파 빔은 같은 음향저항(acoustic impedance)을 가진 조직에서 직진하며, 같은 음향저항의 조직으로부터 다른 음향저항의 조직으로 지나갈 때 빔의 일부가 반사되고 나머지는 투과하거나 굴절된다.

1. 반사(reflection)는 초음파 빔의 파장(wave length)보다 더 큰 평탄한 면을 필요로 한다. 음향저항의 차이가 있는 반사체가 입사되는 초음파 빔에 직각으로 있을 경우 빔의 입사각과 같은 방향으로 반사가 많이 일어난다. 탐촉자(probe)로 돌아오는 빔의 양이 많기 때문에 초음파 상(ultrasonographic image)이 명료하게 나타난다.

2. 굴절(refraction)이란 음향저항이 있는 반사체가 입사하는 초음파 빔에 대하여 경사져 있을 때 빔의 방향이 구부러지는 현상을 말한다. 탐촉자로 돌아오는 빔의 양이 적기 때문에 초음파 상에도 명료함이 적다.

3. 산란(scatter)이란 초음파 빔이 그 빔의 파장보다 불규칙하거나 작은 면을 가진 반사체에 부딪칠 때 초음파 빔이 여러 방향으로 흩어지는 것을 말한다. 빔의 일부가 초음파 상 형성에 도움을 준다.

Scan된 조직이나 장기의 윤곽은 반사에 의해 결정되고 내부 에코 패턴(internal echo pattern)은 산란에 의해서 중점적으로 결정된다.

05 에코강도(Echogenicity)

같은 음향저항을 가진 조직으로부터 다른 음향저항의 조직으로 초음파가 지나갈 때 초음파의 반사되어지는 정도를 에코강도(echogenicity)라 한다.

표 1-2는 에코의 유무와 정도에 따른 용어구분을 설명한 것으로 여기에는 반사가 없는 무에코(anecho), 반사강도가 낮은 저에코(hypoecho), 주위 조직과 병소의 반사강도가 비슷한 동등에코(isoecho), 병소의 변성과 괴사(degeneration and necrosis)가 정상 조직과 혼재되어 반사강도가 다양하게 나타난 혼합에코(mixed echo), 반사강도가 높은 고에코(hyperecho)가 있다.

동일한 구조를 가진 에코형태를 동질의 에코형태(homogeneous echo pattern)라 하고 균질하지 않으며 서로 다른 구조를 가진 에코형태를 이질의 에코형태(heterogeneous echo pattern)라 한다.

이러한 것들은 반사되어지는 반사체의 성상(nature)을 알 수 있는 중요한 진단적 자료가 된다.

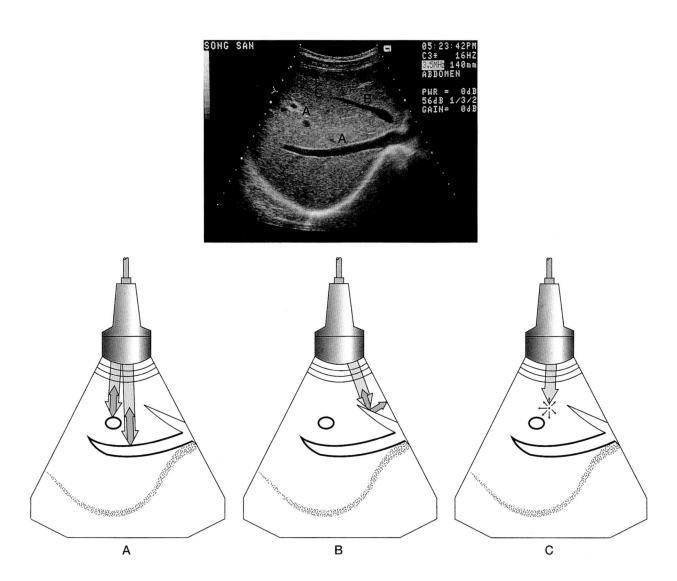

그림 1-7. 늑궁하 주사(subcostal scan)에서 볼 수 있는 간내 구조물이 초음파의 반사(A), 굴절(B), 산란(C)으로 인하여 밝기의 정도가 다름을 잘 보여주고 있다.

A. 반사체가 입사하는 초음파 빔에 직각일 때 빔의 입사각과 같은 방향으로 많은 양의 초음파 빔이 반사되어 고에코로 나타난다. B. 반사체가 입사하는 초음파 빔의 방향에 경사져 있을 때 일부의 빔은 반사되고 나머지 빔은 굴절하거나 투과하여 진행한다. A보다는 약한 에코로 나타난다. C. 반사체가 초음파 빔의 파장보다 작을 때 초음파 빔은 모든 방향으로 흩어진다.

표 1-2. 에코강도(echogenicity)의 구별

무에코	저에코	동등에코	고에코
cystic	hypo echo	iso echo	hyper echo
anechoic	hypo echoic	iso echoic	hyper echoic
echo free	low echo		echoic
sonolucent			echogenic
			strong echo

06 진동자의 Q-Factor (Quality Factor of Transducer)

진동자(transducer)가 초음파를 발신할 때에 항상 일정한 주파수를 발신하는 것은 아니다. 예를 들면 3.5MHz를 발신하는 진동자는 2.5~4.5MHz를 발신하는데 이와 같은 범위를 대역폭(bandwidth)이라고 한다. 진동자에는 대역폭이 좁아 주파수 변동이 적은 균질한 초음파를 발신하는 것과 대역폭이 넓어 주파수 변동이 많은 비균질한 초음파를 발신하는 것이 있다. 이것을 초음파의 Q-factor라고 부른다. Q-factor가 높으면 대역폭이 좁아 주파수 변동이 적은 균질한 초음파를 발신하는 것을 말하고, Q-factor가 낮으면 대역폭이 넓어 주파수 변동이 많은 비균질한 초음파를 발신하는 것을 말한다. 진동자에 짧은 전압을 주면 진동하여 초음파를 발신하다가 진동을 멈추게 된다. 진동자가 진동하여 멈출 때까지의 시간을 여운시간(ring down time)이라 하는데 Q-factor가 높으면 여운시간은 길고 Q-factor가 낮으면 여운시간은 짧다. 연속파법에서는 진동자가 계속적으로 초음파를 발신하기 때문에 여운시간은 상관없고 Q-factor가 높아 대역폭이 좁은 진동자가 좋다. 펄스파법에서는 많은 펄스를 반복하기 때문에 여운시간이 길면 수신에 방해되기 때문에 Q-factor가 낮더라도 여운시간이 짧은 진동자의 사용이 좋다.

07 분해능력(Resolution)

인접해 있는 서로 다른 두 개의 작은 물체를 구별할 수 있는 능력을 분해능력(또는 분해능, resolution)이라 한다. 분해능력은 초음파 장치(ultrasonographic equipment)의 성능을 좌우하는 중요한 요소이다.

분해능력(resolution)에는 거리분해능(axial resolution)과 측방분해능(lateral resolution)의 두 가지 유형이 있다.

1. 거리분해능(axial resolution)은 초음파 빔의 진행 방향에 있는 서로 다른 두 개의 작은 물체를 구별하는 능력이다(그림 1-8A). 이것은 진동자로부터 거리에 따른 구별을 뜻하며 펄스 폭(pulse duration)에 의해 결정된다. 초음파의 주파수가 2.25 MHz인 것은 0.68mm, 3.5MHz는 0.44mm, 5.0MHz는 0.31mm, 10MHz는 0.15mm의 파장을 가진다. 초음파의 펄스 폭은 몇 개의 파장으로 이루어져 있기 때문에(그림 1-9) 3.5MHz 주파수에 대한 거리분해능은 대략 1mm이다. 주파수가 높을수록 파장이 짧아지기 때문에 따라서 펄스 폭도 짧아져 거리분해능이 향상된다.

2. 측방분해능(lateral resolution)은 초음파 빔의 진행에 직각으로 있는 서로 다른 두 개의 작은 물체를 구별하는 능력이다(그림 1-8B). 빔의 진폭(amplitude)이 가늘수록 구별 능력이 향상된다. 이를 위해 음향렌즈(acoustic lens)와 전자집속(electronic focusing) 등이 이용된다.

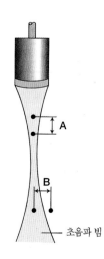

그림 1-8. **초음파의 분해능력. 거리분해능 (A)과 측방분해능(B)**

(A)는 주파수에 따라 (B)는 진폭에 따라 구별 능력이 향상된다.

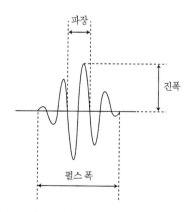

그림 1-9. **초음파의 펄스 폭은 몇 개의 파장으로 이루어져 있다.**

08 집속(Focus)

진동자에서 방출된 초음파 빔의 폭과 모양은 진동자의 크기와 모양에 따라 정해진다. 그러나 진동자에서 방출된 어떤 크기와 모양을 가진 초음파 빔일지라도 어느 정도의 거리를 지나면 폭이 확장한다(그림 1-10A). 이러한 초음파 빔의 확장은 분해능력을 저하시켜 좋은 해상도를 얻지 못한다. 그러므로 폭이 좁고 확장이 적게 되는 초음파 빔을 만들면 좋은 해상도의 상(image)을 얻을 수 있게 된다. 이와 같이 좋은 해상도를 얻기 위해 폭이 좁고 확장이 적게 되는 초음파 빔을 만드는 방법을 집속(focus)이라 한다.

진동자로부터 거리가 멀어짐에 따라서 초음파 빔의 직경이 감소하는 초음파 빔의 영역을 근거리영역(near field) 또는 근거리음장(near zone)이라 한다. 근거리영역을 지나면서 초음파 빔의 직경이 증대되며 확장하는 영역을 원거리영역(far field) 또는 원거리음장(far zone)이라 한다. 초음파 빔에서 최소의 직경 또는 면적을 이루는 부분을 집속영역(focal region)이라 부르며 진동자면에서 집속영역까지의 거리를 초점거리(focal length)라 부른다.

집속(focus)은 근거리음장을 좁고 길게 만드는 것을 말한다. 여기에는 오목한 면을 가진 진동자를 사용하는 방법과 음향렌즈를 이용하거나 전자집속방식을 사용하는 방법이 있다(그림 1-10B, C, D). 이러한 여러 가지 집속방법도 초음파 빔을 집속영역(focal field)에서 집속시키나 집속영역 뒤에서는 확장하며 퍼져간다. 그러므로 집속영역 이외의 비집속영역에서는 해상도가 떨어지게 된다. 이러한 단점을 보완하기 위하여 전자집속방법에서는 초점거리를 여러 개로 맞출 수 있도록 개발되어 해상도가 높아지고 있다. 이것을 dynamic focusing 또는 combination focusing이라 한다.

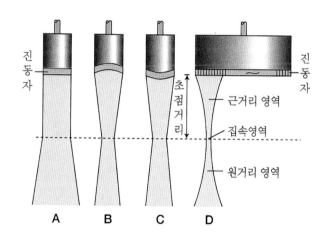

그림 1-10. **초음파의 집속**

　　　A. 평탄한 진동자의 사용, B: 오목한 진동자의 사용,
　　　C: 음향 렌즈의 사용, D: 전자집속방법의 이용.

　　　B, C, D는 초음파 빔의 집속을 위하여 사용된다.

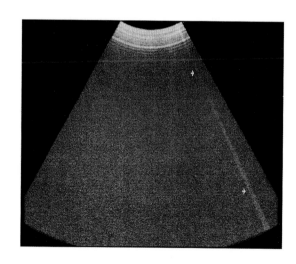

그림 1-11. **초음파 빔은 집속영역에서 폭이 좁아지고 집속영역 뒤에서 폭이 넓어지는 것이 관찰된다.**

1) 음향렌즈(Acoustic Lens)

음향렌즈는 음속(velocity of sound)을 지연시키는 볼록한 실리콘 고무로 만들어져 탐촉자(probe) 선단에 장치되어 있다. 볼록한 중앙 부분이 양측 가장자리보다 두껍기 때문에 초음파가 음향렌즈를 통과하는 시간이 길어지게 된다. 결과적으로 탐촉자 선단에서 방출되는 초음파가 양측 가장자리보다는 중앙 부분에서 지연되기 때문에 중앙 쪽으로 집속(focus)이 이루어진다. 이것이 음향렌즈를 이용한 집속 방법이다(그림 1-12A).

2) 전자집속(Electronic Focusing)

전자 scanner의 진동자는 여러 개의 미소진동자로 구성되어 있다. 미소진동자는 대단히 작아서 하나의 진동자에서 발신되는 초음파는 구면체로 넓어지기 때문에 진단에 이용할 수 없다(그림 1-13A). 여러 개의 작은 미소진동자를 선상에 놓고 하나의 집단(group)으로 구동시키면 구면파의 선단이 합쳐져서 평면 파형이 생기며 직진하게 된다(그림 1-13B).

음향렌즈의 경우 초음파가 중앙 부위에서 지연되어 방출되면 중앙으로 집속이 발생되는 원리와 같이 전자 scanner에서 여러 미소진동자 집단(group) 중에 중앙의 미소진동자를 가장자리의 미소진동자보다 비교적 늦게 구동시키면 이 집단의 초음파는 폭이 좁은 빔의 형태로 중앙에 집속된다(그림 1-12B, C).

만일 각각의 미소진동자마다 구동 시간을 변화시켜 초음파 빔을 방출시킨다면 집속거리(focal distance)뿐만 아니라 빔의 방향(direction)도 변하게 할 수 있다. 미소진동자 집단 중에 가장자리에 있는 미소진동자를 가장 늦게 지연시켜 구동시킨다면 가장 늦게 구동된 쪽으로 초음파 빔이 기울어져 집속된다(그림 1-14).

이것이 전자집속방법이다.

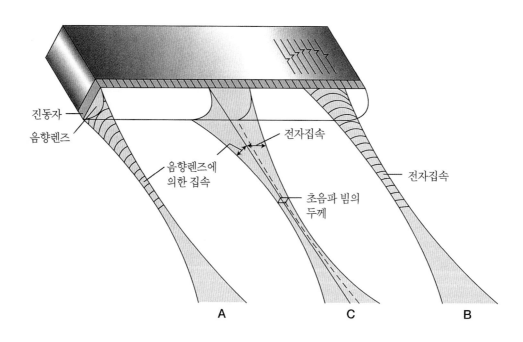

그림 1-12. **음향렌즈(A)와 전자집속(B)**

한 줄기의 초음파 빔은 탐촉자의 단축과 장축에서 형성된 3차원의 입체적인 모양을 하고 있다. 음향렌즈는 탐촉자의 단축 방향에서 초음파 빔을 집속시키고(A), 전자집속은 탐촉자의 장축방향에서 초음파 빔을 집속시킨다(B). 음향렌즈와 전자집속으로 인하여 초음파 빔은 입체적으로 집속된다(C). 이것이 TV monitor에 나타날 때는 2차원적인 평면으로 압축되어 나타난다. 만일 두 개의 집속방법 중에 하나라도 없다면 분해능력은 저하된다.

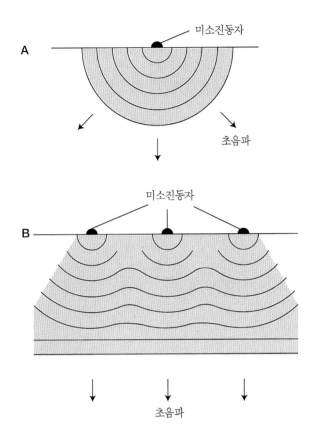

그림 1-13. **구면파(A)와 평면파(B)**

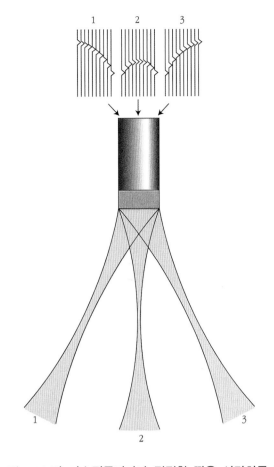

그림 1-14. **각 미소진동자마다 적절한 짧은 시간치를 두고 모든 진동자를 한꺼번에 구동시키면 초음파 빔의 방향이 변한다(steering). 이 방법은 sector electronic focusing에서 많이 사용한다.**

11

09 전자주사의 원리(Principle of Electronic Scanning)

　전자주사는 전자제어방식으로 여러 개의 미소진동자 집단을 구동하여 하나의 초음파 빔을 형성하고, 미소진동자 집단을 순차적으로 구동시켜 실시간(real time)으로 영상화하는 것을 말한다.

　탐촉자(probe) 선단의 내부에는 얇고 작은 직사각형의 미소진동자가 차례로 나란히 배열되어 있다. 보편적으로 사용되는 선상으로 배열된 진동자 면의 길이는 대개 8cm이다. 그리고 그 안에는 약 60~130개의 미소진동자가 배열되어 있다. 만일 10개의 미소진동자 집단이 구동하여 하나의 빔을 형성한다면 순차적으로 1~10번, 2~11번, 3~12번, …… 121~130번까지 구동할 수 있다. 이러한 결과로 130개의 미소진동자에 상응하는 121개의 초음파 빔이 폭 8cm 안에 형성된다. 그러므로 8cm 안에 130개의 미소진동자를 구동시켜 121개의 해상선을 갖는 2차원적 단면상(2-dimensional image)을 형성하게 된다(그림 1-15).

　1~10번부터 121~130번까지의 미소진동자 집단을 순차적으로 구동시켜 초음파를 발신하고 수신하는 데 약 1/30초의 시간이 걸렸다면 1초에 약 30장의 초음파 상(ultrasonographic image)이 만들어져 실시간(real time)으로 모니터에 영상화할 수 있다. 이와 같은 실시간의 실현으로 신체내 장기의 움직임이 모니터에 시간의 지연 없이 나타나게 되었다.

　전자주사는 여러 개 진동자의 배열로 이루어진다. 진동자의 배열에는 직사각형의 미소진동자를 선상으로 배열한 선상 배열(linear array), 정방형 또는 이차원적으로 배열한 면상 배열(area array), ring 모양의 동심원상으로 배열한 환상 배열(annular array) 등이 있다.

　선상 배열에는 선상 스위치 배열(linear switched array, simply linear array, linear-sequenced array)과 선상 위상차 배열(linear phased array)이 있다. 내개 선상 스위치 배널을 난순히 선상 배열(linear array)이라 부르며, 선상 위상차 배열을 위상차 배열(phased array)이라 부른다. 선상 스위치 배열이나 선상 위상차 배열의 전자주사방식은 여러 개의 미소진동자 집단을 순차적으로 구동하여 실시간으로 영상화할 수 있다는 것은 같으나,

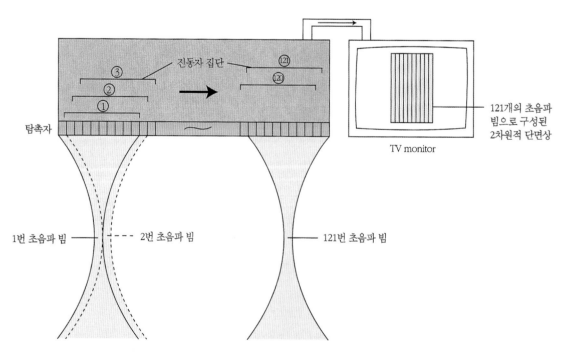

그림 1-15. **선상 배열 방식의 원리**

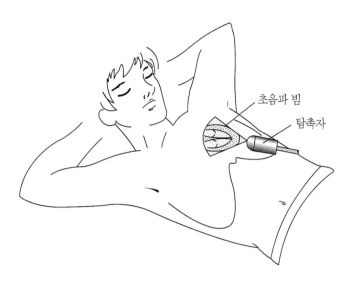

초음파 빔

탐촉자

그림 1-16. **위상차 배열 방식인 sector electronic scanner. 체표 부근의 근거리 음향창이 작기 때문에 늑골을 피하여 심장을 관찰하기에 적당하다.**

선상 스위치 배열은 여러 개의 미소진동자 집단을 지연시간 없이 단순히 구동하기 때문에 집속이나 빔의 방향을 조정할 수 없다.

위상차 배열에서는 각각의 미소진동자마다 지연시간을 약간 달리하여 구동하기 때문에 초음파 빔의 집속과 방향을 바꿀 수 있다(그림 1-14, 1-15). 이것을 위해서는 정확한 시간을 산출하기 위한 정밀하고 복잡한 전기적 회로와 더 작은 미소진동자를 사용해야 되기 때문에 고가의 장치에 속한다. 위상차 배열 방식은 근본적으로 늑골(rib)을 피해 심장을 진단하려는 초음파심장조영술(echocardiography)을 위하여 만들어졌으며 sector electronic scanner에서 많이 활용하고 있다(그림 1-16). 이러한 위상차 배열 방식으로 이루어진 convex electronic scanner나 sector electronic scanner는 골반내 gas나 늑골 같은 뼈를 피하여 음향창(acoustic window)이 적은 곳에서 사용하기에 적절하다. 또한 도플러 방법에서 초음파의 빔을 사선으로 보내는 스티어링(steering)은 linear electronic scanner에서도 많이 사용하고 있다(그림 1-29).

면상 배열(area array)은 가로와 세로의 2개의 면에서 주사하여 집속하며 steering도 가능하다. 환상 배열(annular array)은 2개의 주사면에서 집속하는 것은 가능하지만 음속의 steering은 불가능하기 때문에 반드시 기계적으로 회전해야 한다.

⑩ 실시간(Real Time)

실시간(real time)이란 현장을 촬영하는 카메라와 TV 모니터를 보는 시청자 간의 시간차가 거의 없는 텔레비젼(television)의 생중계처럼 탐촉자에서 얻어진 정보가 모니터에 시간의 지연 없이 나타남을 말한다. CT의 경우처럼 주사(scanning)에 3~5초가 요구되고 이미지(image) 재현에 부가적으로 몇초에서 몇분의 시간을 필요로 하는 것은 실시간이라 하지 않는다.

탐촉자의 모든 진동자가 초음파를 발신하고 수신하는 시간은 약 1/30초가 걸린다. 그러므로 1초에 약 30장의 이미지를 구성하여 영상화할 수 있다(전자주사의 원리 참조). 초음파 장치의 실시간 실현으로 심장(heart)의 움직임, 태아의 태동과 심장 박동, 위장 계통, 혈관, 그리고 호흡 시 장기의 움직임 등을 생생하게 볼 수 있게 되었다.

11 2차원 단면상(2-Dimensional Image)

인체는 전후, 좌우, 상하를 가진 3차원적 입체구조로 이루어져 있다.

인체를 진단하기 위한 영상진단법 중에서 X-ray나 RI 영상은 3차원적인 입체공간을 2차원 평면상에 전후의 구별 없이 압축하여 나타낸다. 단층촬영법(tomography)인 CT의 출현으로 인해 인체의 입체 공간에서 단면의 상을 볼 수 있게 되어 3차원 진단이 가능해졌다. 초음파 진단도 CT와 같은 단층촬영법에 속하며 이것을 초음파 단층촬영술(ultrasonic tomography)이라 한다.

CT는 예정된 단면의 신체 내부의 기록임에 반하여 초음파 상은 원하는 모든 방향에서 단면상을 얻을 수 있다는 장점이 있다. 예정된 단면 사이에 있는 병변은 CT로 진단할 수 없을 경우에 초음파로써 진단할 수 있다. 또한 실시간의 실현으로 심장이나 태아의 움직임을 관찰하는 경우에 비침습적인 방법으로는 초음파가 가장 뛰어난 진단 방법이다.

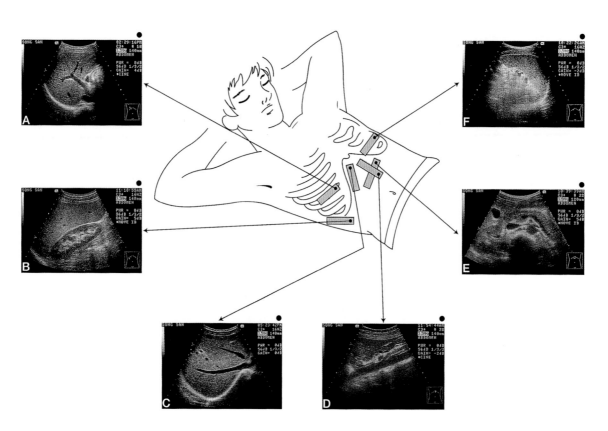

그림 1-17. **초음파 진단은 2차원 단면상으로 원하는 모든 방향에서 3차원 진단이 가능하다.**

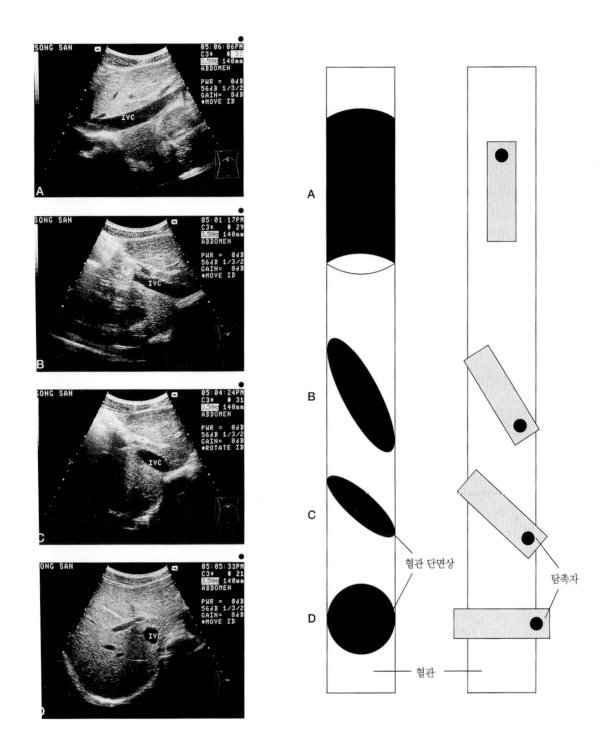

그림 1-18. 원기둥 모양의 입체적인 혈관이 초음파 빔의 방향에 따라 모양이 다르게 묘출되는 2차원적 단면상. 이 화상은 하대정맥을 기준으로 묘출하였다.

A. 혈관의 장축면에 탐촉자의 장축면을 맞추면 긴 혈관으로 관찰된다. B, C. 혈관의 장축면에서 단축면으로 탐촉자를 움직여 초음파 빔의 방향을 바꾸면 길이가 다른 타원형으로 묘출된다. D. 혈관의 단축면은 둥근 원으로 표시된다.

12 초음파 상(Ultrasonographic Image)의 표시방법

초음파를 발신하고 반사되어 수신된 초음파를 초음파 장치에서 증폭, 검파하여 모니터에 나타낸다. 모니터에 나타나는 초음파 상은 다음의 방법이 있다.

1) A-Mode(진폭 표시법, Amplitude Mode)

모니터의 시간(거리)축 상에 에코의 강도를 진폭(amplitude)의 파형 높이로 표시하는 방법이다. 반사된 에코가 강하면 진폭이 높고 약하면 낮다. 펄스 반사법의 중요한 기본형이다.

2) B-Mode(휘도 표시법, Brightness Mode)

모니터의 시간(거리)축 상에 에코 강도를 밝기(휘도, brightness)의 강약으로 표시하는 방법이다.

A-Mode에서 보이는 에코 강도에 따른 진폭의 파형 높이에 따라 진폭이 높으면 밝게 표시하고 진폭이 낮으면 어둡게 표시한다.

3) M-Mode (Motion Mode)

탐촉자를 고정시키고 움직이는 반사체의 거리를 시간적 진행으로 표시하는 방법이다. Ultrasound cardiography (UCG) 장치에 사용하여 심장 진단에 이용하고 태아 심박동을 진단할 수 있다.

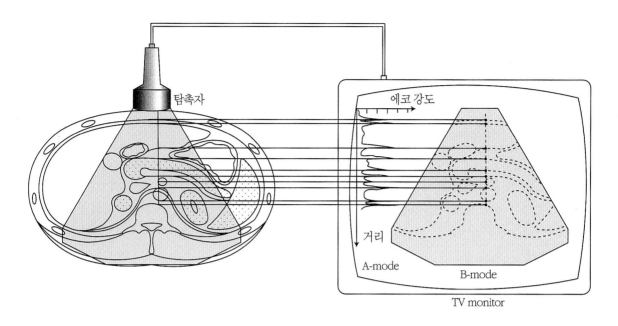

그림 1-19. **A-mode에 따른 B-mode의 초음파 상 표시방법**

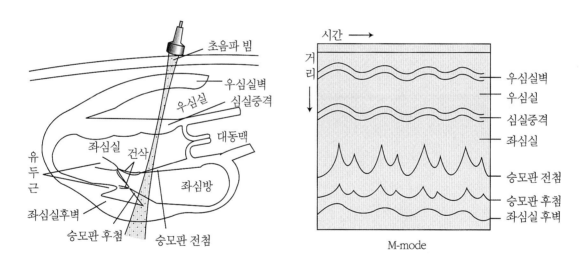

그림 1-20. **M-mode 표시방법**

17

13 도플러 방법(Doppler Method)

도플러 효과(Doppler's effect)란 어떤 물체가 움직이고 있을 때 이 운동 물체에서 반사된 음파는 그 운동 속도에 비례하여 주파수 변화를 받게 됨을 말한다. 그림 1-21에서 경음을 울리는 자동차가 속도 V로 이동할 때 자동차가 다가오는 쪽에서는 이동 속도에 의해 음파가 압축되어 높은 음으로, 사라지는 쪽에서는 이동 속도에 따라 음파가 확장되어 낮은 음으로 들린다.

초음파를 체표면에서 혈관 속으로 입사시키고 어떤 속도로 움직이고 있는 혈액(인체에서는 통상 적혈구(erythrocyte)를 지칭)에 의하여 반사된다면, 반사된 초음파는 혈류의 속도와 방향에 따라 주파수의 변화를 가지고 돌아오게 된다. 처음 발신된 초음파의 주파수와 변화되어 돌아온 초음파 주파수의 차이를 도플러 변위라 부르며, 이 도플러 변위를 측정하면 혈류의 속도를 알 수 있다(그림 1-22). 이와 같이 주파수의 변화 즉 도플러 변위를 측정하여 혈류의 속도를 알 수 있는 도플러 공식은 다음과 같다.

$$\Delta f = f \cdot v \cdot 2/c \cdot \cos\theta$$

$$v = c \cdot \Delta f / 2 \cdot \cos\theta \cdot f$$

Δf=주파수 변화(도플러 변위)

f=초음파의 주파수

v=혈류의 속도

c=인체 내부 초음파 속도(인체 내부에서는 1,540m/sec의 속도로 전파)

θ=혈류의 진행방향에 대한 초음파 빔의 입사각

초음파 진단에 사용되는 초음파의 주파수는 대개 1~24MHz를 사용하기 때문에 f 값은 검사시에 미리 결정된다. c는 인체 내부에서 1,540 m/sec라고 계산하기 때문에 2/c를 상수로 계산할 수 있다. 초음파의 방향이 혈류의 방향과 정반대일 때 즉 cos0°일 경우 +1로 최대의 positive 도플러 변위가 나타나고, 초음파의 방향이 혈류의 방향과 같을 때 즉 cos180°일 경우 −1로 최대의 negative 도플러 변위가 나타난다. 초음파의 방향이 혈류의 방향과 직각일 때 cos90°는 0이므로 도플러 변위는 일어나지 않는다. 인체의 혈액은 혈관벽으로 둘러 싸여 있다. 만일 혈관벽에 대한 초음파의 입사각이 작을 경우 혈관벽은 초음파를 전부 반사하고 통과는 전혀 없게 만든다. 이와 같이 초음파가 통과할 수 없는 각을 임계각(critical angle)이라 하며 대략 25° 이하가 된다. 또한 입사각이 cos60° 이상이 되면 cos60° 이하일 때보다 cos 값의 차이가 커지기 때문에 도플러 변위도 커지게 되어 오차기 많아진다. 이러한 이유로 도플러 검사는 30°~60°의 초음파 입사각이 가장 바람직하다. 위 공식을 보면 f, V, cosθ의 값이 커지면 Δf가 커지게 되고 f, v, cosθ의 값이 작아지면 Δf도 작아진다는 것을 알 수 있다.

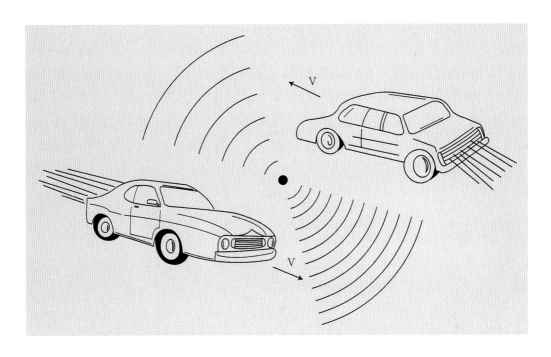

그림 1-21. 도플러 효과(Doppler's effect)

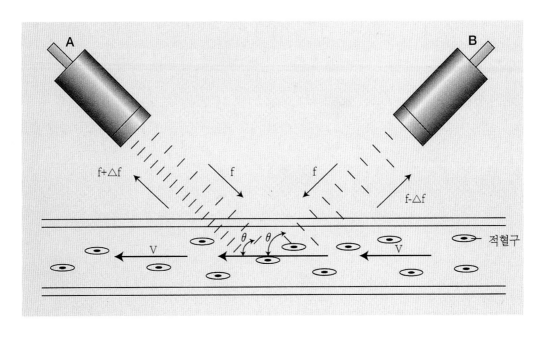

그림 1-22. 혈관 내로 초음파를 발신하면 진행하는 초음파 빔으로 다가오는 적혈구에 반사되어 수신되는 초음파는 압축되어 나타나고(A), 진행하는 초음파 빔에서 멀어지는 적혈구에 반사되어 수신되는 초음파는 확장되어 나타난다(B).

1) 연속파 도플러(Continuous-Wave Doppler)

연속파 도플러는 연속적으로 초음파를 발신하고 수신하여 도플러 변위를 알아내는 연속파법을 사용한다(그림 1-6A). 초음파를 연속적으로 발신하기 위하여 발신하는 진동자(transducer)와 수신하는 진동자를 분리하여 사용한다. 두 개로 분리된 진동자는 약간 안쪽으로 경사지게 설치하여 발신된 초음파와 수신될 초음파가 중복되게 만들었다. 이 중복부위가 검사부위가 되는 것이다. 연속적인 초음파를 발신하기 때문에 측정할 수 있는 최대 혈류 속도는 제한이 없다. 그러나 중복부위 내의 모든 혈관에서 발생되는 도플러 변위를 다 감지하게 되므로 혈관과 혈관을 구별할 수 없기 때문에 여러 중복된 도플러 변위가 혼합된 심부검사에는 부적당하다. 연속파 도플러기기는 Q-factor가 높은 진동자를 사용하기 때문에 약한 신호에도 예민하다.

2) 펄스파 도플러(Pulse-Wave Doppler)

펄스파 도플러는 짧은 순간의 펄스상 초음파를 반복적(5,000~50,000r/sec)으로 사용하여 도플러 변위를 알아내는 방법을 말한다. 펄스파 도플러에서는 필요한 도플러 변위주파수의 sample을 합성하여 변위주파수를 알아내는 sampling 방식이다. 정확한 변위주파수를 얻으려면 원하는 파형의 최고 주파수가 각 사이클당 적어도 두 개의 sample이 있어야 한다. sample을 충분히 얻지 못하면 정확한 결과를 얻지 못한다. 그러므로 sample을 얻기 위해 수신하는 주파수의 2배 이상의 펄스가 반복되어야 한다. 이와 같이 펄스의 반복되는 횟수를 펄스반복주파수(PRF, pulse repetition frequency)라고 한다. 그러므로 펄스반복주파수의 반이 넘는 주파수는 제대로 잴 수 없는 것이다. 이것을 nyquist limit라고 부르며 펄스반복주파수의 1/2이다. 변위주파수가 nyquist limit를 넘으면 aliasing이 발생된다. Spectral wave form을 모니터에 나타낼 경우 aliasing이 발생되면 꼭지점이 떨어져 나가서 엉뚱한 곳에 표시하게 된다. 이것을 없애려면 PRF를 높이거나 baseline을 바꾸면 된다(그림 1-26). 펄스파 도플러는 수신하는 주파수의 2배 이상의 펄스반복주파수가 필요하기 때문에 시간적인 제약이 따르게 된다. 그러므로 깊은 곳의 빠른 혈류의 측정에는 한계가 있을 수 있고 측정하더라도 aliasing이 생길 수 있다.

3) S-Mode (Spectrum Mode)

도플러 스펙트럼(spectrum mode)은 연속파 도플러법과 펄스파 도플러법에서 초음파 상(ultrasonographic image)의 표시 방법으로 초음파 빔을 입사하여 산란되는 혈류의 유속 범위에 의해 나타난다. 이것은 fast fourier transform을 사용하여 얻은 것이며 두 가지 형태를 모니터에 표시한다.

1. 전력과 도플러 변위

2. 도플러 변위와 전력을 가리키는 휘도가 수반된 시간

후자가 가장 흔히 사용되는 방법으로 혈류 속도와 시간으로 표시하기도 한다. Positive 도플러 변위 즉 진동자(transducer) 쪽으로 다가오는 혈류는 baseline의 위쪽에 표시하고, Negative 도플러 변위 즉 진동자(transducer)에서 멀어지는 혈류는 baseline 아래쪽에 표시한다(그림 1-23). 스펙트럼에서 밝은 부분은 주어진 시간에 대해 도플러 변위주파수가 강하게 수신되었다는 것을 의미한다. 이는 혈구의 밀도(단위 부피당 혈구수)에 비례하는 것이기 때문에 도플러 변위에 준하는 유속(속도와 방향)으로 움직이는 혈구가 많다는 것을 의미한다. 스펙트럼에서 어두운 부분은 주어진 시간에 대해 도플러 변위주파수가 약하거나 존재하지 않는다는 것을 의미한다. 이는 도플러 변위에 준하는 유속(속도와 방향)으로 움직이는 혈구가 적다는 것을 의미한다. 스펙트럼 폭이 좁으면 측정 부위에 있는 혈류의 변위주파수대가 좁다는 것이고 스펙트럼 폭이 넓으면 변위주파수대가 넓다(spectral broadening)는 것이 다. 창(window)의 소실은 혈행장애(disturbed flow) 또는 와류(turbulent flow)의 소견이다(그림 1-24). Spectral wave form은 확성기에 보내서 소리로도 들을 수 있다.

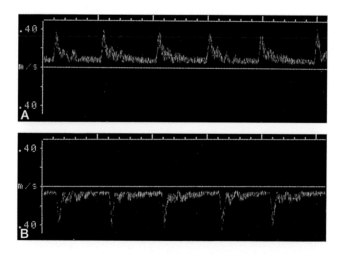

그림 1-23. A. Positive 도플러 변위 즉 진동자(transducer) 쪽으로 다가오는 혈류는 baseline의 위쪽에 표시한다. B. Negative 도플러 변위 즉 진동자(transducer)에서 멀어지는 혈류는 baseline 아래쪽에 표시한다.

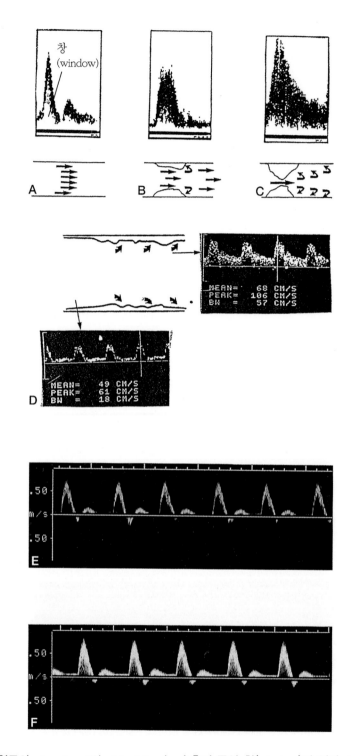

그림 1-24. A. 정상적인 혈류와 plug flow 또는 blunt flow는 수축기 동안 창(window)이 있다. B. 혈행장애(disturbed flow)는 spectral broadening이 있다. C. 유의성 있는 협착증에서는 spectral broadening이 훨씬 뚜렷하고 파형도 달라진다. D. 죽종(atheroma)으로 인해 생긴 spectral broadening. E. 정확한 도플러 수신기 gain 셋팅. F. gain이 너무 강해 생긴 것으로 보이는 spectral broadening

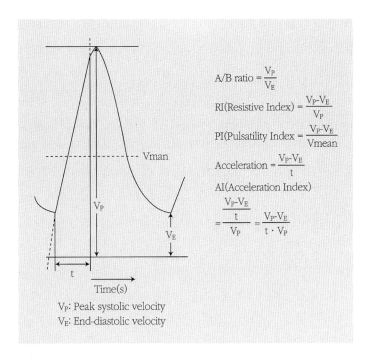

$$A/B \text{ ratio} = \frac{V_P}{V_E}$$

$$RI(\text{Resistive Index}) = \frac{V_P - V_E}{V_P}$$

$$PI(\text{Pulsatility Index}) = \frac{V_P - V_E}{Vmean}$$

$$Acceleration = \frac{V_P - V_E}{t}$$

$$AI(\text{Acceleration Index})$$

$$= \frac{\frac{V_P - V_E}{t}}{V_P} = \frac{V_P - V_E}{t \cdot V_P}$$

V_P: Peak systolic velocity
V_E: End-diastolic velocity

그림 1-25. **혈류를 분석하는 방법**

스펙트럼에 나타난 혈류의 곡선을 중심으로 평가분석한다.

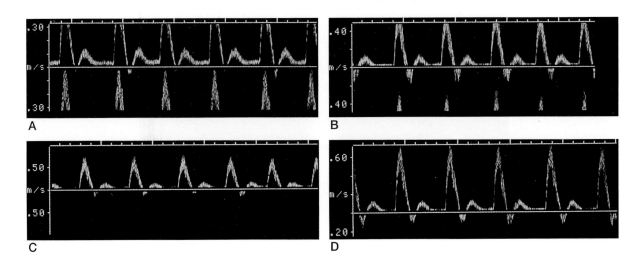

그림 1-26. **총장골동맥(common iliac artery)의 aliasing**

A. 변위주파수가 nyquist limit를 넘으면 aliasing이 발생되어 꼭지점이 떨어져 나가 밑에 나타난다. B. 펄스반복주파수(PRF)를 A보다 높였으나 aliasing은 아직 없어지지 않았다. C. 펄스반복주파수(PRF)를 B보다 높였다. aliasing이 없어졌다. D. B에서 baseline을 옮길 경우에도 aliasing을 없앨 수 있다.

4) Duplex Scanner

Duplex scanner는 B-mode의 2차원 영상(2-dimensional image)과 도플러 검사를 실시간(real time)으로 동시에 할 수 있는 기기를 말한다. Duplex scanner는 2차원 영상을 보면서 도플러를 측정하고자 하는 위치와 폭(gate length)을 검사자 임의대로 설치할 수 있다. Duplex scanner는 영상과 도플러 검사를 같은 진동자(transducer)에서 실행하며 2차원 영상과 도플러의 표시도 모니터에 같이 나타난다. 그러나 실제로는 2차원 영상을 실행하고 있는 동안 도플러 검사는 쉬고, 2차원 영상이 쉬고 있는 동안 도플러 검사는 실행하는 방법으로 아주 빠르게 진행되기 때문에 동시에 이루어지는 것처럼 보인다. 또한 B-mode의 2차원 영상이 많으면 도플러 정보가 줄어들기 때문에 2차원 영상과 도플러의 시간을 할애하는 기능이 있다. 이것을 update 기능이라 한다. Duplex scanner에는 update 기능이 있어서 영상의 횟수를 조정할 수 있다. update를 1/5로 조정하였다면 1/5초마다 2차원 영상을 하고 나머지 4/5에 해당되는 시간은 도플러 검사에 활용하는 것을 말한다. 이와 같이 update 기능은 1/10, 1/5, 1/2, 1, 3, … 등으로 조정할 수 있다.

도플러 검사는 B-mode에서 사용하는 주파수보다 낮은 주파수를 사용해도 도플러 검사에는 장애가 많지 않다. 그러나 한 펄스당 cycle은 도플러 변위에 중요하기 때문에 도플러 검사 시 B-mode보다는 많은 cycle의 펄스를 사용한다.

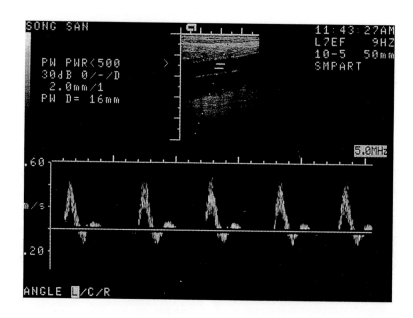

그림 1-27. Duplex scanner는 B-mode의 2차원 영상(2-dimensional image)과 도플러 검사를 실시간(real time)으로 동시에 할 수 있다.

5) Doppler Color Imaging (DCI, Color Flow Mapping, Color Flow Imaging)

보통 도플러 초음파에서 도플러 변위를 측정할 수 있는 volume 즉 문(gate)은 하나로 고정되어 있지만(single gate), 여러 개의 문(multigate) 또는 scan line을 따라 모든 점에서 얻어진 도플러 변위를 측정하여 색으로 표시한 것을 Doppler color imaging (DCI)이라 한다. Doppler color imaging은 B mode의 2차원 영상에 색으로 표시된 모든 혈류 정보를 2차원적인 실시간으로 볼 수 있는 장점이 있다. 이 색상의 표시는 도플러 변위에 의한다. 그러므로 이 색상은 혈류의 존재, 속도, 방향, 형태를 나타낸다. Positive 도플러 변위는 붉은색으로, Negative 도플러 변위는 파란색으로, 도플러 변위가 없으면 gray scale로 나타낸다. 즉 positive 도플러 변위의 붉은색은 진동자(transducer) 쪽으로 다가오는 혈류를 negative 도플러 변위의 파란 색은 진동자(transducer)에서 멀어지는 혈류를 표시한 것이다. 혈류의 속도를 표시하기 위하여 빠른 것은 밝게, 느린 것은 어둡게 표시한다. 또한 혈류의 이상이나 와류(turbulence)로 인한 스펙트럼의 확장(spectral broadening)을 표시하기 위해 초록색을 가미하여 나타낸다. 초록색이 붉은색에 가미되면 노란색이 되고, 파란색에 가미되면 자홍색(magenta)이 된다.

DCI에서 높은 변위주파수를 가리키는 밝은 색이 나타난 부위가 항상 높은 혈류 속도인 것은 아니다. 저속의 혈류가 초음파 빔에 평행한 부위(small Doppler angle)도 이렇게 나타날 수 있다. 마찬가지로 어두운 색이 고속의 혈류일 수도 있는데 이 부위에서는 혈류의 방향이 초음파와 거의 수직일 때 나타난다. 따라서 color flow에서는 밝은 부위가 빠른 혈류라고 단정할 수 없고 어두운 부위가 느린 혈류라고 말할 수는 없다. 판상 혈류(laminar flow)나 와류가 없을 경우에만 이러한 단순한 해석이 정확한 것이다.

색깔이 붉은 색에서 파란색으로 바뀌거나 파란색에서 붉은색으로 바뀌는 것은 혈류의 방향이 바뀌거나 펄스 도플러에서 발생되는 aliasing과 같은 것이다. Aliasing은 PRF가 낮거나 주파수 변위가 너무 높다는 것을 의미하며 대부분 초록색을 기준으로 하나 칼라 맵에 표시된 색에 따라 나타난다. Aliasing을 없애려면 PRF를 올리거나 baseline을 움직이면 된다. DCI는 느린 혈류에 예민하나 spectrum의 정보를 자세하게 제시하지는 못한다. 그런 이유로 DCI 기기에는 spectrum mode가 같이 있다. 그러므로 이 색상은 혈류의 존재, 속도, 방향, 형태를 나타낸다.

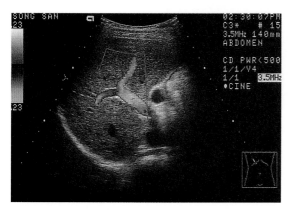 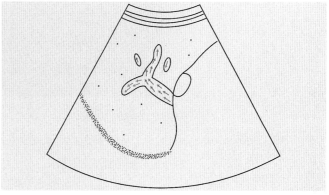

그림 1-28. Positive 도플러 변위는 붉은 색으로, negative 도플러 변위는 파란 색으로 표시한다.

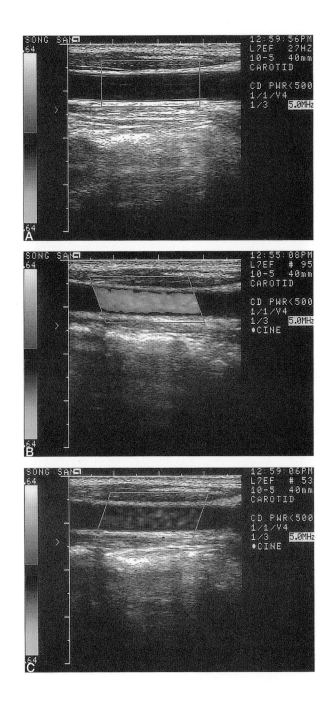

그림 1-29. Linear electronic scanner의 도플러 scan steering

A. 도플러 scan line이 혈류의 방향과 직각일 때 cos90°는 0이므로 도플러 변위는 일어나지 않는다. 도플러 변위가 없으면 gray scale로 나타난다. B. A에서 도플러 scan line을 20° 오른쪽으로 기울였다. 도플러 scan line으로 다가오는 혈류는 positive 도플러 변위인 붉은색으로 나타났다. C. A에서 도플러 scan line을 20° 왼쪽으로 기울였다. 도플러 scan line에서 멀어지는 혈류로 바뀌어 negative 도플러 변위인 파란색으로 나타났다.

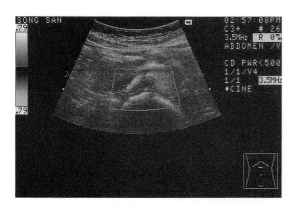
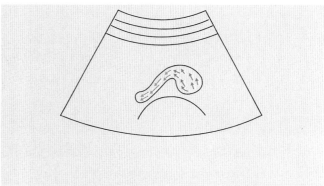

그림 1-30. Convex electronic scanner에서 도플러 scan line은 곡선이기 때문에 혈류의 진행과 다른 각도를 만들기도 한다. aorta에서 right renal artery의 혈류는 화면의 오른쪽에서 왼쪽으로 진행함에 따라 도플러 scan line에서 다가오다가 멀어지는 현상이 발생되어 붉은색에서 파란색으로 변한다.

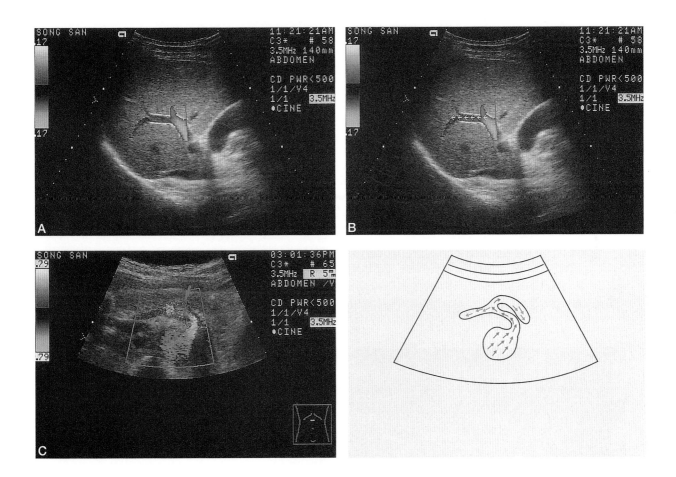

그림 1-31. 곡선으로 주행하는 혈관일 경우 도플러 scan line과 혈류의 진행방향이 다른 여러 각도를 만들기도 한다. 혈류는 probe로 다가오거나 멀어짐에 따라 붉은색과 파란색으로 나타나고, 초음파의 방향과 직각일 경우 도플러 변위는 없기 때문에 색 표시 없이 gray scale로 나타난다(붉은 화살표). 이와 같은 경우 색 표시가 없다고 해서 반드시 혈류가 없는 것은 아니고 도플러 변위가 없는 것이다.

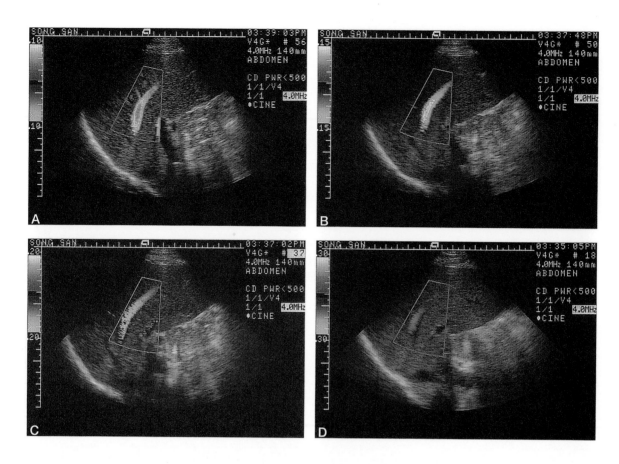

그림 1-32. 펄스반복주파수(PRF)가 낮거나 주파수 변위가 높을 경우 칼라 맵에서 가리키는 반대색이 aliasing으로 표시된다. 이런 경우에 펄스반복주파수를 높이거나 baseline을 옮겨 aliasing을 없앤다. right intercostal scan에서 right hepatic vein은 probe에서 멀어지는 negative 도플러 변위가 나타난다.

A. Right hepatic vein의 가장자리는 파란색이고 중심부는 붉은색으로 두 색의 경계가 초록색과 노란색으로 이루어져 나타났다. 이는 중심부 혈류의 도플러 변위가 높아 칼라맵에서 나타내는 nyquist limit의 경계인 초록색과 노란색을 넘어 붉은색으로 나타난 aliasing이다. B. A에서 펄스반복주파수를 약간 높였을 때 붉은색은 사라져 가나 노란색은 여전히 남아 있다. C. B보다 펄스반복주파수를 약간 더 높였을 때 노란색은 거의 없어진다. D. C보다 높은 펄스반복주파수에서 aliasing이 없어지고 right hepatic vein의 혈류 속도를 가리키는 색으로 나타났다.

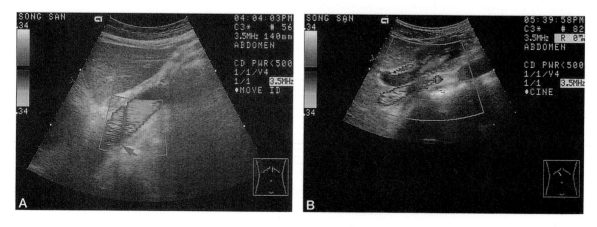

그림 1-33. 후방음향음영(posterior acoustic shadow)

A. 석회화로 인하여 초음파가 전달되지 않는 후방음향음영이 생기면 칼라 영상에도 도플러 변위가 발생할 수 없기 때문에 칼라 대신 gray scale로 나타난다(화살표) B. 간 하연에 의해 발생된 측방음영(lateral shadow 또는 edge shadow)에서도 초음파가 전달될 수 없기 때문에 칼라가 없는 gray scale로 나타난다(화살표).

14 초음파 장치(Ultrasonographic Equipment)

예전에는 진동자가 하나인 접촉복합주사기(contact compound scanner)가 사용되었다. 그러나 최근에는 다수의 진동자가 이용되고 전자 기술의 발전으로 linear electronic scanner, sector electronic scanner, convex electronic scanner, sector mechanical scanner, specialized type scanner가 사용되고 있다. 이들 장치는 탐촉자(probe)와 초음파 장치의 종류에 따라 구별된다.

1) Linear Probe

선상 배열(linear array) 방식으로써 얇고 작은 직사각형 진동자를 선상으로 나란히 배열한 탐촉자(probe)이다. 초음파 장치의 가장 기본적인 탐촉자로 직사각형의 초음파 상을 형성한다. 이 linear probe를 사용한 장치가 linear electronic scanner이며 복부 및 표재성 장기에 많이 사용하고 있다.

2) Sector Probe

A. 기계식(Mechanical) Sector Probe

한 개(oscillating type) 또는 여러 개의 진동자(rolling wheel type)를 회전 또는 반복운동시켜 부채꼴 모양의 초음파 상을 만드는 것으로 탐촉자가 크고 화상의 질(image quality)이 떨어지는 단점이 있다.

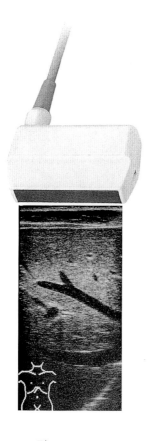

그림 1-34. Linear probe

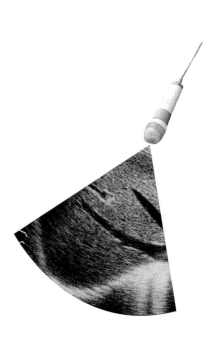

그림 1-35. 기계식 Sector probe

B. 전자식(Electronic) Sector Probe

위상차배열(phased array)방식으로 진동자와 진동자 표면이 더 작다. 전자집속방식으로 모든 진동자가 구동하나 진동자마다 시간차를 두고 구동하여 초음파 빔의 집속과 방향을 조정할 수 있어 높은 화상의 질이 생성된다(전자주사의 원리 참조). Sector probe를 사용한 sector scanner는 체표 부근의 상이 좁기 때문에 체표 부근에 사각(死角)이 생긴다. 그러나 원거리영역(far field)에 있는 장기의 관찰이 용이하기 때문에 늑간을 통한 심장의 관찰이나 자궁, 난소, 전립선, 방광 등 골반(pelvis)내 장기와 간의 횡격막 돔(dome)의 검사에 대단히 편리하다.

3) Convex Probe

선상배열(linear array)방식을 사용하여 표면이 볼록하게 진동자를 배열한 것으로 linear probe의 원거리음장(far field)이 넓지 못하고 sector probe의 근거리음장(near field)이 좁다는 결점을 보완하여 최근에 널리 사용되는 진일보한 probe이다. 표면이 볼록하기 때문에 부채꼴 모양의 초음파 빔이 전달되어 원거리음장이 넓으며 근거리 부위가 또한 좁지 않아 근거리음장도 시야가 넓다.

복부와 특히 음향창이 적고 내강이 넓은 골반의 검사에 주효하다. Convex probe를 사용한 장치를 convex electronic scanner라 한다.

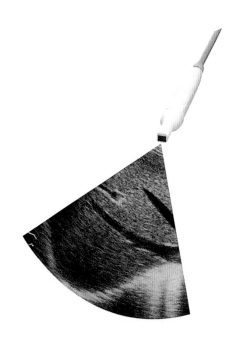

그림 1-36. **전자식 Sector probe**

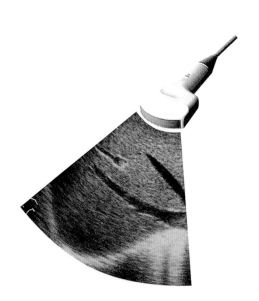

그림 1-37. **Convex probe**

4) 특별한 type의 Probe

A. Transrectal Probe

전립선(prostate gland) 관찰을 위하여 직장에 삽입하여 검사할 수 있는 probe이다.

B. Endoscopic Probe

진동자를 내시경 끝에 붙여 식도나 위장(stomach) 등을 검사할 수 있는 장치이다. 식도, 위장, 췌장 등에서 암의 침윤 정도를 진단할 수 있다.

C. Transvaginal Probe

여성의 골반내 장기에서는 초음파로 좋은 영상을 얻기가 쉽지 않다. Abdominal probe 사용시 거리가 비교적 멀기 때문에 해상도가 떨어지고 방광에 소변을 가득 채워야 하는 불편함이 있다. 이것을 해소하고자 경질을 통해 장기의 거리를 가깝게 하여 높은 주파수를 가진 해상도가 좋은 probe를 사용한 것이 transvaginal probe이다.

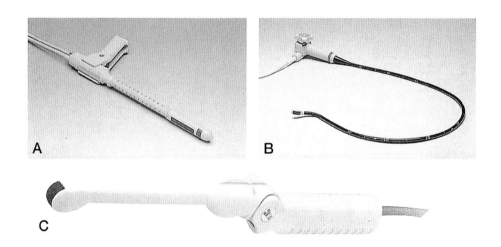

그림 1-38. 특별한 type의 probe

A. Transrectal probe. B. Endoscopic probe. C. Transvaginal probe

15 초음파 진단 장치의 조정

초음파 진단 장치의 조정판(control panel)에는 화상을 조절하는 여러 가지 조정 스위치(control switch)가 있다. 이들 스위치를 표준에 맞추고 환자에게 scan을 시도하면 초음파 상의 밝기(brightness)와 선명도(clearness)가 각각의 환자마다 다르다는 것을 알게 된다. 이와 같은 이유는 각각의 환자마다 인체 내 조직에서 초음파를 반사(reflection), 흡수(absorption), 굴절(refraction), 산란(scatter)하는 정도가 다르기 때문이다. 좋은 영상을 얻기 위해서는 각각의 환자마다 조정 스위치로 조정이 필요하다. 조정기준은 늑궁하 주사(subcostal scan) 또는 늑간 주사(intercostal scan)를 실시한 상태에서 모니터 상에 묘출된 간(liver)의 근부위(near portion)부터 원부위(far portion)까지 동일한 밝기로 조정되었느냐에 달려 있다. 또한 이러한 기준하에 검사를 실시하더라도 scan 부위에 따라서 최적의 알맞은 상태로 자유로이 조절하여야 한다. 초음파 진단 장치의 조정 스위치는 병소와 정상 조직과의 에코 강도(echogenicity) 차이를 선명하게 하기 위해서 그리고 영상의 질(image quality)을 높이기 위해서 만들어졌다. 여기에는 gain, TGC, dynamic range 등이 있다. gain은 특히 환자마다 조정이 필요하고 TGC, dynamic range 등은 병소의 자세한 관찰에서 주로 조정하게 된다.

그림 1-39. **초음파 진단 장치의 조정판(control panel)**

1) Gain

신체 조직에서 돌아온 에코 신호는 진동자에 의해 전기 신호로 변환된다. 수신된 전기 신호는 매우 약하기 때문에 증폭되어야 모니터에 나타날 수 있다. 이러한 증폭을 gain이라 한다. 이것은 오디오 앰프(amplifier)의 볼륨(volume)과 같은 이치이다. gain은 각각의 환자마다 화상 전체의 밝기가 최적인 상태로 조정되어야 하며 검사 중에도 필요에 따라 조정되어야 한다.

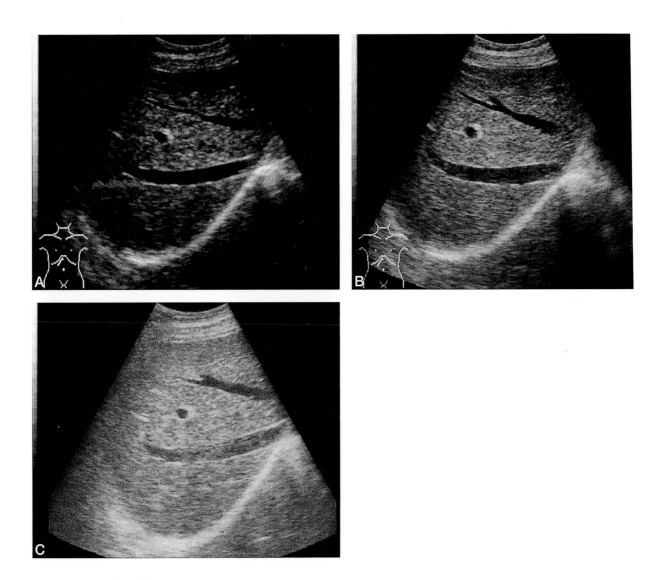

그림 1-40. **Gain의 조정**

A. Gain의 부족으로 화상 전체가 어둡기 때문에 간내 구조물을 명료하게 볼 수 없다. B. Gain이 적절히 조정되었다. 간내 구조물이 명료하게 보인다. C. 너무 많은 Gain으로 화상 전체가 밝게 조정되었다. 이 때문에 지방간(fatty liver)이란 오진을 범할 수 있다. 또한 간내 구조물이 명료하게 보이지 않아 병소를 찾을 수 없는 경우가 생길 수 있다.

2) TGC (Time Gain Control)

초음파 빔이 인체 내 조직으로 깊이 전달될수록 세기의 감소를 가져온다. 체표에서 가까운 거리에 있는 조직에서 돌아온 에코는 세기의 감소가 적기 때문에 강하고 먼 거리의 조직에서 돌아온 에코는 세기의 감소가 많기 때문에 약하다. 이러한 에코 세기의 감소를 보정하기 위해 각 깊이마다의 민감도(sensitivity) 조정이 필요하게 되었다. 그러므로 초음파 장치의 내부에는 깊이에 따라 일정한 비율의 증폭이 미리 설정되어 있으며 이것은 임의로 변경할 수 없다. 그러나 초음파 검사시에 어떤 깊이에서의 보정이 필요한 경우가 많기 때문에 각 깊이에 따라 임의로 조정할 수 있는 장치를 만들게 되었다. 이것을 TGC라 부른다. 시간(time)은 초음파에서 거리에 해당되기 때문에 time gain control이라고 부르며 각 깊이(거리)마다 조정할 수 있는 스위치가 설치되어 있다. 오디오 앰프(amplifier)의 equalizer와 비슷하다.

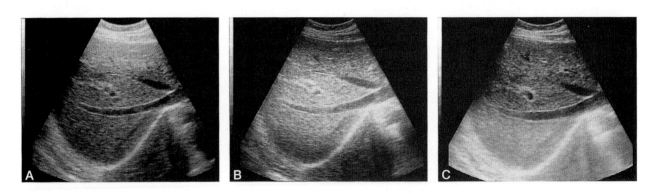

그림 1-41. **TGC의 조정**
　　　A. 근거리, B. 중간거리 C. 원거리 부위에서 TGC의 gain이 너무 밝게 조정되었다.

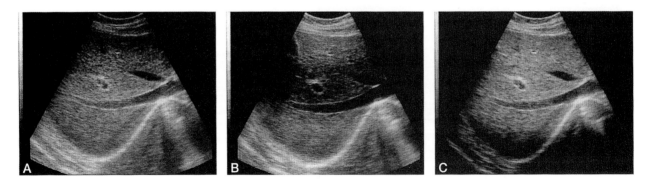

그림 1-42. **TGC의 조정**
　　　A 근거리, B. 중간거리, C. 원거리 부위에서 TGC의 gain이 너무 어둡게 조정되었다.

3) Dynamic Range

그림 1-43에서와 같이 2개의 명암층으로 그린 배와 여러 개의 명암층으로 그린 배의 표면에 있는 이물질을 발견하는 데는 적절한 명암의 대비가 필요하다. 이와 같이 가장 높은 진폭(amplitude)에서 가장 낮은 진폭까지를 여러 개의 명암 층으로 다양하게 대비시키면 그에 따른 여러 가지의 에코 레벨을 얻을 수 있는데 이 범위를 dynamic range라 한다.

좁은 dynamic range를 사용하면 그 화상이 많이 과장되어 거칠게 나타난다. 반면에 넓은 dynamic range를 사용하면 그 화상이 매우 부드러워 병소와 정상 조직 간의 구별을 어렵게 할 수 있다. 그러므로 정상 조직과 비정상 조직과의 대비가 뚜렷할 수 있는 적당한 dynamic range의 사용으로 진단하여야 한다.

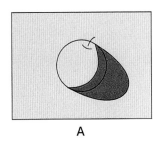 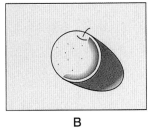 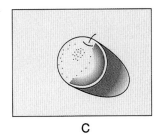 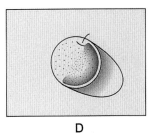

A   B   C   D

그림 1-43. A. 2개, B. 4개, C. 6개, D. 8개의 명암층으로 대비시킨 배의 정물화

6개의 명암층으로 대비시켰을 때 배의 표면에 묻어 있는 이물질이 발견된다.

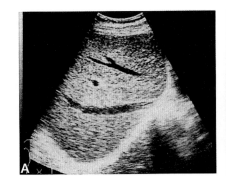 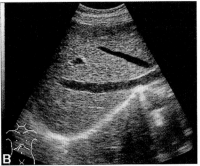 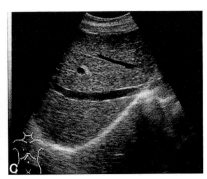

그림 1-44. 늑궁하 주사(subcostal scan)에서의 간내 구조물

A. Dynamic range가 너무 좁아 거친 상이 나타난다. B. Dynamic range가 적절하다. C. Dynamic range가 너무 넓어 부드러운 상이 묘출되나 병소와 정상조직 간의 차이를 구별하기 어려울 수 있다.

16 허상(Artifact)

원하지 않는 기계적 오류로 인하여 비정상적 해부 구조가 정상 해부 구조 사이에 나타나는 것을 허상(artifact)이라 한다. 초음파는 다른 영상 진단법보다 허상의 종류가 다양해서 위양성 소견(false positive finding)을 보이는 증례가 많다. 정확한 진단을 위해서는 허상의 종류와 원인(cause)을 아는 것이 매우 중요하다.

1) 다중반사(Reverberation Artifact)

초음파 빔이 진동자와 반사되는 경계면 사이에서 왕복 반사로 인한 추가적인 반사 때문에 수신 시간이 길어지는 경우가 있다. 이러한 반사는 초음파 빔에 직각을 이루며 피부 표면과 평행한 경계면이 있을 때 일어나게 된다. 2번 이상의 왕복 반사가 있을 때마다 진동자에 반사 에코가 수신되어 그에 해당되는 시간(거리)에 허상(false image)이 형성된다. 그러므로 반사체의 실제 거리보다 몇 배 긴 거리에도 반사체의 모습이 나타나게 된다. 이것을 다중반사(reverberation artifact)라 한다.

다중반사는 피부 표면 가까이에 위치한 담낭과 방광에서 뚜렷하게 잘 관찰된다. 진동자의 후방에는 짧은 초음파를 발생시키기 위해 흡음재가 있고 앞의 선단 쪽에는 음향창인 음향렌즈가 있으며 이는 방수 절연 표피로 싸여 있다. 진동자와 이 음향렌즈 사이에서도 초음파 빔의 왕복 반사로 인하여 다중 반사가 일어나게 된다. 이것은 탐촉자 자체에서 발생되는 다중반사이며 이로 인하여 근거리 화상이 선명하지 못하게 된다. 최근 들어 이것을 없애려는 많은 노력이 진행되고 있다.

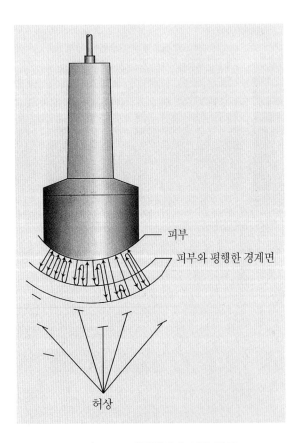

그림 1–45. **다중반사에 의한 허상**
2번 이상의 왕복 반사가 있을 때 수신되는 시간(거리)의 반에 해당되는 시간(거리)에 허상이 생성된다.

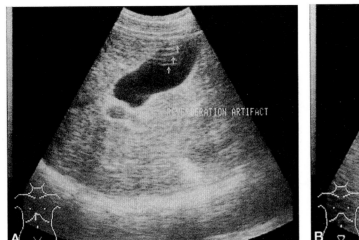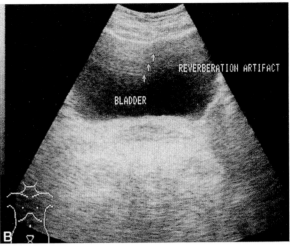

그림 1-46. 다중반사에 의한 허상의 관찰은 피부 표면에 위치한 담낭(A)과 방광(B) 부분에서 관찰이 쉽다.

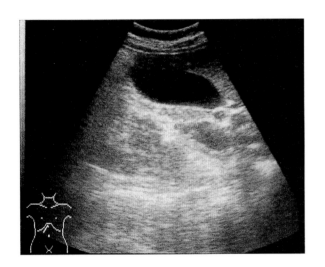

그림 1-47. 피부 표면에 위치한 다중반사는 TGC의 근거리 gain을 줄이면 제거시킬 수 있다.

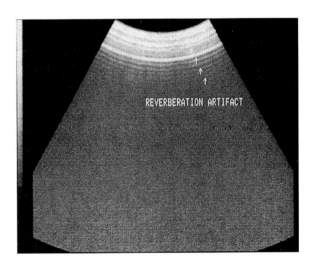

그림 1-48. 탐촉자 자체에서 생성되는 다중반사가 여러 줄로 보인다.

2) 측파에 의한 허상(Side Lobe Artifact)

초음파 빔은 중심축을 따라 하나의 강한 주엽(main lobe)이 있고 그 주위에 여러 개의 측엽(side lobe)이 있다(그림 1-49). 측엽 또한 주엽과 같이 강한 반사체가 있으면 반사를 하며 이 반사된 빔은 진동자에 수신된다. 탐촉자(probe)에 수신되는 초음파 빔은 주엽의 빔만으로 초음파 진단장치에 프로그램 되어있다. 만일 탐촉자에 수신되는 빔이 측엽에서 반사된 초음파 빔일지라도 초음파 진단장치는 주엽과 측엽을 구별할 수 없고 주엽에서 반사된 빔으로 받아들여 화상에 표시한다. 그러므로 같은 주엽의 방향에 포함하여 허상을 형성시킨다. 이렇게 형성된 허상을 측파에 의한 허상(side lobe artifact)이라 부른다.

측파는 빔의 세기가 작아 평소에는 상을 형성시키지 못한다. 그러나 담낭이나 방광과 같이 주엽에서의 반사 에코가 없고 측엽의 반사가 강할 때 허상을 형성시킬 수 있다.

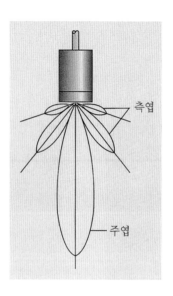

그림 1-49. **초음파 빔의 모양**
강한 주엽이 중심축에 있고 여러 개의 약한 측엽이 그 주위에 존재한다.

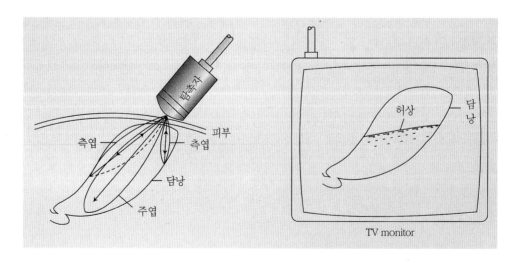

그림 1-50. **측파에 의한 허상**
주엽의 반사가 없을 때 만일 측엽에서 강한 반사가 있다면 그 위치에 해당되는 거리에 허상을 형성한다.

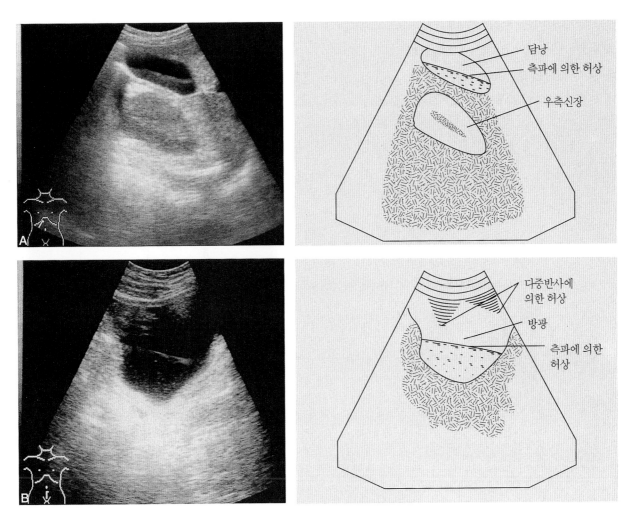

그림 1–51. 담낭(A)과 방광(B) 내강은 액체로 형성되어 주엽의 반사가 어떤 거리에서 이루어지지 않을 경우 측엽이 그 벽에서 강하게 반사를 하여 탐촉자에 수신되기 때문에 자주 허상을 형성시킨다.

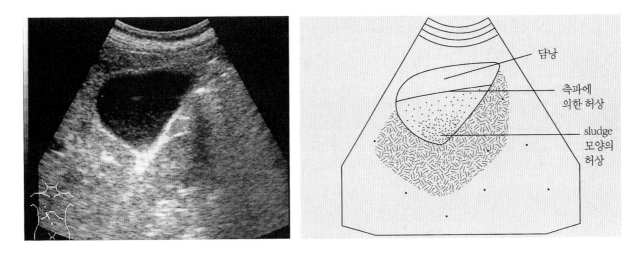

그림 1–52. 측파에 의한 허상이 형성될 때 sludge 모양으로 나타날 수 있다.

이 사진은 담낭의 예에서 보여진 사진이다.

3) 빔 두께에 의한 허상(Beam Thickness Artifact)

초음파 빔은 얇은 단면 같으나 실제로는 일정한 두께가 있는 빔이 압축되어 화면에 나타나는 것이다. 접촉 복합 주사기(contact compound scanner)에서 빔은 진동자 폭과 같은 두께로 방출된다. 전자 scanner에서는 전자집속과 음향렌즈에 의해 형성된 빔의 폭이 빔의 두께가 된다(그림 1-12 참조).

하나의 초음파 빔 안에 같은 거리에 있는 두 개의 물체가 있다면 초음파 장치는 이들을 구별하지 못하고 두 개의 물체를 한 화면에 동시에 압축하여 겹치는 허상을 만든다. 이것이 빔 두께에 의한 허상(beam thickness artifact)이다. X-ray에서 전후의 구별 없이 겹쳐져 나타나는 것과 같이 얇은 초음파 빔 내에서도 미세한 겹침이 일어나 화상에 나타나게 되는 것이다.

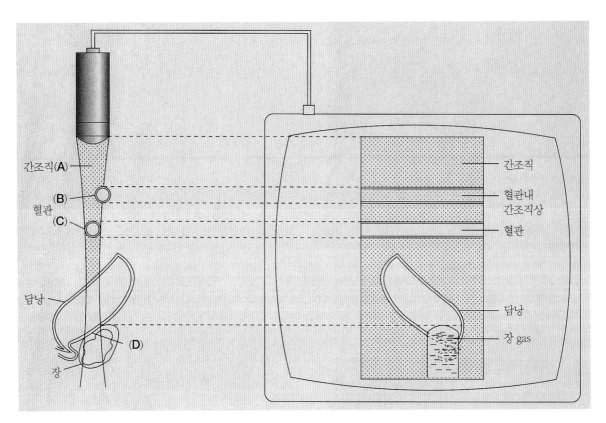

그림 1-53. **빔 두께에 의한 허상**

어떤 같은 조직이 일정한 두께가 있는 초음파 빔을 완전히 채울 수 있다면 그 조직 내부 에코로 초음파 상이 형성된다(A, C). 일정한 두께가 있는 빔 안에 만일 혈관이 반을 차지하고 간 조직이 반을 차지한다면 간조직이 혈관 안에 포함되어 나타난다(B). 담낭에 장의 gas가 겹쳐져 담낭 내강에 물체가 있는 것처럼 묘출되는 것도 같은 현상이다(D).

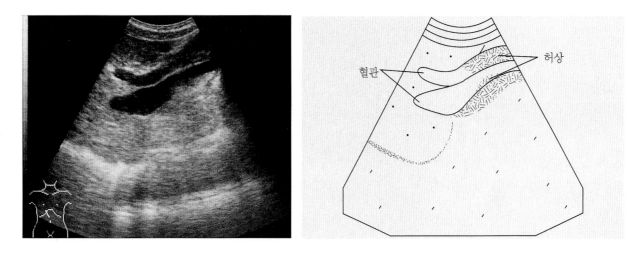

그림 1-54. 탐촉자 가까이 있는 얇은 관상 구조물은 빔 두께에 의한 허상으로 인하여 내부 에코가 보이고, 그 밑에 있는 두꺼운 관상 구조물은 내부 에코가 거의 없다.

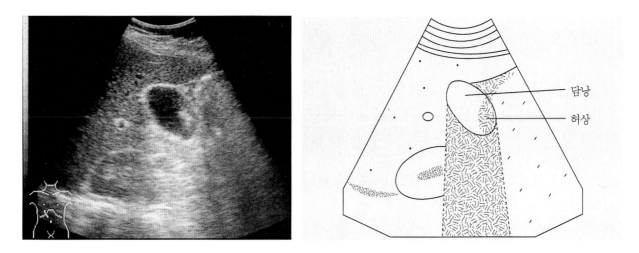

그림 1-55. 담낭 내강에 mass가 있는 것처럼 보이는 것은 담낭과 장내 gas가 빔 두께에 의만 허상으로 인하여 겹쳐져 나타나기 때문이다.

4) 경면 현상(Mirror Effect)

초음파 빔은 간을 통해 진행할 때 횡격막(diaphragm)에서 강한 반사를 한다. 진행하는 초음파 빔 방향에서 횡격막이 경사져 있다면 빔의 진행하는 방향에서 역방향으로 반사가 이루어지지 않고 다른 방향으로 굴절 반사가 이루어지게 된다. 만일 횡격막에서 굴절되어 진행하고 있는 빔의 방향에 어떤 반사체가 있어 다시 역방향으로 되돌려 전반사를 한다면 초음파 빔은 또다시 횡격막을 거쳐 최초의 빔 방향을 따라 탐촉자에 수신된다. 그러나 탐촉자는 횡격막에서 구부러져 반사체를 거쳐 돌아온 빔을 처음의 빔 방향과 구별하지 못한다. 그리므로 횡격막에서 반사체를 거쳐 돌아오는 동안 길어진 시간만큼 횡격막 뒤쪽에 발신된 빔 방향과 같은 방향에서 허상을 형성한다. 거울을 볼 때 거울 밖의 물체가 거울 안쪽에 있는 것같이 투영되어 보이는 현상과 같기 때문에 이것을 경면 허상(mirror artifact)이라 한다.

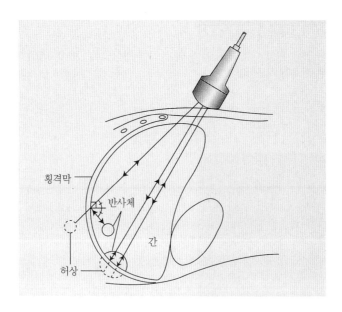

그림 1–56. **경면 허상의 원리**

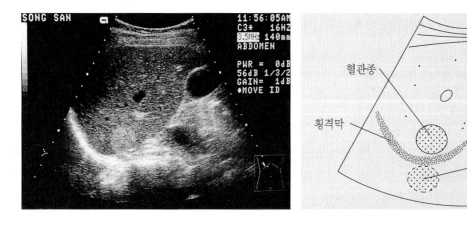

그림 1–57. 횡격막에서 간내로 있는 혈관종(hemangioma)이 경면 허상으로 횡격막 밖에 똑같은 허상의 혈관종을 형성하고 있다. 횡격막이 거울의 역할을 하는 경우에 많이 나타난다.

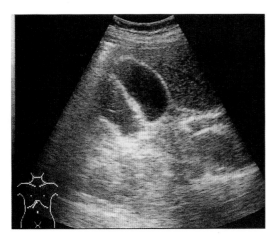
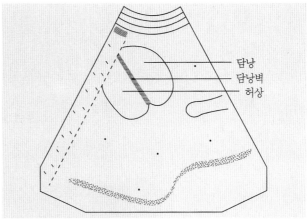

담낭
담낭벽
허상

그림 1-58. 담낭에서 발생된 담낭의 경면 허상

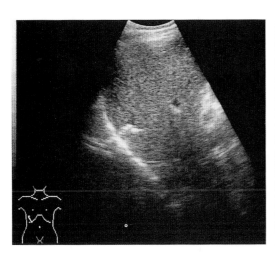
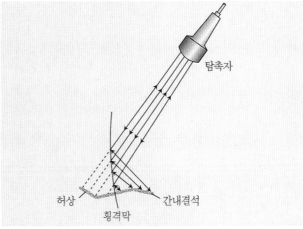

탐촉자

허상
횡격막
간내결석

그림 1-59. A. 간내결석이 횡격막을 중심으로 역상의 형태로 형성되어 있다. 횡격막이 경사가 심하고 오목하여 초음파 빔마다
굴절되는 각도의 차이가 다르기 때문에 역상의 형태를 만든다. B. A의 원리

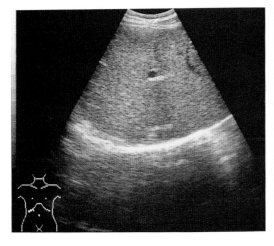
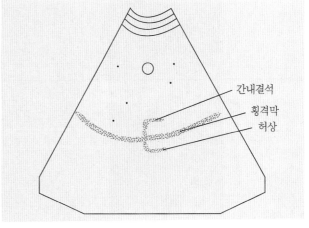

간내결석
횡격막
허상

그림 1-60. 횡격막이 경사져 있지 않고 초음파 빔 방향에 직각으로 있을 때의 경면 허상은 역상이 아닌 간내에 있는 상과 같은
상이 형성된다.

5) 렌즈 효과(Lens Effect)

Linear probe를 사용하여 상복부에서 횡주사(transverse scan)를 실시하면 상장간막동맥(superior mesenteric artery)과 복부대동맥(abdominal aorta)이 이중으로 나타나는 경우가 있다. 이는 렌즈 모양을 한 복직근(rectus abdominal muscle)과 복막전방의 지방(properitoneal fat)에 의하여 초음파 빔이 굴절하기 때문에 이중으로 보이는 현상이다. 이것을 렌즈 효과에 의한 허상(artifact)이라 한다.

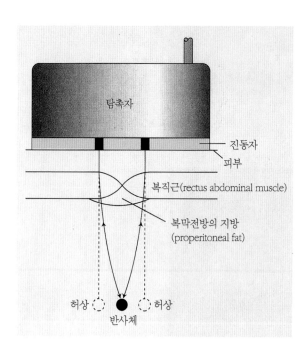

그림 1-61. **렌즈 효과에 의한 허상**

상복부 횡주사(transverse scan) 시 탐촉자의 서로 다른 진동자에서 발신된 초음파 빔이 복직근과 지방에 의해 굴절(refraction)되어 같은 반사체에 반사되고 각각의 진동자에 수신되었다면 이 반사체는 이중으로 나타나게 된다.

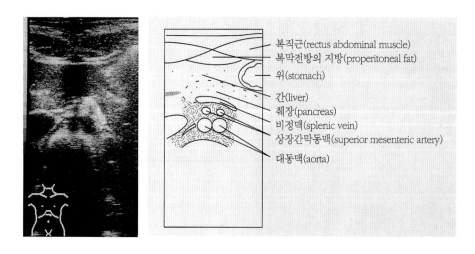

그림 1-62. **렌즈 효과에 의해 상장간막동맥과 복부대동맥이 이중으로 나타났다.**

이 허상을 제거하려면 탐촉자를 기울여 빔의 방향을 바꾸거나 convex probe를 사용하면 허상을 제거할 수 있다.

6) 음향증강(Acoustic Enhancement)

　신체내 연부조직에서 초음파 빔이 전달될 때는 일정한 거리를 지날 때마다 일정한 세기의 손실이 있게 된다. 초음파 장치에는 이러한 에코 세기의 감소를 보정하기 위해 일정한 깊이의 증기에 따라 일정한 증폭이 높게 미리 설정되어 내장되어 있다. 만일 깊이에 관계없이 일률적인 증폭이 설정되었다면 근거리 에코는 강하고 원거리 에코는 약하기 때문에 화상에서 근거리는 밝고 원거리는 어둡게 나타나게 된다. 이런 이유로 일정한 비율로 원거리일수록 증폭이 크게 설정되어 있는 것이다.

　만일 근거리에 있는 조직에서 초음파 빔의 세기 감소가 없는 액체가 존재한다면 초음파 빔의 세기는 손실 없이 그대로 원거리에 전달되게 된다. 원거리에 반사 구조물이 있어 반사된다면 초음파 장치는 이것을 미리 설정된 원거리에 알맞게 높은 증폭을 한다. 세기 감소가 없는 강한 에코에다 원거리에 맞는 높은 증폭이 이루어지므로 강한 에코가 원거리에서 산출되어 화성에는 매우 밝게 증강되어 표시된다. 이것을 음향증강(acoustic enhancement)현상이라 부른다. 어떤 조직에서 음향증강이 있다면 그 전의 구조물 내부가 에코의 손실이 적은 액체 같은 물질임을 알 수 있다.

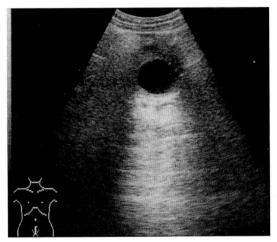
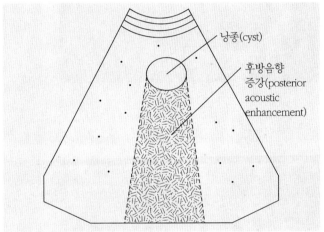

그림 1-63. 낭종(cyst)이 있을 때 후방에는 음향증강현상으로 밝게 나타난다.

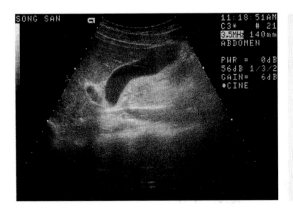
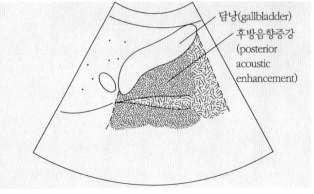

그림 1-64. 담낭은 초음파의 손실이 거의 없는 담즙으로 가득 차 있기 때문에 후방으로 음향증강현상이 나타난다.

7) 음향음영(Acoustic Shadow)

뼈는 신체 중에 가장 딱딱한 물질 중의 하나이다. 뼈에서 음파 속도는 3,500m/sec로 연부 조직(soft tissue)에서의 속도보다 훨씬 빠르다. 연부 조직 내에 뼈같은 높은 속도층이 있다면 초음파 진행에서 후방쪽으로 에코 전환 시간(echo-return time)을 변형하기 어렵게 만들 수 있다. 즉, 일부는 흡수되고 대부분은 반사된다. 그러므로 후방으로 초음파 빔이 전달되지 않아 검은 그림자가 형성되는데 이것을 후방음향음영(posterior acoustic shadow)이라 한다. 이러한 후방음향음영은 결석(stone)이나 calcificaiton 또는 밀도가 높은 반사체가 있다는 것을 암시한다.

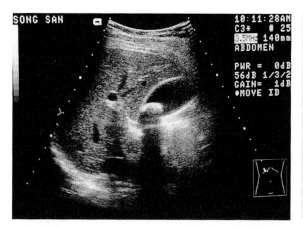 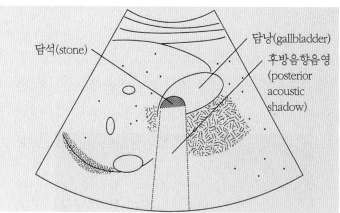

그림 1-65. 담낭 결석의 후방에 음향음영이 형성되었다.

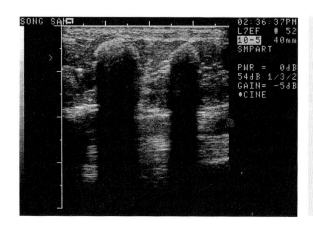 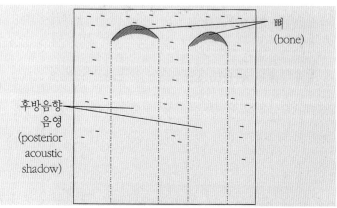

그림 1-66. 뼈는 강한 에코와 함께 후방음향음영이 뚜렷하게 나타난다.

8) 측방 음영(Lateral Shadow)

평탄한 표면과 음속이 다른 매질을 가진 점거성 병변을 초음파 빔이 통과할 때 Snell의 법칙에 의해 굴절하게 된다. 이 병변의 가장자리를 지나가는 초음파 빔은 굴절되어 후방으로 직진하는 초음파 빔이 없게 된다. 이러한 현상으로 이 병변의 가장자리 후방으로 음향음영이 생긴다. 병변이 아니더라도 장기의 가장자리 또는 위축 등으로 두껍게 형성된 부분은 초음파 빔의 굴절, 흡수, 반사를 발생시켜 초음파 빔의 통과가 없기 때문에 후방으로 음향음영이 생긴다. 이러한 현상으로 생성된 음향음영을 측방음영(lateral shadow 또는 edge shadow)이라 한다.

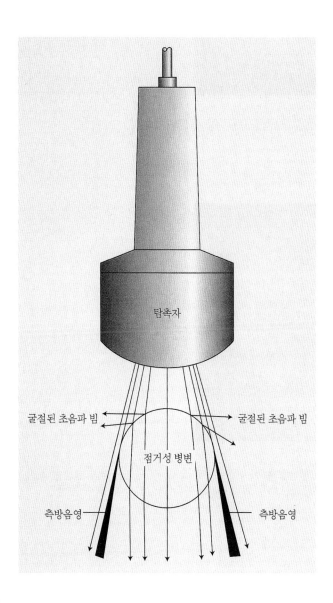

그림 1-67. **측방 음영의 원리**
병변의 가장자리에서 초음파빔은 그 후방으로 통과하는 빔이 없기 때문에 음향음영이 형성된다.

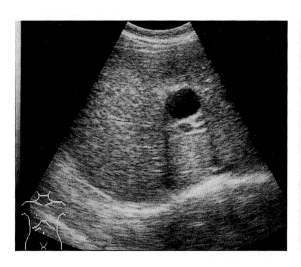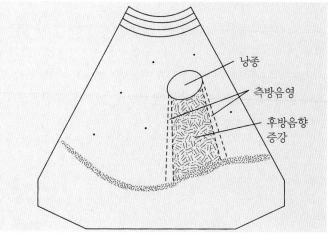

그림 1-68. 낭종의 가장자리에 굴절로 인한 얇은 측방 음영이 보인다.
낭종 후방에는 음향증강이 나타나고 있다.

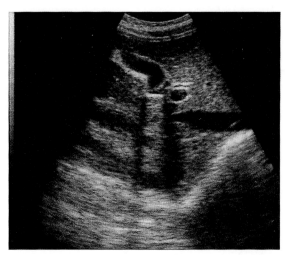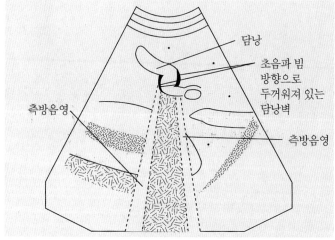

그림 1-69. 초음파 빔의 진행 방향으로 두꺼워진 부분이 있을 때 음향음영이 발생된다(화상의 좌측 측방 음영). 가장자리를 지
날 때 굴절에 의한 음영을 edge shadow라 한다(화상의 우측 측방 음영).

17 기교(Techniques)

1) 선동운동(Rocking Motion, Fanning Movement, Sectoring Motion)

선동운동은 탐촉자의 선단을 체표에 대고 부채질하는 모양으로 탐촉자를 움직이는 운동으로 초음파 검사 시 가장 기본적이면서 중요한 scan의 기교이다. 신체의 기본적인 scan 위치나 검사하고자 하는 신체 부위에 탐촉자를 체표에 대고 위치시킨 다음 선동운동으로 관찰을 시도하면 탐촉자에서 수신되는 2차원 단면상(2-dimensional image)이 선동운동으로 인하여 3차원 입체구조로 관찰되어진다. 모든 선동운동은 천천히 주의 깊게 하여야 한다. 만일 빠르고 급하게 시도한다면 조기의 작은 병변을 발견하지 못하고 지나치게 되며, 또한 병변의 입체구조를 그르게 판단하여 작은 크기로 진단할 수 있기 때문이다.

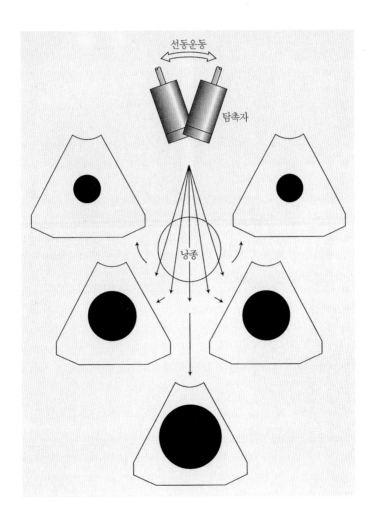

그림 1-70. **선동운동**
선동운동이 충분히 이루어지지 않으면 병변의 크기가 다르게 측정되어진다.

2) Cross-Image

검사하고자 하는 대상에서 열십자 방향으로 2장의 화상을 얻는다면 형태와 크기를 입체적으로 알 수 있다. 또한 한 장의 화상만으로는 허상과 실상을 구별할 수 없기 때문에 반드시 열십자 방향에서 관찰하여야 실상을 증명할 수 있다. 이러한 열십자 방향에서 관찰하고 기록하는 것을 cross-image라 한다.

진단하는 모든 병변은 이 cross-image로 기록되어야 그 존재를 증명할 수 있게 된다. 왜냐하면 초음파 상은 2차원 단편상(2-dimensional image)이기 때문에 하나의 상(image)만으로는 검사하고자 하는 대상이 어떤 형태와 크기를 가졌는지 알 수 없다. 그러므로 cross-image를 통해 입체의 구조로 인식할 수 있어야 정확히 진단되어질 수 있는 것이다.

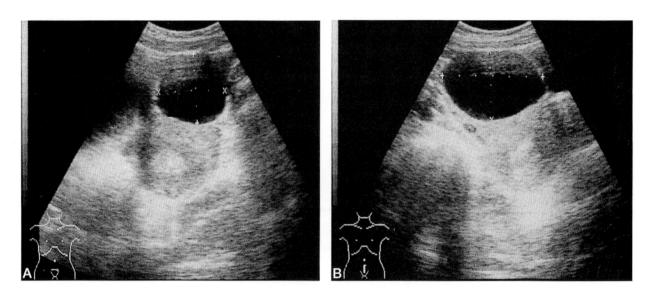

그림 1-71. 난소낭종은 횡주사(transverse scan)에서 40 x 40mm였고(A), 종주사(longitudinal scan)에서 40 x 60mm였다(B). cross-image로 확인한 결과 타원형의 낭종임을 알 수 있다.

3) 압박 주사(Compressing Scan)

늑궁하주사(subcostal scan) 시 간의 횡격막 돔(dome)과 간우엽의 전상구역(anterior superior segment of right lobe)은 일반적인 선동운동으로는 관찰이 어렵다. 이런 경우에는 늑궁하연을 탐촉자 선단으로 찌르기 하듯이 강하게 압박하여 밀어 올리면 관찰이 가능하다. 대부분 앙와위(supine position)에서 행하나, 비만자나 간이 상부로 올라가 위치한 경우에는 좌측와위(left decubitus position)에서 가장 적합한 기교이다.

18 초음파 상의 오리엔테이션(Orientation of Ultrasonographic Image)

초음파 상은 CT처럼 신체 내부의 예정된 절단면을 보는 것과는 다르게 탐촉자의 시야만큼 신체 내부의 단면상을 보는 것이다. 신체의 3차원적 입체구조가 탐촉자로 scan될 때는 2차원의 단면상으로 모니터에 묘출된다. 그러므로 2차원 단면상서 입체구조의 방위를 이해할 필요가 있게 된다. 이의 이해를 돕기 위해 AIUM (American Institute of Ultrasound in Medicine)에서 권장하는 아래의 설명을 참조하라.

1. 횡단면(transverse section)은 관찰자가 환자의 발에서 올려다 보는 것처럼 환자의 오른쪽이 화상의 왼쪽에, 환자의 왼쪽이 화상의 오른쪽에 오는 것으로 CT의 상과 같다(그림 1-74).

2. 종단면(longitudinal section)은 환자의 머리쪽을 화상의 왼쪽에, 환자의 다리쪽을 화상의 오른쪽에 나타낸다(그림 1-75).

3. 우늑간주사(right intercostal scan)에서 화상의 왼쪽은 환자의 오른팔에 가까운 쪽을, 화상의 오른쪽은 환자의 배꼽(umbilicus)에 가까운 쪽을 나타낸다.

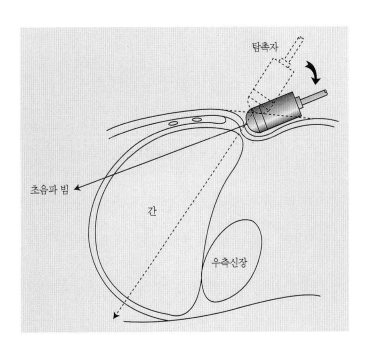

그림 1-72. **압박 주사의 방법**
늑궁하 주사 시 탐촉자를 찌르듯이 치켜 올리면 초음파 빔은 두부를 향하게 되어 관찰 부위가 넓어진다.

4. 좌늑간주사(left intercostal scan)에서 화상의 왼쪽은 환자의 배꼽에 가까운 쪽을, 화상의 오른쪽은 환자의 왼팔에 가까운 쪽을 나타낸다.

   1-4번까지는 앙와위(supine position)에서 상복부 검사시에 얻어지는 경우이다.

5. 복와위(prone position)에서 횡단면(transverse section)은 환자의 오른쪽을 화상의 오른쪽에, 환자의 왼쪽을 화상의 왼쪽에 나타낸다.

   종단면(longitudinal section)은 2번과 같다.

6. 탐촉자에 접촉해 있는 체표는 화상의 상측에, 탐촉자에 멀리 떨어진 심부는 화상의 하측에 위치한다(그림 1-74, 1-75).

7. 심장(heart)의 orientation은 심장부의 총론편에서 다룬다.

8. 골반강의 검사시에는 1번과 2번에 준한다.

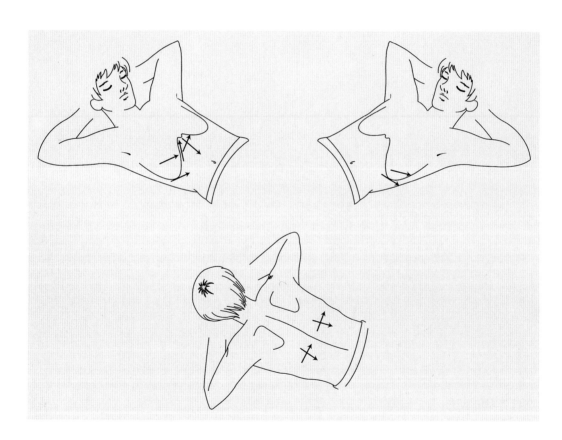

그림 1-73. **AIUM에서 권장하는 초음파 상의 orientation**
화살표의 머리는 화면의 오른쪽이 된다.

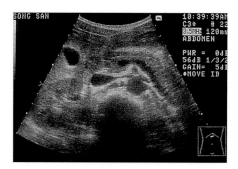

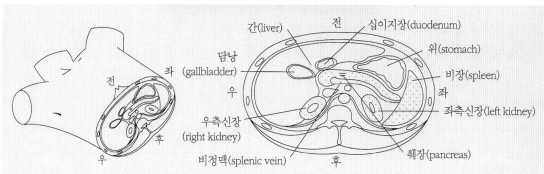

그림 1-74. **췌장 및 그 주위 장기의 횡단면(transverse section)**

환자의 오른쪽이 화상의 왼쪽에, 환자의 왼쪽이 화상의 오른쪽에 위치한다. 환자의 복부측이 화상의 상측에, 환자의 배(背)측이 화상의 하측에 위치한다.

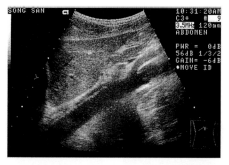

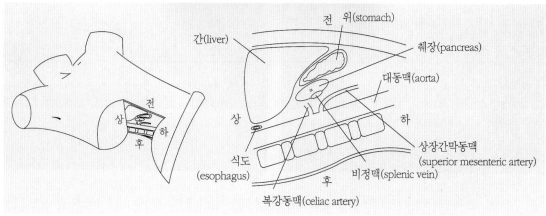

그림 1-75. **복부 대동맥을 중심으로 한 종단면(longitudinal section)**

환자의 머리쪽에 있는 간좌엽이 화상의 좌측에, 환자의 다리쪽에 있는 위(stomach)가 화상의 오른쪽에 위치한다. 환자의 복부측이 화상의 상측에, 환자의 배(背)측이 화상의 하측에 위치한다.

19 검사 전 환자의 준비

초음파 검사를 방해하는 3대 인자 중에 gas는 인위적으로 배제시킬 수 있다. 복부 초음파 검사 전 8~12시간 동안 금식은 위, 십이지장 등 소화기관의 음식물과 gas를 배제시켜 정확하고 자세한 검사에 필수적이다. 만일 음식을 먹었다면 위장에 음식과 공기로 인하여 위, 십이지장의 검사가 어려워지고 더불어 췌장이 음식물과 gas에 의해 관찰이 어려워진다(그림 1-76A). 또한 담낭은 위축되어 진단이 어려워진다(그림 1-77A).

만일 금식을 하였는데도 위장에 gas가 남아 있을 때는 물로 위를 충만시키거나, 환자 체위의 변화를 주거나, 탐촉자로 압박하여 gas를 밀어내는 방법이 있다. 그러나, 급성 상복부 통증을 호소하는 응급환자의 경우, 즉 급성췌장염이나 큰 담낭결석이 의심될 때는 금식의 전처치 없이 검사를 실시할 수 있다.

골반강의 검사에는 자궁의 저부(fundus)를 넘는 지점까지 소변으로 방광을 충만시켜야 한다. 만일 방광을 충만시키지 않았다면 소장의 gas에 의해서 골반강 장기를 시각화할 수 없게 된다(골반강 초음파 검사 참조). 방광의 충만을 위해서는 검사 전 2~3시간 전에 많은 양의 물을 마셔야 한다. 방광을 충만시키는 불편함을 없애고 방광 충만에 따른 장기의 이동으로 해상력이 떨어지는 단점을 없애기 위해 개발된 transvaginal probe는 부인과와 산과의 초기에 널리 쓰이고 있다. 또한 transvaginal probe는 고주파수를 사용하여 해상력을 높여 진단능력을 향상시키고 있다.

검사 시작하기 전에 검사지는 환자의 체표에 초음파가 전달될 수 있도록 전도성 gel (conductivity gel)을 바른다. 검상돌기(xiphoid process)에서 제부(umbilicus)까지의 백선(linea alba)이 있는 요철(凹凸)부위에 탐촉자가 밀착되지 않아서 초음파가 전달되지 않을 때, 음향전달매체인 전도성 gel을 듬뿍 채우고 scan하면 초음파 빔이 잘 전달되어 검사할 수 있다(그림 1-78).

표재성 장기의 검사시에는 수침법 또는 acoustic standoff를 사용하여 초점영역으로 장기를 이동시키고, 불규칙한 체표를 보정하여 검사할 수 있도록 준비해야 한다(그림 1-79). 그러나 근래에 사용하고 있는 높은 주파수를 갖는 probe는 acoustic standoff 없이 직접 체표에 접촉하여 검사한다.

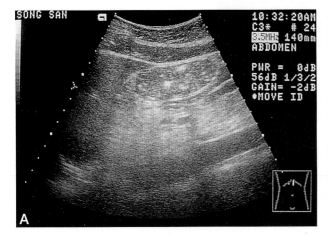
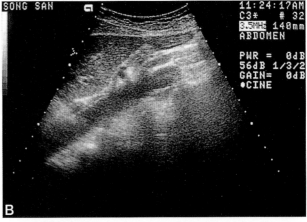

그림 1-76. 위(stomach)에 음식물이 있다면 췌장 및 소화관 관찰이 어려워진다(A). 금식을 하면 이러한 문제점이 없어진다(B).

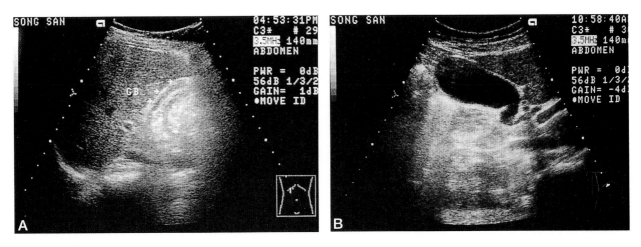

그림 1-76. 음식을 먹게 되면 담낭이 위축되어 관찰이 어렵게 된다(A). 금식을 하면 담낭이 담즙으로 충만되어 자세한 관찰이 이루어질 수 있다(B).

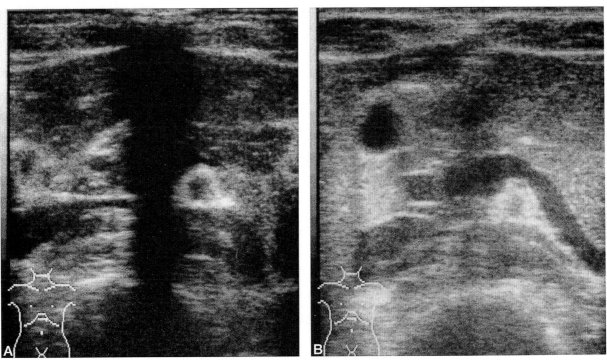

그림 1-78. 백선(linea alba) 때문에 탐촉자가 밀착되지 않을 때는(A) 전도성 gel을 듬뿍 채워 사용하면 간단히 해결할 수 있다 (B).

20 환자의 체위

앙와위(supine position)는 똑바로 누운 상태에서 양팔과 손을 가슴에 두거나 머리 위쪽에 두고 누운 자세이다(그림 1-80). 손을 머리 위로 올리는 것은 늑간주사 하기 편하도록 늑간 사이를 넓히기 위함이다.

좌측와위 또는 우측와위(left or right decubitus position)는 앙와위를 기준으로 좌측 또는 우측으로 누운 자세이다. 좌측와위는 담도계의 검사시에 가장 관찰이 잘되는 자세이다. 우측 신장의 검사에도 검사하기 편한 자세이다(그림 1-81). 우측와위는 좌측 신장의 검사시에 관찰이 잘되는 자세이다(그림 1-82). 복와위(prone position)는 양손을 안면 밑에 두고 엎드린 자세이다(그림 1-83).

좌위(sitting position)는 침상에 무릎을 걸치고 앉아 양팔을 뒤로 뻗어 상체를 떠받치게 하는 자세이다. 이때 머리는 뒤로 젖힌다(그림 1-84). 이 자세는 간을 하방으로 내려가게 하여 소화기관의 gas를 아래로 밀어낸다. 또한 간좌엽을 음향창으로 췌장의 관찰을 용이하게 해주는 자세이다.

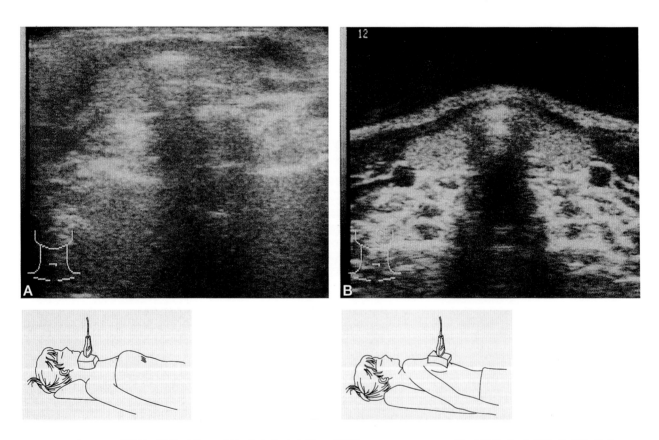

그림 1-79. 갑상선, 유방 같은 표재성 장기의 검사에는 간편한 acoustic standoff를 사용하면 간단히 해결된다(B).

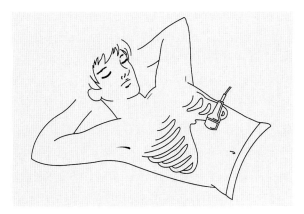

그림 1-80. **앙와위의 자세**

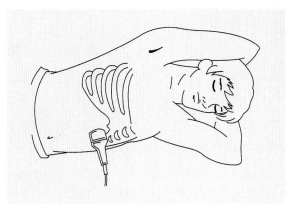

그림 1-81. **좌측와위의 자세**

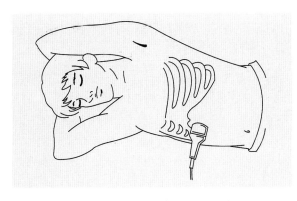

그림 1-82. **우측와위의 자세**

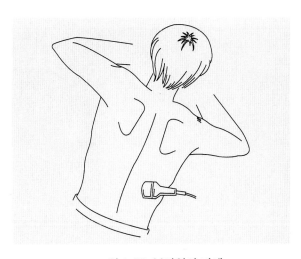

그림 1-83. **복와위의 자세**

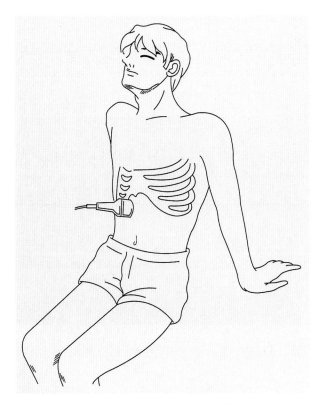

그림 1-84. **좌위의 자세**

21 호흡 조절

상복부 초음파 검사에서 환자의 호흡 조절은 상당히 중요한 요소이다.

늑골에 의하여 둘러 싸여 있는 간, 신장, 비장의 일부는 폐의 공기 때문에 관찰이 어려울 수 있다. 이런 경우에는 환자에게 숨을 크게 들여 마시게 하면 이러한 장기들이 아래로 밀려 내려와 공기의 방해 없이 관찰할 수 있게 된다. 심흡기 상태에서 간은 늑궁하연 밑으로 내려가 소장 대장의 gas를 아래로 밀어내어 초음파 빔이 잘 통과할 수 있게 한다(그림 1-85). 또한 간좌엽은 아래로 내려와 췌장의 음향창으로도 이용할 수 있다(그림 1-86). 그러나 너무 심한 흡기상태는 오히려 간, 신장, 비장의 일부를 폐의 공기로 가리게 만든다(그림 1-87). 검사자는 가장 적합한 호흡을 환자에게 조절시키며 검사한다면 훌륭한 검사가 될 것이다.

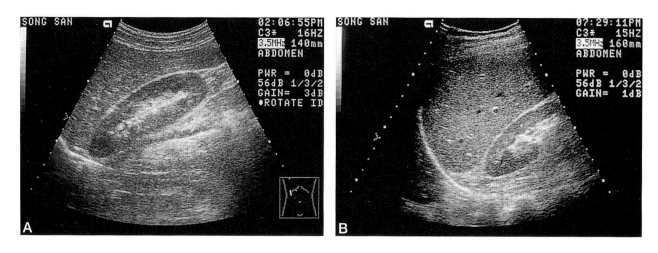

그림 1-85. **우늑간주사(right intercostal scan)**
　　　　A. 평상호흡상태. B. 심흡기 상태. 간우엽과 우측신장이 아래로 내려가 간 상면에 있는 dome의 관찰이 용이하다.

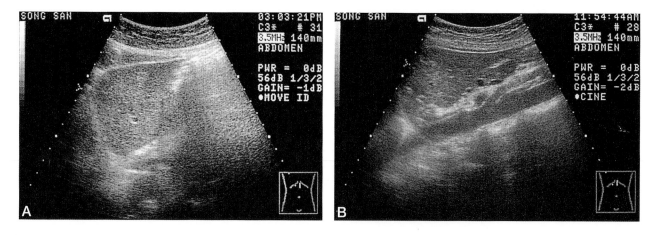

그림 1-86. A. 위장의 공기 때문에 췌장의 관찰이 어려운 경우가 있다. B. 심흡기를 하면 간좌엽이 아래로 내려와 췌장의 음향창 역할을 한다.

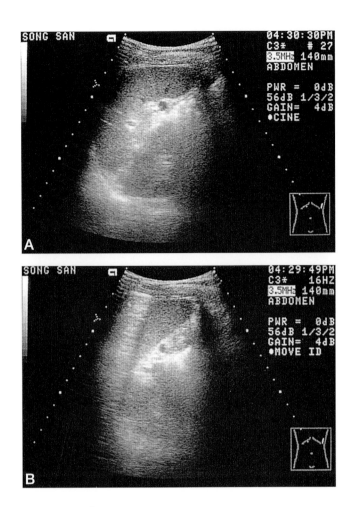

그림 1-87. **좌늑간주사**(left intercostal scan)

A. 비장이 잘 관찰된다. B. 심호흡으로 폐의 공기 때문에 오히려 비장의 관찰이 어려워졌다.

제2편
초음파의 원리

02 상복부의 기본 초음파 상
03 각 장기별 기본 초음파 상

02 상복부의 기본 초음파 상

01 기본 초음파 상과 해부학(Basic Ultrasound Image Anatomy)

초음파 상은 탐촉자의 크기와 종류에 따라 신체 내부의 일부분에 해당되는 이차원적 단면상(2-dimensional image)으로 표시된다. 입체적 신체구조의 일부분을 제한된 크기의 단면상으로 관찰해야 하기 때문에 환자의 체격과 자세, 호흡관계, 탐촉자의 위치와 각도에 따라서 현저하게 다른 초음파 상이 묘출된다. 또한 검사자의 이론에 대한 인지도와 기교의 능숙도에 따라 전혀 다른 초음파 상이 형성되기도 한다. 그러나 모든 사람들은 신체의 해부학적 특징이 대부분 같기 때문에 해부학적 구조물 중 대개 관상구조물(혈관, 담관 등)과 장기의 형태 및 구조를 기준 삼아 어떤 설정된 scan 부위에서 scan을 실시하면 같은 해부학적 패턴의 상을 얻을 수 있다. 이것을 기본 초음파 상(basic ultrasound image)이라 한다.

기본 초음파 상을 기준 삼아 scan하여 기록한다면 환자나 검사자의 개별적인 차이는 거의 없어지고 재현성과 객관성을 높일 수 있다. 초음파 진단에 처음 입문하고자 한다면 이 기본 초음파 상에 있는 관상구조물 즉 간내 혈관(intrahepatic vessels), 간내외 담관(intra-extrahepatic bile duct), 복강내 혈관(intra-abdominal vessels)과 각 장기(organ)의 입체적 형태와 구조를 완벽하게 이해하여야 한다. 이것을 위해서는 초음파 상의 오리엔테이션에서 전후, 좌우, 상하에 대한 공간적 개념을 충분히 익히지 않으면 안된다. 초음파 검사의 숙달이 이 기본 초음파 상에 얼마나 충실하였는가에 달려있다고 해도 과언은 아니다. 질병의 진단은 정상적인 기본 초음파 상과의 차이점만을 확인하여 규명하면 되기 때문이다.

02 상복부의 기본 주사와 기본 초음파 상

주사(走査 scan)란 환자의 체표에서 탐촉자(probe)를 움직임에 의해서 정보를 얻는 것을 의미한다. 초음파 검사는 screening을 목적으로 하는 검사와 임상 소견에 따른 특정 질환이나 장기 이상에 따른 정밀 검사를 목적으로 하는 검사가 있다. Screening을 목적으로 하는 검사는 일련의 순서를 정해서 검사하는 routine study를 행하는 것이 쉽게 병변을 찾는데 효율적이다. 그 순서가 일정하게 정해진 것이 아니므로 기본 초음파 상에 준하는 수순을 검사자에게 알맞게 정해놓고 scan하면 된다. 정밀 검사에도 일정한 수순은 없으며 병변을 정확하게 표시할 수 있는 scan을 하면 된다.

1) 우늑궁하 주사(Right subcostal scan)와 기본 초음파 상

우늑궁하 주사는 탐촉자를 우늑궁하연(right subcostal margin)을 따라 위치시켜 주사하는 것이다.

앙와위~좌측와위(supine position~left decubitus position)의 체위로 심와부(epigastrium)에서 우늑 궁하연(right subcostal margin)을 따라 우측단 측복부까지 주사한다. 탐촉자의 각도를 다리쪽으로 기울이고 심흡기 상태에서 선동운동(rocking or sectoring motion)을 하며 주사한다. 만일 간우열의 돔(dome) 또는 전구역을 빠짐없이 자세히 관찰하려면 탐촉자를 늑궁하에 찌르듯이 압박하여 초음파 빔이 두부(cephalad)를 향하게 하는 압박 주사(compressing scan)를 하면 효과적이다.

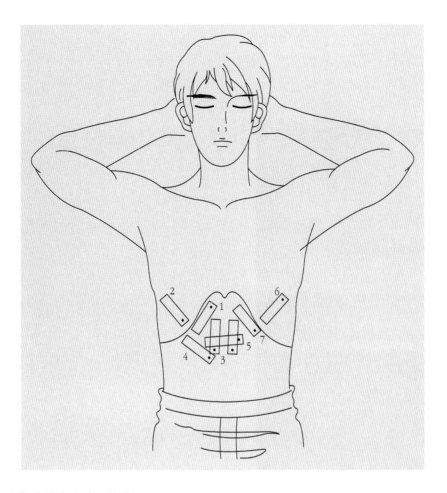

그림 2-1. **상복부 초음파 검사의 기본 주사**

1. 우늑궁하 주사(right subcostal scan), 2. 우늑간 주사(right intercostal scan), 3. 종주사(longitudinal scan), 4. 우계늑부 사 주사(right hypochondriac oblique scan), 5. 횡주사(transverse scan), 6. 좌늑간 주사(left intercostal scan), 7. 좌늑궁하 주 사(left subcostal scan)

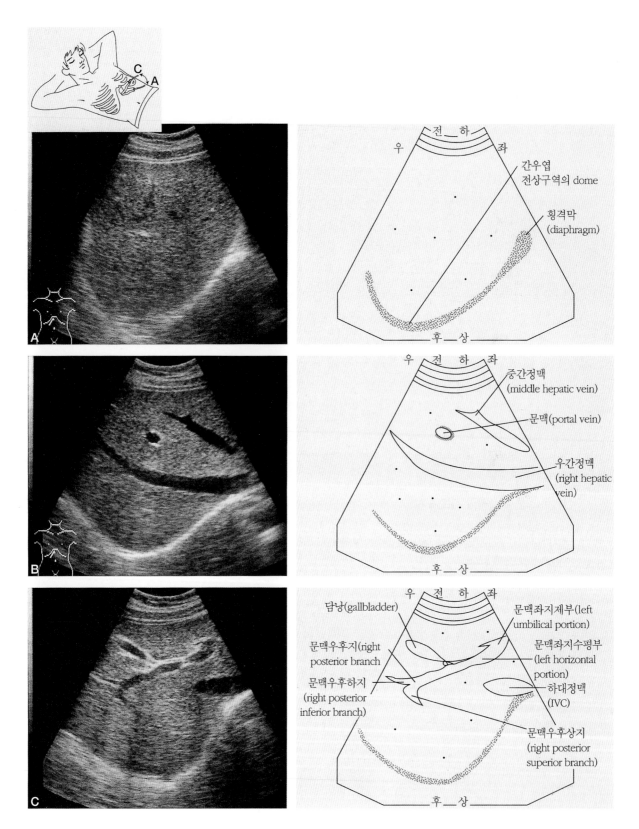

그림 2-2. **우늑궁하주사의 선동운동과 기본 초음파 상**

    A. 간의 dome 또는 간우엽 전상구역(anterior superior segment)을 관찰한다. B. 중, 우간정맥과 그 사이에 문맥을 묘출한다. C. 좌우 문맥과 담낭을 시각화한다.

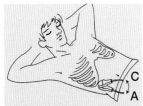

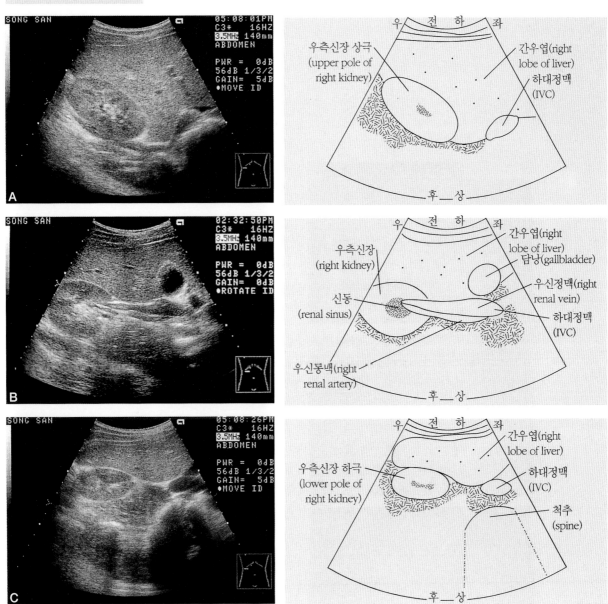

그림 2-2. 우늑궁하의 우측단 측복부에서의 선동운동과 기본 초음파 상

　　A. 우측 신장의 상극(upper pole)과 간우엽을 관찰한다. B. 우측신장의 신동, 신정맥 그리고 신동맥을 묘출한다. C. 우측신장의 하극(lower pole)을 관찰한다.

2) 우늑간 주사(Right Intercostal Scan)와 기본 초음파 상

탐촉자를 우늑간사이(right intercostal space)에 두고 주사한다. 앙와위-좌측와위(supine position-left decubitus position)의 체위로 우측 전흉벽에서 측흉벽까지 늑간마다 선동운동하며 주사한다. 환자에게 호흡조절을 하게 하면서 넓은 시야를 확보하며 선동운동하는 것이 중요하다. 폐의 공기에 의한 맹점부인 dome의 관찰은 convex probe 또는 sector probe를 사용하거나 우늑궁하 주사와 압박 주사로 보충한다. 우늑간 주사는 우측간과 우측신장에 있는 병변을 가장 많이 찾을 수 있는 방법이다. 우늑간 주사시에는 gain을 약간 높여 관찰하면 더욱 좋다.

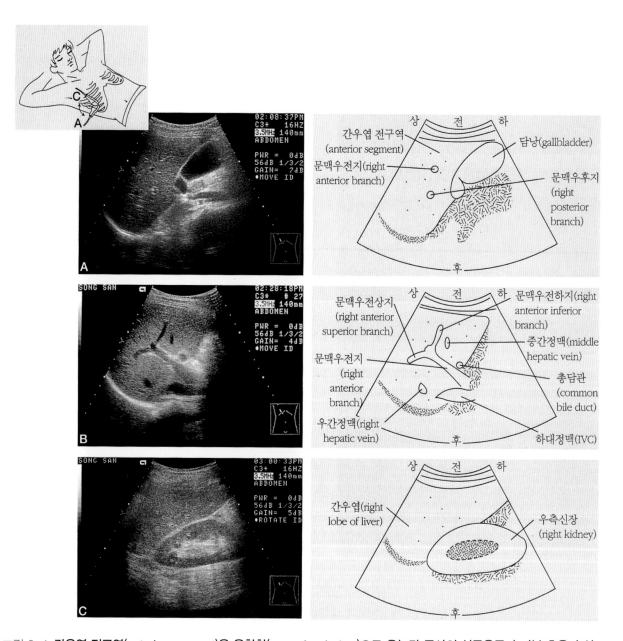

그림 2-4. **간우엽 전구역(anterior segment)을 음향창(acoustic window)으로 우늑간 주사의 선동운동과 기본 초음파 상**
　　　　A. 간우엽 전구역을 음향창으로 담낭을 묘출한다. B. 담낭과 간우엽 전구역의 문맥 우전지에서 상지와 하지가 상하로 분리됨을 묘출한다. C. 간우엽 전구역을 음향창으로 우측신장을 묘출한다.

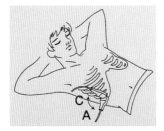

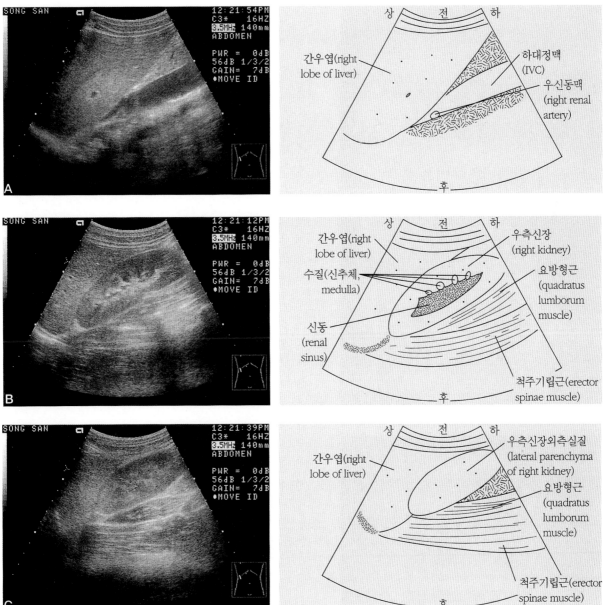

그림 2-5. **간우엽 후구역(posterior segment)을 음향창으로 우측신장 부위의 선동운동과 기본 초음파 상**

A. 간우엽 후구역을 음향창으로 우측신장의 외측 실질을 묘출한다. B. 간우엽 후구역을 음향창으로 우측신장의 신동(renal sinus)을 묘출한다. C. 간우엽과 하대정맥을 묘출한다.

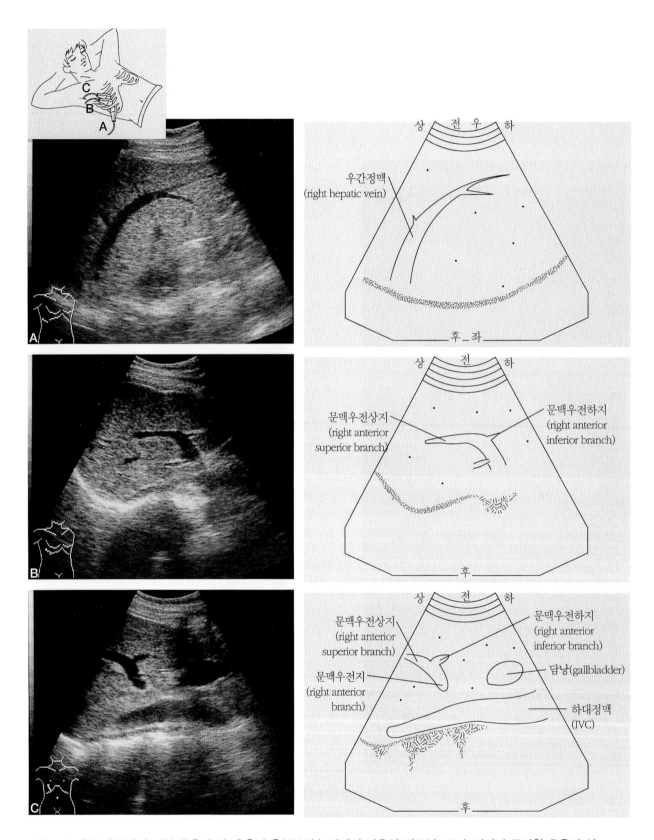

그림 2–6. 우늑간 주사와 기본 초음파 상. 우측단 측복부의 늑간에서 간우엽 전구역으로 늑간마다 주사한 초음파 상.

A. 우간정맥이 묘출된다. 간우엽 후구역의 신장 부위에서 왼쪽 어깨 부분을 조준하듯이 치켜올리면 우간정맥이 묘출된다.

B. 문맥전지가 묘출된다. C. 문맥전지와 담낭, 하대정맥을 묘출한다.

3) 종 주사(Logitudinal Scan)와 기본 초음파 상

탐촉자의 장축을 신체의 시상면(sagittal plane)과 평행하게 위치시켜 주사한다. 앙와위(supine position)의 체위로 심와부 중앙에서 우측단 측복부까지 서서히 움직이며 주사한다.

복강내 혈관(intra-abdominal vessels)을 관찰한다.

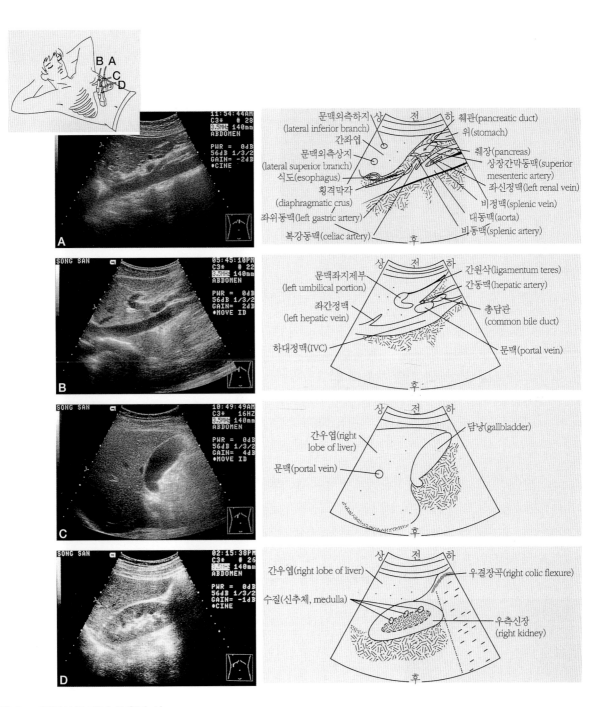

그림 2-7. **종주사와 기본 초음파 상**

A. 대동맥을 기준으로 간좌엽, 췌체부, 비정맥 등 주위의 여러 장기와 관상 구조물을 묘출한다. B. 하대정맥과 중간정맥을 묘출한다. C. 담낭이 간 하면에서 관찰된다. D. 우측 신장이 관찰된다.

4) 우계늑부 사 주사(Right Hypochondriac Oblique Scan)와 기본 초음파 상

탐촉자를 우늑골연과 직각으로 위치시킨다. 앙와위~좌측와위(supine position-left decubitus position)의 체위로 종주사의 그림 2-7에서 B번의 하단과 C번의 상단을 경사지게 이으면 자연히 총담관(CBD), 문맥(PV), 하대정맥(IVC)이 묘출된다.

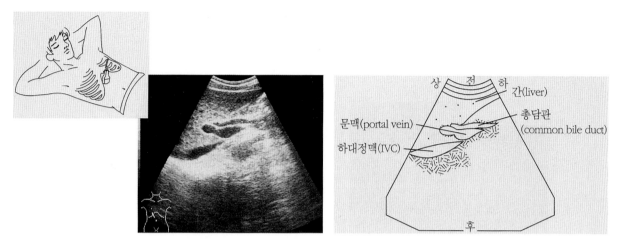

그림 2-8. **우계늑부 사주사와 기본 초음파 상**

총담관(CBD), 문맥(PV), 하대정맥(IVC)이 깊이 순으로 묘출된다.

5) 횡주사(Transverse Scan)와 기본 초음파 상

탐촉자를 시상면(sagittal plane)과 직각으로 놓는다. 횡주사는 앙와위(supine position)를 기본 체위로 한다. 그러나 비만 환자, 간위축으로 간이 음향창의 역할을 못하는 환자, 상복부 소화관의 gas가 많은 환자는 좌위(sitting position)의 체위로 주사한다.

이 scan은 비정맥(splenic vein)을 묘출하여 췌장의 관찰에 주로 사용되며, 총간동맥과 비동맥(common hepatic artery and splenic artery), 신장혈관(renal vessels), 문맥 좌지(left branch of portal vein), 그리고 좌측 간내담관(left intrahepatic bile duct) 등을 관찰한다. 췌장의 장축상을 관찰하기 위한 탐촉자 위치는 심와부에서 탐촉자의 좌측 끝을 약간 머리쪽으로 경사지게 주사하는 심와부 경사 횡주사(epigastric oblique transverse scan)를 하면 관찰할 수 있다.

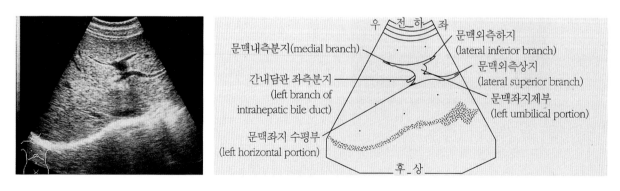

그림 2-9. **심와부에서 간내로 횡주사하면 문맥 좌지가 묘출된다.**

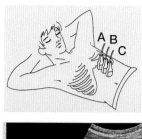

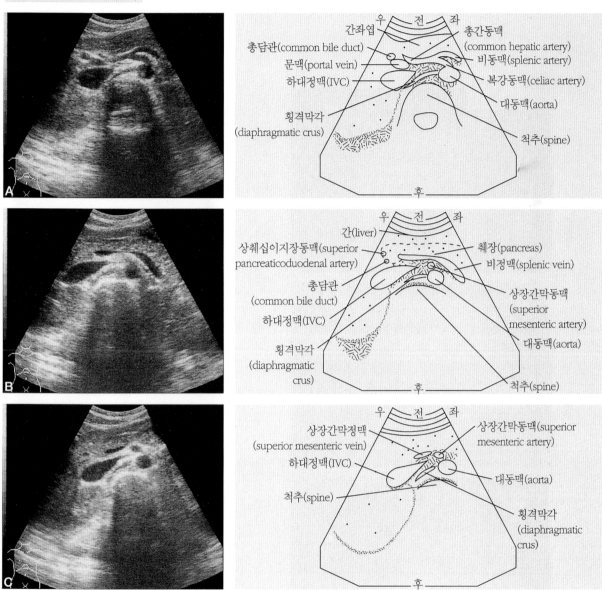

그림 2-10. **횡주사와 기본 초음파 상**

A. 복강동맥을 주사하면 총간동맥과 비동맥이 좌우로 분지하는 것이 묘출된다. B. 비정맥을 묘출하면 그 전면에 췌장이 보이게 된다. C. 상장간막정맥과 상장간막동맥이 이웃하여 묘출된다.

71

6) 좌늑간 주사(Left Intercostal Scan)와 기본 초음파 상

탐촉자를 좌늑간 사이(left intercostal space)에 놓고 주사한다. 앙와위~우측와위의 체위로 좌측선장과 비장, 비문부 혈관, 췌미부를 관찰한다. 환자에게 심호흡을 시키며 탐촉자를 선동운동한다.

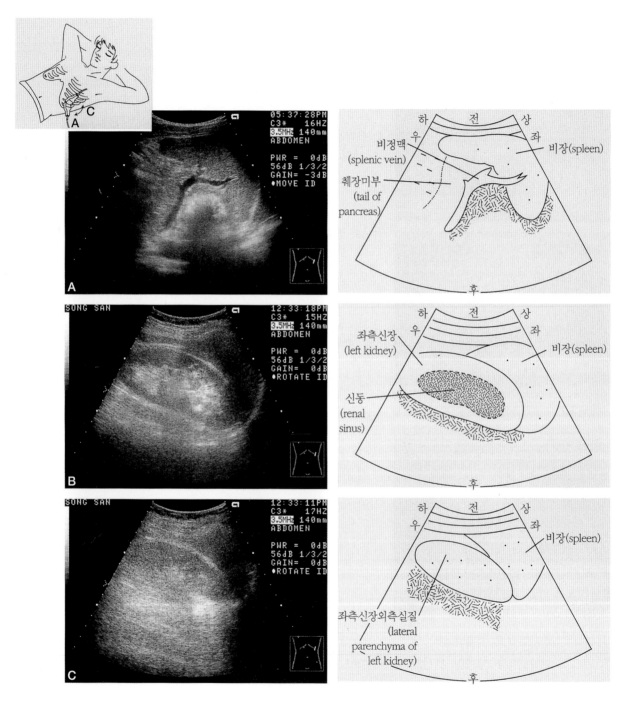

그림 2-11. **좌늑간 주사와 기본 초음파 상**

A. 비장과 비문부 혈관을 묘출한다. B. 좌측신장과 비장을 관찰한다. C. 좌측신장의 외측실질(lateral parenchyma)이 관찰된다.

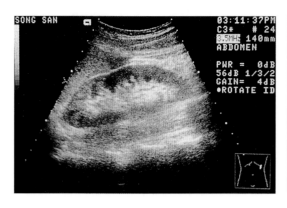
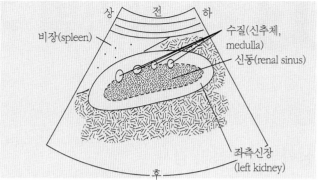

그림 2-12. **비뇨기계에서의 신장 묘출**
신장의 상극을 화상의 왼쪽에, 하극을 화상의 오른쪽에 위치시킨다. 비장은 자연히 왼쪽에 오게 된다.

7) 좌늑궁하 주사(Left Subcostal Scan)와 기본 초음파 상

탐촉자를 좌늑궁하연(left subcostal margin)에 두고 주사한다.

앙와위 체위로 주로 위장, 대장, 좌측 신장을 관찰한다.

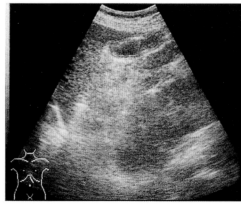
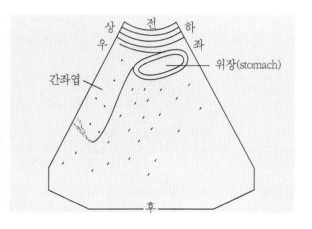

그림 2-13. **좌 늑궁하 주사와 기본 초음파 상**

03 각 장기별 기본 초음파 상

Ⅰ. 상복부의 초음파 검사

 간

1) 간의 해부

간은 인체 중에서 최대의 선(gland)으로 가장 큰 실질 장기이다. 간은 주로 우상복부에서 횡격막(diaphragm) 바로 아래 복강(peritoneal cavity)에 위치한다. 좌측 소부분이 정중선의 좌측에 있고 검상돌기(xiphoid process) 아래에서 골에 가리워지지 않은 부위가 있으며 우엽은 대부분 늑골(rib)로 덮여 있다. 상면은 횡격막에 접하고 폐의 dome에 덮여 있으며 둥글다. 하면은 평편하며 후부는 둥글고 두꺼우며 전하방은 얇다.

해부학적인 면에서 간은 우엽(right lobe)과 좌엽(left lobe)으로 나누어진다. 그 나누어지는 경계로 상면에서는 겸상인대(falciform ligament)와 하면에서는 태생기의 제정맥(umbilical vein)이 통하는 곳으로 출생 후 위축된 단단한 결합조직의 간원삭(ligamentum teres) 및 태생기의 제정맥과 하대정맥을 이은 정맥관삭(ligamentum venosum)으로 이루어졌다. 하면에는 좌엽, 우엽, 방형엽(quadrate lobe), 미상엽(caudate lobe) 등 4부분으로 나눈다. 이들 경계 부위는 간문(porta hepatis)이라 하여 문맥 (portal vein), 간동맥(hepatic artery), 담관(bile duct)이 지나간다. 방형엽은 담낭(gallbladder)과 간원삭에 의해 경계가 이루어진다. 미상엽은 문맥의 좌지수평부(left horizontal portion)와 정맥관삭으로 경계 되어진다.

간의 높이는 체위와 호흡운동에 따라 변화하여 정호흡시 2~3cm의 이동이 있다 우측은 제4 늑간 높이까지 올라가 유두(mammary papilla) 위치까지 올라가기도 한다. 심흡기 시에는 아래로 내려가서 촉지할 수 있다.

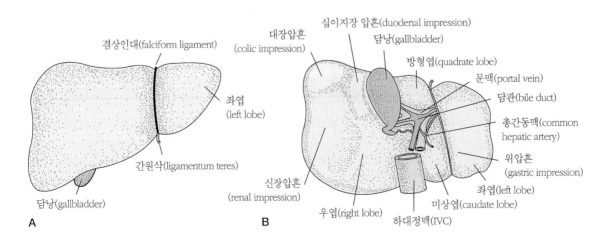

그림 3-1. A. 간의 복측면(ventral surface). B. 간의 배측면(dorsal surface)

74

2) 간내 혈관의 해부

간내 혈관은 간동맥(hepatic artery), 문맥(portal vein), 간정맥(hepatic vein)으로 이루어져 있다. 간동맥은 대동맥(aorta)에서 분지된 복강동맥(celiac artery)을 거쳐 총간동맥(common hepatic artery)을 지나 간동맥을 이룬다. 간내에서는 크기가 너무 작아 초음파로 거의 보이지 않는다.

문맥은 위, 장, 췌장, 비장 및 담낭의 모세혈관 등에서 정맥혈이 모여 이루어져 간문(porta hepatis)을 통해 간으로 혈액을 보내는 역할을 한다. 간내에 들어온 문맥은 좌우로 갈라진다. 좌측은 수평으로 좌지수평부(left horizontal portion or left transverse portion)를 이루고 전하방으로는 태생기에 제 정맥이 통하는 좌지 제부(umbilical portion)를 이룬다. 좌지 제부를 중심으로 내측분지(medial branch)와 외측분지(lateral branch)로 나뉜다. 외측분지는 상하로 외측상지(lateral superior branch)와 외측하지(lateral inferior branch)로 각각 분리된다. 우측은 전후로 갈라지고 전후는 각각 상하로 분지된다. 우전상지(right anterior superior branch)와 우전하지(right anterior inferior branch)는 우전지에서, 우후상지(right posterior superior branch)와 우후하지(right posterior inferior branch)는 우후지에서 분지된다. 간의 실질(parenchyma)을 싸고있는 글리슨 초(Glisson's sheath)라는 결합조직막이 간내 문맥에도 싸여 있어 초음파를 강하게 반사하기 때문에 문맥의 혈관벽이 echogenic하게 보인다.

문맥을 지난 혈액은 간소엽 내의 모세혈관을 통해 3개의 간정맥으로 흘러 하대정맥(inferior vena cava)으로 들어간다. 3개의간정맥은 좌측에 좌간정맥(left hepatic vein), 중간에 중간정맥(middle hepatic vein), 우측에 우간정맥(right hepatic vein)으로 구성된다. 초음파 상에는 잘 보이나 문맥같은 결합조직이 없기 때문에 echogenic하게 보이지 않는다.

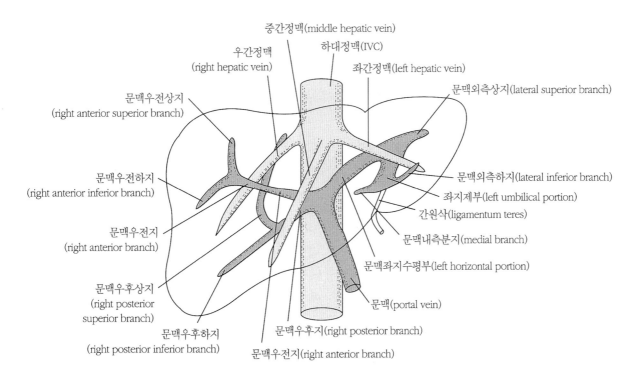

그림 3-2. **간내 혈관의 해부**

3) 간의 구역

간은 문맥, 간정맥, 인대(ligament), 열와(fissure, fossa)를 지표로 8구역으로 나눈다(Couinaud's segment). 이는 국한성 병변(regional disease)의 존재 부위를 표시하여 외과적 치료를 받는데 이용된다.

간을 기능적인 면으로 나누면 주엽열(main lobar fissure)에 의해 좌엽(left lobe)과 우엽(right lobe)으로 나뉘어진다. 주엽열은 담낭와(gallbladder fossa)와 하대정맥(IVC)을 연결한 선으로 Cantlie line이라 부른다. 또한 중간정맥(middle hepatic vein)이 주엽열 안에서 지나간다. 좌엽은 좌간정맥(left hepatic vein)과 겸상인대(falciform ligament)에 의해 내측구역(medial segment)과 외측구역(lateral segment)으로 나뉘어진다. 우엽은 우간정맥(right hepatic vein)을 중심으로 전, 후구역(anterior, posterior segment)으로 나뉘어진다. 미상엽(caudate lobe)은 문맥의 좌지수평부와 정맥관삭으로 경계 지워진다.

간을 나누는 지표를 혈관 분포로 본다면 다음과 같다. 중간정맥은 간의 좌엽과 우엽의 사이로 주행하여 간을 좌엽과 우엽으로 나누는 지표가 된다. 좌간정맥은 좌엽의 내측과 외측구역의 사이로 주행하여 좌엽을 내측구역과 외측구역으로 나누는 지표가 된다. 우간정맥은 우엽의 전구역과 후구역의 사이로 주행하여 우엽을 전구역과 후구역으로 나누는 지표가 된다. 이와 같이 3개의 간정맥에 의해 4개의 간구역이 나누어진다. 또한 문맥의 혈행으로 좌엽의 외측구역이 상하로, 우엽의 전구역과 후구역이 상하로 나누어진다. 간정맥에 의해 간을 4구역으로 나눈 것이 문맥에 의해 7구역으로 더 나누어진다. 여기에 미상엽을 더하면 8구역이 된다.

이상과 같이 간을 8구역으로 나누고, 그 나누어진 간을 다리쪽에서 올려다 보면서 미상엽을 1번으로 정한 후 반시계 방향으로 8번까지 번호를 붙였다. 그 결과로 간의 8구역은 S_1~S_8까지 고유의 번호가 붙게 되었다. 이것이 Couinaud 분류에 의한 간구역이다. 그러나 이 구역은 폐(lung) 소엽 내의 흉막(interlobar pleura)처럼 막구조(membranous structure)가 각 구역 경계마다 존재하는 것이 아니기 때문에 구역을 명확하게 경계지어 지적할 수 없다.

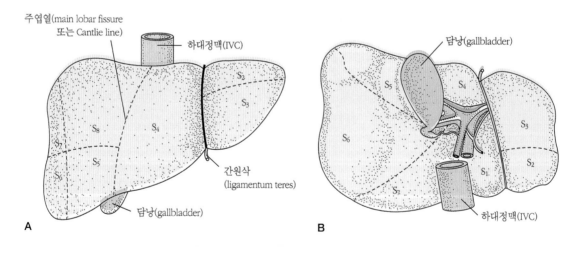

그림 3-3. **간 표면의 Couinaud 구역 분류**
간의 복측면(A)과 간의 배측면(B)

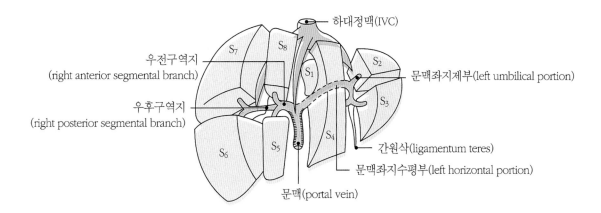

mercadier-clot의 간구역도

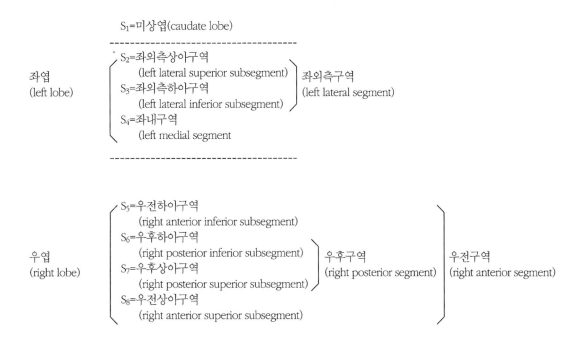

S_1=미상엽(caudate lobe)

- -

좌엽
(left lobe)

S_2=좌외측상아구역
  (left lateral superior subsegment)
S_3=좌외측하아구역
  (left lateral inferior subsegment)
좌외측구역
(left lateral segment)
S_4=좌내구역
  (left medial segment

- -

우엽
(right lobe)

S_5=우전하아구역
  (right anterior inferior subsegment)
S_6=우후하아구역
  (right posterior inferior subsegment)
S_7=우후상아구역
  (right posterior superior subsegment)
S_8=우전상아구역
  (right anterior superior subsegment)

우후구역
(right posterior segment)

우전구역
(right anterior segment)

그림 3-4. 혈관 분포에 따른 구역 분류

4) 간의 기본 초음파 상(Basic Ultrasound Image of the Liver)

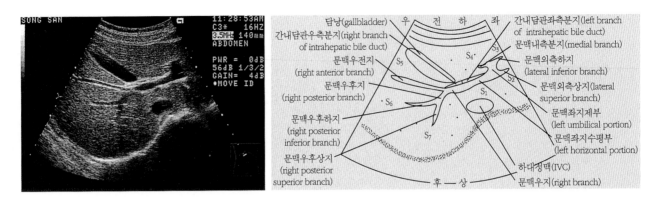

그림 3–5. Right subcostal scan

문맥(PV)과 담낭(GB)이 echogenic한 벽을 가지고 잘 관찰된다. 하대정맥(IVC)과 담낭와(gallbladder fossa)의 중앙을 연결한 선을 Cantlie line이라 부르며 간을 기능적인 면에서 우엽과 좌엽으로 나누는 지표가 된다.

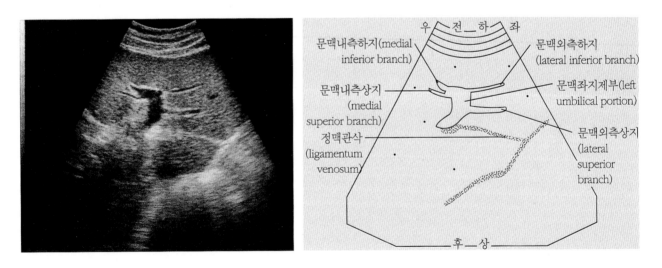

그림 3–6. 심와부에서의 transverse scan

문맥좌지제부(umbilical portion)가 명확하게 보이고 내측과 외측의 분지가 보인다. 탐촉자 선단을 체표에 대고 후단을 다리쪽으로 기울이면 초음파 빔이 머리쪽으로 향하게 된다. 이러한 방법으로 묘출하였기 때문에 인체의 하측이 탐촉자의 선단에 있게 되어 화상에서는 위쪽에, 인체의 상측이 탐촉자에서 멀기 때문에 화상의 아래쪽에 위치하는 것을 초음파의 입문자는 염두에 두어 화상의 표시법을 익혀야 한다. 화상에서 위쪽에 있는 관상 구조물은 문맥좌지의 하지(inferior branch)이고 아래쪽에 있는 것은 상지(superior branch)이다.

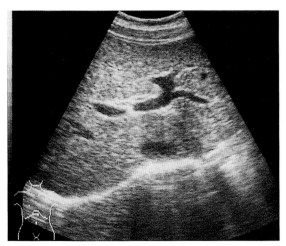
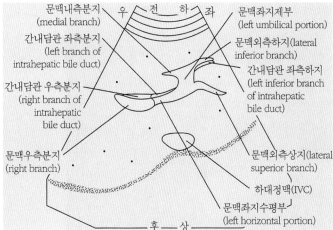

그림 3-7. **Right subcostal scan**

복벽과 평행하게 주행하는 좌지수평부(horizontal portion)와 복벽으로 주행하는 제부(umbilical portion)를 관찰한다. 복벽으로 주행하는 제부는 초음파 화상에서 위쪽으로 뻗어 나타난다.

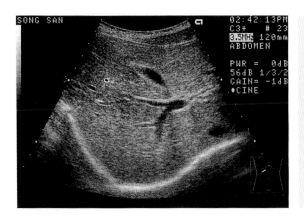
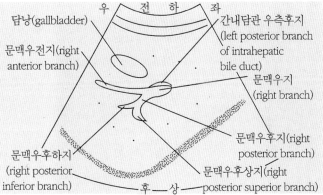

그림 3-8. **Right subcostal scan**

탐촉자를 우측복벽으로 이동시켜 주사하면 문맥의 우측전지와 우측후지가 보인다. 화상의 위쪽의 관상구조물은 우측전지(right anterior branch)이고 아래쪽을 향하는 것이 우측후지(right posterior branch)이다.

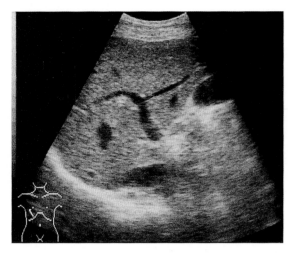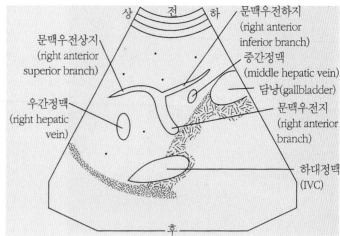

그림 3-9. **Right intercostal scan**

우측쇄골(clavicle)의 중앙선 위치에 해당되는 우측 늑골 7~8번 사이에서 늑골과 평행한 방향으로 탐촉자를 두고 주사한다. 문맥우전상하지가 우늑간주사일 때 잘 관찰된다. 화상의 왼쪽이 우전상지(right anterior superior branch)이고 오른쪽이 우전하지(right anterior inferior branch)이다.

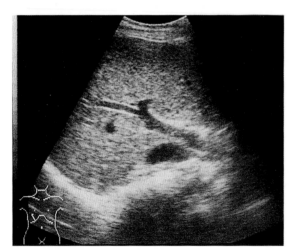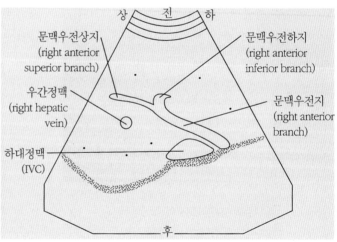

그림 3-10. **Right intercostal scan**

탐촉자를 약간씩 움직여 문맥이 간으로 들어오는 경로와 일직선상에 맞추면 간으로 들어오는 문맥과 우전상지가 연결되어 있는 것을 함께 묘출할 수 있다.

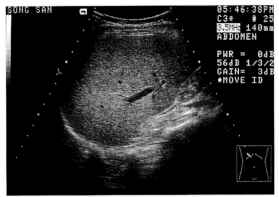 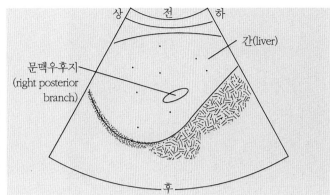

그림 3-11. **Right intercostal scan**

그림 3-9의 상태에서 초음파 빔이 우측벽을 향하도록 탐촉자를 중앙쪽으로 기울이면 문맥의 우후지(right posterior branch)가 조금 보이게 된다. Intercostal scan에서 문맥우후지를 볼 수 있는 유일한 방법이다.

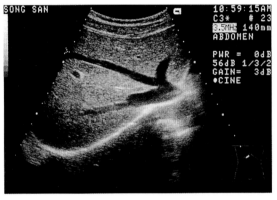 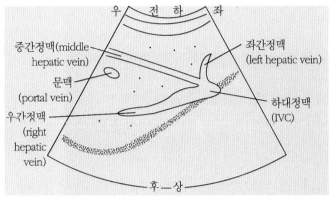

그림 3-12. **Right subcostal scan**

심와부에서 탐촉자를 발쪽으로 기울여 초음파 빔을 두부쪽(cephalad)으로 입사시키면 3개의 간정맥이 횡격막 아래의 하대정맥(IVC)으로 유입되는 것이 묘출된다. 대부분 좌간정맥과 중간정맥은 하대정맥에 유입되기 전에 합류하여 하대정맥에 유입되고 우간정맥은 직접 하대정맥에 합류한다.

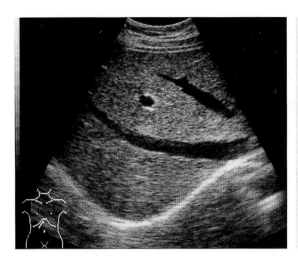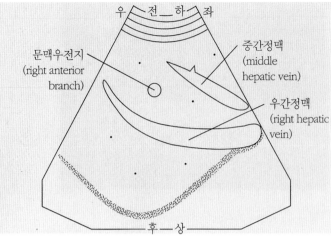

그림 3-13. **Right subcostal scan**

중간정맥과 우간정맥 사이에 echogenic한 고에코 벽을 가진 무에코 원은 문맥의 우전지(right anterior branch)가 잘려져 나타난 것이다. 문맥은 글리슨 초(Glisson's sheath)에 싸여 있기 때문에 강한 반사를 한다.

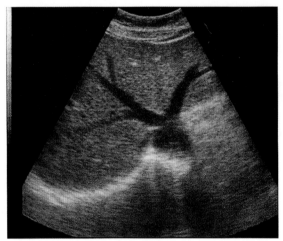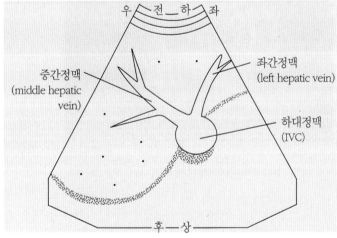

그림 3-14. **Transverse scan.** 좌간정맥과 중간정맥의 묘출

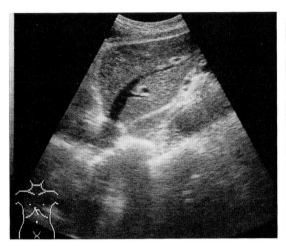
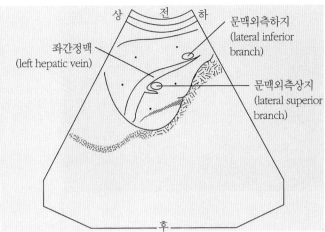

그림 3-15. Longitudinal scan. 간좌엽(left lobe)에 있는 좌간정맥의 묘출

화상에서 간정맥의 위, 아래에 echogenic한 벽을 가진 무에코 원은 문맥좌지 외측상, 하지(left lateral superior, inferior branch)가 잘려진 모양이다. 종주사이므로 화상의 좌측은 신체의 머리쪽이고 화상의 우측은 신체의 다리쪽이다. 그러므로 화상의 좌측 아래에 있는 무에코 원은 문맥좌지 외측상지(lateral superior branch)가 되고, 화상의 우측 위에 있는 무에코 원은 문맥좌지 외측하지(lateral inferior branch)가 된다.

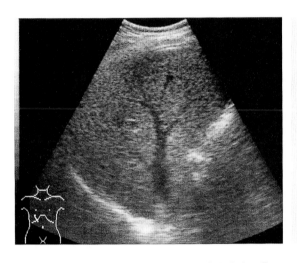
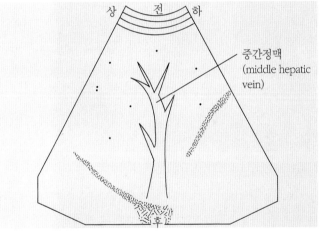

그림 3-16. Right intercostal scan. 중간정맥의 묘출

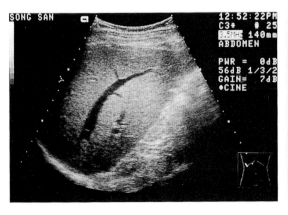
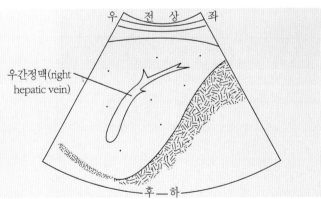

그림 3-17. Right intercostal scan. 우간정맥의 묘출

우측복벽의 늑간 사이에서 탐촉자를 다리쪽으로 눕혀 초음파빔을 왼쪽 어깨로 향하게 하면 우간정맥이 묘출된다.

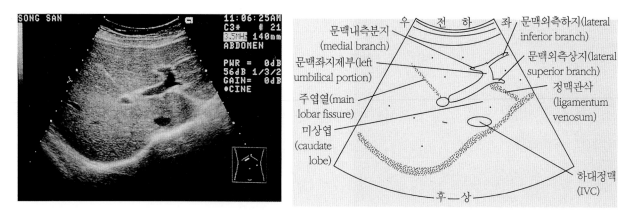

그림 3-18. Right subcostal scan. 주엽열(main lobar fissure)의 묘출

주엽열은 간을 기능적으로 좌엽, 우엽으로 나누는 기준선이다.

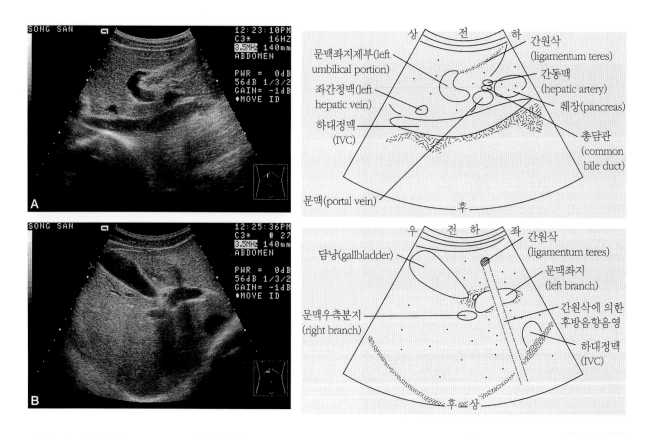

그림 3-19. 간원삭(ligamentum teres)의 묘출

A. Longitudinal scan. 간원삭(ligamentum teres)이 문맥좌지제부(left umbilical potion)에서 간의 전하방으로 뻗어 있다. 후방에 하대정맥이 보인다. B. Transverse scan. 방형엽의 중간에 strong echo가 있고 후방음향음영(posterior acoustic shadow)이 있다. 이것은 간원삭으로 초음파를 강하게 반사하기 때문에 후방음향음영이 형성되어 결석으로 혼동할 수 있다.

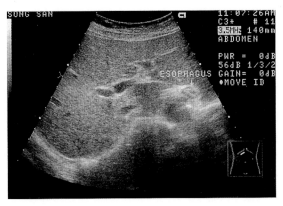
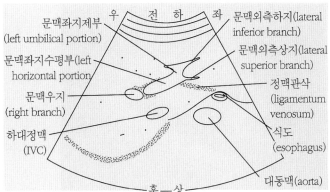

그림 3-20. **정맥관삭(ligamentum venosum)의 묘출.** transverse scan

정맥관삭, 문맥좌지수평부, 하대정맥이 미상엽(caudate lobe)의 경계가 된다. 정맥관삭의 좌측으로 식도(esophagus)가 보인다.

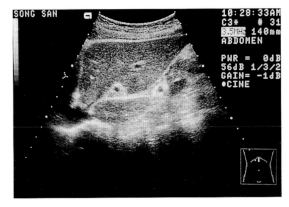
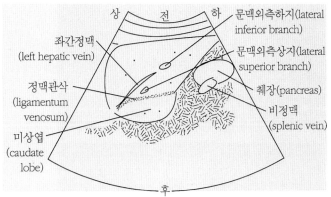

그림 3-21. **정맥관삭(ligamentum venosum)의 묘출.** longitudinal scan

방형엽과 미상엽을 정맥관삭이 뚜렷하게 구분하고 있다.

85

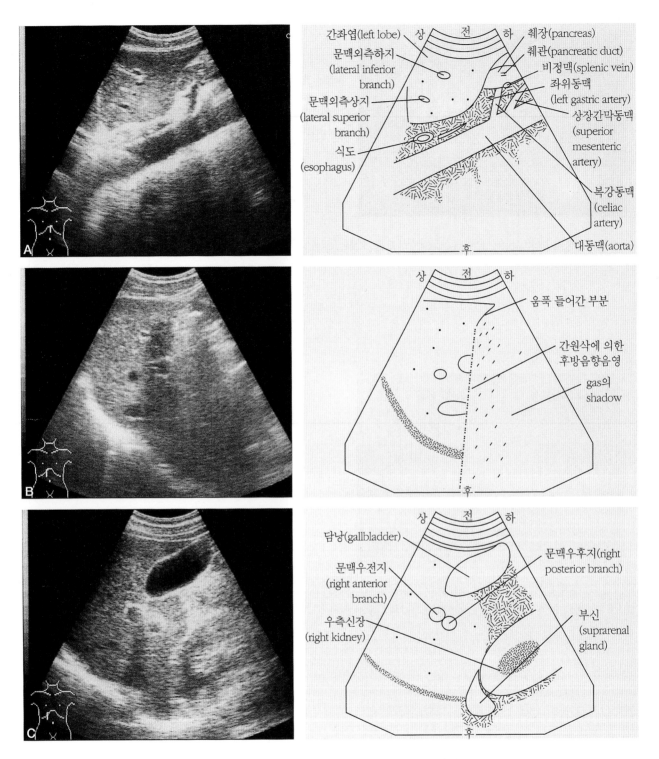

그림 3-22. 늑궁하연을 따른 longitudinal scan은 전반적인 간의 형태를 파악할 수 있다.

A. 간좌엽의 형태를 알 수 있다. B. 간원삭(ligamentum teres) 부위에서 간이 움푹 들어가 있음을 알 수 있다. 또한 간원삭이 강한 반사를 하기 때문에 그 하면에는 명료한 화상이 생기지 않는다. C. 간우엽, 담낭, 우측신장이 보인다.

02 담낭

1) 담낭의 해부

담낭은 간에서 분비되는 담즙(bile juice)을 받아 저장하고 농축하였다가 식후에 담낭관을 통해서 총담관(common bile duct)으로 내보내는 역할과 담즙의 역류를 막는 역할을 한다.

담낭은 간의 하면 담낭와(gallbladder fossa)에 부착되어 있고 간의 장막(serosa)으로 고정되어 있다. 길이는 약 7~8cm이고 폭은 2.5~4cm이다. 30~60mL의 용적을 가진 서양배 또는 가지(茄,eggplant) 모양을 하고 있다.

담낭은 저부(fundus), 체부(body), 경부(neck)의 3부분으로 이루어져 있다. 저부는 간 전연(anterior margin) 가까이 둥근 모양을 하고 있다. 경부는 뾰족한 모양을 하고 간문(porta hepatis)쪽으로 향하고 있다. 체부는 담낭 중간의 대부분을 차지하고 있다. 경부에는 종종 점막 주름(mucosal fold)에 의해 경계되는데 이곳을 Hartmann's pouch라 한다. 담낭의 하면으로는 경부와 체부 사이에 십이지장구부(duodenal bulb)가 지나가고 저부에는 횡행결장(transverse colon)이 지나간다. 이들 장기 안의 음식물과 gas로 인하여 초음파 상에 허상을 만들거나 담낭하면의 묘출을 어렵게 만들기도 한다.

담낭벽은 점막층 점막하층, 근요층, 장막층으로 구성되어 있다. 이 벽은 초음파로 정상일 때 3mm를 넘지 않으며 수축하거나 부종이 있을 경우 hyper-hypo-hyper echoic하게 3개의 층구조로 관찰된다.

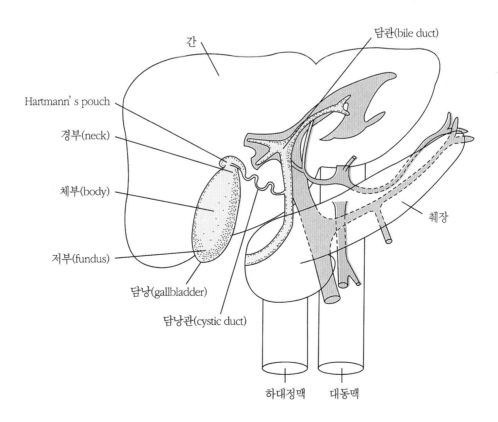

그림 3-23. **담낭의 해부**

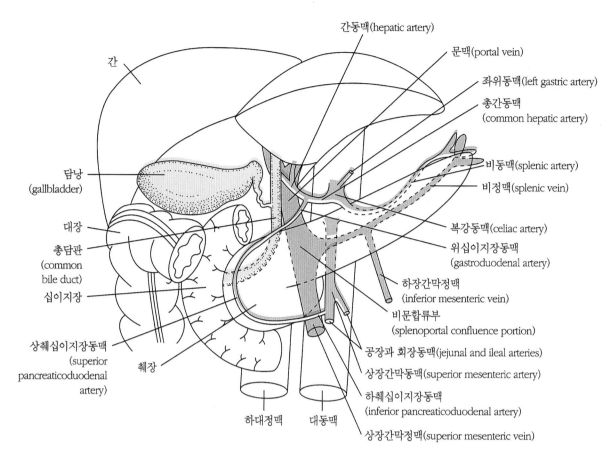

간동맥(hepatic artery)

문맥(portal vein)

좌위동맥(left gastric artery)

총간동맥
(common hepatic artery)

간

비동맥(splenic artery)

비정맥(splenic vein)

담낭
(gallbladder)

대장

복강동맥(celiac artery)

총담관
(common
bile duct)

위십이지장동맥
(gastroduodenal artery)

십이지장

하장간막정맥
(inferior mesenteric vein)

상췌십이지장동맥
(superior
pancreaticoduodenal
artery)

비문합류부
(splenoportal confluence portion)

췌장

공장과 회장동맥(jejunal and ileal arteries)

상장간막동맥(superior mesenteric artery)

하췌십이지장동맥
(inferior pancreaticoduodenal artery)

하대정맥   대동맥

상장간막정맥(superior mesenteric vein)

그림 3-24. 담낭 주위의 장기와 관상구조물의 해부

2) 담낭의 기본 초음파 상(Basic Ultrasound Image of the Gallbladder)

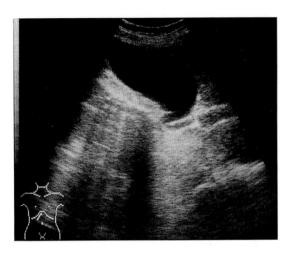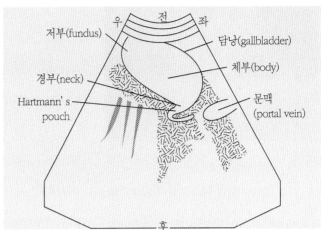

그림 3-25. **담낭의 subcostal scan**

담낭은 통상 서양배나 가지 모양을 하고 경부에 만곡이 있어 Hartmann's pouch가 관찰된다. 담낭은 식후에 수축하여 벽이 두꺼워지기 때문에 반드시 금식하여 관찰한다.

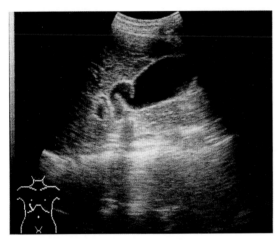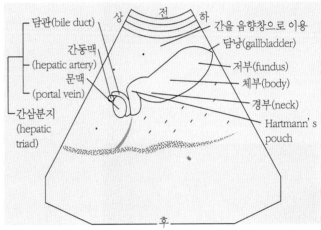

그림 3-26. **Right intercostal scan에서의 담낭**

늑궁하주사(subcostal scan)에서 담낭의 경부 관찰이 어려울 때 사용한다. 또한 이 주사법은 장의 gas로 인하여 담낭의 묘출이 어려울 때 간을 음향창으로 이용하여 장의 gas를 피하고 담낭을 정확하게 검사할 수 있는 주사법이다. 그리고 이 주사법은 비만자나 간경변증으로 간위축이 있는 경우에 효과적이며 담낭에 결석(stone)이 꽉 차 있어 담낭 자체의 묘출이 어려운 shell sign이 있을 때 효과적이다.

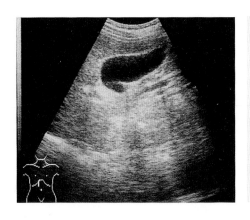
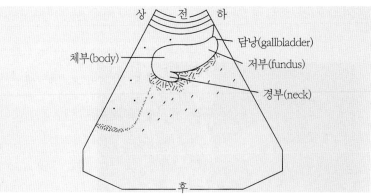

그림 3-27. **Longitudinal scan**

주사 부위에 따라 담낭의 형태가 다르게 나타난다.

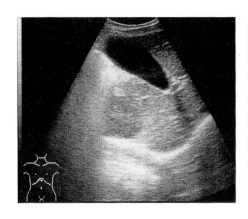
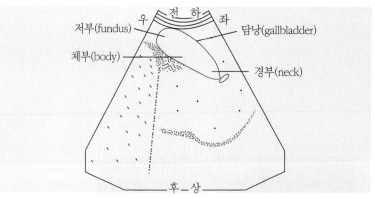

그림 3-28. **Transverse scan**

탐촉자를 발쪽으로 기울여 담낭 저부에서 경부쪽으로 초음파 빔을 입사시켜 담낭을 묘출하였다.

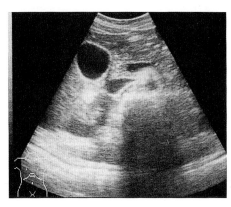
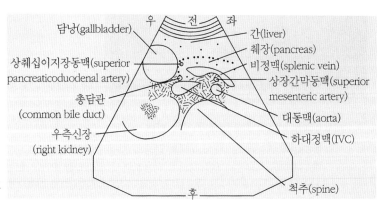

그림 3-29. **Transverse scan**

췌장의 두부 위치에서 주사하면 담낭 저부와 체부 사이가 묘출된다.

03 담관

1) 담관의 해부

담관(bile duct)은 간에서 생성된 담즙(bile juice)이 통과하는 관으로 십이지장에 연결되어 있다. 담관은 좌우간관(left, right hepatic duct), 총간관(common hepatic duct), 총담관(common bile duct), 담낭관(cystic duct)으로 이루어져 있다. 좌우간관이 합쳐지는 간관합류부에서 간내쪽을 간내담관(intrahepatic bile duct), 간외쪽을 간외담관(extrahepatic bile duct)이라 한다.

간외담관은 총간관과 총담관으로 나누어진다. 총간관과 총담관을 나누는 기준은 담낭관(cystic duct)이다. 그러나 초음파로는 담낭관을 볼 수 없기 때문에 일반적으로 간에 가까운 상구역(superior segment)을 총간관, 췌장에 가까운 하구역(inferior segment)을 총담관으로 한다. 만일 초음파로 이러한 구분이 어려운 경우 일반적으로 간의 담관을 총담관이라 통칭한다.

2) 간내담관의 해부

간내담관(intrahepatic bile duct)은 간의 문맥계(portal venous system)와 이웃하며 주행한다. 좌측간대담관은 문맥좌지, 우측 간내담관은 문맥우지와 이웃하며 주행한다.

좌측 간내담관은 문맥좌구역의 외측상지와 외측하지의 사이면을 따라 주행하여 좌지제부(left umbilical portion)의 전면을 지나 좌지 수평부(left horizontal portion)의 전하면으로 주행한다. 우측 간내담관은 우측문맥의 전지와 후지를 따라 주행한다. 우측 간내담관의 우전상지(right anterior superior branch)는 문맥우전상지의 후면에서 흘러 우측문맥 전지와 후지의 합류부의 전면으로 흐른다. 우측 간내담관의 우후하지(right posterior inferior branch)는 문맥우후하지의 전하면으로 이웃하며 평행하게 지나간다. 좌우 간내담관은 간문(porta hepatis)에서 합류한다.

3) 간외담관의 해부

간내담관합류부에서 십이지장까지의 담관을 간외담관(extrahepatic bile duct)이라 한다. 간외담관은 총간관과 총담관으로 구성된다. 간외담관은 간문부에서 문맥의 전방에 위치하여 문맥을 따라 하행한다. 췌장 상면의 총담관 부위에서 우측후방으로 주행하여 문맥과 멀어지고 췌장 두부를 관통하여 대십이지장유두(greater duodenal papilla or papilla Vater)로 개구한다.

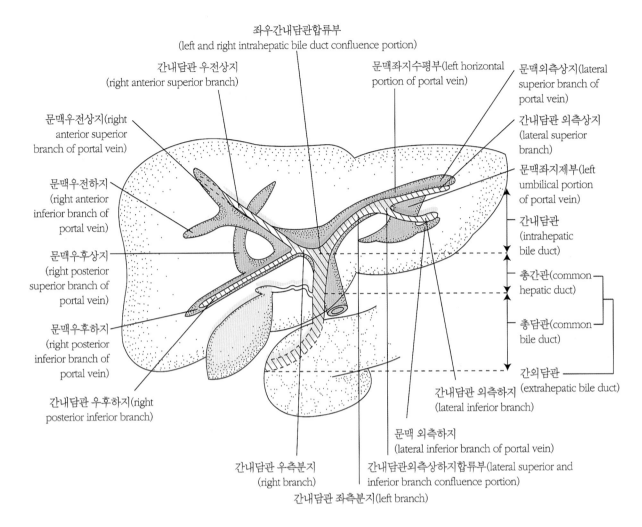

좌우-간내담관합류부
(left and right intrahepatic bile duct confluence portion)

간내담관 우전상지
(right anterior superior branch)

문맥좌지수평부(left horizontal
portion of portal vein)

문맥외측상지(lateral
superior branch of
portal vein)

문맥우전상지(right
anterior superior
branch of portal vein)

간내담관 외측상지
(lateral superior
branch)

문맥좌지제부(left
umbilical portion
of portal vein)

문맥우전하지
(right anterior
inferior branch of
portal vein)

간내담관
(intrahepatic
bile duct)

문맥우후상지
(right posterior
superior branch of
portal vein)

총간관(common
hepatic duct)

총담관(common
bile duct)

문맥우후하지
(right posterior
inferior branch of
portal vein)

간외담관
(extrahepatic bile duct)

간내담관 우후하지(right
posterior inferior branch)

간내담관 외측하지
(lateral inferior branch)

문맥 외측하지
(lateral inferior branch of portal vein)

간내담관 우측분지
(right branch)

간내담관외측상하지합류부(lateral superior and
inferior branch confluence portion)

간내담관 좌측분지(left branch)

그림 3-30. 담관의 해부

4) 담관의 기본 초음파 상(Basic Ultrasound Image of the Bile Duct)

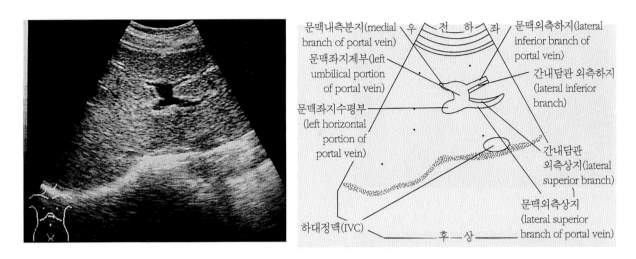

그림 3-31. Transverse scan. 간내담관(intrahepatic bile duct)의 좌구역지(left segmental branch)의 묘출

좌측간내담관 외측하지는 좌측문맥 외측하지(lateral inferior branch)의 상면과 평행하게 흐른다. 좌측간내담관 외측상지는 좌측문맥 외측상지(lateral superior branch)의 하면을 흘러 문맥좌지제부(left umbilical portion)의 전면쪽에서 좌측간내담관 외측하지와 합류한다.

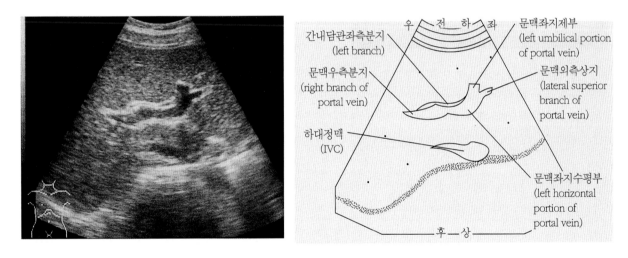

그림 3-32. Right subcostal scan. 간내담관 좌측분지의 묘출

좌측간내담관이 문맥좌지수평부(left horizontal portion)에서 전하면으로 흐른다. 초음파 상에는 탐촉자 부위에서 가까운 쪽에 나타난다.

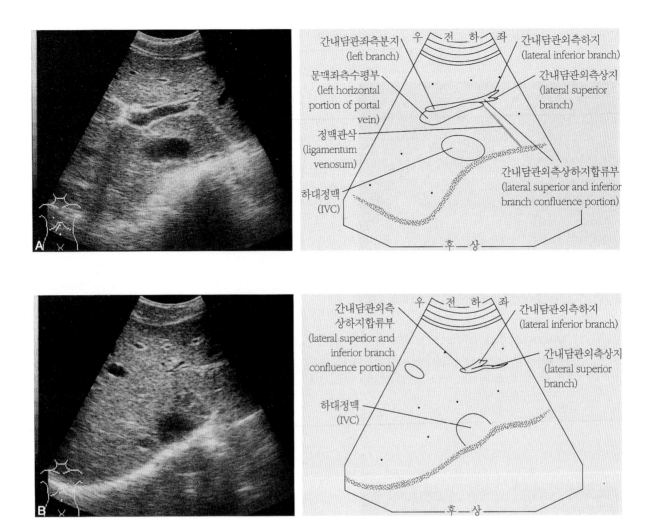

그림 3-33. **Right subcostal scan. 간내담관 외측상하지 합류부의 묘출**

A. 좌측간내담관 외측상지와 하지는 문맥 좌지제부(화상에는 보이지 않는다)의 전면에서 합류된다. 합류부의 오른쪽 밑으로 정맥관삭(ligamentum venosum)이 보인다. B. 이 화상은 A번의 좌측간내담관 외측상지와 하지의 연결부에 초점을 맞추어 확인한 초음파 상이다.

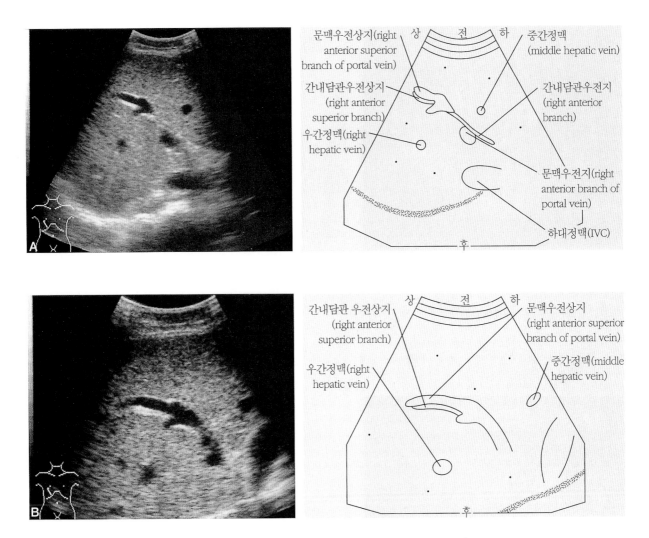

그림 3-34. Right intercostal scan. **간내담관의 우전상지(right anterior superior branch)의 묘출**

    A. 간내담관의 우전상지는 문맥우전상지의 후면을 지나 문맥우전상지와 우전하지의 연결부에서 상면으로 흘러 문맥우전지의 근(根)부위에서 전면으로 주행한다. B. 문맥우전상지 후면을 지나가는 간내담관의 우전상지를 확대하여 보았다.

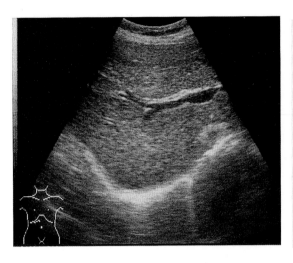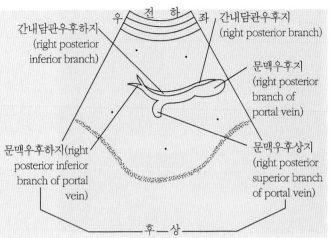

그림 3-35. **Right subcostal scan. 간내담관 우후하지의 묘출**
　　　　간내담관 우후하지가 문맥우후하지의 전하면으로 이웃하며 평행하게 지나간다.

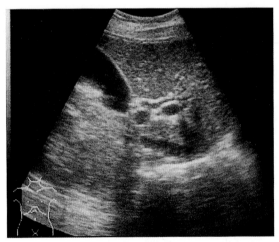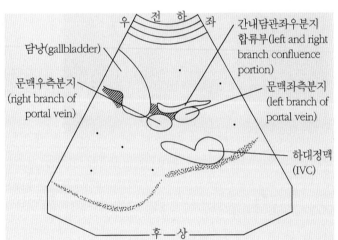

그림 3-36. **Right subcostal scan. 간내담관 우분지 합류부의 묘출**
　　　　좌우측 간내담관은 좌우측 문맥의 합류부 전면에서 합류한다. 이 합류지점에서 간관(hepatic bile duct)의 크기가 약간 굵어졌다.

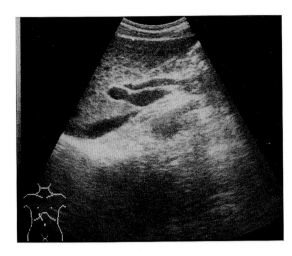 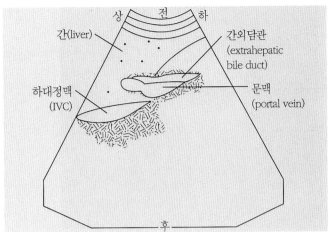

그림 3-37. **Right oblique scan. 간외담관의 묘출**

간외담관이 문맥의 전면으로 나란하게 흐르는 것이 보인다. 그 후면으로 하대정맥의 일부가 묘출되었다.

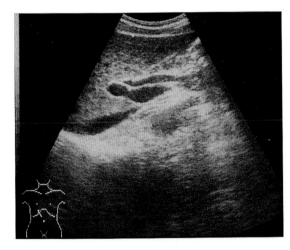 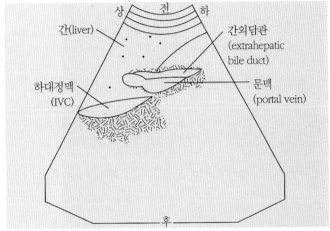

그림 3-38. **췌장 안으로 추행하는 총담관의 묘출**

총담관은 간에서 나와 문맥의 전면을 주행하다가 췌장의 상방에서 문맥의 우측으로 흐르고 췌장의 두부(head)에서는 우측후방으로 경사지게 주행하여 십이지장으로 유입한다. 췌장 두부 내에서의 관찰은 'longitudinal scan에서 탐촉자 상단이 좌측으로 이동하고 하단이 우측으로 이동하여 right subcostal scan의 양상으로 관찰하여야 묘출되어진다.

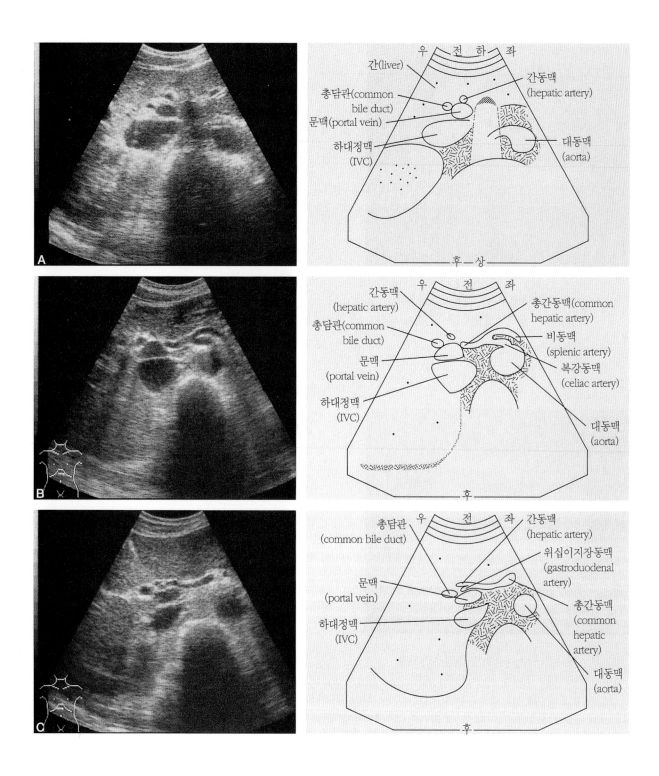

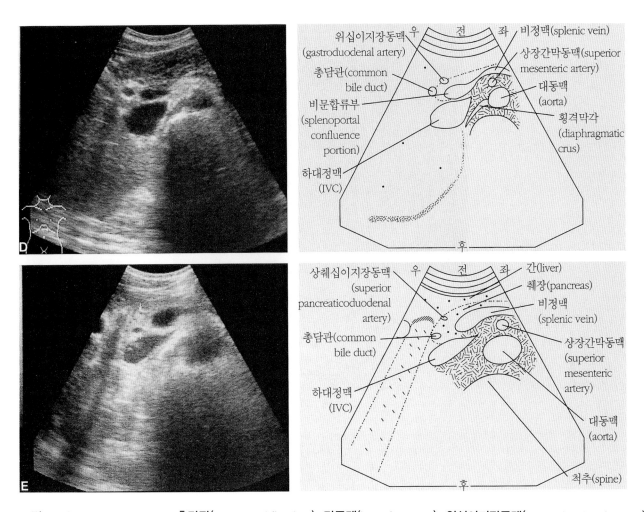

그림 3-39. Transverse scan. 총담관(common bile duct), 간동맥(hepatic artery), 위십이지장동맥(gastroduodenal artery) 그리고 상췌십이지장동맥(superior panceaticoduodenal artery)을 신체의 상방에서 하방으로 추적하며 묘출한 화상이다. 여기서는 간외담관을 총담관으로 표시한다.

A. 문맥 전면에 총담관이 화상의 왼쪽에, 간동맥이 화상의 오른쪽에 묘출된다. B. 총담관이 문맥에서 화상의 왼쪽으로 약간 이동했다. 대동맥(aorta)에서 복강동맥(celiac artery)이 분지되고, 여기에서 총간동맥(common hepatic artery)이 우측으로 비동맥(splenic artery)이 좌측으로 분지되는 것이 화상의 오른쪽에서 보인다. 총간동맥 끝부분에서 간동맥과 위십이지장동맥이 갈라지나 위십이지장동맥은 이 화면에서는 보이지 않고 간동맥만이 문맥 전방에서 보인다. C. 총간동맥에서 간동맥과 위십이지장동맥으로 분지되는 것이 문맥의 전면에서 보인다. D. 위십이지장동맥은 췌두부에 진입하기 전 상췌십이지장동맥과 우위대망동맥(right gastroepiploic artery)으로 분지된다. 상췌십이지장동맥은 췌장두부의 전면으로 흐르며 우위대망동맥은 크기가 작아 초음파로 관찰되지 않는다. 이 초음파 상에는 총담관과 위십이지장동맥이 문맥의 왼쪽과 위쪽에서 각각 보인다. 둘 다 문맥에서 멀어졌다. E. 비정맥(splenic vein)이 보이는 위치에서 총담관과 상췌십이지장동맥이 십이지장 가까이로 이동하며 문맥에서 멀어졌다. 이 화상은 중요한 진단적 의미를 갖는다. 왜냐하면 췌두부(head of pancreas)의 경계를 짓는 지표가 이 위치에서의 총담관과 상췌십이지장동맥이기 때문이다. 결론적으로 총담관, 상췌십이지장동맥, 비문합류부 사이의 거리가 췌두부의 크기가 됨을 알 수 있다(화살표).

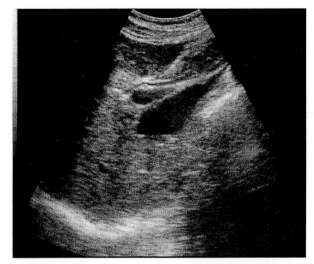

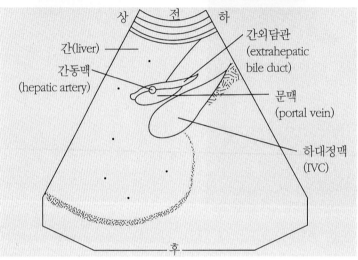

그림 3-40. **간 삼분지(肝 三分枝 또는 三主徵, hepatic triad)는 간문(porta hepatis)에 있는 간동맥, 문맥, 담관계를 말한다. 간 동맥이 담관과 문맥 사이에서 아주 작은 무에코 원으로 나타나고 있다.**

이 화상은 복부로부터 총담관, 문맥, 하대정맥을 차례대로 한 장의 초음파 상에 나타냈다. 이와 같이 차례대로 나타내는 것은 진단상에 중요한 의미를 갖는다. 예를 들면 총담관폐색증(obstruction of the common bile duct)으로 총담관이 확장 하여 shot-gun sign이 형성될 때 총담관, 문맥, 하대정맥을 일렬로 하여 한 화상에 묘출한다면 총담관이 확장된 것을 명확하게 관찰할 수 있기 때문이다. 만일 총담관의 폐색이 없는 상황에서 총담관을 관찰하지 못하고 문맥과 하대정맥만을 관찰하여 묘출한다면, 문맥을 담관의 확장으로 하대정맥을 문맥으로 오인하여 총담관폐색증이 있을 것이라고 오진을 내릴 수 있기 때문이다.

04 췌장

1) 췌장의 해부

췌장은 길이 10~15cm, 폭 3~5cm인 가늘고 긴 형태를 하고 있다 분엽상의 선(gland)으로 구성된 장기로서 심와부에서 좌상측으로 비스듬히 상주한다. 주변 장기는 전방에 위와 간, 후방에 대동맥, 하대정맥, 좌측신장, 우측에 십이지장, 좌측에 비장으로 둘러싸여 있다.

췌장은 두부(head), 체부(body), 미부(tail)로 구분한다. 두부는 십이지장의 C자 만곡 내에 들어가 있고, 좌후방으로는 갈고리 모양의 구상돌기(uncinate process)가 있다. 구상돌기에 의하여 생긴 췌절흔에는 상장간막정맥(superior mesenteric vein)이 있어 비정맥(splenic vein)과 합류한다. 이 합류부에서 상부는 문맥(portal vein)이다. 그러므로 이 합류부를 비문합류부(splenoportal confluence portion)라고 한다. 문맥과 상장간막정맥을 기준으로 췌장의 두부와 체부가 경계지어진다. 총담관(C.B.D.)은 췌두부의 후측에서 내측으로 관통하고 췌액을 분비하는 췌관(pancreatic duct)과 합류히여 십이지장에 개구하고 있다.

체부는 두부보다 작다. 췌장의 체부는 복강동맥(celiac artery)과 상장간막동맥 사이의 전방에 위치한다. 대체로 체부의 상부 경계는 복강동맥으로 경계지어진다.

미부는 좁고 점차 축소되어 비문부에 접한다. 체부와 미부의 경계물은 없으며 체부와 미부의 뒷면으로 비정맥이 흐른다.

복강동맥, 상장간막동맥, 비정맥은 초음파로 췌장을 묘출할 때 중요한 지표가 된다.

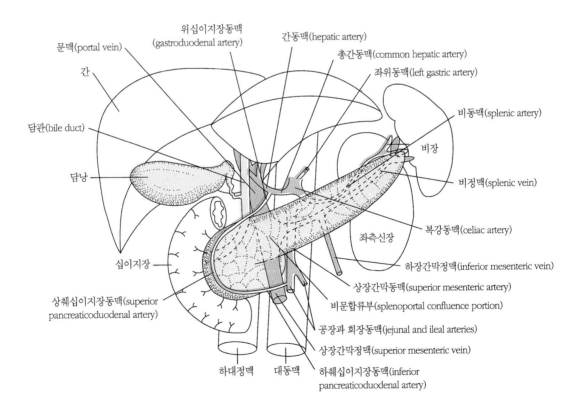

그림 3-41. **췌장 주위 장기와 관상구조물의 해부**

2) 췌장의 기본 초음파 상(Basic Ultrasound Image of the Pancreas)

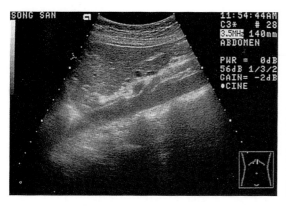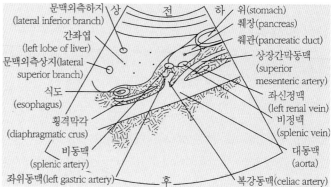

그림 3-42. Longitudinal scan. 췌장의 종단면 묘출

대동맥을 심와부에서 시상면 주사(sagittal scan)하면 복강동맥과 상장간막동맥이 대동맥에서 분지되는 것을 관찰할 수 있다. 이 사이의 전방에는 비정맥이 작은 무에코 원으로 잘려서 나타난다. 그 전면에 얹혀 있는 구조가 췌장의 체부이다. 췌장 중앙에는 췌관(pancreatic duct)이 있다. 비정맥 상부로 보이는 작은 무에코 원은 복강동맥에서 나온 비동맥의 잘려진 부분이다. 대부분 복강동맥은 췌장 상연의 경계가 된다.

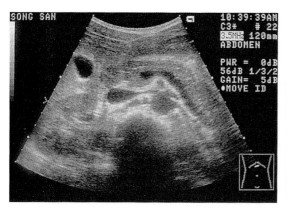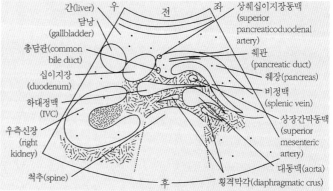

그림 3-43. Transverse scan. 췌장의 횡단면 묘출

그림 3-42에서 비정맥을 화상의 정중앙에 오게 하고 이것을 중심으로 삼아 탐촉자를 시계방향으로 70-80도 정도 회전시키면 비정맥이 좌후방에서 중앙으로 주행하는 것이 관찰된다. 그 전면에 얹혀 있는 것이 췌장이다.

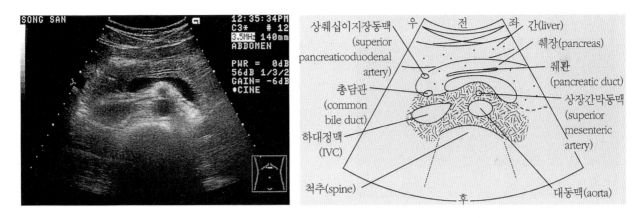

그림 3-44. 췌관은 췌체부에서 묘출이 쉽다.

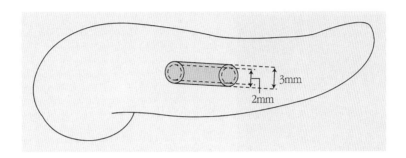

그림 3-45. 정상적으로 췌관의 직경은 내경이 2 mm, 외경이 3 mm를 넘지 않는다.

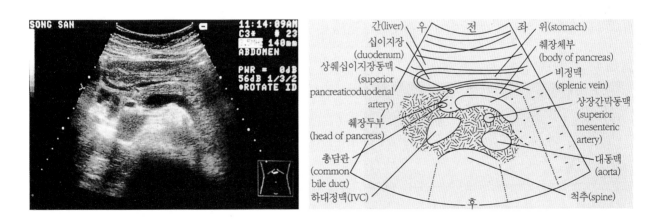

그림 3-46. Transverse scan. 췌장 두부의 경계

총담관과 상췌십이지장동맥과 비문합류부 사이가 췌장 두부이다.

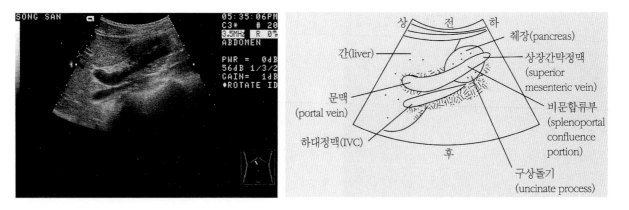

그림 3-47. **Right oblique scan**

상장간막정맥이 췌두부에 있는 비문합류부를 지나 문맥이 되어 간에 들어가는 것이 관찰된다.

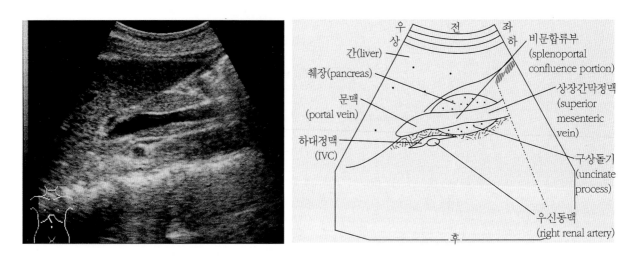

그림 3-48. **비문합류부 뒷부분은 구상돌기(uncinate process)이다.**

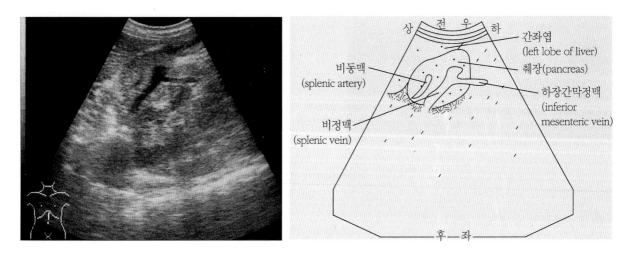

그림 3-49. **Longitudinal scan.**

초음파 빔을 심와부에서 비장 쪽으로 향하게 하면 췌장 미부와 체부 하면으로 비정맥과 비동맥이 주행하며 비정맥의 중간에서 하방으로 하장간막정맥(inferior mesenteric vein)이 주행하는 것을 관찰할 수 있다.

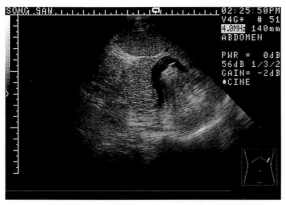
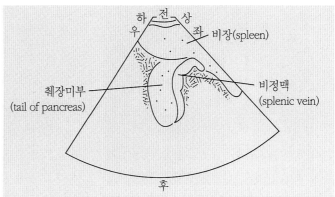

그림 3-50. Left intercostal scan. 췌미부의 묘출

비문부에 있는 췌미부가 비정맥과 함께 관찰된다.

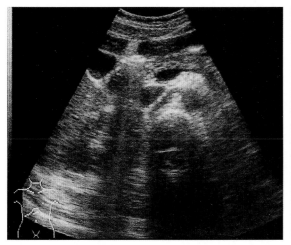
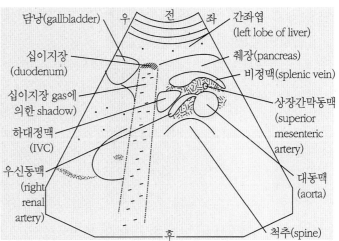

그림 3-51. Transverse scan. 췌장 두부, 십이지장구부 담낭의 묘출

십이지장의 gas 때문에 췌두부의 묘출이 방해되는 경우가 많다. 이런 경우에는 탐촉자를 강하게 압박하거나 환자의 체위를 변화시키면 효과적으로 관찰할 수 있다. 또한 fluid filled stomach의 방법도 효과적이다.

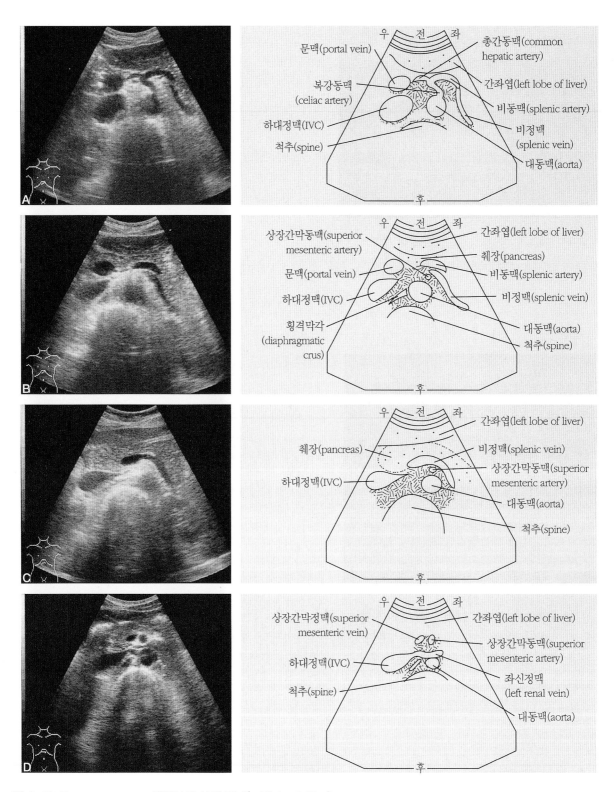

그림 3–52. Tansverse scan. 췌체부의 상하 경계(그림 3–42 참조)

A. 복강동맥이 보이는 시점이 췌장상면의 경계다. B. A에서 약간 다리쪽으로 내려오면 비동맥과 비정맥이 함께 묘출된다. C. 비정맥이 보이고 후방에 상장간막동맥이 있다. D. 췌장 하면에는 상장간막정맥과 상장간막동맥이 쌍안경처럼 보이게 된다. 이것이 췌장하단의 경계가 된다.

05 신장

1) 신장의 해부

신장은 좌신(left kidney)과 우신(right kidney)으로 구성되어 있다. 신장의 크기는 폭 5~5.7cm, 두께 2.5cm, 길이 12cm로 어른 주먹만 하며, 콩모양(bean-shape)으로 복강의 후복벽 상부에서 척추의 양측에 위치한다.

신장은 주위의 신실질(renal parenchyma)과 중앙의 신동(renal sinus)으로 크게 나뉘어진다. 신실질은 피질(cortex)과 수질(medulla)로 나뉘어진다. 피질의 바깥쪽에는 피막이 있고 안쪽에는 피라미드 형상으로 방추상의 신추체를 포함한 수질이 있다. 수질과 수질 사이에 피질이 있는 것을 신주(renal column) 또는 Bertin's column이라 한다. 이것이 중앙으로 비후되면 초음파 상에 종양으로 오인할 수 있다. 수질과 피질 사이에는 궁상혈관(arcuate artery)이 있어 간혹 초음파로 관찰할 수 있다. 초음파 상에 신실질은 hypoechoic하게 묘출된다. 신실질은 간에 비해 echogenicity가 약간 낮거나 같다. 그 중에 신수질(renal medulla)은 echogenicity가 가장 낮아 초음파 상에 삼각형 또는 원형의 무에코로 관찰되어 낭종으로 오인할 수 있다.

신장 내측연의 중심부에 있는 오목한 곳에 신문(renal hilum)이 있다. 그곳에는 전방에 신정맥(renal vein), 중간에 신동맥(renal artery), 후방에 신우(renal pelvis)가 있다. 신문의 내부 공간을 신동(renal sinus)이라 한다. 신동에는 신실질에서 원추상으로 돌출한 신유두(renal papilla)가 있고 이것을 싸고 있는 신배(renal calyx)가 서로 모여 신우(renal pelvis)를 형성한 뒤에 요관(ureter)으로 연결된다. 그 밖에 신동은 임파관, 지방조직, 결합조직으로 구성되어 있다. 이와 같이 신동은 여러가지 조직에 의해 형성되어 있기 때문에 초음파 상에는 hyperechoic하게 묘출된다. 이러한 이유로 신동을 중심에코복합체(central echo complex : CEC)라고 부른다. 요관과 신우는 정상적으로는 보이지 않으나 소변이 차면 보이게 된다.

2) 신장의 혈관 분포

대동맥(aorta)에서 좌우신동맥(left, right renal artery)이 나오고 신장에서 좌우신정맥(left, right renal vein)이 나와 하대정맥(IVC)으로 유입한다.

좌신동맥은 좌신정맥 후면으로 지나가서 좌신에 유입한다.

좌신정맥은 좌측신장에서 나와 대동맥과 상장간막동맥 사이로 지나가서 하대정맥에 유입한다.

우신동맥은 하대정맥의 뒤로 지나가서 우신에 유입한다.

우신정맥은 우신동맥 전면으로 지나가서 하대정맥에 유입한다.

좌측신장은 간혹 신동의 혈관 분포가 초음파 상에 무에코로 관찰되어 수신증(hydronephrosis)으로 의심될 수 있다.

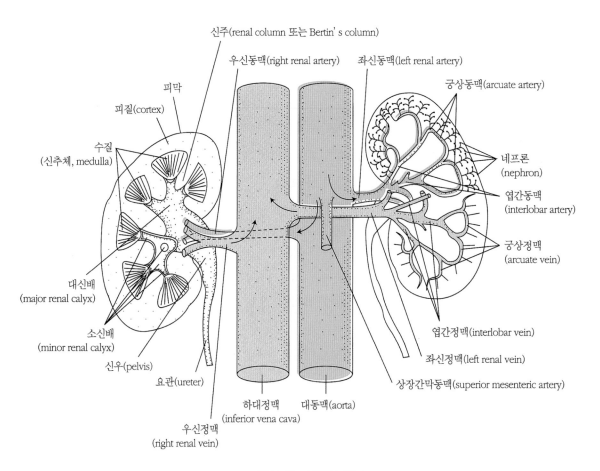

그림 3-53. **신장의 해부**

108

3) 신장의 기본 초음파 상(Basic Ultrasound Image of the Kidney)

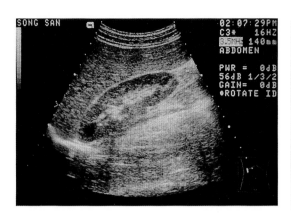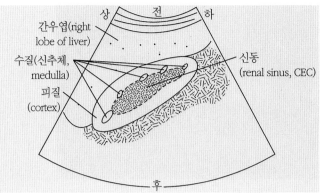

그림 3-54. **Right intercostal scan. 신장의 전형적인 초음파 상**

신장 중심부에서 신실질(renal parenchyma)과 신동(renal sinus)의 대비가 정상적일 때 화상 상측부터 1 : 1 : 1~1 : 2 : 1로 계측된다.

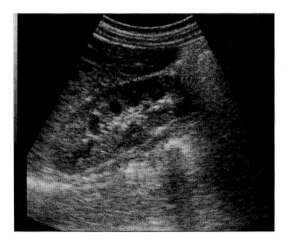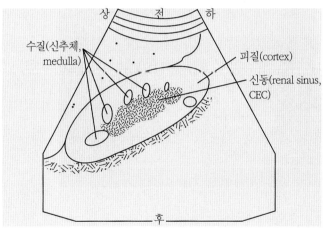

그림 3-55. **신수질의 묘출**

신수질(medulla)은 일정한 간격으로 질서 정연하게 있으나 신낭종(renal cyst)은 일정한 간격에 구애됨이 없이 존재한다. 이러한 것이 정상 신수질과 신낭종과의 구별점이 될 수 있다.

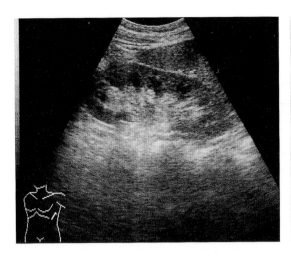
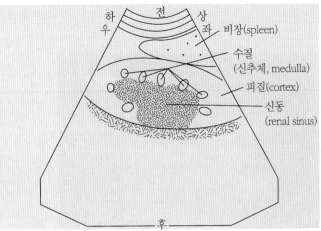

그림 3-56. Left intercostal scan. **좌측신장의 묘출**

우측와위(right decubitus position). 신실질과 신동이 잘 관찰된다. 화상 아래 부분의 신실질은 간혹 적게 묘출되기 때문에 상대적으로 신동 부분이 크게 보여진다.

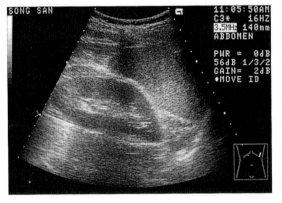
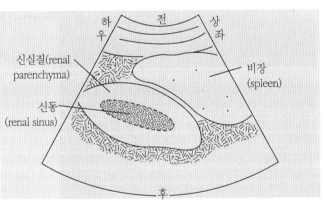

그림 3-57. Left intercostal scan

좌신은 대체로 우신보다 잘 보이지 않는다. 왜냐하면 우신은 음향창으로 큰 간이 있으나 좌신은 음향창이 작기 때문이다. 좌신에 이상 소견이 있으면 복와위(prone position)에서 한번 더 관찰한다.

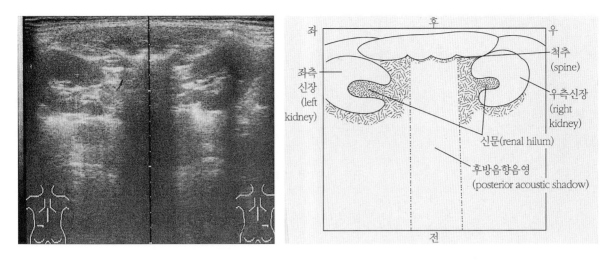

그림 3-58. **복와위(prone position)에서 transverse scan**

이 화상은 척추(spine)를 중심으로 좌우측 신장의 신문 부위에서 주사한 것이다.

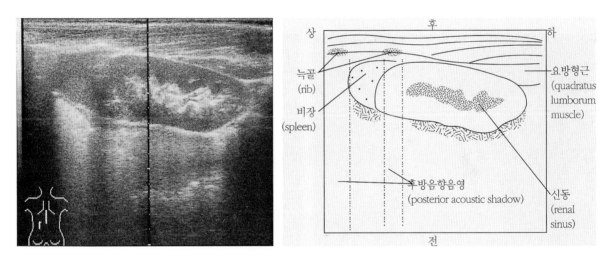

그림 3-59. **복와위에서의 longitudinal scan**

신장 하극(lower pole)은 복부쪽으로 약간 경사져 있다.

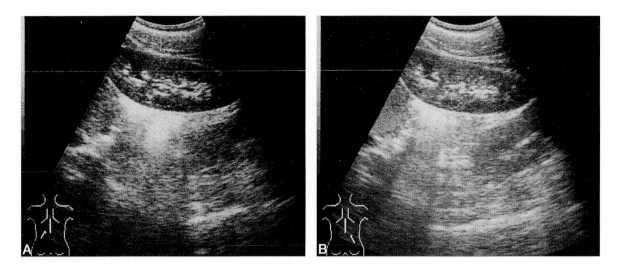

그림 3–60. **복와위에서의 longitudinal scan**
신장 하극이 상극보다 외측으로 벌어져 있다.

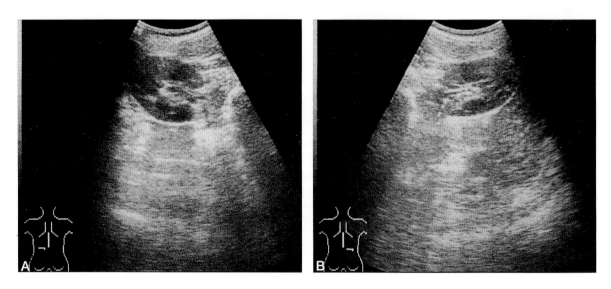

그림 3–61. **복와위에서의 transverse scan**

4) 신장 혈관 분포의 기본 초음파 상

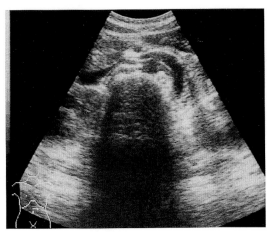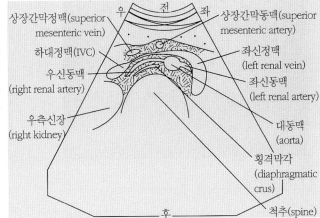

그림 3-62. **Transverse scan. 신혈관의 묘출**

신혈관은 췌장의 하연(inferior margin) 부근에서 scan하면 묘출된다. 대동맥은 양쪽으로 신동맥을 분지한다. 좌신정맥(left renal vein)은 좌측신장에서 나와 대동맥 전방으로 지나 하대정맥으로 흐른다. 좌신정맥 전방으로 상장간막동맥과 정맥이 무에코원으로 보인다.

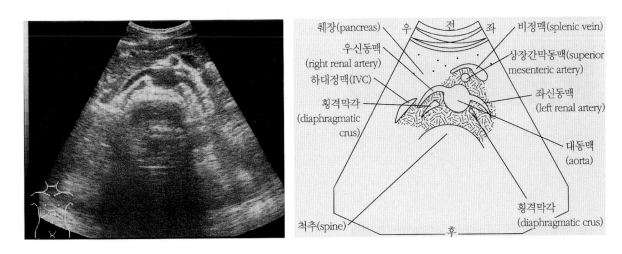

그림 3-63. **Transverse scan. 대동맥에서 좌우로 분지되는 신동맥의 묘출**

113

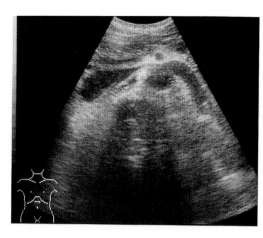 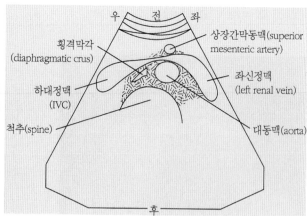

그림 3-64. **좌신정맥의 묘출.** Transverse scan

좌신정맥은 좌측신장에서 나와 대동맥 전방을 지나 우측(화상의 좌측)의 하대정맥으로 들어간다. 대동맥과 상장간막동맥 사이에서 좌신정맥의 전후 폭은 대부분 좁게 묘출된다.

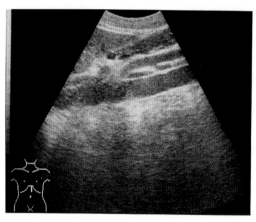 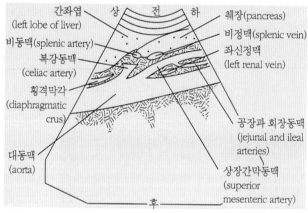

그림 3-65. **좌신정맥의 묘출. 대동맥 중심의** sagittal scan

대동맥과 상장간막동맥 사이로 좌신정맥이 지나간다. 그 하방으로 공장과 회장동맥(jejunal and ileal arteries)의 일부가 묘출된다.

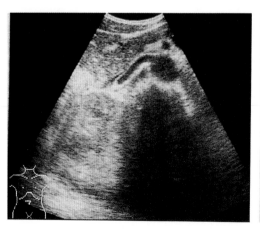 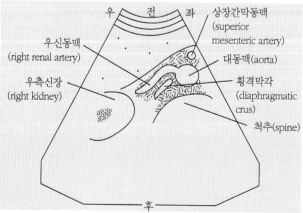

그림 3-66. Transverse scan. **대동맥에서 분지되는 우신동맥의 묘출**

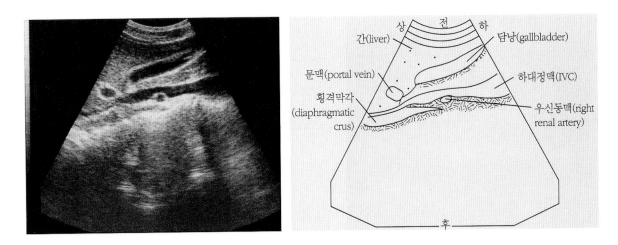

그림 3-67. **하대정맥 중심의 sagittal scan**
담낭, 문맥, 하대정맥이 차례로 보인다. 하대정맥 밑으로 지나가는 우신동맥은 작은 무에코 원으로 보인다.

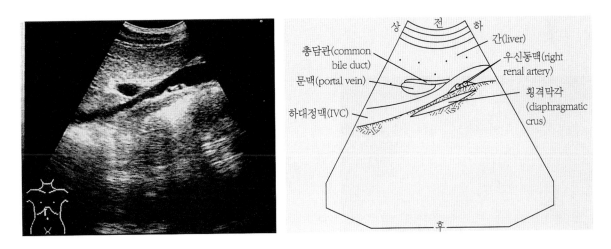

그림 3-68. **드물게 우신동맥은 2개인 경우가 있다.**

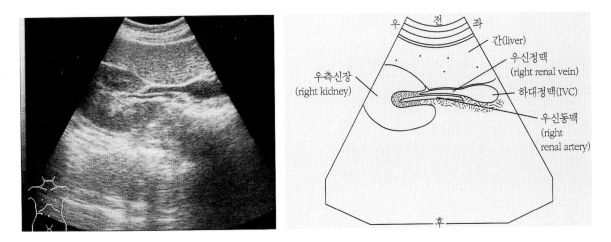

그림 3-69. **Transverse scan.** 우측신장에서 하대정맥(IVC)으로 들어가는 우신정맥과 우신정맥 후방에서 우신으로 주행하는 우신동맥의 묘출

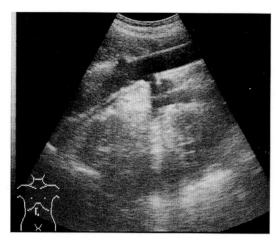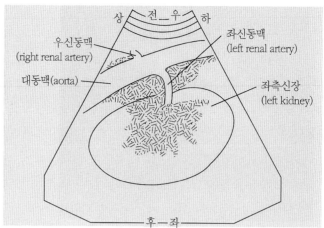

그림 3-70. Longitudinal scan

우측 복벽으로부터 대동맥을 지나 좌측신장으로 초음파 빔을 입사시킨 화상. 대동맥에서 좌, 우신동맥이 분지됨을 볼 수 있으며 좌측신장이 어렴풋하게 보인다.

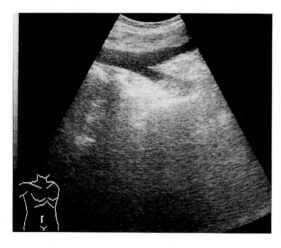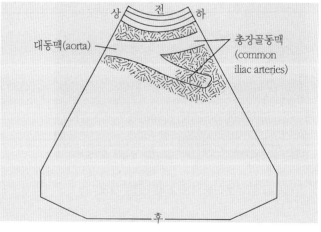

그림 3-71. Longitudinal scan

배꼽(umbilicus) 아래에서 대동맥은 총장골동맥(common iliac arteries)으로 갈라진다.

06 비장

1) 비장의 해부

비장은 복강 좌상부 편측 횡격막(hemidiaphragm) 아래에 위치한다. 장경 약 10~12cm, 단경 약 6~8cm인 타원형이다. 횡격막에 접하는 외측은 볼록하고 매끄러우며, 내측의 장측면은 위장, 신장, 결장, 췌장과 접하는 오목한 면이 있다. 비문부(splenic hilum)는 비장의 내측에 있고 비동맥(splenic artery)과 비정맥(splenic vein)이 흐르며 췌장의 미부가 접하고 있다. 비장의 장축은 제9~10 늑간 사이에 있기 때문에 묘출은 용이하나 폐의 공기 영향으로 전체상을 관찰하기 어려운 경우가 많다. 그러므로 환자에게 호흡의 조절을 시키면서 관찰하는 것이 중요하다.

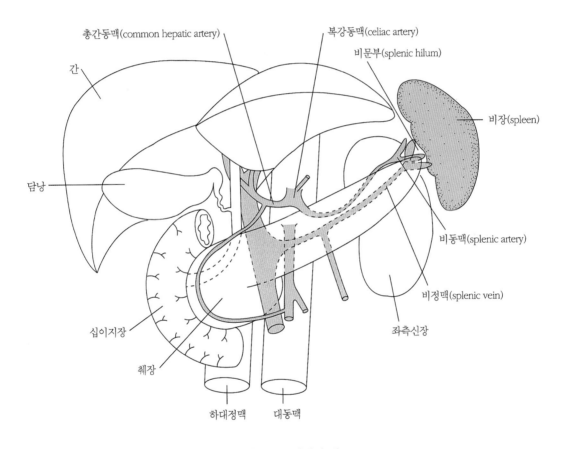

그림 3-72. **비장의 해부**

2) 비장의 기본 초음파 상(Basic Ultrasound Image of the Spleen)

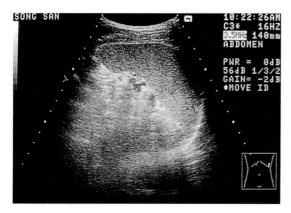 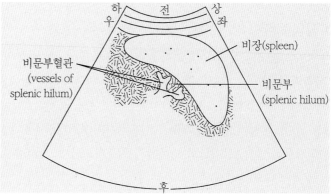

그림 3-73. Left intercotal scan. 비장의 묘출

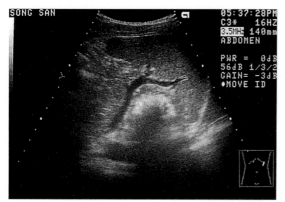 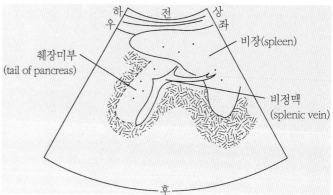

그림 3-74. 비문부 혈관의 묘출

II. 골반강 초음파 검사

골반강의 초음파 검사는 방광이 충만되어 있지 않으면 장의 gas로 인하여 초음파 빔의 전달을 방해하기 때문에 관측하기가 어렵다. 그러므로 검사 시작 2~3시간 전에 500~700 mL의 물을 섭취하여 방광에 소변을 가득 채운 뒤 음향창으로 이용하면 골반내의 여러 기관들이 잘 보이게 된다. 방광이 가득 충만되면 자궁은 방광에 밀려 후방으로 눕게 되고 따라서 자궁내막(endometrium)도 초음파 빔으로부터 직각에 가까워져 전반사를 하게 되므로 잘 묘출된다. 골반강 검사는 넓은 시야를 확보하기 위하여 convex scanner와 sector scanner가 유용하다.

Abdominal probe 사용시 방광에 소변을 가득 채워야 하는 불편함과 방광의 충만으로 인하여 골반강 장기의 거리가 멀어지기 때문에 해상도가 떨어지는 결점을 해소하고자, 경질을 통해 장기의 거리를 가깝게 하고 높은 주파수를 가진 해상도가 좋은 transvaginal probe를 사용한다.

01 자궁

1) 자궁의 해부

자궁은 여성 생식기의 중추에 위치하여 태아가 자리잡게 되는 여성 성기의 근육성 유강 장기이다. 자궁은 골반강(pelvic cavity)의 중앙에 있고 방광과 소장의 영향으로 위치 이동이 쉽다. 모양은 가지(eggplant)의 형태를 닮았고 앞쪽으로 약간 기울어 있으며 전후로 납작하다. 크기는 길이 7~7.5cm, 최대폭 4.5~5cm, 두께 2.5~3cm를 가지며 소아기에는 크기가 작고 폐경이 되면 점차 위축되어 작아진다.

자궁은 저부, 체부, 협부, 경부의 4부분으로 이루어져 있다. 전상단의 가장 넓은 곳을 자궁저부(fundus), 자궁하방에 가느다란 원주상의 부분을 자궁경부(cervix), 그 사이의 상부 2/3를 자궁체부(body), 체부와 경부 사이의 이행부에 졸려진 부분을 자궁협부(isthmus)라 한다.

자궁의 내부는 자궁강(uterine cavity)이 있고, 자궁강의 내막을 자궁내막(endometrium)이라 하며 자궁 근육 부분을 자궁근층(myometrium)이라 한다. 자궁강 저부의 좌우 양단에는 자궁각(uterine cornu)이 있으며 난관(salpinx)이 부착되어 있고 자궁강 경부쪽은 질(vagina)로 개구되어 있다. 자궁의 앞쪽에는 방광이 있고 뒷쪽에는 직장이 있다. 가임기 여성의 자궁내막은 난소의 성호르몬의 작용에 따라 증식과 탈락의 반복적인 주기성 변화를 하며 이에 따라 월경을 하게 된다.

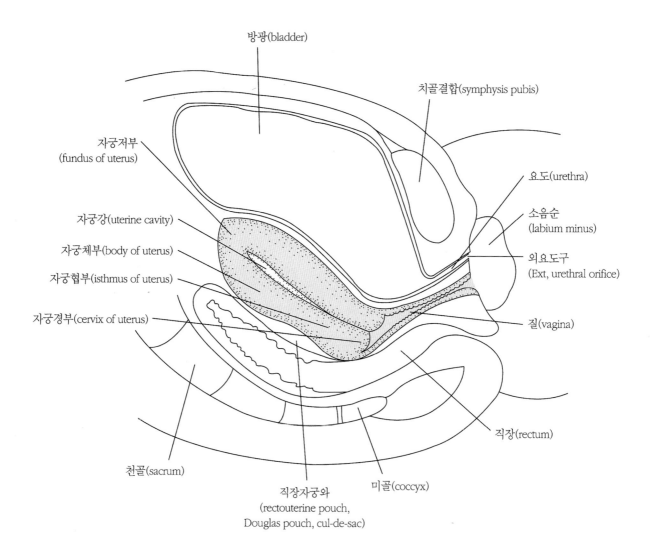

방광(bladder)

치골결합(symphysis pubis)

자궁저부
(fundus of uterus)

요도(urethra)

소음순
(labium minus)

자궁강(uterine cavity)

자궁체부(body of uterus)

외요도구
(Ext, urethral orifice)

자궁협부(isthmus of uterus)

자궁경부(cervix of uterus)

질(vagina)

직장(rectum)

천골(sacrum)

미골(coccyx)

직장자궁와
(rectouterine pouch,
Douglas pouch, cul-de-sac)

그림 3-75. **여성 골반강의 시상 단면(sagittal section)**

02 난소

1) 난소의 해부

여성 생식기의 주체이며 자궁 뒷쪽에 있는 여성 성선으로 좌우 1개씩 2개가 있다. 난소는 회백색을 띤 타원형으로 길이 4cm, 폭 1.2cm, 두께 0.8cm로 엄지 손가락 첫마디만 하다. 크기는 연령, 개인, 기능 상태에 따라 차이가 있다. 난소는 골반 측면의 난관 밑에 난소와(ovarian fossa)에 있다. 난소의 후면으로 골반벽쪽에 총장골동정맥(common iliac artery and vein)이 있어 초음파로 위치를 찾는데 도움을 준다. 난소는 난자를 만들어 배란(ovulation)을 한다. 난소 호르몬 즉 난포 호르몬(estrogen)과 황체 호르몬(lutein hormone) 등은 난포의 발육, 배란, 황체(corpus luteum)형성을 주관한다.

2) 난관의 해부

난관은 배란에 의해 난소에서 배출된 난자를 자궁쪽으로 보내는 한 쌍의 관이며 길이는 약 7~15cm이다. 난관은 자궁의 자궁각(uterine cornu)에 연결되어 난소 가까이까지 와 있다. 난관은 크게 3부분으로 나눈다. 자궁에 가까운 1/3의 좁은 부분을 협부(isthmus), 난소에 가까운 2/3의 부분을 팽대부(ampulla), 외측단에 아주 넓어진 부분을 채부(fimbria)라 한다. 자궁내로 개구하는 극히 미세한 입구로 자궁 근육층을 지나는 자궁 간질부(intramural portion)를 합쳐 4부분으로 나누기도 한다. 정상적으로 난관은 초음파로 볼 수 없다.

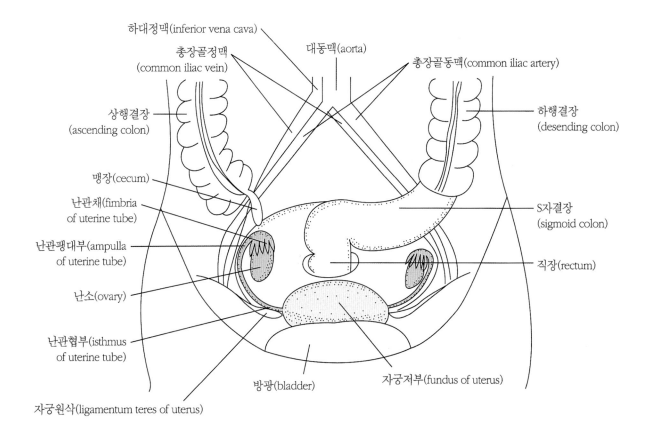

그림 3-76. **여성 골반강의 해부**

3) 자궁과 난소의 기본 초음파 상(Basic Ultrasound Image of the Uterus and Ovary)

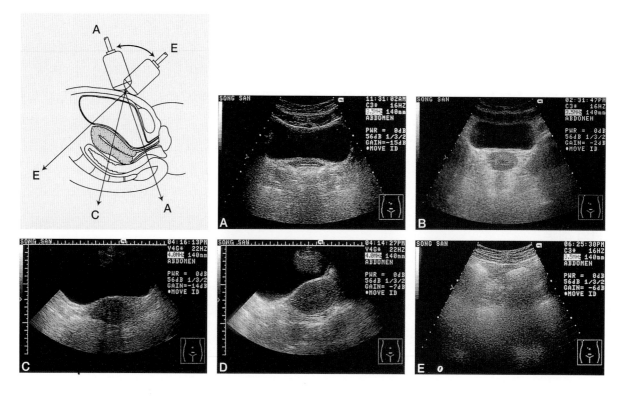

그림 3-77. 그림 Transverse scan. 골반강의 검사는 치골 상연에 탐촉자를 위치시키고 초음파 빔을 다리쪽으로 입사시킨 다음 선동운동하며 자궁저부를 지나는 선까지 관찰한다.

A. 질(vagina)의 횡단면이 옆으로 길게 보인다. B. 자궁경부(cervix)의 묘출, C. 자궁체부(body)의 묘출, D. 자궁저부(fundus)의 묘출. 자궁저부가 화상의 오른쪽, 즉 신체의 좌측으로 치우쳐 있다. E. 자궁저부의 상부는 소장의 gas만 관찰된다. 자궁경부는 하복부의 중앙에 자리잡고 위치이동이 없으나 자궁체부나 저부는 방광과 장에 의해 전후좌우의 위치변동이 많다. 그러므로 자궁을 정확하게 관찰하기 위해서는 먼저 transverse scan으로 자궁저부의 위치를 파악한다. 그 다음 longitudinal scan으로 탐촉자의 상면을 자궁저부에 맞추고(이 화상에서는 신체의 좌측 복부) 하면을 하복부의 중앙(치골 상연 정중앙)에 놓아 자궁내막에 맞추어 선동운동하면 자궁의 위치가 이동이 있어도 자궁의 전반적인 면을 정확하게 관찰할 수 있다.

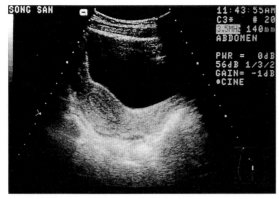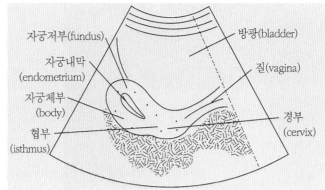

그림 3-78. **Longitudinal scan**

저에코의 자궁은 방광이 소변으로 충만된 상태에서 방광후면으로 누워있게 된다. 자궁저부(fundus)를 넘는 지점까지 방광을 충만시켜 장의 gas를 밀어내야 전체적인 자궁을 관찰할 수 있다. 자궁의 체부와 저부의 위치가 개인과 상황에 따라 좌우로 변하기 때문에 자궁의 관찰은 transverse scan부터 먼저 실시하는 것이 좋다.

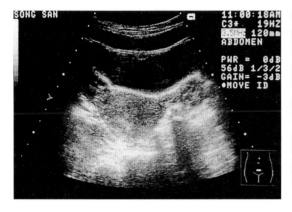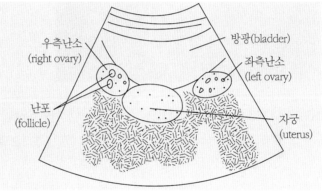

그림 3-79. **Transverse scan. 난소의 묘출**

그림 3-77의 E 경우처럼 탐촉자를 치골 상연에 대고 탐촉자를 다리쪽으로 기울여 초음파 빔을 머리쪽으로 입사시키면 난소를 관찰할 수 있다.

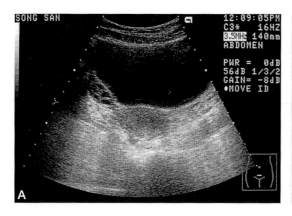
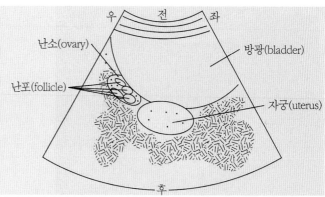

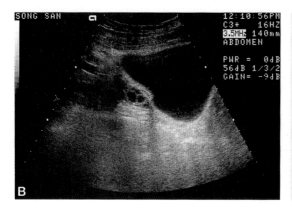
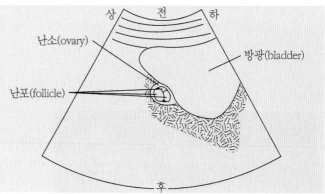

그림 3-80. **난소의 cross-image**

A. Transverse scan으로 난소의 위치를 찾는다. B. Longitudinal scan. A에서 난소의 위치를 알면 방광을 음향창으로 이용하여 대각선 방향에서 초음파 빔을 입사시킨다. 즉 우측난소의 관찰은 탐촉자를 좌측복벽에 대고 방광을 음향창으로 이용하여 대각선 방향인 우측 허리쪽으로 초음파 빔을 입사시키면 관찰할 수 있다.

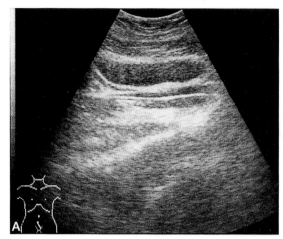
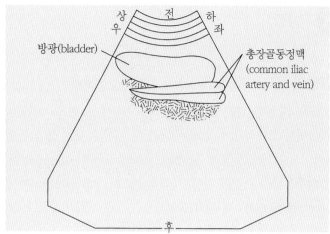

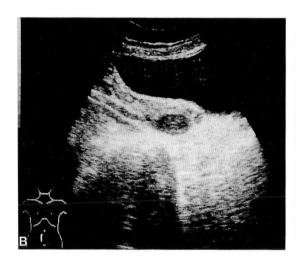
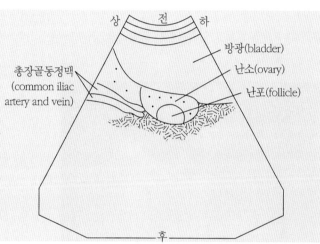

그림 3-81. **Longitudinal scan**

A. 난소를 찾기 어려울 때는 총장골동정맥(common iliac artery and vein)을 찾는다. B. 총장골동정맥에서 약간의 선동 운동을 하면 난소가 이 혈관과 방광 사이에 끼어있는 것처럼 묘출된다.

03 방광

1) 방광의 해부

방광은 신장에서 요관(ureter)을 타고 내려온 소변을 저장했다가 일정한 양이 되면 배출하는 장기이다. 방광의 크기와 벽의 두께는 소변의 충실 상태에 따라 다르다. 위치는 골반 아랫부분 치골 결합(symphysis pubis)의 뒷쪽에 있다. 방광 뒷쪽으로 남자의 경우 정낭(seminal vesicle)과 직장(rectum)이 있고, 여자의 경우에는 자궁(uterus)과 직장이 있다. 방광의 위쪽으로는 소장이 있다. 아래쪽으로는 요도(urethra)가 있어 소변을 배출하며 남자의 경우에는 아래쪽으로 전립선(prostate gland)이 위치하고 있다.

해부학적으로 방광은 첨부(apex), 체부(corpus), 기저부(fundus), 경부(cervix)의 4부분으로 나눈다. 기저부인 방광 저부를 방광 내면에서는 방광 삼각부(trigone of urinary bladder)라 하는데 이곳은 좌우의 요관구(ureteral orifice)와 전하방의 대요도구(internal urethral orifice)가 만드는 삼각형 영역이다.

2) 방광의 기본 초음파 상(Basic Ultrasound Image of the Bladder)

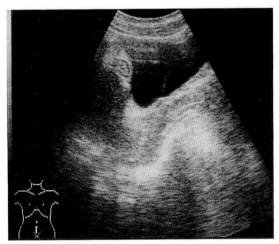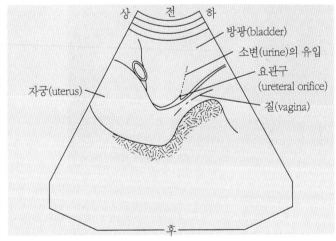

그림 3-82. **여성 방광의 longitudinal scan**
요관구(ureteral orifice)에서 소변의 배출이 보인다. 후면에 자궁이 보인다.

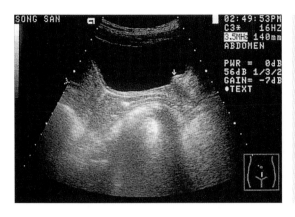
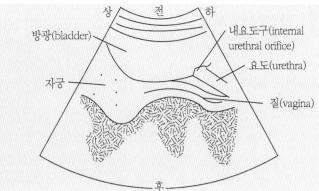

그림 3-83. **여성 방광의 longitudinal scan**

여성의 방광 하면에 내요도구(internal urethral orifice)의 요도(urethra)가 저에코로 관찰된다.

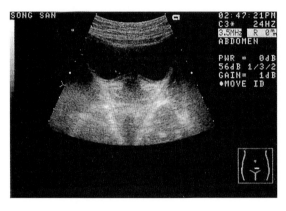
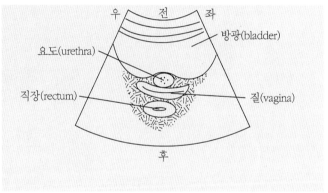

그림 3-84. **요도를 중심으로 한 transverse scan**

하면에 질(vagina)의 횡단면이 보인다.

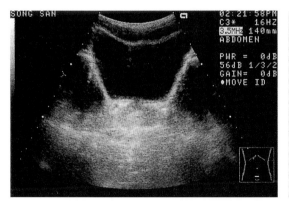
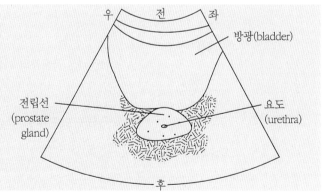

그림 3-85. **남자의 경우에는 방광하면에 전립선이 있다, 요도는 전립선 중앙으로 지나간다.**

127

04 전립선의 해부

1) 전립선의 해부

전립선은 남성만이 가지고 있으며 정낭(seminal vesicle)과 합하여 부생식선이 된다. 크기는 길이 2.5cm, 폭 4cm, 두께 1.5cm 이다. 밤알 크기의 실질 기관으로 골반(pelvis)의 아래에 있어 골반강(pelvic cavity)에서 최저에 위치한다. 좌우에서 사정관 (ejaculatory duct)이 요도에 개구되어 있다. 넓은 상단에는 전립선 저부가 있고 전하방에는 전립선첨이 있다.

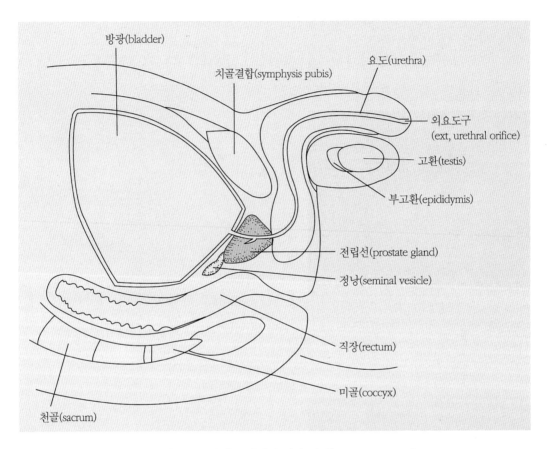

그림 3-86. **남성 골반강의 시상 단면(sagittal section)**

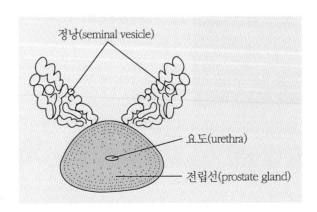

그림 3-87. **전립선(prostate gland)과 정낭(seminal vesicle)의 해부**

128

2) 전립선의 기본 초음파 상(Basic Ultrasound Image of the Prostate Gland)

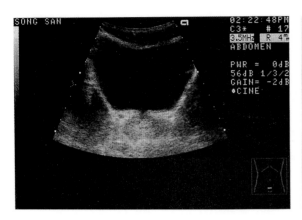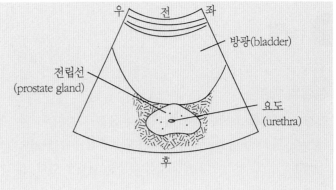

그림 3-88. **방광과 전립선의** transverse scan

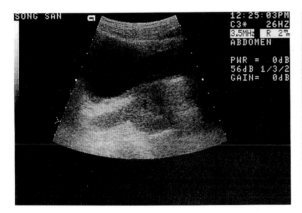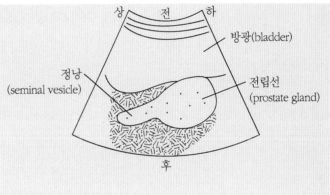

그림 3-89. **정낭과 전립선의** oblique scan

129

III. 심장의 초음파 검사

01 심장

1) 심장의 해부

심장은 끊임없이 박동하여 혈액을 온몸으로 순환시키는 순환계와 혈관계의 중심장기이다. 흉강 안에 종격중부 (middle mediastinum)에 있는 추체형의 유강장기(有腔臟器, hollow organ)로서 2겹의 심막(pericardium)으로 싸여 좌 우 양폐의 사이와 횡격막 위에 비스듬히 누운 형태로 있다. 2/3가 정중선 왼쪽에 있으며 크기는 길이 약 12~14cm, 넓은 곳의 폭은 8~9cm, 두께는 약 6cm이다. 우상후방에 넓은 곳을 심저(base of heart)라 하고 제2늑간 높이에 있으며 대혈 관이 심장으로 출입하는 곳이다. 좌하방에 뾰족한 부분을 심첨(apex of heart)이라 부르고 좌측 제5늑간에서 유두선보 다 약간 안쪽에 있다. 이 두 부분을 잇는 긴 축을 심축(axis cordis)이라고 한다.

심장 내강은 2개의 방(atrium)과 2개의 실(ventricle)로 이루어져 있으며 방과 실은 하나씩 좌우로 나뉘어져 있 다. 심실중격(interventricular septum)은 좌심실(left ventricle)과 우심실(right ventricle)을 나누고, 심방중격 (interatrial septum)은 좌심방(left atrium)과 우심방(right atrium)을 나눈다. 심실중격과 심방중격을 합쳐 방실중격 (atrioventricular septum)이라 한다.

우심실 입구에는 삼첨판(tricuspid valve)이 있고 출구에는 폐동맥판(pulmonary valve)이 있다. 좌심실 입구에는 승 모판(이첨판, mitral valve)이 있고 출구에는 대동맥판(aortic valve)이 있다. 승모판만 2개의 판막을 갖고 나머지는 3개 의 판막을 갖는다. 삼첨판과 승모판은 건삭(chordae tendineae)을 통하여 유두근(papillary muscle)으로 떠받쳐져 있 다.

심장내의 혈류 경로는 대동맥에서 나온 혈액은 전신을 거쳐 상대정맥(superior vena cava)과 하대정맥(inferior vena cava)을 통해 우심방으로 흐른다. 우심방에서 삼첨판을 거쳐 우심실로 온 혈액은 폐동맥판을 거쳐 폐동맥을 지나 폐로 흐르고 폐를 지난 혈액은 폐정맥을 거쳐 좌심방으로 흐른다. 좌심방에서 승모판을 지난 혈액은 좌심실로 흐르고 대동맥 판을 지나 대동맥으로 가게 된다.

2) 심장 초음파 검사

심장은 늑골에 싸여 가려져 있기 때문에 초음파 검사하기가 쉽지 않다. 이것을 위해 개발된 것이 sector scanner이다. sector scanner는 늑간 사이로 초음파 빔을 부채꼴 모양으로 방사하기 때문에 심장의 검사에 유용하게 만들어져 있다. 또한 초음파 장치의 실시간 실현은 심장의 움직임과 구조물을 생동감있게 그대로 관찰할 수 있게 되었다. 심장은 끊임없 이 항상 움직이고 있는 장기이기 때문에 이것을 검사하기 위해서는 다른 장기의 검사방법과 약간 다르다. 이것은 한 개 의 일정한 초음파 빔을 체내로 입사시키고 장기의 움직임에 의해 변화되는 거리를 시간 변화에 따라 표시하는 M-mode 법의 이용이다. 특히 도플러 초음파의 사용과 칼라 초음파의 등장으로 미세한 혈류의 움직임도 정확히 파악할 수 있게 되었다. 초음파의 발달은 심장질환에 있어서 상당히 중요하고 유용한 정보를 제공하게 되었으며 또한 초음파는 임신중 태아의 선천성 심질환에 대한 진단도 가능하기 때문에 조기 심질환 진단에 있어서 획기적인 공헌을 하고 있다.

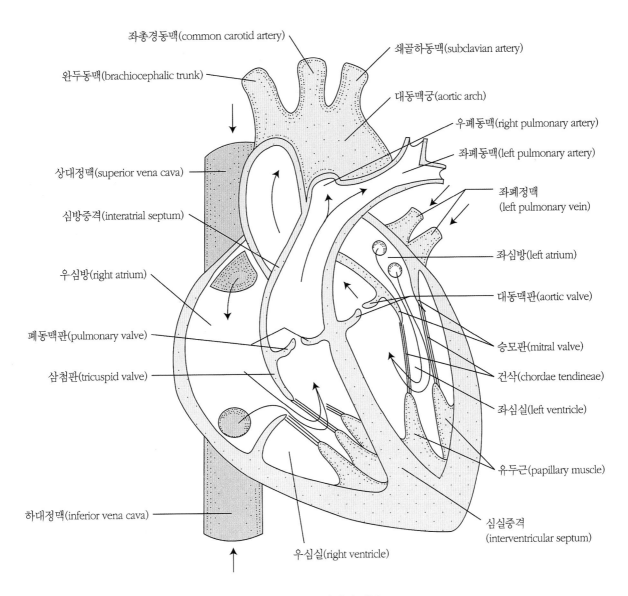

좌총경동맥(common carotid artery)

쇄골하동맥(subclavian artery)

완두동맥(brachiocephalic trunk)

대동맥궁(aortic arch)

우폐동맥(right pulmonary artery)

좌폐동맥(left pulmonary artery)

상대정맥(superior vena cava)

좌폐정맥
(left pulmonary vein)

심방중격(interatrial septum)

우심방(right atrium)

좌심방(left atrium)

대동맥판(aortic valve)

폐동맥판(pulmonary valve)

승모판(mitral valve)

삼첨판(tricuspid valve)

건삭(chordae tendineae)

좌심실(left ventricle)

유두근(papillary muscle)

하대정맥(inferior vena cava)

심실중격
(interventricular septum)

우심실(right ventricle)

그림 3-90. **심장의 해부**

3) 심장 초음파 검사의 준비

(1) 장치

심장 초음파는 sector electronic scanner를 사용한다.

(2) 피검사자의 자세

피검사자는 좌측와위(left decubitus position)를 통상 사용한다. 피검사자의 체형과 폐의 영향이 있을 때는 좌위(sitting position)를 사용하면 묘출이 개선된다.

(3) 탐촉자의 위치와 음향창

심장 접근을 위한 4가지 음향창이 있다. 4가지 음향창은 다음과 같다. 그 밖에 추가적으로 흉골우연 음향창(right parasternal window)을 이용하기도 한다.

1. 흉골좌연 음향창(left parasternal window)

탐촉자를 흉골좌연 제3-4 늑골 사이에 두고 장축 또는 단축 방향으로 선동운동하면서 묘출 대상을 찾아 검사한다.

2. 심첨부 음향창(apical window)

제5 늑간에서 유두선 안쪽으로 탐촉자를 접촉하고 우측견갑골(right scapula)쪽으로 빔을 입사시킨다.

3. 심와부 음향창(epigastric window)

검상돌기(xiphoid process) 아래에서 탐촉자를 다리쪽으로 기울여 초음파 빔이 두부(cephalad)를 향하게 한다. 선동운동을 하면서 4개의 심방실 및 대상을 묘출한다. 심흡기에서 잘 보이고 압박 주사법이 유용하다.

4 흉골상 절흔부 음향창(suprasternal notch window)

흉골상 절흔부에 탐촉자를 두고 다리 방향으로 초음파 빔을 입사시킨다.
대동맥 궁(aortic arch)의 기저부를 관찰하는데 사용된다.
자세는 좌위(sitting position)가 알맞다.

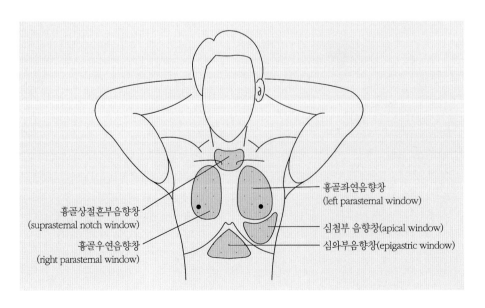

그림 3-91. **심장 초음파 검사의 음향창(acoustic window)**

4) 심장 초음파 검사의 오리엔테이션

심장 초음파 화상 표시법은 다른 장기와 약간 다르다.

흉골좌연 음향창에서 심장의 장축 검사에는 심첨부가 화상의 좌측, 심저부가 화상의 우측에 오게 한다. 심장의 단축 검사는 CT에서와 같이 심장의 우측이 화상의 왼쪽에, 심장의 좌측이 화상의 오른쪽에 위치한다. 심첨부와 심와부 음향창에서 4개 좌우방실의 묘출은 심첨부와 양심실이 화상의 상측, 심저부와 양심방이 화상의 하측, 우측심방심실이 화상의 좌측, 좌측심방심실이 화상의 우측에 오게 한다.

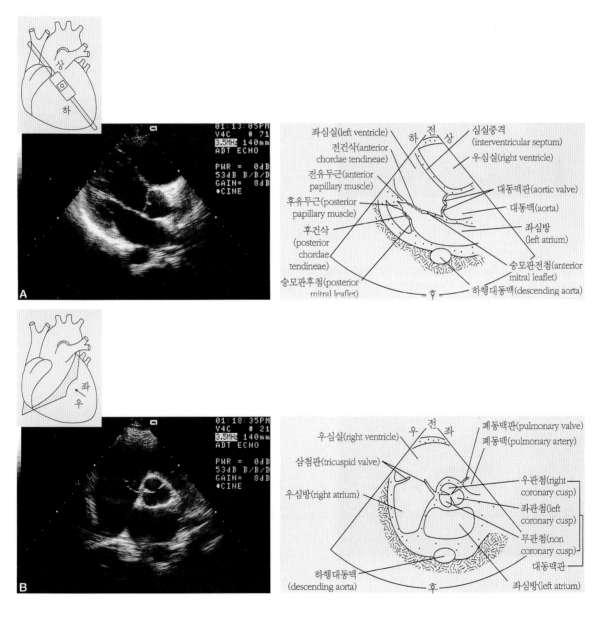

그림 3-92. **심장의 오리엔테이션**

A. 심장의 장축화상. 우심실, 좌심실, 좌심방, 승모판, 대동맥판 등이 관찰된다. B. 심장의 단축화상. 심장 장축에 대해서 탐촉자를 90도 회전시킨 화상이다. 대동맥판 중심으로 삼첨판, 폐동맥판, 우심방, 좌심방, 우심실 등이 보인다.

5) 심장의 기본 초음파 상(Basic Ultrasound Image of the Heart)

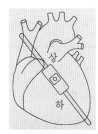

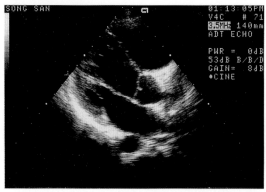

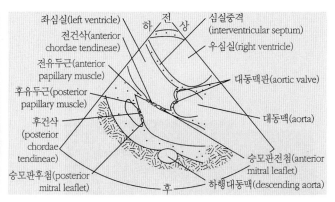

그림 3-93. **심실 확장기의 장축화상**

승모판(mitral valve)은 열려 있고 대동맥판(aortic valve)은 닫혀 있다. 탐촉자를 흉골좌연 제3-4 늑골 사이에 두고 좌늑궁 하연(left subcostal margin)과 나란히 평행한 방향으로 향하게 하면 심장의 장축인 심축과 대부분 일치하게 된다. 만일 심축의 방향에 변동이 있다면 탐촉자의 방향을 바꾸어 심축에 맞추어야 한다.

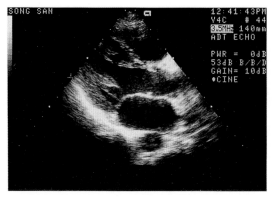

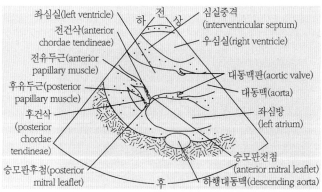

그림 3-94. **심실 수축기의 장축화상**

승모판은 닫혀 있고 대동맥판은 열려 있다. 탐촉자의 위치는 그림 3-93과 같다.

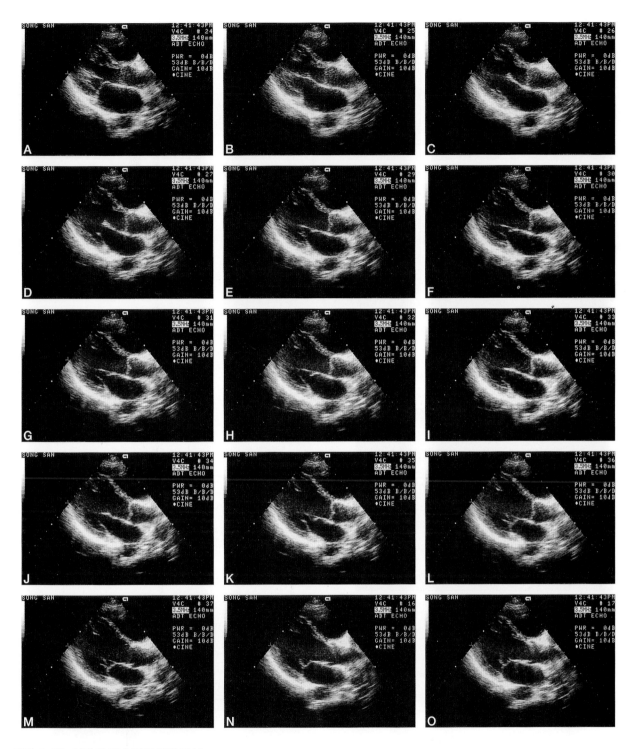

그림 3-95. **심장의 연속적인 장축화상**

좌심방과 좌심실이 확장(diastole)과 수축(systole)을 하는 동안 승모판과 대동맥판이 교대로 열리고 닫히는 것을 관찰할 수 있다.

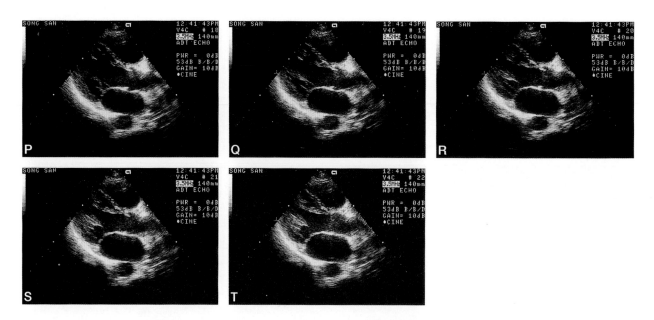

그림 3–95. **심장의 연속적인 장축화상(계속)**

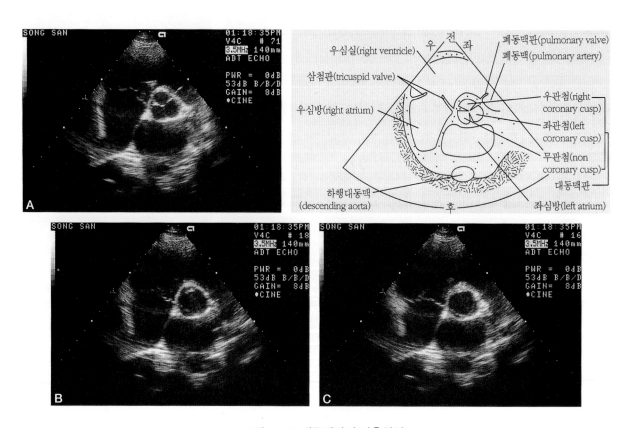

그림 3–96. **대동맥판의 단축화상**
A. 대동맥판이 닫힌 화상, B. 대동맥판이 열리는 화상, C. 대동판이 완전히 열린 상태

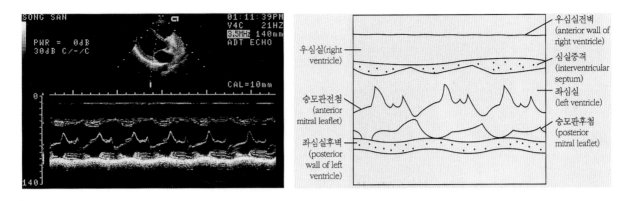

그림 3-97. **심장 장축화상에서 승모판의 M-mode**

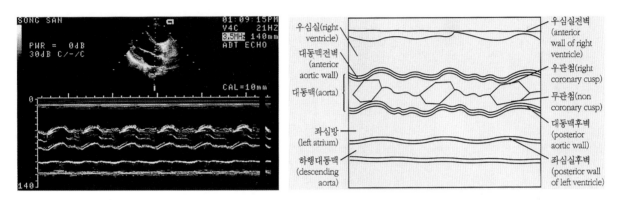

그림 3-98. **심장 장축화상에서 대동맥판의 M-mode**

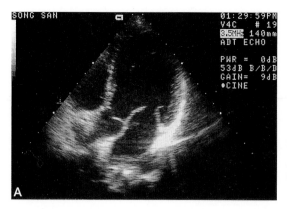
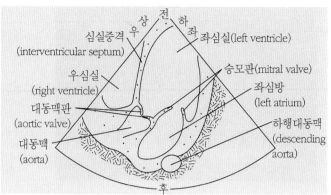

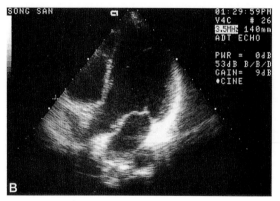
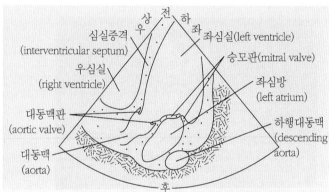

그림 3–99. 심첨부 음향창을 이용한 승모판과 대동맥판의 묘출

138

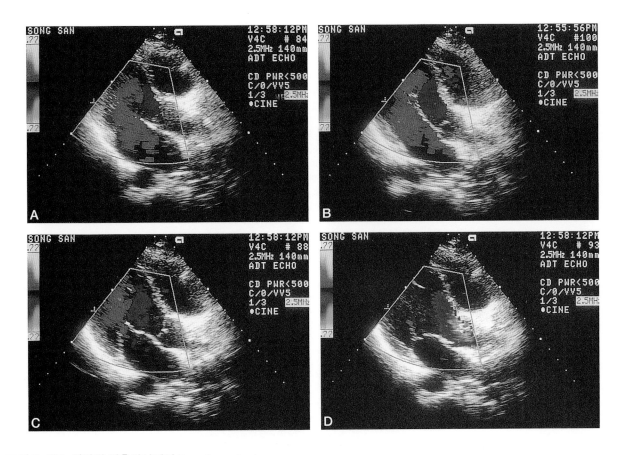

그림 3-100. **심장의 장축화상에서 Doppler color image**

A. 좌심방의 수축으로 승모판이 열리면서 심방의 혈액이 심실로 유입되는 것이 붉은색으로 나타나고 있다. B. 승모판이 완전히 열려 있을 때 좌심방에서 좌심실로의 혈액유입이 최대로 나타나고, 좌심실에 많은 혈액의 유입으로 인하여 대동 맥판쪽으로 밀려가는 혈액이 파란색으로 관찰된다. C. 좌심실의 수축기에는 승모판이 닫혀 가고 좌심실로의 혈액 유입 도 적어지며 대동맥판으로 진행하는 혈액이 파란색으로 나타나고 있다. D. 좌심실의 수축으로 대동맥판이 열리면서 혈 액이 대동맥으로 유입되는것이 파란색으로 나타나고있다.

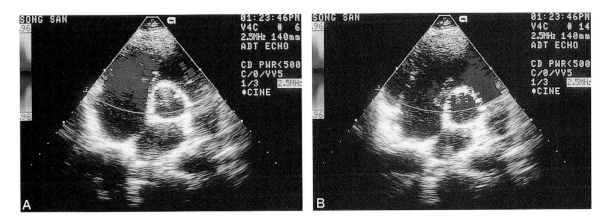

그림 3-101. **심장의 단축화상에서 Doppler color image**

A. 우심방의 수축으로 삼첨판이 열리면서 우심실로 진행하는 혈액이 붉은색으로 나타나고 있다. B. 우심실의 수축으로 폐동맥판이 열리면서 폐동맥으로 진행하는 혈액이 파란색으로 나타나고 있다.

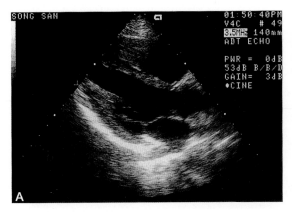
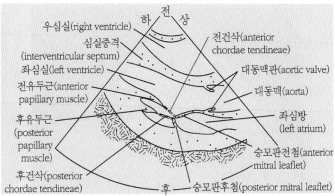

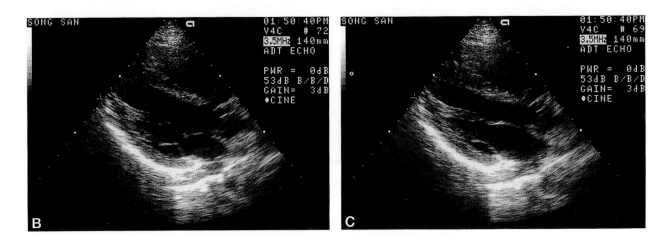

그림 3-102. 건삭(chordae tendineae)이 승모판과 유두근(papillary muscle)을 연결하고 있다.
A. 승모판이 닫힌 화상, B. 승모판이 열리는 화상, C. 승모판이 완전히 열린 상태

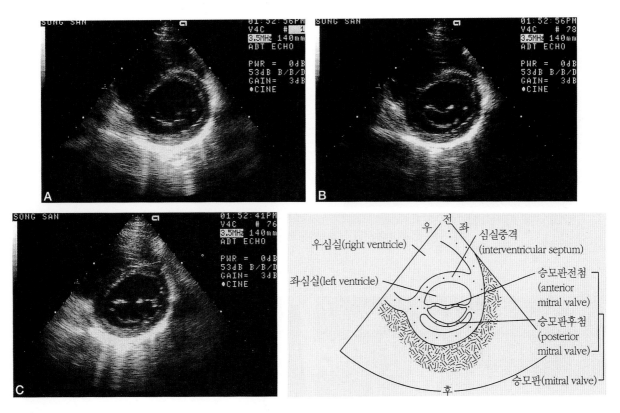

그림 3-103. **승모판의 단축화상**

A. 승모판이 닫힌 화상, B. 승모판이 열리는 화상, C. 승모판이 완전히 열린 상태

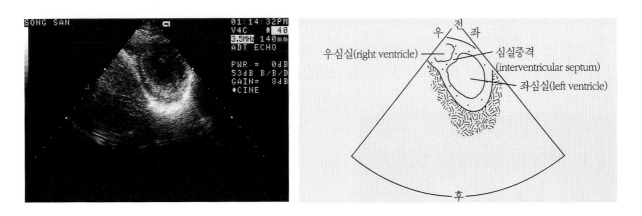

그림 3-104. **심첨부의 단축 화상**

좌심실, 우심실의 심첨부가 묘출된다.

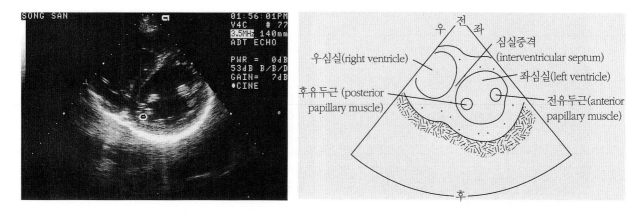

그림 3-105. 심장 유두근 위치에서의 단축화상. 좌심실 내의 유두근(papillary muscle)의 묘출

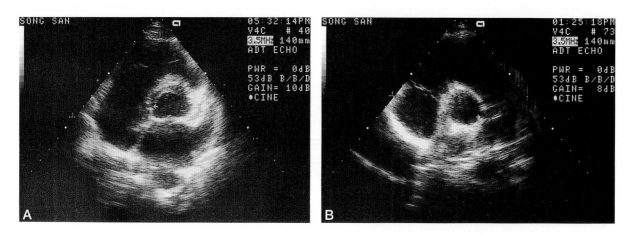

그림 3-106. 대동맥판 단축화상에서 우관상동맥(A)과 좌관상동맥(B)의 묘출(화살표)

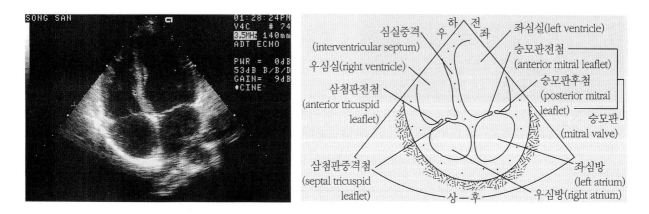

그림 3-107. 심첨부음향창을 이용하여 4개의 좌우 방실, 심실중격, 심방중격, 삼첨판 그리고 승모판을 묘출한다.

Ⅳ. 소화관의 초음파 검사

01 소화관

1) 소화관의 초음파 검사

소화관은 내강의 gas의 영향으로 초음파 검사가 곤란한 경우가 많고 좋은 화상을 얻을 수 없는 경우도 많다. 소화관 검사는 내시경 검사나 X-ray 검사가 훨씬 뛰어나고 초음파 검사는 대체로 보조적 진단에 활용되거나 내시경 또는 X-ray의 목적과는 다르게 이용된다. 임상에서는 복부의 종류성 병변이 있을 때 간편하게 적용할 수 있으며 타 장기의 병변을 구별하거나 합병된 경우와 악성종양의 주위침범, 전이 등을 종합적으로 검사할 수 있다. 또한 급성 복증이나 임신시 X-ray 검사를 수행할 수 없는 경우에 사용된다.

소화관 검사는 소화관 중에서 고정되어 있는 부분을 동정한 다음 고정되어 있지 않은 부분을 추정 관찰할 수 있다. 그 이외의 병변은 대부분 정확한 검사를 할 수 없다.

전처치는 복부 초음파 검사와 골반강 초음파 검사의 전처치에 준하여 실시한다. 위, 십이지장에 gas가 많을 때는 물과 Methyl-cellulose액을 복용하는 Fluid filled stomach법과 장유동억제제의 병용, 그리고 관장 후 물을 주입하는 대장검사법이 요구된다.

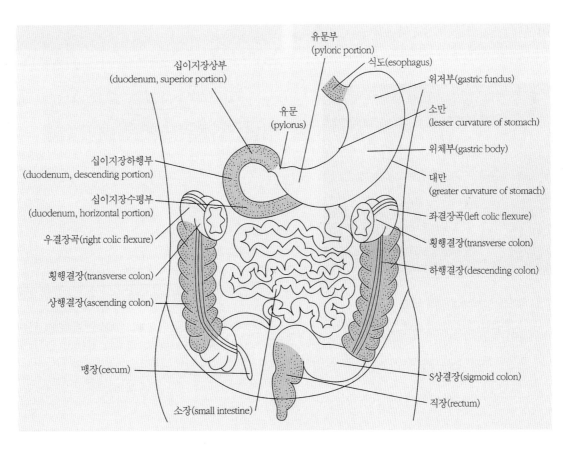

그림 3-108. **소화관의 해부**
소화관 중에서 점으로 표시된 부분은 고정되어 있는 부위이다.

2) 소화관의 기본 초음파 상(Basic Ultrasound Image of the Gastro-Intestinal System)

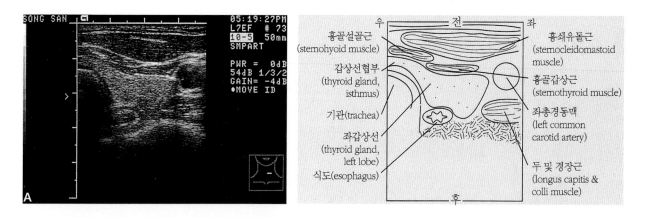

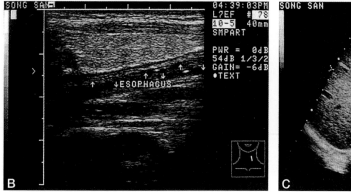

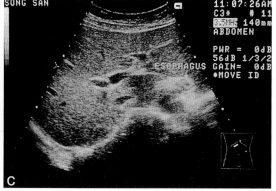

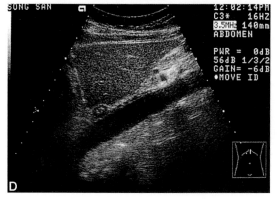

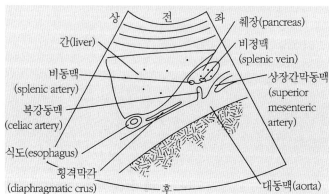

그림 3-109. **식도(esophagus)의 묘출**

우측 갑상선(thyroid gland) 위치에서 transverse scan (A)과 longitudinal scan (B)을 실시하면 우측 갑상선 후면과 기관 (trachea)의 사이에서 타원형의 식도가 관찰된다. 대동맥(aorta) 위치에서 longitudinal scan (D)하면 간좌엽과 식도가 관 찰되며, Right subcostal scan (C)에서는 정맥관삭(ligamentum venosum)과 연결된 식도를 묘출할 수 있다(그림 3-20).

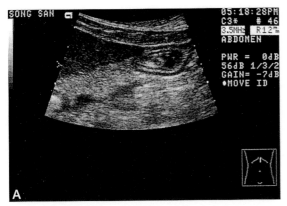
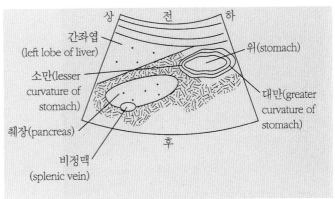

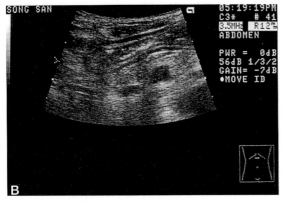
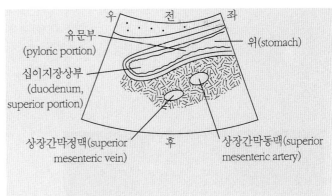

그림 3-110. **위(stomach)의 묘출**

A. Longitudinal scan. 심와부의 간하연과 췌장 전방에 위(stomach)가 보인다. 대개 고저-고에코의 3층으로 관찰되고 자세히 관찰하면 고-저-고-저-고에코의 5층으로 구분되어 보인다. B. Transverse scan. 위, 유문부, 유문 그리고 십이지장 상부(duodenum, superior portion)인 십이지장구부(duodenal bulb)가 함께 묘출된다.

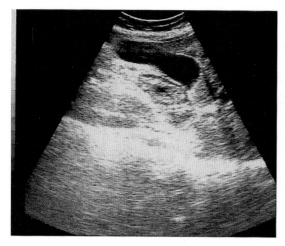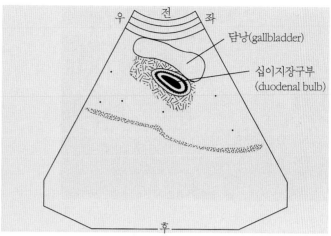

그림 3-111. Right subcostal scan. **십이지장구부의 묘출**
담낭 밑에 십이지장구부가 선명하게 묘출되었다.

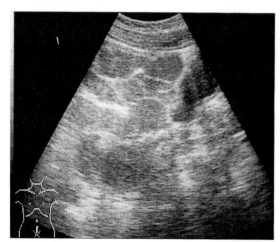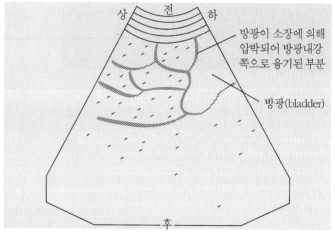

그림 3-112. Longitudinal scan. **소장의 묘출**
방광이 충만되지 않으면 소장이 방광을 압박하고 있는 것처럼 묘출된다.

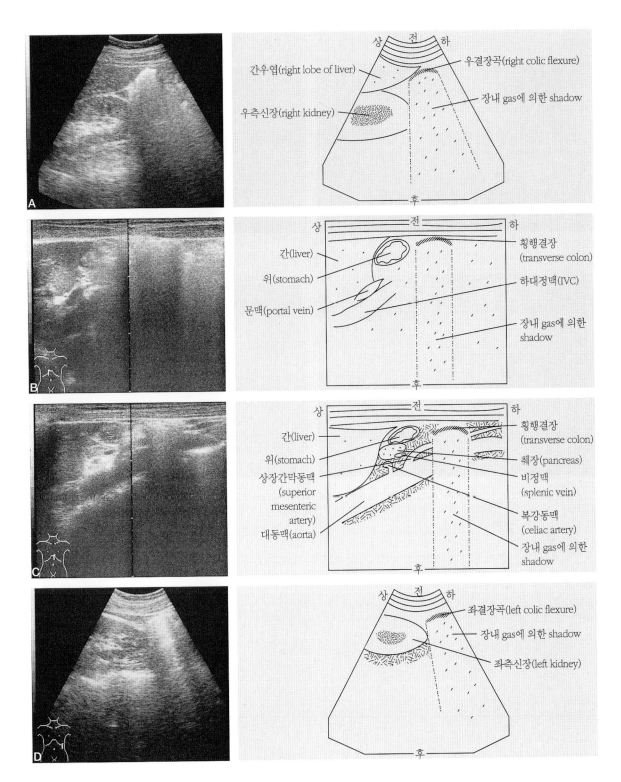

그림 3-113. Longitudinal scan. 초음파에서 대장은 장내 gas로 인하여 hyperechoic하게 묘출되고 후방에 dirty shadow가 나타난다. gas를 알리는 dirty shadow를 찾아 횡행결장(transverse colon)을 동정할 수 있다.

A. 간우엽과 우측신장 하면에 dirty shadow가 대장임을 알 수 있다. B. 하대정맥에서의 longitudinal scan, C. 대동맥에서의 longitudinal scan, D. 좌측신장 부위에서의 longitudinal scan

147

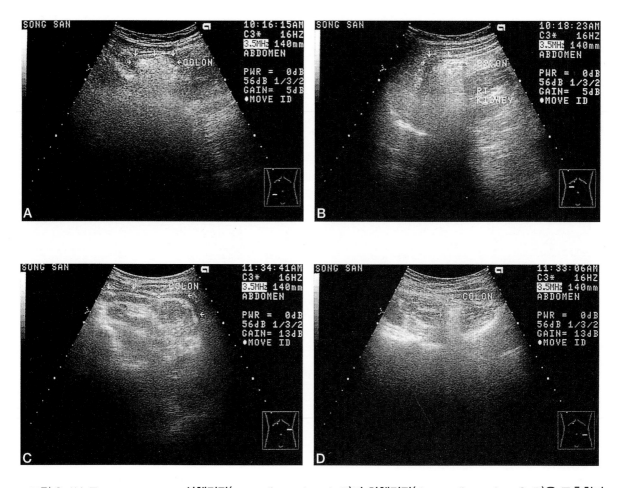

그림 3-114. Transverse scan. 상행결장(ascending colon, A, B)과 하행결장(descending colon, C, D)을 묘출한다.

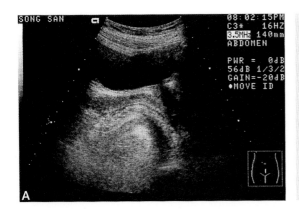 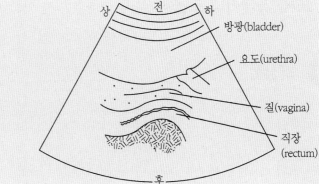

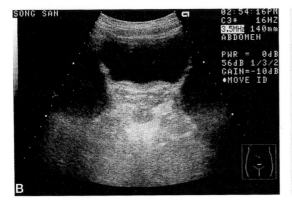 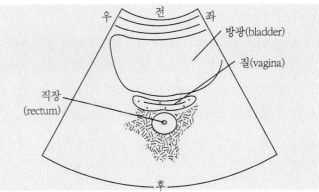

그림 3-115. **직장(rectum)의 묘출**

A. Longitudinal scan. 자궁과 질(vagina)의 후면에 직장이 상하로 뻗어 있는 것이 묘출되었다. B. Transverse scan. 질(vagina) 밑으로 직장의 횡단면이 보인다.

149

V. 표재성 장기의 초음파 검사

갑상선(thyroid gland), 유선(mammary gland), 이하선(parotid gland), 고환(testicle), 눈(eye) 등의 표재성 장기는 해상력이 뛰어난 고주파수의 탐촉자를 사용하여 검사한다. 고주파수의 초음파는 심부에서 감쇠가 심하나 체표부에서는 감쇠가 거의 없으며 분해능력이 뛰어나 해상력이 좋다. 표재성 장기의 검사에 사용하는 탐촉자의 주파수는 6~24MHz를 사용하여 체표에 직접 대고 검사한다.

1) 갑상선의 해부

후두(larynx)와 기관(trachea)의 이행부 앞면에서 갑상연골(thyroid cartilage)의 아래 전외측을 싸고 있는 내분비선이다. 좌우 양엽과 이것을 연결하는 협부로 구성되어 있으며 나비 넥타이(bow tie) 모양을 하고 있다. 크기는 각엽이 2×4cm이고 협부가 2×2cm로 사람의 엄지 손가락 첫마디의 크기만 하다. 갑상선 후외측으로 총경동맥(common carotid artery)과 내경정맥(internal jugular vein)이 흐른다. 정상인은 촉진으로 촉지할 수 없다.

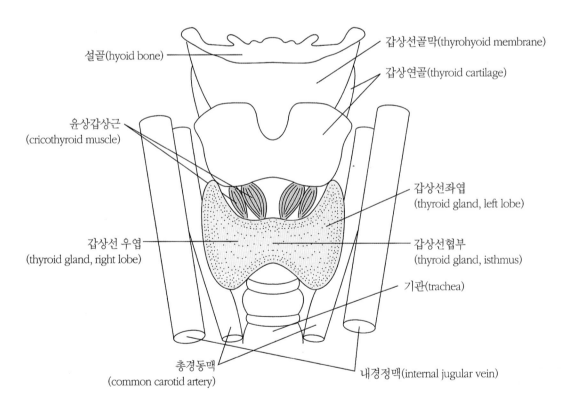

그림 3-116. **갑상선과 주위 장기의 해부**

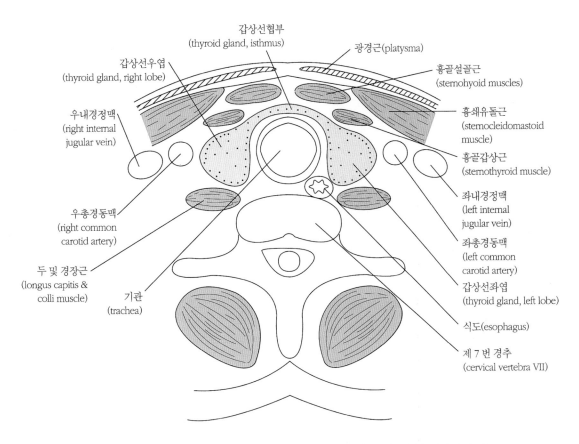

그림 3-117. **제7번 경추와 제2번 기관연골의 level에서 수평절단한 갑상선의 해부**

2) 갑상선의 기본 초음파 상(Basic Ultrasound Image of the Thyroid Gland)

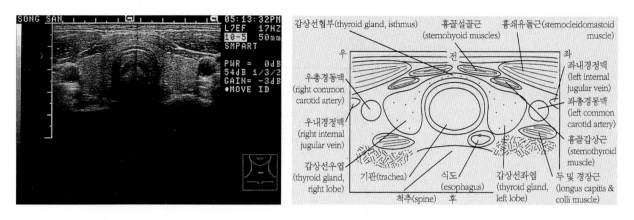

그림 3-118. **갑상선의 transverse scan**

좌우대칭의 나비넥타이 모양으로 실질은 약간 고에코로 보인다. 갑상선의 후방에는 기관(trachea)의 gas와 경추(cetvical vertebra)에 의해 후방음향음영이 생긴다.

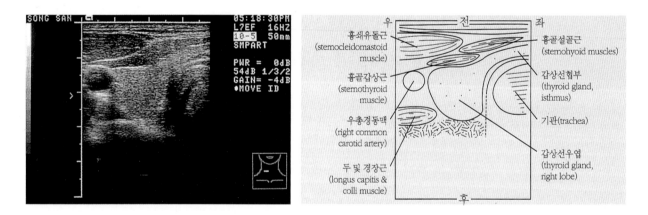

그림 3-119. **우측 갑상선의 transverse scan**

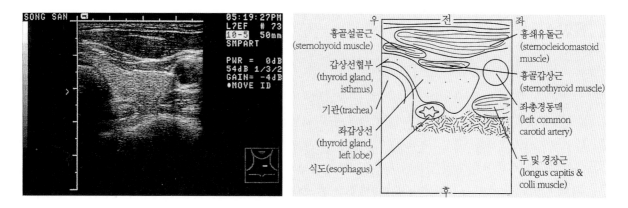

그림 3-120. **좌측 갑상선의** transverse scan

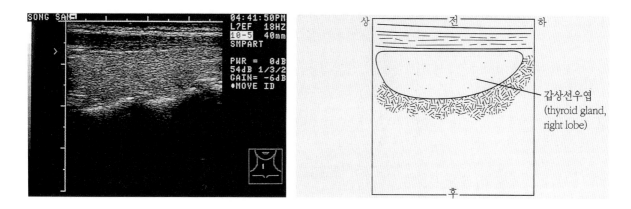

그림 3-121. **우측 갑상선의** longitudinal scan

153

02 유방

1) 유방의 해부

가슴 양쪽에 둥글게 솟아 오른 피부 및 피하조직의 융기로 성인 여성에서는 잘 발달되어 있으나 남성과 어린이는 흔적만 있다. 유방은 유두, 유륜, 유선, 피하지방으로 이루어진다. 유방의 불룩한 융기 부위는 유선과 지방층으로 구성되어 있다. 유방의 한가운데에 앞으로 돌출한 부분은 유두(nipple)이고 여기에 유방 분비선인 유선(mammary gland)과 분비관인 유관(lactiferous ducts)이 십여 개 열려 있다. 유선은 유두에서 피하에 걸쳐 피부와 대흉근 사이의 피하지방 조직내에 존재한다. 피부의 바로 안쪽에는 천재근막의 천층(superficial layer of superficial fascia)이 있고 그 내측으로 비교적 두꺼운 피하지방 조직(subcutaneous fat tissue)이 있으며 그 안쪽으로 유선이 자리잡고 있다. 피하지방층 사이에서 유선을 피하에 고정시켜 주는 cooper 인대(cooper's ligament)는 유선 앞쪽에서 천재근막의 천층 사이에 얇은 선상으로 비스듬하게 주행하고 있다. 유선의 뒤쪽에는 유선후지방조직과 천재근막의 심층(deep layer of superficial fascia), 그 뒤로 유선후극(retromammary space)과 대흉근(pectoralis major muscle)이 존재한다.

유방의 크기와 모양은 개체와 인종에 따라 현저하게 다르다. 개인도 월경 주기, 임신, 수유 등에 따라 크게 다르다. 초음파 검사는 월경 전후에 이상이 나타날 수 있기 때문에 월경 종료 후 7-10일에 하는 것이 좋다.

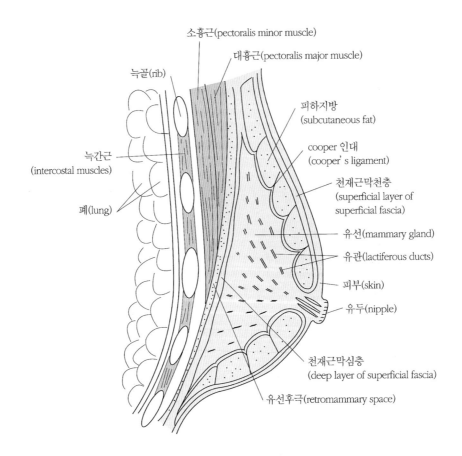

그림 3-122. **유방의 시상단면(sagittal section)의 해부**

2) 유방의 기본 초음파 상(Basic Ultrasound Image of the Mammary Gland)

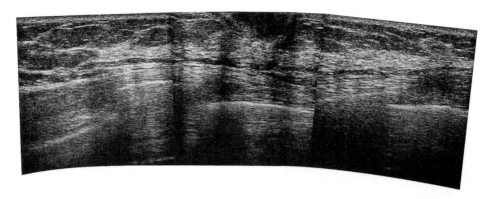

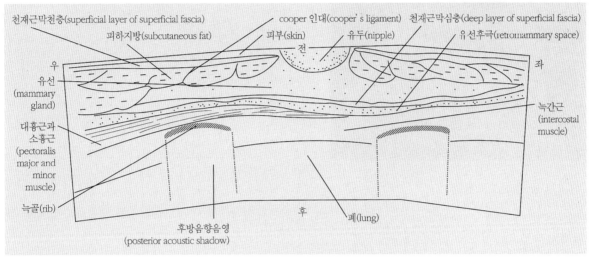

그림 3-123. **유방의 묘출**

155

VI. 기타

01 **횡경막 각**

1) 횡격막 각의 기본 초음파 상(Basic Ultrasound Image of the Diaphragmatic Crus)

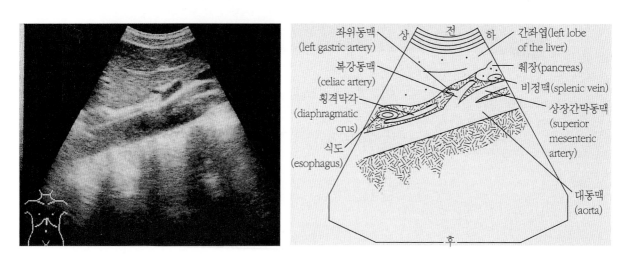

그림 3-124. **Longitudinal scan**
간좌엽, 대동맥, 화상 좌측에 식도 그리고 우측에 복강동맥과 상장간막동맥이 보인다. 식도, 복강동맥, 간좌엽, 대동맥 사이에 길게 상하로 뻗어 있는 저에코 선이 횡격막각(diaphragmatic crus)이다. 또한 복강동맥에서 좌위동맥(left gastric artery)이 보인다.

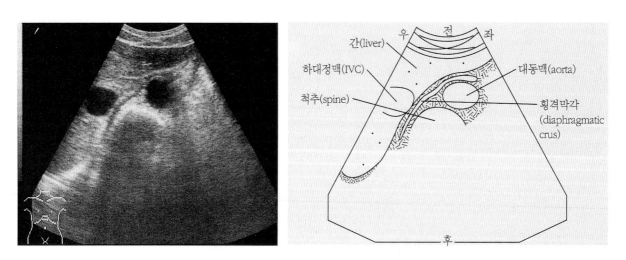

그림 3-125. **그림 3-124의 transverse scan**
횡격막각이 대동맥 전면부터 하대정맥 후면까지 길게 뻗어 있다.

156

02 척추

1) 척추의 기본 초음파 상(Basic Ultrasound Image of the Spinal Cord)

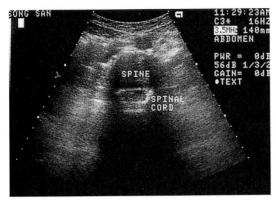 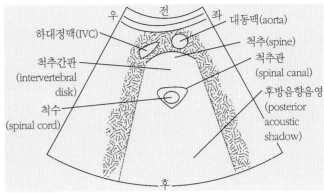

그림 3-126. **척추의 transverse scan**

추간판(intervertebral disk) 사이로 초음파 빔을 입사시키면 척추관(vertebral canal)과 고에코의 척수(spinal cord)가 묘출된다.

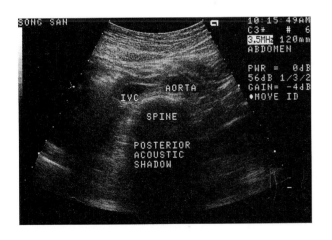

그림 3-127. **추체의 transverse scan**

척추는 초음파 빔을 강하게 반사하고 내부로 전달시키지 않기 때문에 강한 후방음향음영을 만든다.

그림 3-128. **척추의 longitudinal scan**

157

제3편
초음파의 진단

04 간(Liver)

05 담낭, 총담관
(Gallbladder,
Common Bile Duct)

06 췌장(Pancreas)

07 신장(Kidney)

08 비장(Spleen)

09 자궁(Uterus)

10 난소(Ovary)

11 산과(Obstetics)

12 심장(Heart)

13 소화관
(Gastro-Intestinal
System)

14 기타

04 간(Liver)

01 간경변증(Liver Cirrhosis)

간경변증은 여러 가지 원인으로 인하여 간세포의 광범위한 파괴에 따른 섬유조직의 대체와 생존한 간조직의 과증식으로 재생결절(regenerative nodule)이 형성되어 간의 형태가 불규칙하게 변하며, 간 혈관의 변형이 초래되고 간기능이 저하되는 미만성 질환(diffuse disease)이다.

1) 간경변증의 형태

재생결절로 인하여 불규칙하게 변한 간의 형태를 소결절성(micronodular), 대결절성(macronodular), 혼합결절성(mixed nodular)의 3가지로 나눌 수 있다. 소결절성은 결절의 직경이 1~2mm로 매우 작으며 균일하게 관찰된다. 대결절성은 직경이 1cm 정도인 큰 결절로 이루어져 있다. 혼합결절성은 소결절성과 대결절성이 혼합되어 보이는 것으로 간경변의 마지막 단계에 많이 나타난다.

간세포의 파괴에 따른 섬유조직의 대체와 재생결절로 인하여 초음파 상에는 간 표면이 울퉁불퉁한 요철로 관찰되며 내부에코 패턴은 거칠며 조잡하게 관찰된다. 간좌엽과 미상엽(caudate lobe)은 종대되고 간우엽은 위축되며 간하연은 무뎌지는 경향이 있다. 간우엽의 위축은 담낭의 저부가 머리쪽으로(cephalad) 끌어 올려져 복벽에 직각으로 세워진 형상을 하게 된다. 간경변증이 진행되면 간내혈관의 변형이 초래되기 때문에 간내 문맥이 불규칙하게 주행하고 간정맥은 묘출하기 어려운 경우가 많다. 또한 진행된 간경변증은 문맥압항진에 따른 측부혈행로를 만들고 비장종대, 복수, 담낭벽의 비후가 나타난다.

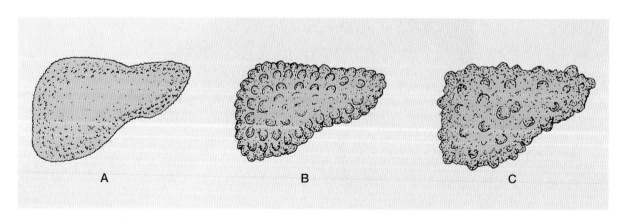

그림 4-1. **간경변의 형태**

A. 소결절성(micronodular), B. 대결절성(macronodular), C. 혼합결절성(mixed nodular)

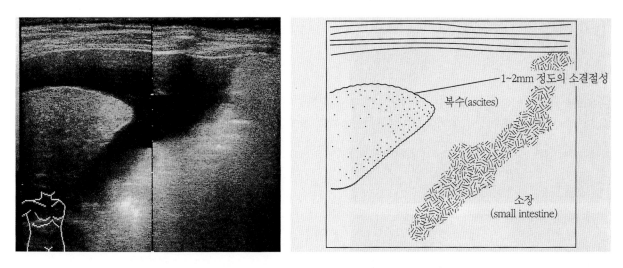

그림 4-2. **간경변 형태의 초음파 상. 복수(ascites)를 동반한 소결절성(micronodular)의 간경변**
간은 작은 재생결절로 인하여 미세한 거친 표면과 위축을 보이고 있다.

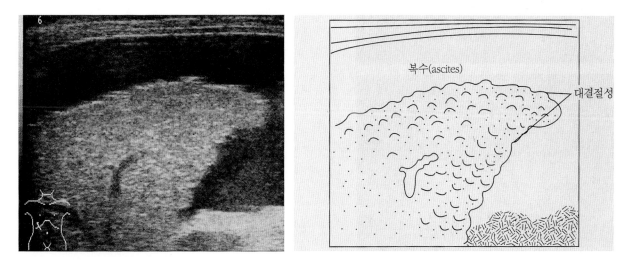

그림 4-3. **간경변 형태의 초음파 상. 복수(ascites)를 동반한 대결절성(macronodular)의 간경변**
큰 재생결절로 인하여 간의 표면이 심하게 울퉁불퉁한 요철로 관찰된다.

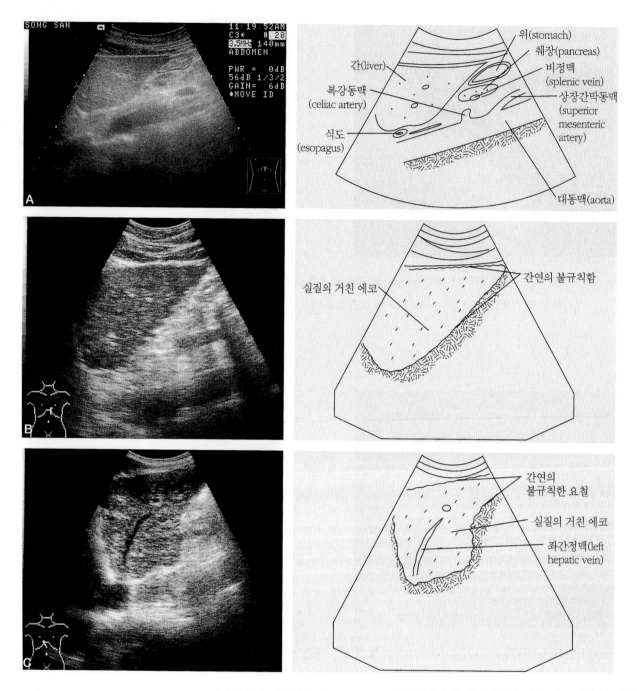

그림 4-4. Midline longitudinal scan. 간좌엽에서 시상면주사(sagittal scan)를 실시하면 간경변증일 경우 간표면의 불규칙함이 가장 잘 묘출된다.

A. 정상적인 간표면. 간표면은 매끄럽고 전하연(inferior margin)의 가장자리는 얇고 날카로우며 간하면은 오목하게 들어가 있다. B. 초기 간경변(early cirrhosis). 간하연에 불규칙한 요철이 보이고, 전하연의 가장자리가 약간 무뎌졌다. 간 실질은 약간 거칠어졌으며 간하면은 볼록하다. C. 약간 진행된 간경변. 전체적으로 간이 위축되어 있다. 간의 각 연(緣, margin)마다 모두 불규칙한 요철을 보인다. 간실질은 거칠고 상승된 에코로 보이며 그 사이로 좌간정맥(left hepatic vein)이 불규칙하게 주행하고 있다.

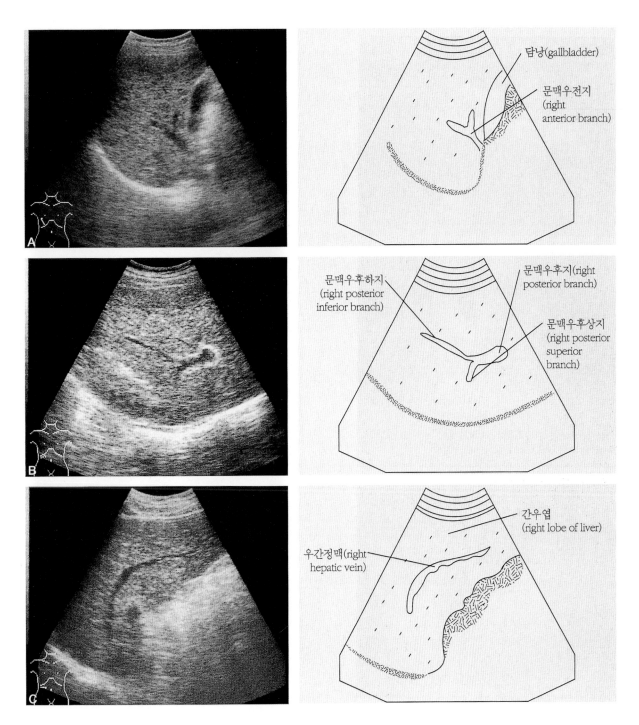

그림 4-5. 초기 간경변의 간혈관과 간실질

A. Right intercostal scan. 간의 위축으로 담낭이 복벽으로 일어서 있고, 문맥우측전지(right anterior branch)가 불규칙하게 주행하는 것이 관찰된다. B. Right subcostal scan. 문맥우후상지와 우후하지가 불규칙하게 주행하고 있다. 간실질은 거칠며 에코는 상승되어 있다. C. Right intercostal scan. 우간정맥(right hepatic vein)이 불규칙하게 주행하고 있다.

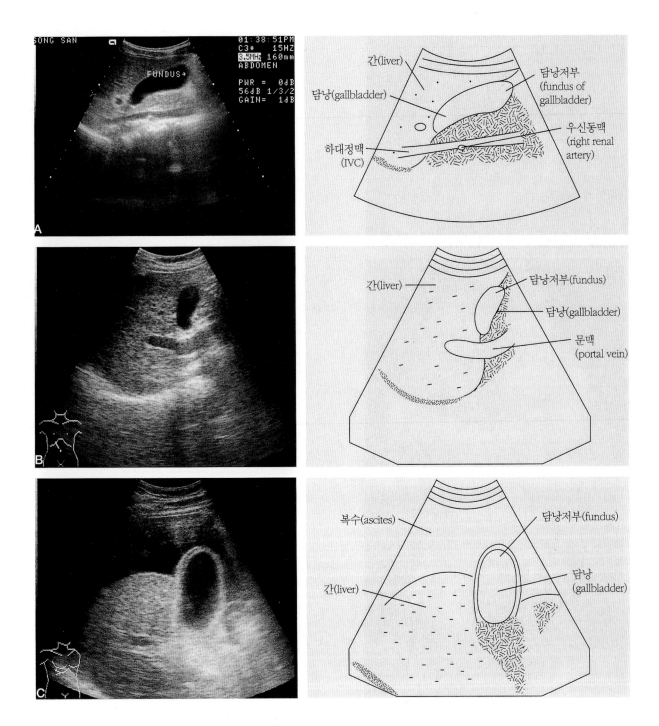

그림 4-6. 간경변의 심화에 따른 담낭 위치의 변경

A. 간이 정상일 때 담낭은 간하면에 연접해서 저부(fundus)가 다리쪽(caudad)을 향한다. B. 간경변이 진행되면 간의 위축으로 크기가 작아진다. 그 결과로 담낭의 저부가 복벽으로 약간 직립(erection)하게 된다. C. 간경변의 심화로 간위축이 심해지고 담낭이 복벽에 직각이 될 정도로 직립하고 있다.

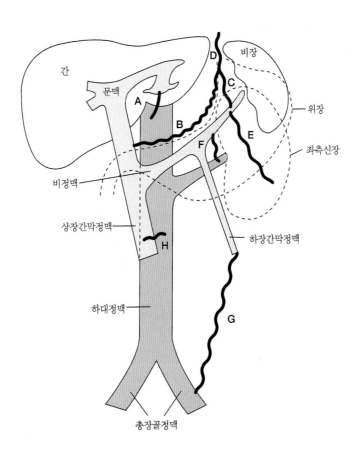

2) 합병증

간경화의 진행은 간문맥 폐쇄(portal venous obstruction), 간세포암(hepatocellular carcinoma)의 발생, 간 기능장애(hepatic dysfunction)의 합병증을 일으킨다.

(1) 간문맥 폐쇄

간의 염증으로 혈관이 파괴되고 섬유 조직의 침착과 재생결절의 증식으로 혈관을 압박하여 간문맥 순환이 폐쇄된다. 이러한 문맥의 폐쇄는 문맥압을 상승시키는 요인이 된다. 그 결과 측부혈행로(collateral pathways)의 발달, 비장종대(splenomegaly) 그리고 복수(ascites)를 일으키게 된다.

1. 측부혈행로(Collateral Pathways)

위, 장, 췌장, 비장 등의 정맥혈이 모여 상장간막정맥(superior mesenteric vein)과 비정맥(splenic vein)을 통해 문맥을 거쳐 간으로 혈액이 유입된다. 만일 문맥이 폐쇄된다면 상장간막정맥과 비정맥이 확장하게 된다. 문맥의 폐쇄가 심하면 그 외 여러 개의 측부혈행로를 만든다. 간원삭(ligamentum teres)에 혈액이 소통되고 좌위정맥(left gastric vein)이 사행성 구조(serpiginous structure)로 간좌엽의 후방에서 주행하게 된다. 이러한 측부혈행로의 관찰은 간경변의 진단에 많은 도움을 준다.

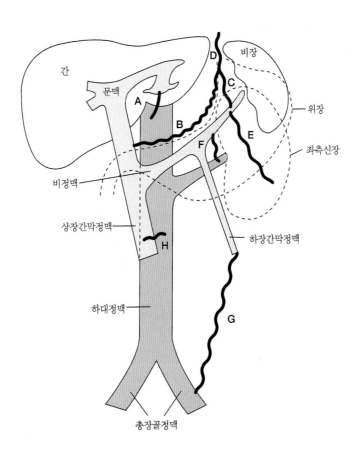

그림 4-7. **측부혈행로의 발달**

A. Paraumbilical vein, B. Left gastric vein, C. Short gastric vein, D. Esophageal vein, E. Splenoretroperitoneal shunt, F. Splenorenal shunt.G. Hemorrhoidal vein, H. Superior mesenteric vein inferior vena cava shunt.

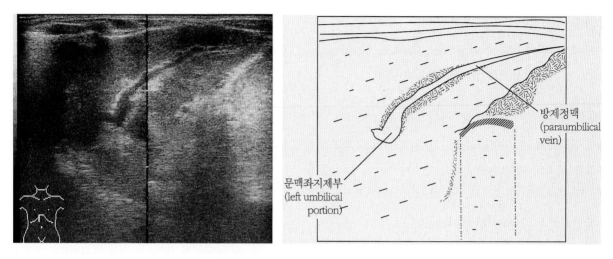

그림 4-8. 간원삭(ligamentum teres) 위치에서 확장된 방제정맥(paraumbilical vein)이 전하연으로 간을 뚫고 주행하고 있다. 도플러 초음파를 사용하면 이곳에 혈액의 흐름을 알 수 있다.

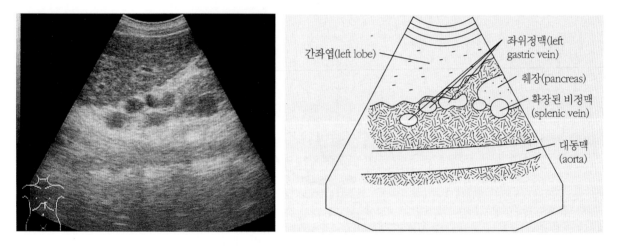

그림 4-9. 좌위정맥(left gastric vein)의 확장은 간의 좌엽, 췌장, 대동맥 사이에서 사행성 구조로 지나가나 초음파의 이차원적 단면상으로는 염주알 모양으로 관찰된다.

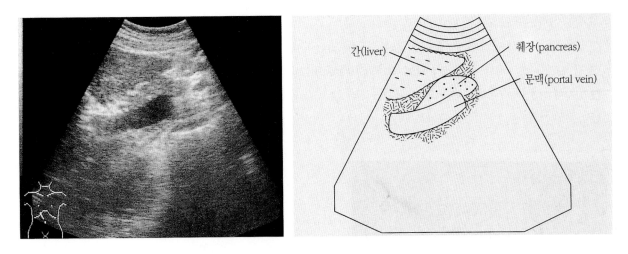

그림 4-10. **문맥 폐쇄로 인하여 췌장 두부에서 간문(porta hepatis)까지 문맥의 확장이 보인다.**

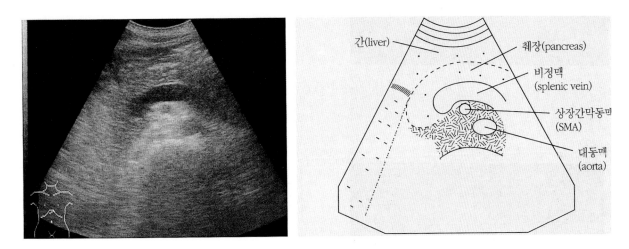

그림 4-11. **비정맥(splenic vein)의 확장**

2. 비장종대(Splenomegaly)

간경변에는 비장종대가 없는 경우가 많다. 비장종대는 다른 많은 질병에서 관찰되기 때문에 간경변의 절대적 지표가 될 수 없다. 그러나 간경변이 있는 경우에 비장종대는 간경변의 훌륭한 지표가 될 수 있다. 비장종대의 정도는 간기능의 정도와 간경변의 정도를 가리키는 기준이 되기 때문이다. 비장종대의 진단 기준은 비장 편에서 다루기로 한다.

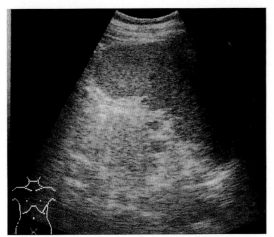
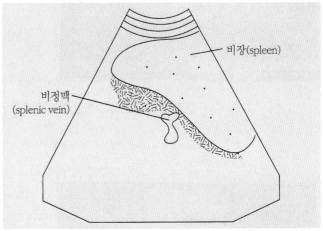

그림 4-12. **초기 간경변에서 비장종대(splenomegaly)는 대부분 없다.**

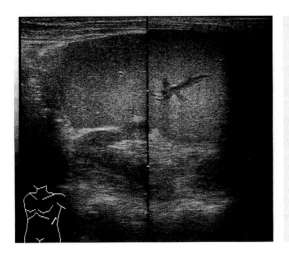
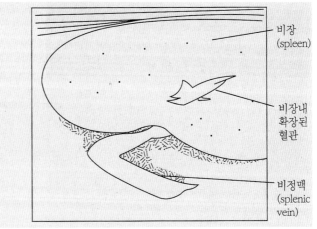

그림 4-13. **간경변의 진행으로 심한 비장종대(splenomegaly)와 비문부(splenic hilum)에서 비정맥의 확장이 관찰된다.**

3. 복수(Ascites)

간경변으로 문맥압 상승에 따른 혈액 내 액체 성분의 여과 증가, albumin 감소에 따른 혈액 내 삼투압의 감소 그리고 림프액 유출의 결과로 복수가 복강(peritoneal cavity) 내에 축적된다.

소량의 복수는 간과 우측신장 사이(Morrison's pouch)에서 무에코 공간(anechoic space)으로 관찰된다. 여성의 경우는 직장자궁와(Douglas pouch 또는 cul-de-sac)에서 잘 관찰된다.

복수가 일반적으로 고이는 장소는 골반(pelvic), 횡격막하(subphrenic), 간하(subhepatic), 신주위(perinephric), 대장방 구형성(paracolic gutter) 그리고 소낭(lesser sac)이다. 또한 신장의 주위나 흉막 공간(pleural space)에서도 고일 수 있다. 농양(abscess)은 간과 신장 그리고 절개부위(incisions)뿐 아니라 위에 언급한 부분에서도 생성될 수 있다. 간암의 복수도 앞에 언급된 부분에서 관찰된다.

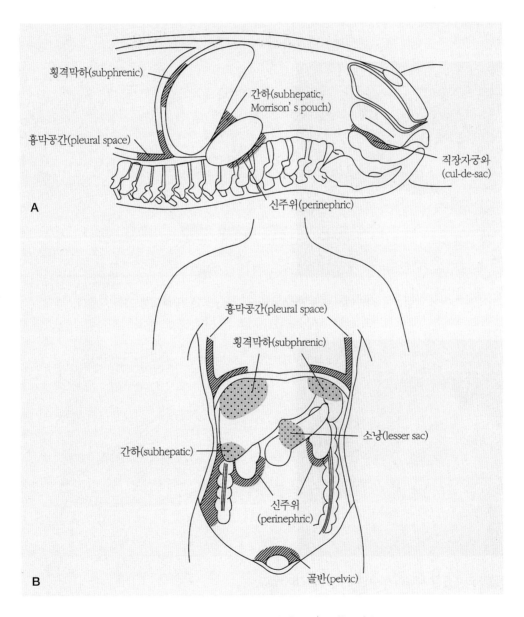

그림 4-14. **복수가 일반적으로 고이는 장소**

169

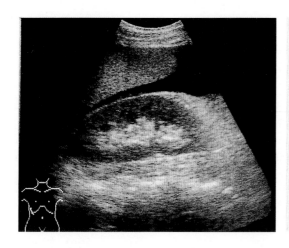 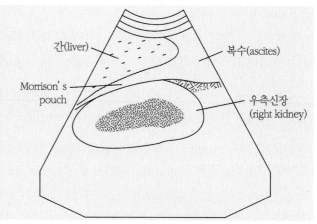

그림 4-15. Right intercostal scan. 간우엽과 우측신장 사이(Morrison's pouch)에서 볼 수 있는 무에코 공간(anechoic space)은 복수를 나타낸다.

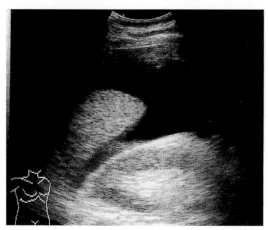 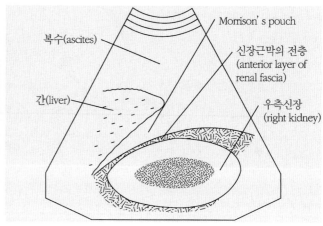

그림 4-16. 심하게 위축된 소결절성 간경변에서 복수가 Morrison's pouch와 간 주위를 가득 채웠다.

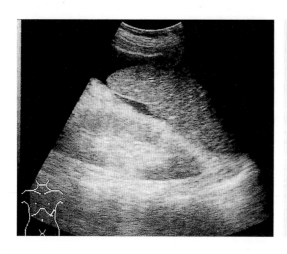 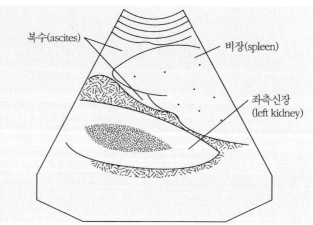

그림 4-17. 비장과 좌측신장 사이에 복수인 무에코 공간이 있다.

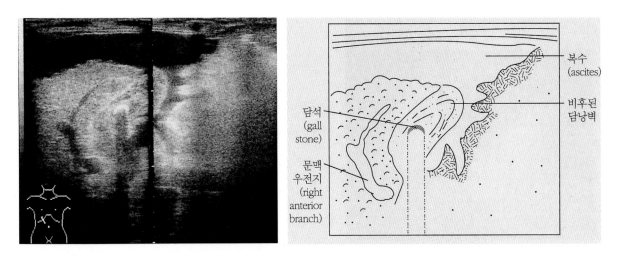

그림 4-18. 간, 복벽, 소장 사이에 많은 양의 복수가 보인다. 복수 때문에 담낭벽의 비후(약 2cm)가 있고 담석이 보인다.

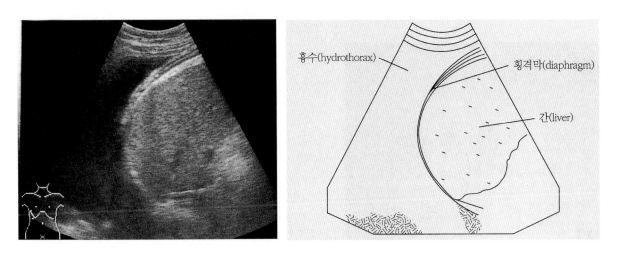

그림 4-19. 소결절성 간경변으로 우측흉수(right hydrothorax)가 가득 차 있다.

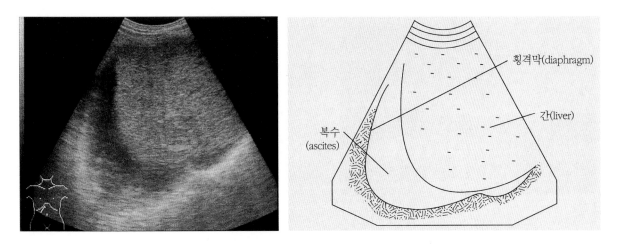

그림 4-20. 간과 횡격막하(subphrenic)에 복수가 있다.

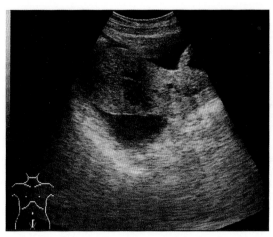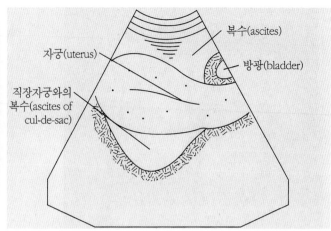

그림 4-21. **자궁 주위의 복수**

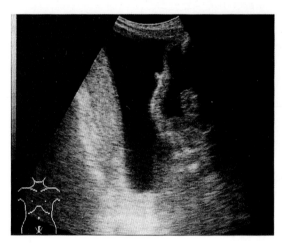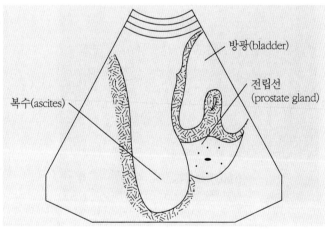

그림 4-22. **방광과 전립선 후면의 복수**

(2) 간세포암(Hepatocellular Carcinoma)의 발생

간경변의 진행에 있어서 간세포암의 발생은 초음파 진단에서 중요한 관찰 대상이 된다. 초음파 상에 정상적 간은 동질적 에코형태(homogeneous echo pattern)로 나타나고 간경변은 이질적 에코형태(heterogeneous echo pattern)로 나타나며 이때 재생결절은 저에코(hypoecho)로 관찰되어 간세포암과의 감별이 어려운 경우가 많다. 만일 문맥의 종양색전(portal tumor thrombus)이 있으면 간세포암인 경우이다.

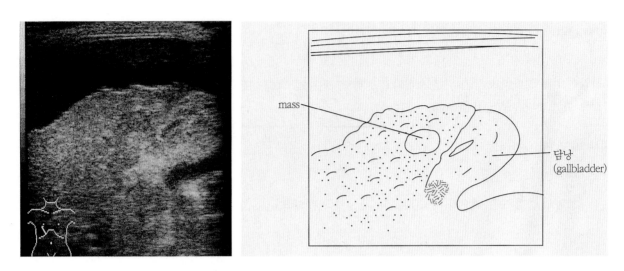

그림 4-23. **복수를 동반한 간경변에서 hypoechoic mass가 있다. 간세포암인지 재생결절인지 구별이 어렵다. 간 하면에 담낭이 두꺼워져 간의 일부처럼 보인다.**

간세포암(Hepatocellular Carcinoma)

1) 간세포암의 초음파 상

(1) Hypoechoic Mass

2cm 미만의 작은 간세포암에서 내부 echogenicity는 주위 정상 간에 비해 떨어진다. 형태는 거의 구형이다.

(2) Ring Sign

3cm 정도의 간세포암은 둥근 형태로 가장자리에 저에코 테두리(hypoechoic band 또는 halo)의 피막이 관찰된다. 간세포암이 커짐에 따라 halo가 일부 소실되고 원형보다는 불규칙한 테두리를 가진 괴상 형태로 진행한다. 초음파 빔의 굴절에 의한 측방음영(lateral shadow)도 나타난다.

(3) 내부 에코 Pattern

a. 모자이크(Mosaik) Pattern

간세포암의 출혈 또는 괴사가 격벽구조(septum)로 관찰되어 mosaik처럼 나타난다.

b. Tumor in Tumor Sign

모자이크 pattern 내의 일부분이 간세포암 내에 종양이 들어 있는 형상을 하기도 한다.

c. lsoechoic Pattern

간세포암과 정상 간의 echogenicity가 거의 비슷한 경우가 있다. 이러한 경우에는 halo의 유부를 관찰해야 한다.

d. Hyperechoic Pattern

조직학적으로 지방변성이 간암 내에 있을 경우 고에코로 나타난다.

(4) 종양색전(Portal Thrombosis)

진행된 간세포암은 문맥 내에 종양색전을 동반하는 경우가 많다.

간세포암과 같은 종양의 초음파 진단은 정상조직의 동질성(homogeneity)에서 이질성(heterogeneity) 에코형태의 차이점을 관찰함으로써 설명할 수 있다.

간세포암에서 크기와 에코형태(echo pattern) 사이의 상호관계가 존재한다.

2cm보다 작은 소간세포암은 거의 구형의 저에코로 나타난다. 3cm 정도 크기의 간세포암은 halo와 모자이크 형태(mosaik pattern)로 나타난다. 5cm 정도 크기의 큰 간세포암은 혼합 형태(mixed pattern)의 괴상형으로 나타난다. 그 이상 자란 간세포암은 미만성으로 널리 퍼져 정상 간조직과의 경계가 불확실하게 나타난다. 간세포암은 크기가 커짐에 따라 어느 정도 일정한 에코형태로 관찰되어진다.

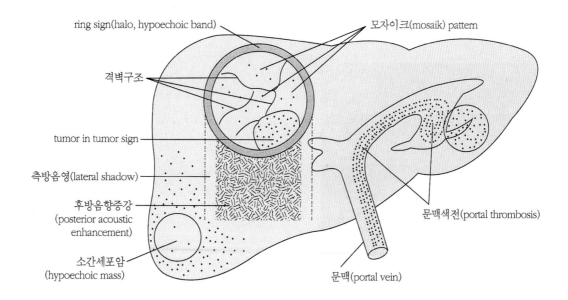

그림 4-24. **간세포암의 유형**

2) 소간세포암(Small Hepatocellular Carcinoma)

소간세포암은 절제 혹은 부검시에 얻을 수 있는 최대 직경 2cm 이하의 단발(solitary)인 간암을 말한다(일본 간암 취급규약. 1987).

소간세포암은 거의 구형으로 관찰되며 echogenicity가 주위 정상 간조직에 비해 떨어져 저에코(hypoecho)로 관찰된다. 소간세포암은 간의 구역 분류에서 S_8번 구역인 간우엽 전상구역에서 많이 발생한다. 이 곳은 폐에 가리지는 횡격막 dome의 바로 아래이기 때문에 convex 또는 sector probe를 사용하고 늑간 주사와 압박 주사를 병행하여 관찰하여야 한다. 또한 소간세포암의 발견은 간 전체를 빠뜨림 없이 철저하게 scan하여야 발견되는 경우가 많다.

초음파 장치(ultrasonographic equipment)의 높은 해상력의 발전에도 불구하고 간경변 환자의 재생 결절과 소간세포암 그리고 육아종(granuloma)의 감별은 0.5~1cm의 크기 이하에서 매우 어렵다.

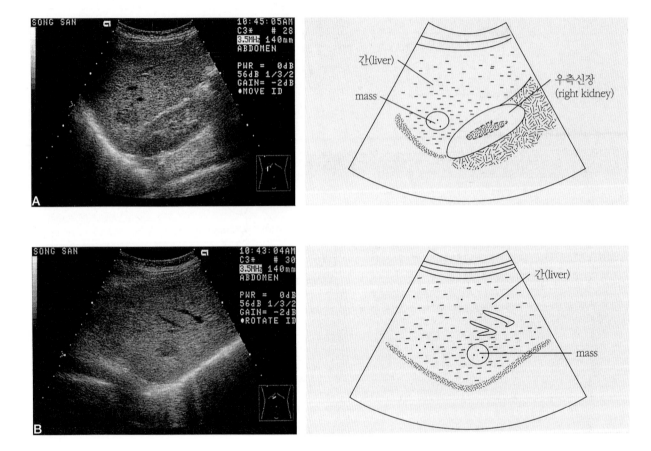

그림 4-25. 18 x 12mm 크기의 hypoechoic mass가 관찰된다. 이 환자는 간경변이 있는 환자로 소간세포암이 발생하였다.

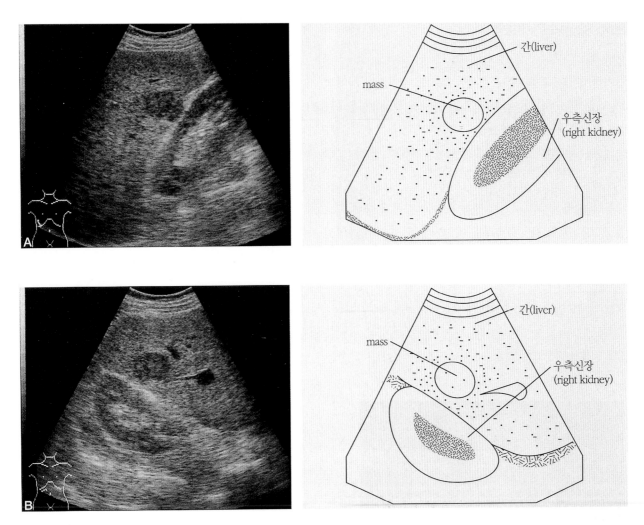

그림 4-26. 우측신장에 가까운 간우엽에 20x20mm 크기의 hypoechoic mass가 구형으로 있다. 간경변이 있는 환자로서 간 주위 조직에 비해 echo level이 떨어져 보이는 소간세포암이다.

A. Right intercostal scan, B. Right subcostal scan

3) Ring Sign의 간세포암

3cm 정도의 간세포암은 정상 간조직과 캡슐(capsule) 같은 피막에 의해 경계를 가진다. 피막은 간암이 주위 간실질을 압박하여 간세포를 위축, 소실시킨 것으로 초음파 상에서 저에코의 ring sign(또는 halo)으로 나타난다. 피막의 두께는 2~3mm 정도이며 초음파 빔을 굴절시켜 측방음영을 만들기도 한다. 대부분 간경변이 있는 경우에 피막이 관찰된다. 간경변이 없는 경우의 간세포암은 피막을 형성하지 않고 간조직을 침윤하는 형태로 발육한다. 피막은 간세포암이 커짐에 따라 피막의 일부가 소실되어 원형보다 불규칙한 형태로 나타난다.

간세포암의 내부에코는 여러 가지 형태로 관찰된다. 간세포암의 내부에 출혈 또는 괴사가 격벽 구조처럼 나타나면 종양 내부는 여러 구역으로 갈라져 보이는 모자이크 형태(mosaik pattern)로 관찰된다. 또한 종양내 격벽 구조 사이에 있는 종양 조직이 피막과 격벽으로 에워싸여 또 하나의 종양이 자리잡고 있는 것처럼 나타난다. 이것은 큰 종양 안에 작은 종양이 있는 것처럼 보여 tumor in tumor sign이라 부른다. 그러나 간세포암의 크기가 커져 내부 격벽이 균일하지 않을 때는 혼합 형태(mixed pattern)로 관찰된다.

대개 간세포암은 정상 조직의 echo level과 거의 같거나 낮은 isoechoic pattern 또는 hypoechoic pattern으로 많이 관찰된다. 그러나 크기가 커지면 간세포암의 지방이 변성되어 hyperechoic pattern으로 나타나기도 한다. 간세포암의 후방에는 음향증강(acoustic enhancement)이 있을 수 있다.

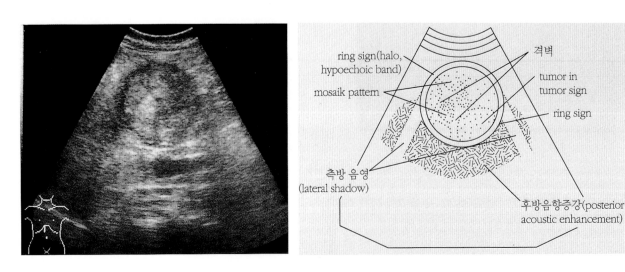

그림 4-27. **전형적인 ring sign과 mosaik pattern의 간세포암**
측방음향음영(lateral acoustic shadow)이 보이고 후방에 약간의 음향증강(acoustic enhancement)이 관찰된다.

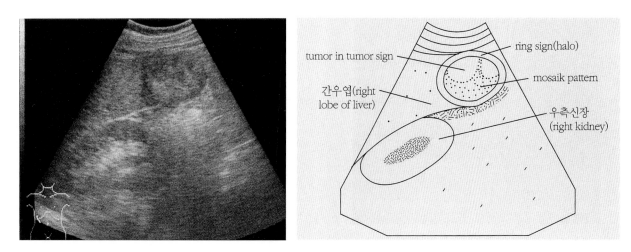

그림 4-28. **외장성 성장(exophytic growth)을 하고 있는 Ring sign의 간세포암**

간우엽 후하구역(S_6)의 하연에서 하방으로 외장성 성장을 하고 있는 간세포암이 ring sign인 halo가 있다. 종양 내부는 간 실질에 비해 isoechoic한 것과 hypoechoic한 것이 mosaik pattern과 tumor in tumor sign으로 관찰된다.

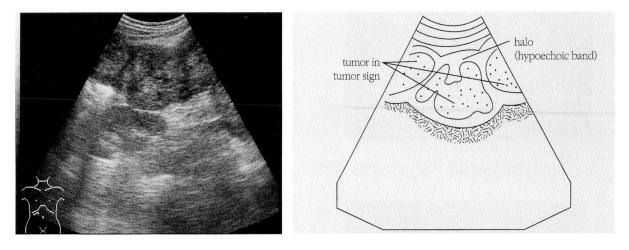

그림 4-29. **간경변이 있는 환자로 3개의 간세포암이 피막을 가진 피포형 발육을 하고 있다. 격벽과 tumor in tumor sign이 있다.**

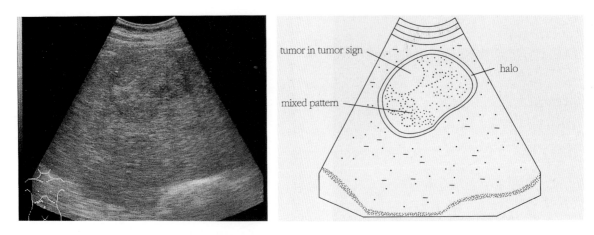

그림 4-30. 5cm 정도의 간세포암은 불규칙한 테두리를 가지고 mixed pattern의 내부 형태를 나타낸다.

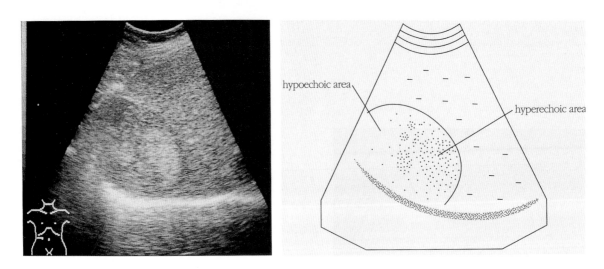

그림 4-31. 내부의 지방 침윤으로 고에코 부분과 지방 침윤이 안된 저에코 부분이 혼재되어 있는 mixed pattern의 간세포암

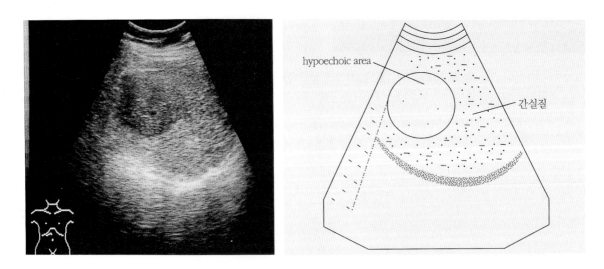

그림 4-32. 4×5cm의 크기에서 hypoechoic pattern의 간세포암

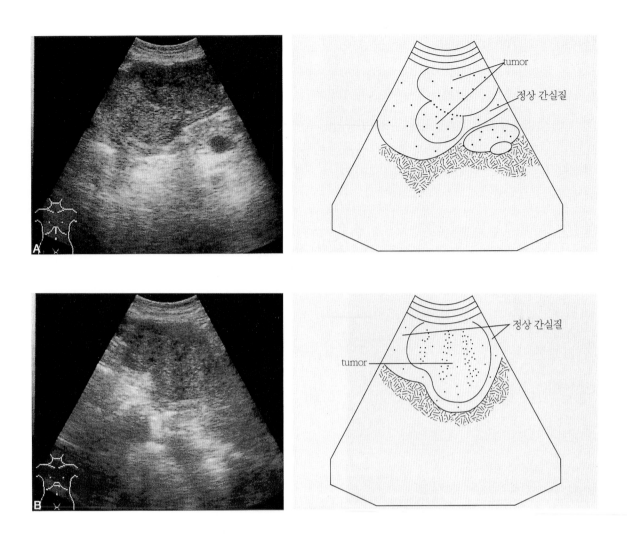

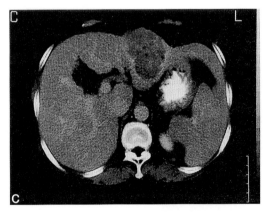

그림 4–33. **간경변이 동반되지 않은 간세포암. 간좌엽에 있는 간세포암은 피막이 없이 불규칙한 형태로 침윤성 발육을 하고 있다.**

A. Longitudinal scan, B. Transverse scan, C. Postcontrast CT 화상. 간좌엽에 약 7 x 7 x 6cm 크기의 분엽상을 한 이질적 형태(heterogeneous pattern)의 간세포암이 있다.

4) 문맥색전(Portal Thrombosis)

간세포암은 문맥으로 확장하여 색전(thrombosis)을 일으키며 진행하는 경향이 있다. 문맥뿐만 아니라 간정맥 (hepatic vein)에서도 발견되나 문맥색전보다 발견율이 적다.

간 전체에 퍼진 미만성 간세포암은 진행된 간경변과의 구별이 어렵다. 진행된 간경변은 간내 혈관의 분포가 명확하게 관찰되지 않고, 간내 혈관의 내부가 부정연하여 색전을 의심케하기 때문이다. 간내 담관 확장 또는 문맥색전은 간세포암 에서 나타나는 소견이기 때문에 이러한 특징은 간경변과의 감별점이 된다. 또한 전이성 간암(metastatic carcinoma)에 서는 문맥색전이 거의 드물다.

미만성 간세포암일 경우 문맥에 종양이 가득 차면 주위 조직으로부터 문맥 자체의 존재를 찾기 어려운 경우가 있다. 이런 경우에는 gain과 dynamic range 등을 조정하여 자세히 살펴보면 구별할 수 있다.

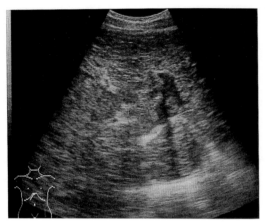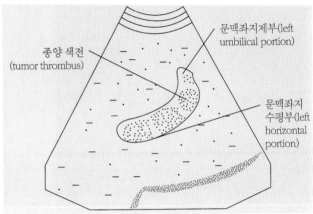

그림 4–34. 미만성 간세포암의 문맥색전. 간세포암이 문맥좌지에 침윤하여 색전을 일으켰다.

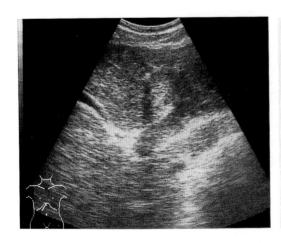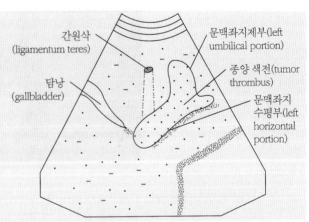

그림 4–35. 간세포암이 좌측 문맥에 침윤하여 문맥 내부를 완전이 차단하고 있다.

5) 간세포암의 파열

간표면 특히 간하연에서 간외측으로 자라나는 외장성 성장(exophytic growth)을 하는 간세포암의 파열은 심각하고도 급격한 결과를 낳는다. 간세포암의 파열은 갑작스런 복통, 빈혈, 적색의 복벽으로 나타나고 초음파 상에 저에코 또는 무에코의 출혈 소견이 나타난다. 간세포암의 파열은 외부의 자극 없이도 일어난다.

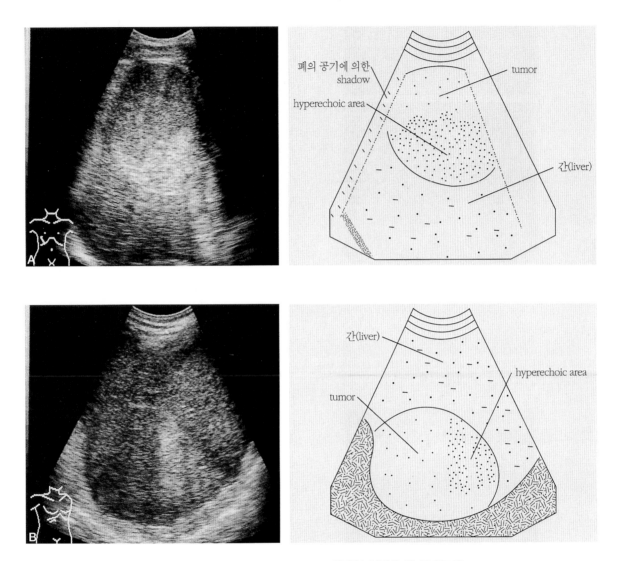

그림 4-36. A. Right intercostal scan, B. Right subcostal scan. 외장성 성장을 한 간세포암

간우엽 전상구역(S$_8$)에서 횡격막을 밀어올려 폐(lung)쪽으로 진행한 간세포암. 폐쪽에 파열이 있으나 화상에는 나타나지 않았다. 암의 일부분은 지방변성으로 hyperechoic pattern이 있다. B. 이 화상은 압박 주사법의 화상이다.

183

6) 동맥 색전의 시술을 받은 경우 간세포암의 변형

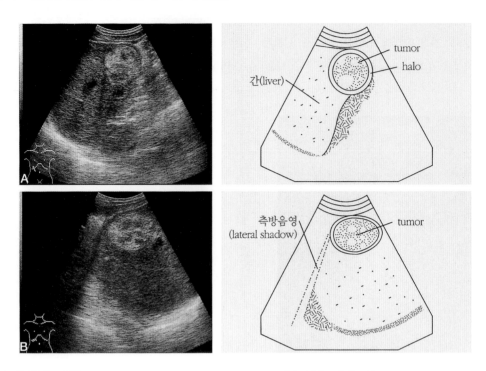

그림 4-37. **동맥 색전 요법(Transcatheter Arterial Embolization, TAE)을 받은 간세포암**

내부가 hyperechoic pattern으로 변해 있다. 2주일 안에 gas라고 생각되는 강한 에코가 치료받은 간세포암 내부에서 나타난다.

7) 간세포암으로 오인할 수 있는 예

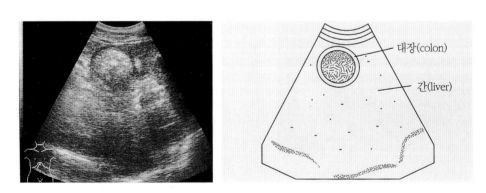

그림 4-38. **초음파 검진의 초기 실습 과정에서 빈번히 간세포암으로 오인할 수 있는 예**

간 하면의 대장 단면이 ring sign으로 간 안에 나타나 간세포암으로 오인할 수 있다. 탐촉자를 움직이지 않고 가만히 시간을 두고 관찰하면 대장의 연동운동이 관찰되고 ring sign은 사라진다.

8) 간암의 발육 속도

간세포암이 커짐에 따라 용적이 두 배로 되는데 소요되는 시간을 소위 doubling time (DT)이라고 한다. DT는 초음파 검사상 계측이 가능하며 현재까지 알려진 가장 빠른 DT는 14일이고 가장 느린 DT는 375일로서 평균 93일이다. 대개 60일 이하의 DT를 보통 rapid growth type의 간암으로 정의하는 바 초음파 검사시 조기 간암을 시사하는 소견이 나타나면 즉시 혈관 촬영술 및 다른 방사선학적 검사 소견을 병행하여 확진을 빠른 시일 내에 진행하여야 한다.

03 간담관암(Hepatocholangiocarcinoma)

간내 담관의 상피에서 유래된 암종을 말한다. 간문부 근처에서 발생하는 경우가 많고 전형적인 폐쇄성 황달이 나타난다. 담관은 암종 중심으로 양쪽에서 확장소견이 나타난다. 한쪽 폐색일 경우 황달은 오지 않는다.

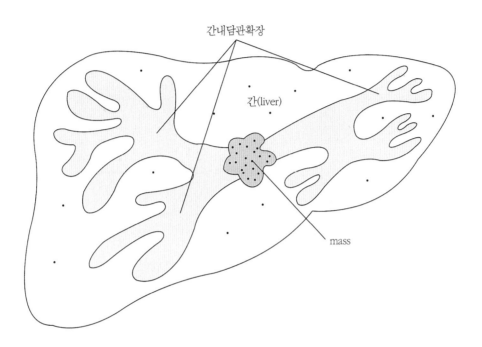

그림 4-39. **담관암**

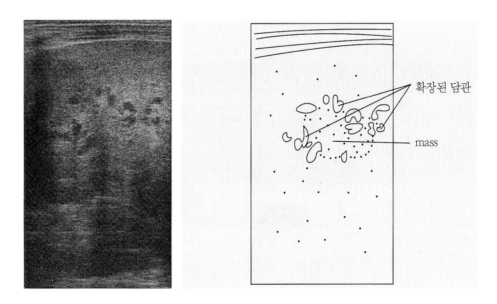

그림 4-40. **동등에코의 담관암종. 양쪽으로 확장된 담관이 관찰된다.**

04 전이성 간암(Metastatic Liver Carcinoma)

1) 전이성 간암의 초음파 상

(1) Bull' s eye(또는 Target) sign

종양 내부 echo pattern은 정상 간조직에 비해 isoechoic하거나 또는 약간 hyperechoic하고 주변의 저에코 테두리(hypoechoic band)가 있다.

(2) Hyperechoic mass

대장 또는 위암에서 전이가 흔하다.

(3) Hypoechoic mass

육종(sarcoma), 악성 흑색종(malignant melanoma), 췌장암에서 전이가 많다.

(4) 중심괴사(Central necrosis)

종양 내부의 커다란 괴사로 무정형의 무에코 영역이 나타난다. 커다란 중심괴사의 경우 간세포암에서는 매우 드물다.

(5) 석회화(Calcification)

종양 내에 석회화를 암시하는 hyperechoic mass와 후방음향음영(posterior acoustic shadow)이 있다. 대장이나 위의 점액생산성암(mucin-producing carcinoma)에서 전이가 많다.

(6) Cluster Sign

Hyperechoic mass가 여러 개 모여 cluster 형태를 나타낸다.

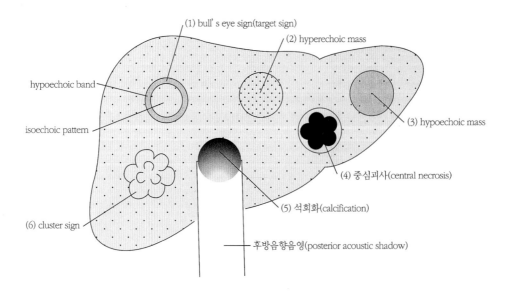

그림 4-41. **전이성 간암**

2) 전이성 간암(Metastatic Liver Carcinoma)

전이성 간암은 다양한 형태와 echo pattern으로 나타난다. 크기와 echo pattern의 상호관계에서는 이렇다 할 특징적인 것이 적기 때문에 밀접한 관계는 없으나 초음파 상에서 전반적 변화를 관찰할 수 있다. 전이성 간암은 대부분 전이소(metastatic lesion)가 다수 발생되지만 다수의 병소(multiple lesions)만으로 간세포암과 구별하는 것은 어렵다.

Bull's eye sign은 주로 위암이나 폐암에서 전이되며 다수로 나타나는 경향이 있다. Bull's eye sign의 내부 에코는 간실질의 에코 강도에 비해 isoechoic하거나 약간 hyperechoic하지만 anechoic한 경우도 있고, 둘러싸고 있는 테두리에 저에코(hypoechoic band) 소견이 있다.

Hyperechoic mass는 대장 또는 위암에서 흔히 전이되는데 종양이 작을 때일지라도 변성(degeneration)되는 경향이 있기 때문에 고에코로 관찰된다. 또한 여러 개의 종양결절이 모여 분엽상 괴상형의 종양을 형성하기도 한다. 이것을 cluster sign이라 한다.

Hypoechoic mass는 췌장암의 전이에서 많이 보인다. 중심괴사(centrai necrosis)는 부인과의 악성질환에서 최초로 간에 전이될 때 많이 나타난다. 또한 커다란 중심부 괴사가 일어나 무에코로도 나타난다.

석회화(calcification)는 대장이나 위점액성암으로부터 주로 전이된다. 이 경우 강한 에코를 나타내며 후방음향음영(posterior acoustic shadow)을 동반한다.

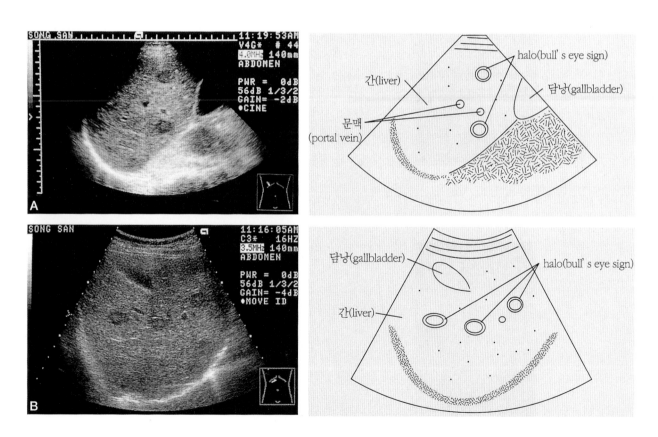

그림 4-42. 전이성 간암의 bull's eye sign. 종양 주변의 저에코 테두리(hypoechoic band)가 있고, 종양 내부는 주위 간실질과 같은 isoechoic pattern으로 관찰된다. 위암에서 전이된 간암이다.

A. Right intercostal scan, B. Right subcostal scan.

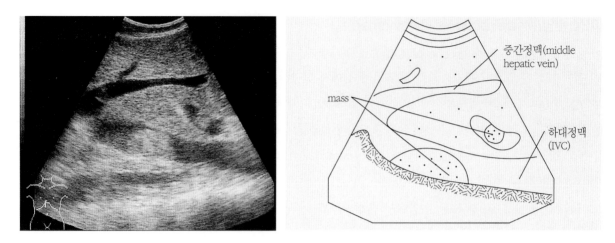

그림 4-43. 하대정맥으로 전이된 간암. Hypoechoic하거나 isoechoic mass가 하대정맥과 간내혈관에서 종양색전으로 관찰된다. 후두암에서 전이된 암종이다.

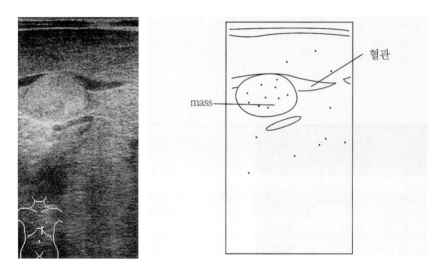

그림 4-44. 간내 혈관을 압배하고 있는 전이성 간암

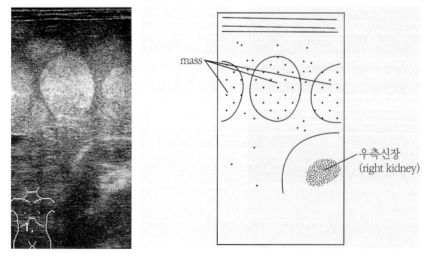

그림 4-45. Hyperechoic mass의 전이성 간암이 여러 개 있다. 대장암에서 전이된 간암

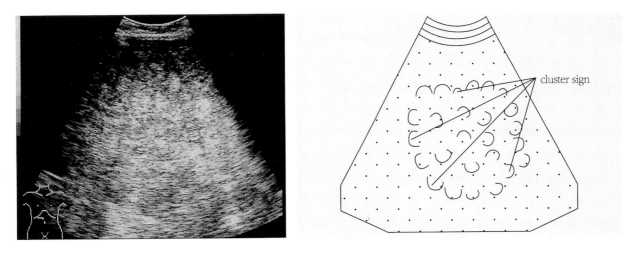

그림 4-46. Hyperechoic mass가 미만성으로 퍼져 cluster sign 양상을 보이고 있는 전이성 간암

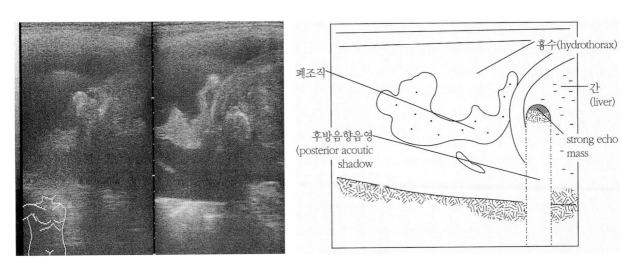

그림 4-47. Calcification된 전이성 간암의 예. 횡격막 상부에 흉수(hydrothorax)와 폐조직이 보이고 간내에 강한 echo와 함께 후방음향음영이 있다.

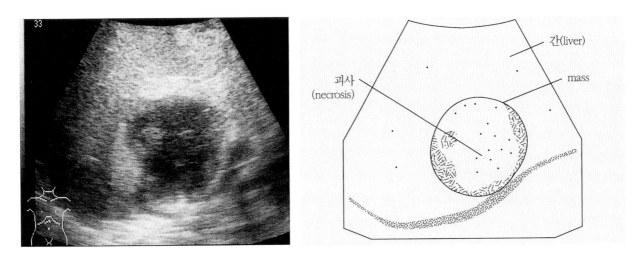

그림 4-48. 종양 중심부의 커다란 괴사를 나타내는 무에코 소견이 관찰되는 전이성 간암

05 간혈관종(Liver Hemangioma)

1) 간혈관종의 초음파 상

(1) Hyperechoic pattern

전체가 균일한 hyperechoic pattern을 보인다. 가장 흔하게 보는 형태로 크기는 3 cm 이하인 경우가 많다. Halo 없이 주로 구형이고 후방음향증강이 흔히 보인다.

(2) 고에코 테두리(Hyperechoic band)

발견 비율은 낮으나 3cm 이상에서 많이 보인다. 내부 echogenicity는 주위 정상 간실질에 비해 동등하거나 저에코로 나타난다. 주로 구형이다.

(3) 내부 Hypoechoic pattern

비교적 큰 혈관종에서 나타난다. 주변에 불규칙한 고에코 테두리가 있을 수 있다. 내부 echogenicity는 주위 정상 간실질에 비해 떨어진다.

(4) 내부 혼합 echo pattern

내부 에코 형태가 고, 저의 혼합에코(mixed echo)로 보인다. 고에코 테두리가 보일 수 있다.

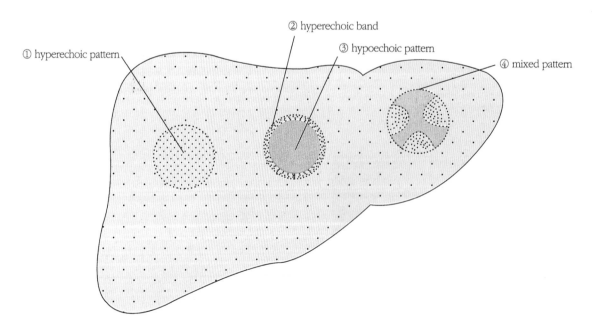

그림 4-49. **간혈관종**

2) 간혈관종(Liver Hemangioma)

간혈관종은 초음파 검사시 흔히 우연하게 발견되는 양성종양으로서 간암과의 구별에 중요한 의의를 갖는다. 간에서 발견되는 혈관종은 대부분 해면혈관종(cavernous hemangioma)이다.

간혈관종은 불규칙한 모세관을 증식시켜 혈관강을 확장하고 무수한 공간과 격벽을 만든다. 이곳에 초음파가 지나갈 때 다중반사를 일으켜 종양 내부가 고에코의 형태로 나타나는 것이 간혈관종의 대표적인 특징이며 또한 발견 비율도 높다. 그 외에도 간혈관종은 저에코와 혼합에코의 여러 가지 형태를 보이면서 관찰된다.

간혈관종은 체위와 시간의 흐름에 따라 내부 에코의 형태가 변할 수 있기 때문에 카멜레온 사인(chameleon sign)이라 부르기도 한다.

(1) Hyperechoic Pattern

주로 3cm 이하에서는 고에코의 구형으로 나타난다. 이것은 무수한 공간과 격벽을 형성한 정맥동(sinus)의 공간 사이에 있는 벽에 초음파 빔이 다중반사됨으로써 발생되는 음향증강현상이다. 후방음향증강이 있는 경우가 많으며 halo는 없다.

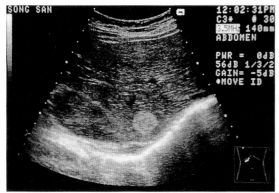 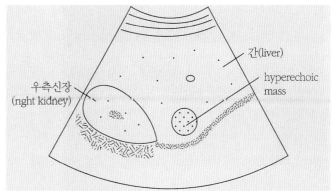

그림 4-50. **전형적인 고에코의 간혈관종**
간혈관종은 초음파 빔이 정맥동 사이에서 다중반사로 인하여 hyperechoic pattern을 나타낸다.

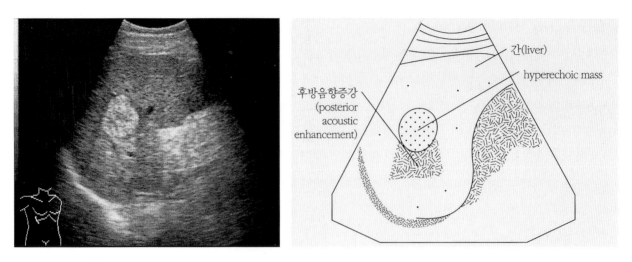

그림 4-51. **간우엽에 위치한 전형적인 고에코의 간혈관종**

간혈관종의 전형적인 hyperechoic pattern과 후방음향증강(posterior acoustic enhancement)이 보인다.

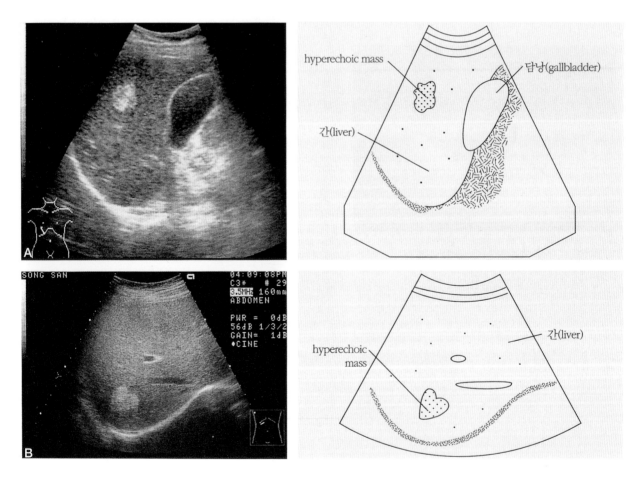

그림 4-52. **간혈관종은 테두리가 불규칙한 경우도 많다.**

192

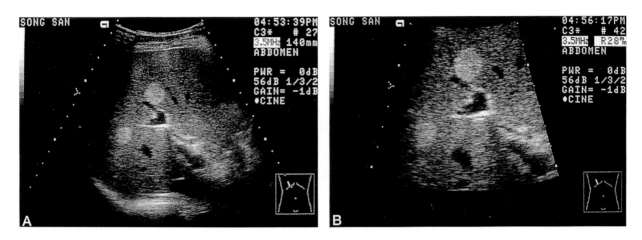

그림 4-53. 2개의 고에코 간혈관종이 관찰된다. 간혈관종은 다수로 관찰되는 경우가 간혹 있다.

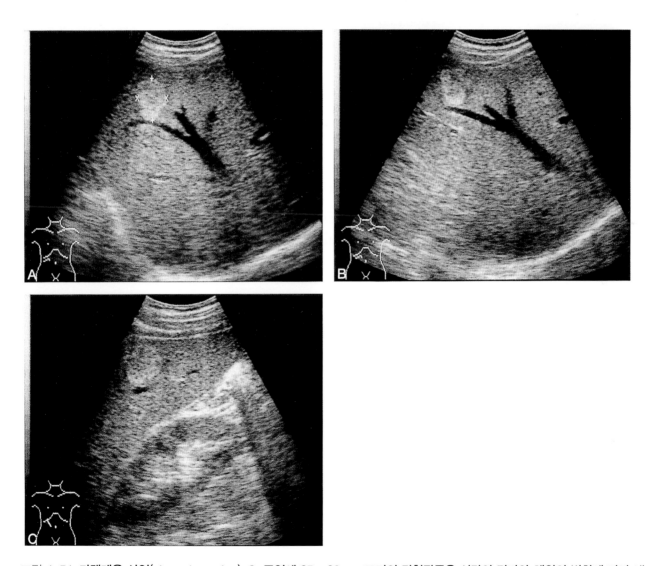

그림 4-54. 카멜레온 사인(chameleon sign). S_5 구역에 25 x 20mm 크기의 간혈관종은 시간의 경과와 체위의 변화에 따라 내부 에코의 형태가 변한다.

A. 처음 발견 시에는 hyperechoic pattern으로 묘출되었다. B. 1분 후 mixed echo pattern으로 관찰되었다. C. Right oblique scan을 실시하니 hypoechoic pattern으로 나타났다.

(2) Hyperechoic Band와 Hypoechoic Pattern

간혈관종은 3cm 이상 커지면 내부 형태가 저에코로 많이 나타난다. 이는 변성(degeneration), 섬유성치환(fibrous replacement) 등에 의해 균일한 저에코의 내부 소견이 나타나기 때문이다. 이런 경우에 테두리는 불규칙한 hyperechoic band 형태가 많다.

3cm 이하에서 고에코 테두리를 가지고 저에코의 내부 형태를 띠고 있는 간혈관종은 드물게 관찰된다. 지방간(fatty liver)이 있을 경우 상대적으로 저에코 소견이 나올 수 있으므로 주의 깊은 관찰이 요구된다. 만일 고에코 테두리가 없을 경우에는 소간세포암과의 감별이 어렵다. 작은 저에코 mass를 초음파 진단만으로 혈관종이라고 결정하는 것은 위험하다. CT나 angiography 등을 병행하여 확진을 얻어야만 하며 추적 검사 시 크기에 변화가 거의 없음을 확인해야 한다.

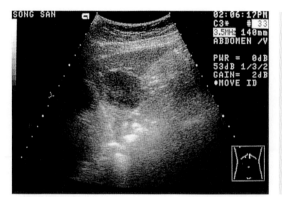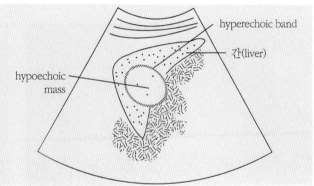

그림 4-55. **40×30mm의 내부 저에코 형태의 간혈관종**

변연에 고에코의 테두리를 가지고 있다.

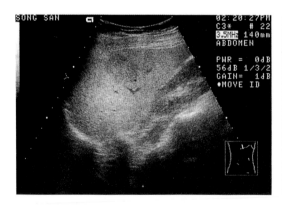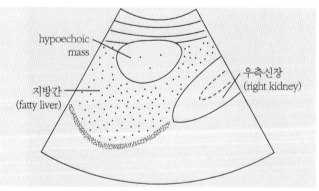

그림 4-56. **지방간이 있을 경우 간혈관종은 상대적으로 저에코 소견이 나올 수 있다.**

(3) 혼합에코형태(Mixed Echo Pattern)

혼합에코형태는 고,저의 혼합형으로 나타난다. 결합조직의 증생, 혈전형성 등으로 혼합에코가 생긴다. 이러한 경우 간세포암의 mixed pattern과의 구별이 어려울 경우가 있다.

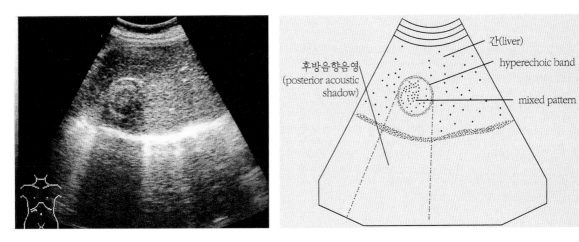

그림 4-57. 25 x 25mm의 내부가 혼합형태를 가진 혈관종

Calcification으로 인한 후방음향음영이 보이며 고에코 테두리가 있다.

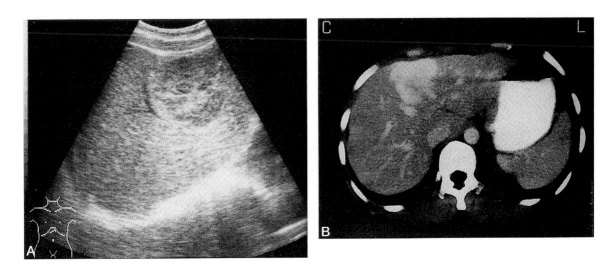

그림 4-58. A. 내부가 혼합형태를 하고 있는 46 x 41mm 크기의 간혈관종, B. Postcontrast CT 화상

195

06 간낭종(Hepatic Cyst)

간낭종은 초음파 진단에서 가장 이해하기 쉬운 기본적인 질환이다. 다음 3가지의 충족 조건이 갖추어질 때 낭종형태 (cystic pattern)라 일컫는다.

1. 종양 내부가 무에코(anecho)를 나타낸다.

2. 후방음향증강(posterior acoustic enhancement)이 있다.

3. 후벽(posterior wall)이 명료하다.

간낭종은 선천적 발육이상이 있는 담관 기형 또는 염증 등에 의해서 형성되었다고 생각되어진다. 간낭종의 벽은 한 겹의 상피세포(epithelium) 내층이 결합조직에 둘러 싸여 윤곽되어진 형태이며 그 안은 액체로 가득 차 있다. Cystic pattern의 조건을 충족하며 낭종벽이 평활하고 정연한 것은 단순성 간낭종(simple hepatic cyst)으로 양성이다. 그러나 낭종 내부에 얇은 격벽을 형성하여 다방성을 보이는 것은 낭선종(cystadenoma)으로 양성이며 고형부분(solid portion)이 낭종벽에 인접해 있으며 다방성이 될 경우에는 간낭포선암(hepatocystadenocarcinoma)으로 악성이다. 또한 여러 가지 크기의 다수 낭종이 정연하게 있지 않고 흩어져 있다면 다낭성간(polycystic liver)이다. 간낭종이라 함은 대부분 단 순성 간낭종(simple hepatic cyst)을 가리키며 크기와 수는 다양하게 나타난다.

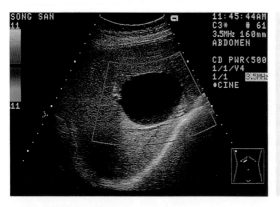 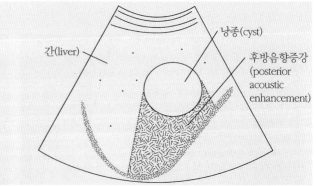

그림 4-59. **60 x 40mm 크기의 간낭종**

내부는 무에코로 후방음향증강이 있고 후벽이 명료하며 낭종벽이 평활하고 정연하다. 간낭종에 의해 간내혈관은 낭종 주 위로 밀려나기 때문에 Doppler color image에서 간낭종 주위로 color flow가 관찰된다.

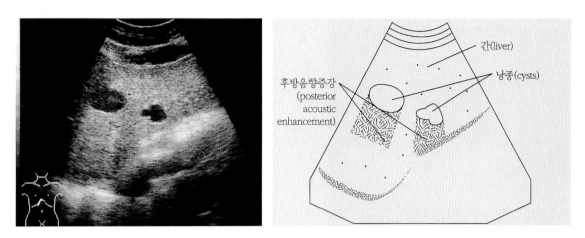

그림 4-60. 간낭종은 완전한 구형이 아닌 것도 많이 관찰된다. 낭종벽이 평활하고 둥근 형태(화상의 왼쪽)와 불규칙한 형태(화상의 오른쪽) 모두 단순성 간낭종이다.

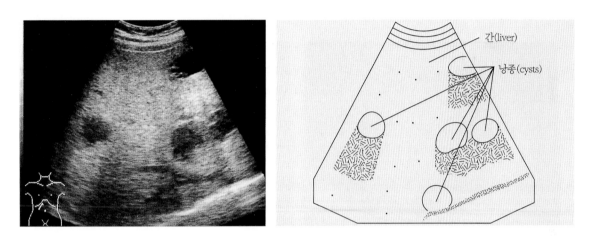

그림 4-61. **다발성 단순성 간낭종(multiple simple hepatic cysts)**

다수의 간낭종이 이 화상에서 5개가 보이나 전체적으로 확인된 간낭종은 15개 정도가 관찰되었다.

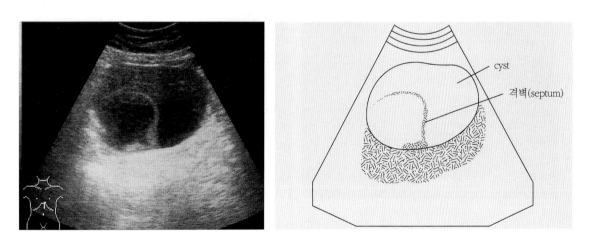

그림 4-62. **간낭종 안에 얇은 격막이 하나 있는 cystadenoma**

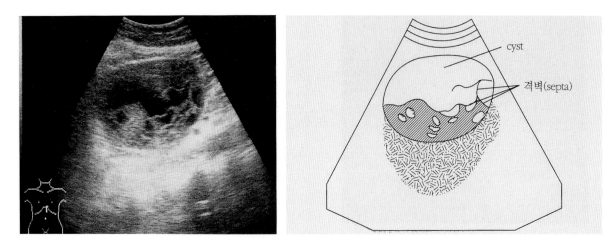

그림 4-63. 간 좌엽에 7 x 8cm의 간낭종이 있고 내부에는 얇고 두꺼운 격막이 관찰되었다. 수술 결과 cystadenoma로 확인되었다.

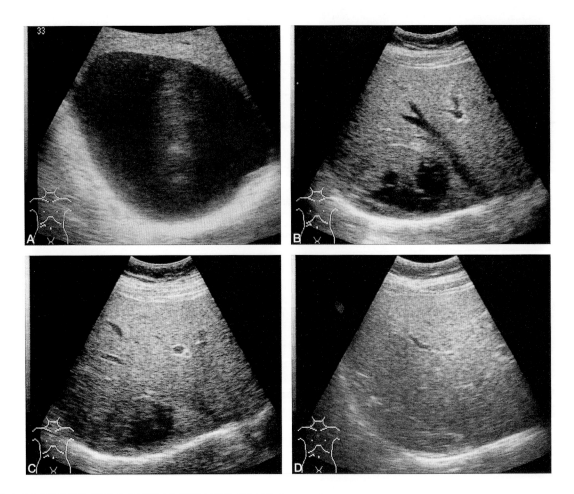

그림 4-64. **간낭종을 초음파 유도하 천자하여 배액 후의 경과**

A. 14 x 10cm의 단순성 간낭종. 횡격막에 인접해 있으며 낭종의 3가지 충족 조건과 벽의 평활함이 보인다. B. 초음파 유도하 천자하여 배액(drainage)한 후 20일 경과된 간낭종의 초음파 상. 간낭종의 축소와 재생되는 간세포가 관찰된다. C. 배액한 후 2개월 경과된 화상. 간낭종이 거의 없어졌다. D. 배액한 후 5개월 경과된 화상. 간낭종이 없어졌다.

07 다낭성간(Polycystic Liver)

다낭성간은 상염색체성 우성병(autosomal dominant disease)으로 주로 신장 또는 간에 발생되며 췌장이나 비장에도 드물게 나타날 수 있다. 이것의 초음파 상은 다양한 크기의 다수 낭종이 부정연하게 분포하여 나타난다. 벽은 평활한 것과 평활하지 않은 것이 혼재되어 흩어져 있다. 이러한 소견이 간에만 소수가 존재한다면 다발성 단순성 간낭종(multiple simple hepatic cysts)과 감별이 쉽지 않을 수 있다. 그러나 만일 양측 신장에도 다낭성신이 있다면 다른 질환과 쉽게 감별이 된다. 이 질환이 간과 신장에 있다면 간과 신장은 종대되고 간과 신장 사이의 경계를 알 수 없는 경우가 많다. 이 질환은 유전병이기 때문에 이 질환이 있는 환자는 직계가족 모두 검사를 받아야 한다.

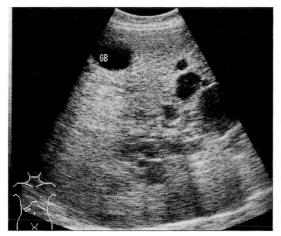
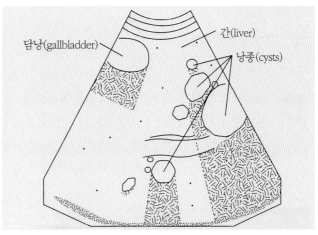

그림 4-65. **다낭성간. 다양한 크기의 다수 낭종이 S4구역에 부정연하게 분포하고 있다. 이 환자는 심한 다발성 신낭종이 있었다.**

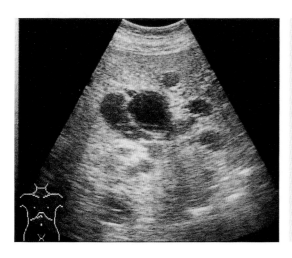
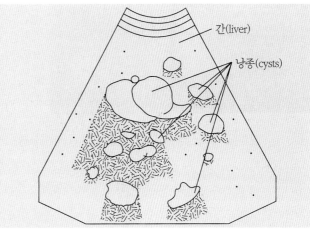

그림 4-66. **다낭성간. 부정연한 낭종이 여기 저기 흩어져 나타난다.**

08 지방간(Fatty Liver)

지방간은 지방이 간실질에 고도로 축적되어 생기는 질환이다. 지방간은 비만, 당뇨병, 부신피질 호르몬 (adrenocortical hormone)의 대량투여, 갑상선 기능저하증 등의 원인으로 발생되며 단 한 번 다량의 알코올 섭취로도 생길 수 있다.

지방간의 임상적 진단은 혈청(serum) 분석에 대한 몇 가지 특징적인 생화학적(biochemical) 비정상이 있기 때문에 어렵지만, 초음파적 진단에서는 다음의 몇 가지 특징적 사실로 지방간의 민감도(sensitivity)가 높기 때문에 비교적 쉽다.

1. 간의 echo level이 증가한다(bright liver).

2. 간내 혈관이 명료하지 않다.

3. 간종대(hepatomegaly)

4. 간내 심부 에코의 감소

간의 echo level은 항상 신장의 실질(parenchyma)과 비장의 실질을 간실질에 비교하여 평가한다.

지방은 초음파 빔의 전달을 지연시키기 때문에 지방간일 경우 간의 심부에서는 echo level이 감소하게 된다. 또한 초음파 장치의 조정판에서 gain, TGC 등의 조정이 지나치게 높게 설정되었다면 지방간으로 오인할 수도 있다. 그리고 비만한 환자의 경우 증가된 지방의 두꺼운 복벽으로 인하여 증가된다. 다중반사 때문에 지방간으로 오인할 수 있다.

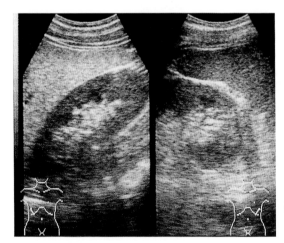 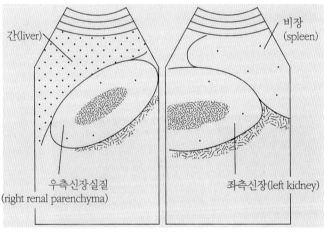

그림 4-67. **간실질, 우측신장실질 비장실질 간에 echo level을 비교하면 간의 실질 echo level이 증가되어 있다**(Bright liver).

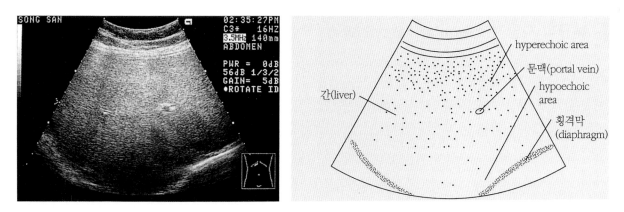

그림 4-68. 근거리의 간실질은 echo level이 증가되어 있고 원거리 간실질은 echo level이 현저하게 감소되어 있다. 이것은 간이 종대(hepatomegaly)되었음을 알 수 있다.

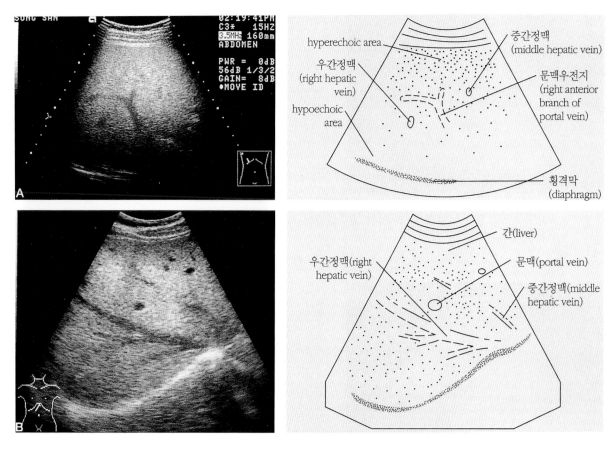

그림 4-69. 지방간일 경우 간혈관이 불명확하게 보인다.

09 불규칙 지방간(Irregular Fatty Liver)

불규칙적으로 지방이 침윤되어 있는 간을 불규칙 지방간이라 한다. 간의 국소에 불규칙적으로 지방이 침윤되어 나타나기 때문에 고,저에코가 지도 모양으로 분포하는 경우가 많다. 언뜻 보아서 고에코 부분이 정상적이고 저에코 부분이 비정상적으로 보이지만 실제로는 지방이 침착된 부분은 고에코로 나타나고 정상 간실질은 저에코로 나타난다.

간에는 국소적으로 지방 침윤이 안되는 부분이 있다. 방형엽(quadrate lobe) 중 좌측 문맥의 수평부(horizontal portion)와 담낭와(gallbladder fossa) 근처에서 저에코 소견이 관찰된다. 이러한 경우 저에코의 종양 즉 간세포암으로 오인하는 경우가 많다. 그러나 저에코는 정상 간실질을 나타내며 고에코 부분은 비정상적으로 지방이 침착되어 밝게 나타나는 것이다. 이것을 pseudotumor sign이라 한다.

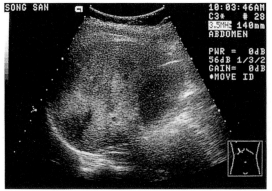 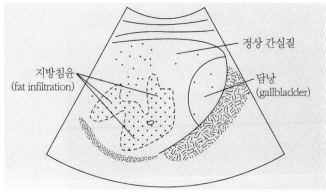

그림 4-70. 불규칙 지방간 만성 당뇨병 환자에게서 많이 관찰된다. 고에코 부분은 지방이 침윤된 부분이고 저에코 부분은 정상 간실질이다.

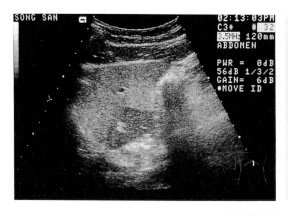 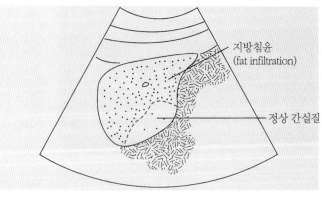

그림 4-71. 방형엽은 echo level이 증가되어 있고 미상엽은 echo level이 감소되어 종양처럼 보인다. 그러나 미상엽은 정상 간실질이고 방형엽은 지방침착으로 echo level이 증가하여 고에코로 관찰되는 것이다.

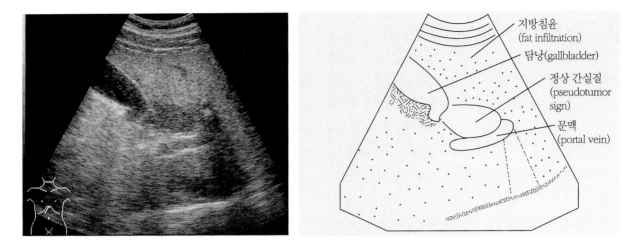

그림 4-72. Pseudotumor sign. 방형엽 중에 담낭과 좌측 문맥 수평부 사이에 저에코 부분이 있다. 대부분 이 구역에서는 지방 침윤이 안 되는 경우가 많다.

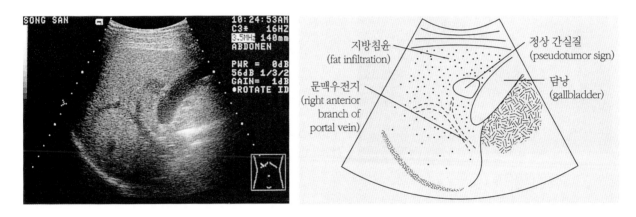

그림 4-73. 담낭 상면의 간실질부에 저에코의 부분이 종류로 보이나 전체적인 간 상황을 보면 pseudotumor sign이라는 것을 알 수 있다. 간혈관의 불명료와 간실질의 echo level 증가는 지방침착 소견이고 저에코 부분은 정상 간실질임을 알 수 있다.

10 간내담관결석(Hepatolithiasis)

간내결석은 간내담관 내에 결석이 있는 것으로 간내담관결석(intrahepatic biliary stone)이라 부른다. 간대담관결석은 간내담관에 대개 다수의 강한 echo와 담관의 확장이 관찰된다. 그러나 뚜렷한 후방음향음영(posterior acoustic shadow)을 창출하지 못하는 경우가 많다. 왜냐하면 담낭담석증의 경우에는 담석이 액체 중에 있으므로 담즙과 결석 사이에 상당히 큰 음향저항(acoustic impedance)의 차이가 있어 이로 인한 강한 ehco와 함께 뚜렷한 후방음향음영을 만들지만, 간내결석은 간실질과 간석 사이의 음향저항의 차이가 크지 않기 때문에 담석만큼 강한 echo와 뚜렷한 후방음향음영을 만드는 경우가 많지 않기 때문이다. 그러나 간내담관이 결석으로 확장되고 결석의 주위에 담즙의 울체가 있다면 결석 후방으로 강한 후방음향음영이 나타나게 된다. 만일 말초담관의 확장이 관찰되지 않으면 간내 석회화(intrahepatic calcification)와의 구별이 어려울 수 있다.

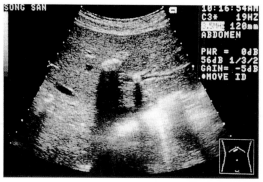 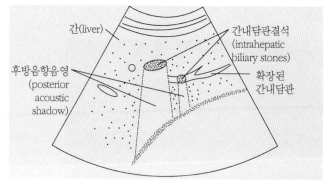

그림 4-74. **간내담관결석증**
　　간내담관의 확장과 담즙의 울체는 결석의 뚜렷한 강한 echo와 후방음향음영을 형성한다.

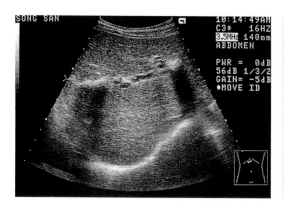 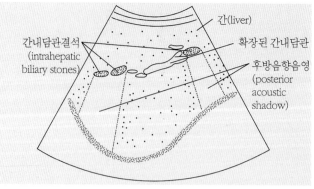

그림 4-75. 화상의 우측 결석은 간내담관의 확장과 담즙 울체 소견으로 뚜렷한 강한 echo와 후방음향음영이 나타나지만, 화상의 좌측 결석은 이러한 소견이 없기 때문에 우측 결석에 비해 뚜렷하지 못한 echo와 후방음향음영이 나타난다.

11 간내 석회화(Intrahepatic Calcification)

간내 석회회는 간실질 내에 1~5mm 크기를 가진 강한 echo와 뚜렷한 후방음향음영으로 관찰된다. 대개 하나에서 세 개 정도로 크기가 작더라도 깨끗하고 강한 후방음향음영을 동반하며 담관을 따라서 존재하지 않는다. 간내담관결석증은 다수의 고에코로 나타나며 간내 말초담관의 확장 그리고 뚜렷하지 못한 후방음향음영의 특징을 보이므로 간내 석회화와는 차이가 있다. 작은 간내 석회화는 comet tail echo를 창출하기도 한다. calcification은 abscess, hemorrhage, tuberculous granuloma, parasitic granuloma 등에 수반되기도 한다.

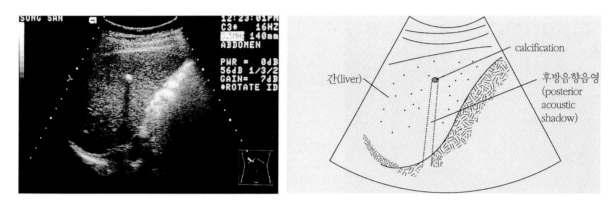

그림 4-76. 5mm 크기의 간내 석회화. 크기는 작아도 강한 후방음향음영이 있고 담관과 관계 없이 간실질 내에 존재한다.

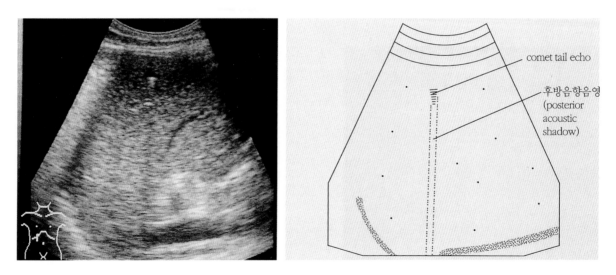

그림 4-77. 간실질에 작은 소결석이 있고 이것으로 인하여 comet tail echo가 나타나며 후방음향음영이 관찰된다.

12 간내 문맥소근(Intrahepatic Radicle)

문맥소근이 강한 에코와 후방음향음영이 있을 때 언뜻 보아 간내결석이나 간내석회화로 착각할 수 있다. 그러나 자세히 관찰하면 평행한 두 줄의 결석같은 강한 에코가 나란히 평행한 모양을 하고 있다. 이는 간내 말초 문맥소근이 두꺼워지거나 소근벽이 석회화되었다고 생각되어진다.

문맥소근은 초음파 빔의 방향에 관계 없이 평행한 두 줄의 강한 echo 사이에 저에코가 있어 강한 에코의 관상 구조물로 관찰된다. 후방음향음영이 대부분 강하고 깨끗하게 나타난다.

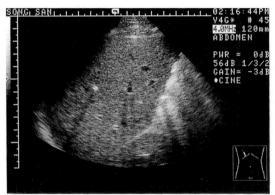 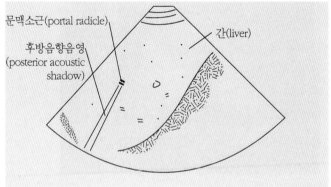

그림 4-78. 뚜렷한 후방음향음영과 나란히 평행한 두 줄의 강한 echo는 문맥소근임을 알 수 있다.

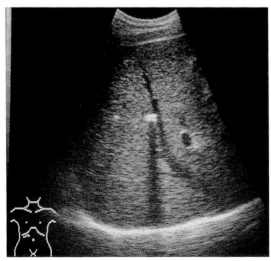 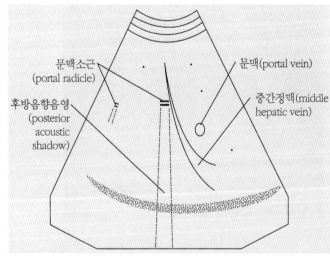

그림 4-79. 두 줄의 강한 echo 사이에 저에코가 있어 강한 에코의 관상 구조물로 관찰된다.

13 간울혈(Liver Congestion)

간울혈은 우심부전 등의 심장병으로 인한 이차적인 변화에서 오는 것으로 하대정맥과 간정맥의 확장과 더불어 간종대(hepatomegaly)를 포함하는 병이다. 우측심장이 확대되며 하대정맥의 크기는 췌장 위치에서 횡주사할 때 대동맥보다 확장되어 관찰된다. 하대정맥에 혈액의 압력이 높아져 확장하기 때문에 간정맥도 압력을 받아 확장하게 된다. 그 결과로 간종대와 더불어 담낭벽의 비후가 관찰된다.

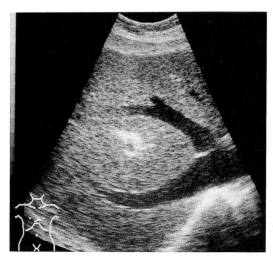
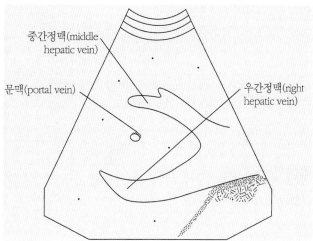

그림 4-80. 우, 중간정맥의 확장이 보인다.

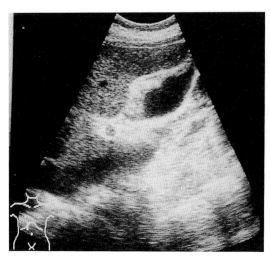
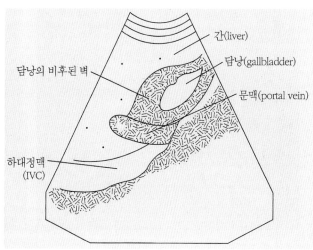

그림 4-81. 간울혈은 담낭벽의 비후를 야기한다.

14 간염(Hepatitis)

간염은 원인에 따라서 바이러스성 간염, 중독성 간염, 자가면역성 간염, 알콜성 간염 등으로 구분한다.

1) 급성간염(Acute Hepatitis)

급성간염에서는 간실질 에코의 저하와 간의 종대, 담낭벽의 비후가 관찰되며 문맥벽의 에코 증가도 있을 수 있다. 간기능이 개선되면 간종대와 담낭벽의 비후는 정상으로 돌아간다.

2) 만성간염(Chronic Hepatitis)

간실질의 경미한 거칠고 커지는 변화가 진행된다. 간하연은 둔화되나 간표면의 요철은 없다. 간실질의 에코가 경도로 상승한다.

3) 알코올성 간염(Alcoholic Hepatitis)

미상엽은 알코올에 민감하기 때문에 미상엽이 종대된다. 그 외에는 급, 만성간염과 비슷하다.

4) 중독성 간염(Toxic Hepatitis)

급,만성간염과 비슷하다.

우리나리에서 급,만성간염은 바이리스성 간염이 많다. 급, 만성간염은 초음파 진단만으로는 알 수 없는 경우가 많으므로 혈청학적 검사로서의 간기능 검사를 병행해야 한다.

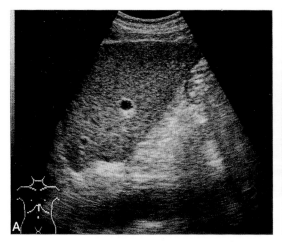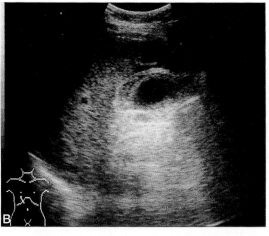

그림 4-82. **급성 바이러스성 간염**
A. 간종대로 간하면이 볼록하며 하연이 둔화되어 있다. B. 담낭벽이 8mm 정도로 상당히 비후되어 있다.

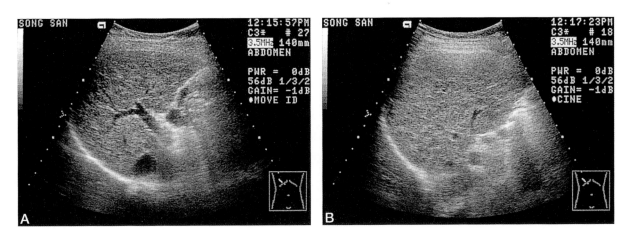

그림 4-83. **만성 바이러스성 간염.** 간실질의 조대화(粗大化)와 에코의 경도 상승이 보인다.

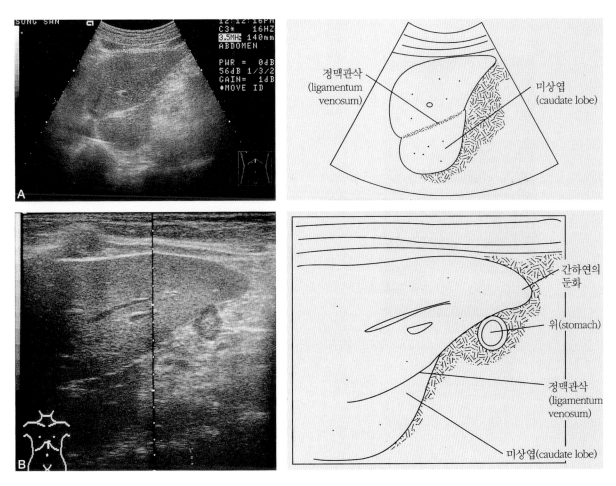

정맥관삭
(ligamentum
venosum)

미상엽
(caudate lobe)

간하연의
둔화

위(stomach)

정맥관삭
(ligamentum
venosum)

미상엽(caudate lobe)

그림 4-84. **알코올성 간염**
간종대, 간하연 둔화, 미상엽의 종대가 특징이다.

15 간농양(Hepatic Abscess)

간농양이란 간에 화농균, 대장균의 침입으로 단발성 또는 다발성의 농양이 생기는 것을 말한다. 간농양은 화농성 간농양과 아메바성 간농양으로 분류한다.

화농성 간농양은 충수염(appendicitis)과 담석이 원인이 되는 총담관 폐쇄로 인한 상행성 감염에 기인한다. 발열, 구토, 체중감소, 간종대 빛 간농양 부위 압통 등의 증상을 보인다. 초음파 검사에서 화농성 간농양은 낭종 형태(cystic pattern)로 나타나는데 내부의 화농성 물질로 인하여 무에코 안에 찌꺼기가 떠다니는 debris echo를 보인다. 농양 벽은 인접한 간실질의 감염을 암시하는 불규칙하고 불선명한 감소된 에코로 보인다.

아메바성 간농양은 이질 아메바(entamoeba histolytica)에 의한 간농양으로 간장의 우엽 중에 횡격막 바로 밑에 고립성으로 발생한다. 아메바성 간농양은 농구(pus cell)가 없어서 그 부위에 한정되든가 아니면 횡격막을 뚫고 폐, 흉강, 복강내로 들어갈 수 있다. 간농양은 초음파 영상하 천자하여 배농하면 시일이 경과함에 따라 치료가 됨을 관찰할 수 있다.

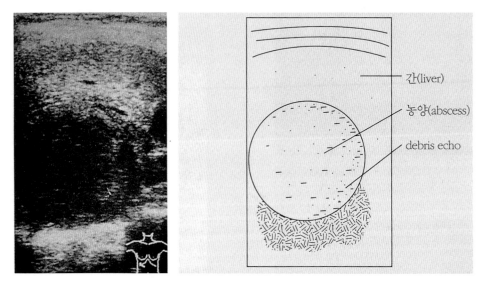

그림 4-85. **간농양**
무에코 내부에 debris echo가 보이며 농양벽의 불규칙함이 관찰된다.

16 간내담관확장(Dilatation of Intrahepatic Bile Duct)

간내담관확장은 간내담관암, 간대담관결석, 총담관결석, 총담관암, 췌두부암, 췌장염 등으로 인한 담관의 폐색으로 기인하여 담관이 확장된다. 초음파 검사는 간내담관확장에 민감하게 나타나기 때문에 폐색의 부위와 원인을 진단하기에 효과적이다. 황달이 있을 경우 초음파 검사는 내과적 병인과 외과적 병인의 감별진단에 쉽게 적용할 수 있다. 간내담관암이나 간대담관결석 등은 간내담관이 폐색 부위에서 말단부 쪽으로 확장 소견이 나타난다. 총담관결석, 총담관암, 췌두부암으로 인한 폐색이 있을 경우 간내외담관이 모두 확장된다. 담관염이나 만성췌장염 등의 질병 후나 담낭절제술 후, 그리고 선천성총담관확장증 등은 정상적으로 총담관의 확장 소견이 나타나는 경우도 있다. 총담관이 간의 문맥과 평행하게 주행하는 것을 shot gun sign(그림 6–9A), 간내담관이 간내문맥과 평행하게 주행하는 것을 parallel channel sign(그림 6–9C), 간내담관의 심한 확장을 too many tube sign이라 한다. 총담관의 직경은 초음파 상에 정상의 상한이 6mm이다.

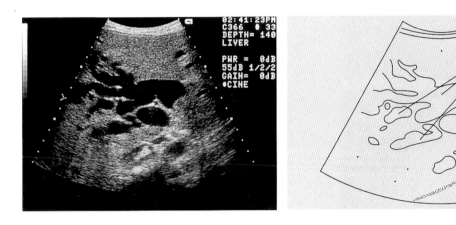

그림 4–86. 간내담관이 심하게 확장되어 too many tube sign으로 관찰되는 폐색성 황달

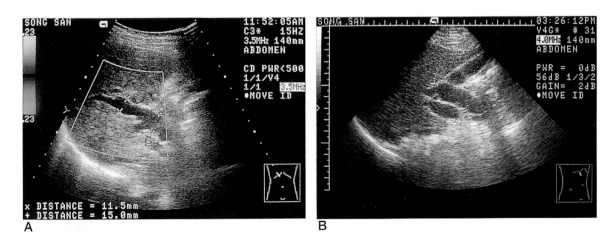

그림 4–87. A. 담관은 color flow가 관찰되지 않는다. B. 총담관이 간외문맥과 평행하게 주맹하는 shot gun sign이 관찰된다.

17 담도기종(Pneumobilia)

담도기종은 소화관내 gas가 담도 내로 역류되는 경우로 췌두부암, 담낭암, 십이지장유두부암 등으로 총담관공장문합술(choledochojejunostomy)과 같은 수술 후에 많이 나타난다. 담도기종은 담도계 수술의 기왕력의 유무가 진단에 도움을 주기도 한다. 담도기종은 소화관내 gas와 같이 담도내 gas가 초음파를 강하게 반사하고 다중반사의 영향으로 담도기종 후방으로는 단계적인 고에코상이나 dirty shadow가 나타난다.

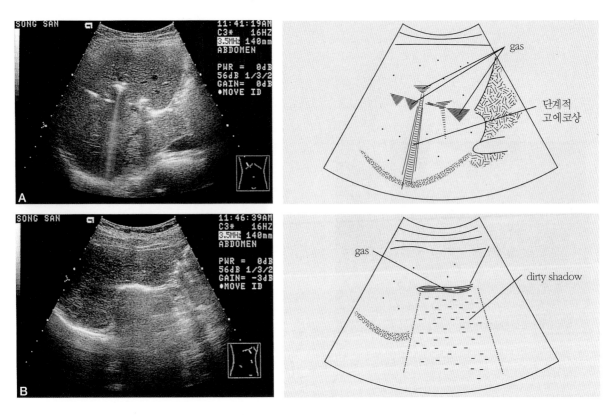

그림 4-88. A. 간내담도에 gas로 인하여 후방으로 단계적인 고에코상이 관찰된다. B. 간내담도의 후방으로 gas로 인하여 안개같은 dirty shadow가 관찰된다.

18 간의 여러 형태

간의 굉장한 재생능력(regenerative ability)은 가소성(可塑性, plasticity)뿐 아니라 매우 다양한 형태를 가능하게 한다. 간의 형태는 이웃한 기관(organ)에 의한 압력과 진행중인 병 또는 혈관 변화에 따라 어느 정도 변화한다. 일반적인 간의 여러 형태는 다음과 같다.

1. 급격하게 감소된 간좌엽은 간우엽의 확장으로 메워진다(그림 4-89A).

2. 간좌엽의 완전한 위축(atrophy)은 문맥의 부분적 폐쇄(obstruction)로 인한 국소적 영양 결핍의 영향 때문으로 간주된다(그림 4-89B).

3. 상대적으로 큰 간좌엽은 횡으로 안장모양(saddlelike)인 간을 이룬다(그림 4-89C).

4. 상횡격막면(superior diaphragmatic surface)의 감소로 인해 간우엽이 혀모양(tonguelike)으로 위로부터 아래로 납작하게 확장한다(그림 4-89D).

5. 매우 깊은 신장 압흔(renal impression)을 형성하기도 한다(그림 4-89E).

6. 늑골(rib), 횡격막 삽입, 늑골궁(costal arch)에 의해 움푹 들어간 함요가 만들어지며 이를 횡격막의 구(diaphragmatic groove)라 한다(그림 4-89F).

간좌엽이 위축한 간, 간좌엽이 확장된 안장 모양(saddlelike)의 간, 간우엽이 혀모양(tonguelike)인 간은 초음파 검사 중에 자주 마주치게 된다. 이것은 초음파 진단상 의심을 갖게 하나 위에 열거된 모든 간 형태의 변화와 함께 모두 정상적인 간이다.

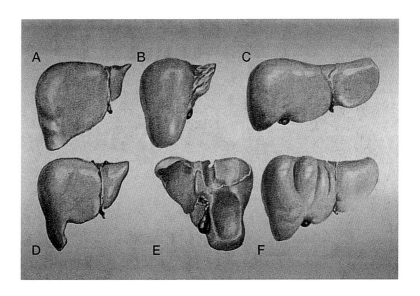

그림 4-89. **여러 가지 간의 형태(ciba collection)**
  A. 매우 작은 간좌엽, B. 완전히 위축된 간좌엽, C. 안장모양(saddlelike)의 간, D. 혀모양(tonguelike)의 간우엽, E 깊은 신장압흔(renal impression)이 있는 간, F. 움푹 들어간 함요가 있는 간

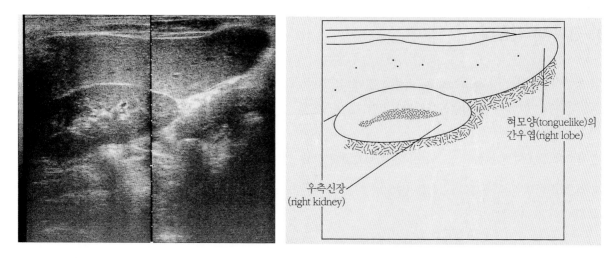

그림 4-90. 혀모양(tonguelike)을 하고 있는 간우엽은 초음파 진단시 우측신장 하극을 훨씬 지나 하방으로 뻗어 있는 것이 특이하게 보인다.

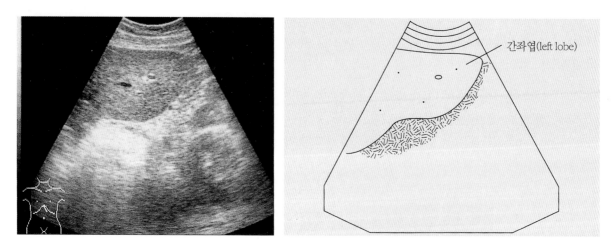

그림 4-91. 간좌엽이 횡으로 확장된 안장모양(saddlelike)인 간의 좌엽 모습. 흡사 간종대와 같이 간하면이 부풀어 있으나 정상적인 간 모습이다.

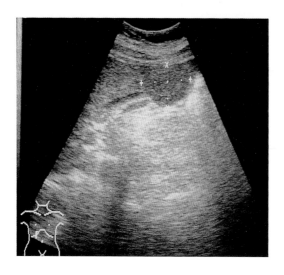

그림 4-92. Riedel's lobe

간우엽의 하연에 37 X 28mm의 hypoechoic mass가 있다. 이것은 congenital fissure로 인하여 형성된 accessary lobe 로서 Riedel's lobe이라 한다. Riedel's lobe은 간이 담낭 주위의 전연(anterior margin)으로부터 돌출되어 tonguelike처럼 확장되어 있는 것을 말한다. 이러한 경우 초음파만으로는 간세포암과 감별이 어려울 수 있다.

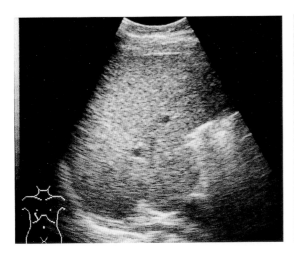
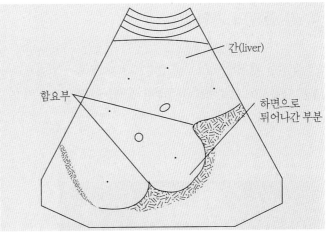

그림 4-93. 간 우엽의 하연에 움푹 들어간 부분과 튀어 나온 부분이 있어 tumor를 의심케 한다. 그러나 간실질과 연계시켜 관찰하면 정상 간실질임을 알 수 있다.

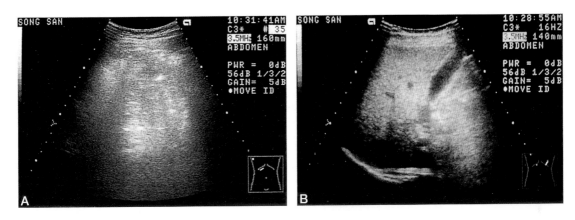

그림 4-94. **장기역위증.** 내부 장기의 위치가 좌우로 바뀐 것을 장기역위증이라 한다.

A. Right subcostal scan. 위장과 장의 gas로 인한 dirty shadow만 관찰된다. B. Left intercostal scan. 담낭과 간이 관찰된다.

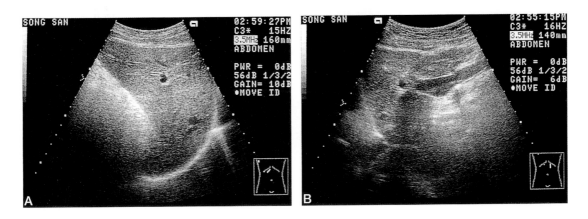

그림 4-95. **장기역위증**

우측으로 위(stomach)가 위치(A)하고 좌측으로 간(liver)의 문맥이 위치(B)하고 있다.

19 간 혈관의 기형

초음파 검사 시 정상적인 간혈관과 다르게 분포된 혈관기형이 간혹 관찰된다. 선천적 발육이상으로 생각되어지는 혈관기형은 대부분의 경우에서 정상적인 간기능을 하고 있으며 일부분에서 관찰되는 것은 간의 위축과 간기능의 저하만 있다.

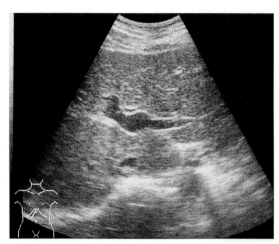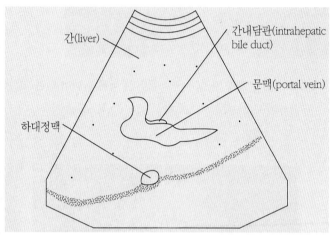

그림 4-96. 간내 문맥의 좌측과 우측이 완전히 바뀌어져 있다. 그러나 간기능은 정상이다.

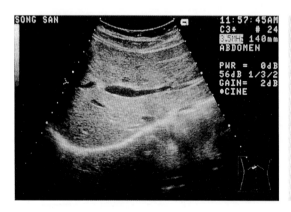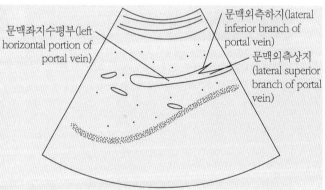

그림 4-97. 문맥 좌지제부가 형성되어 있지 않다.

20 간의 정상적인 위축

나이가 들면서 간은 정상적으로 위축이 올 수 있다. 간의 위축은 좌엽의 하연에서부터 일어나는 것이 잘 관찰된다. 간의 좌엽 하연이 오목하게 들어가면서 미상엽이 전하방으로 끌려 내려간다. 결국은 간이 호미 모양을 한 기역자의 형태를 하게 된다.

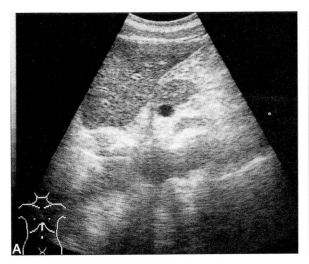
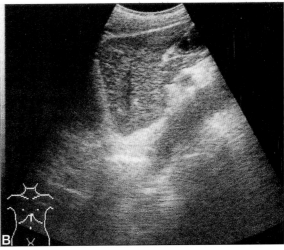

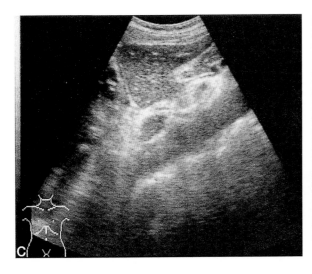
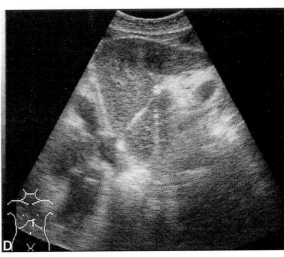

그림 4-98. **연령이 증가하면서 간의 정상적인 위축이 있다.**

A. 25세의 간좌엽. 각연이 모두 평활하다. B. 41세의 간좌엽. 좌엽 하연이 약간 오목하게 들어갔다. C. 60세의 간좌엽. 약간 더 오목해졌다. D. 74세의 간좌엽. 하연이 심하게 오목해져서 간이 호미 모양을 하며 미상엽이 전하방으로 내려갔다.

05 담낭, 총담관
(Gallgladder, Common Bile Duct)

01 담낭 묘출의 기교

담낭은 액체로 가득 차 있고 넓은 음향창 역할을 하는 간이 있기 때문에 초음파 영상 능력이 뛰어나 진단하기에 편리하다. 그러나 담낭은 형태와 위치의 차이가 개인에 따라 심하여 초음파 상도 다양하게 나타나기 때문에 묘출이 쉽지 않을 경우가 많다. 또한 담낭의 저부는 체표면 가까이 있기 때문에 다중 반사에 의한 허상으로 인하여 묘출에 방해를 받고, 담낭의 하면에는 십이지장과 대장이 있기 때문에 빔 두께에 의한 허상과 gas로 인한 초음파 빔 진행의 방해로 인하여 묘출이 어려워질 수 있다. 이것이 담낭의 묘출에 있어서 쉬우면서도 어려운 점이다.

만일 담낭의 어떤 일부 구역에 있는 조그만 병변을 관찰하지 못한다면 심각한 임상 결과를 초래할 수 있다. 이러한 이유로 담낭은 구석구석 빠짐 없이 묘출하여야 한다. 이런 묘출에는 정확한 묘출의 기교가 필요하다. 담낭을 정확하게 묘출할 수 있는 한 가지 방법은 한 장의 초음파 상에 담낭의 저부, 체부, 경부를 모두 묘출하는 것이다. 이 상태에서 선동운동과 cross-image로 검사한다면 담낭의 전 구역을 빠짐 없이 관찰할 수 있다. 초음파 입문자에게는 상당히 중요하며 필요한 기교이다.

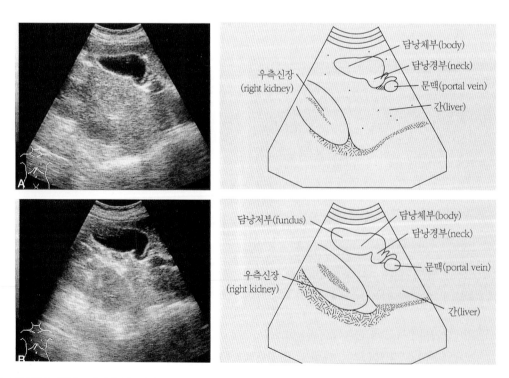

그림 5-1. **담낭의 경부, 체부, 저부를 한 장의 초음파 상에 나타낸다.**

A. 담낭 경부, 체부의 묘출은 잘 되었으나 담낭의 저부 묘출이 안되었다. B. 담낭의 경부, 체부, 저부의 3부분이 모두 묘출되었다. 이 상태에서 선동운동하며 관찰하면 담낭의 전체를 빠짐 없이 정확하고 쉽게 관찰할 수 있다.

02 담낭 담석증(Gallbladder Stone)

담낭 담석증은 초음파 검사로써 간편하고 확실하게 진단되어질 수 있으며 초음파 상의 다음과 같은 특징이 있다.

1. 담낭 내강에 강한 에코의 존재(strong echo)

2. 강한 에코의 뒤에 후방음향음영(posterior acoustic shadow)

3. 체위 변화에 따른 강한 에코의 이동이 있다(rolling stone sign).

담낭 담석은 초음파 검사와 방사선 검사 중에 우연히 발견되는 경우가 많으며 성별이나 체형에 관계가 많지 않다. 담석은 많은 음식 섭취, 여성의 출산 후에 발생된 비만, 당뇨 같은 대사 질환으로 고콜레스테롤 혈증, 용혈성 질환, 담즙내 담즙염의 농도 감소, 답즙색소 농도 증가 및 담낭염의 결과로서 생성될 수 있다고 알려져 있다. 담석은 거의 성인에 국한되어 발생한다.

담낭 담석증은 많은 환자에게서 증상이 전혀 없는 무증상 담석(silent stone)으로 나타난다. 일부 환자에게서 나타나는 증상은 단지 경미한 소화불량이 있을 수 있고 심하면 담석산통(gallstone colic)의 발작으로 심한 통증이 복부의 담낭 부위 뿐만 아니라오른쪽 어깨와 등까지 방산되어 나타날 수 있다. 또한 담낭 경부의 Hartmann's pouch에 담석이 막히는 감돈결석(incarcerated stone)은 담낭 경부를 폐쇄시키는 정도에 따라 증상이 나타나며 역행성 감염을 조장한다.

담낭암의 40~80%가 담석을 합병하고 있어 무증상 담석증이더라도 담낭 담석증의 경과 관찰에 초음파검사는 절대적이다.

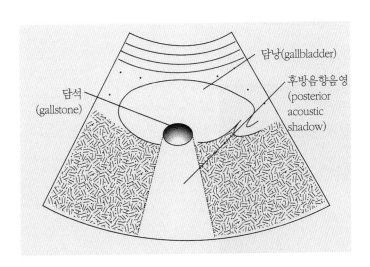

그림 5-2. **담낭 담석증**

1) 전형적인 담낭 담석의 초음파 상

담낭 내강에 원형 또는 타원형의 강한 에코가 존재한다. 담석과 담즙 사이의 음향저항의 차이가 크기 때문에 초음파 빔은 표면에서 강하게 반사되어 강한 에코로 나타난다. 담석 안으로 진입한 빔은 서서히 약해지고 결국은 없어져서 후방 음향음영을 형성하게 된다. 초음파 빔은 담석 크기만큼 후방으로 전달되지 않기 때문에 담석 크기에 맞는 후방음향음영이 생긴다. 환자의 체위 변화에 따라 강한 에코의 이동이 담낭 안에서 이루어진다. 이와 같은 특징은 순수 콜레스테롤석 (pure cholesterol stone)과 칼슘빌리루빈석(calcium bilirubinate stone)에서 많이 보인다.

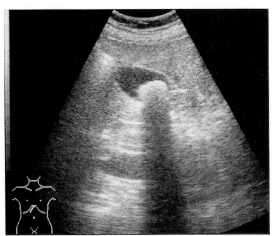 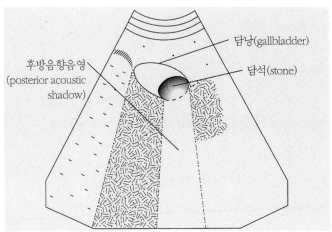

그림 5-3. **전형적인 담낭 담석의 초음파 상**
타원형으로 둥근 담석이 담낭 안에서 strong echo로 나타나고 뚜렷한 후방음향음영이 존재한다.

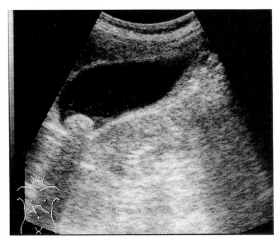 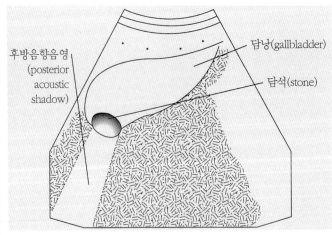

그림 5-4. **20 x 15mm 크기의 전형적인 담낭 담석의 초음파 상**
담석의 에코는 전면에서 가장 강하고 후면으로 서서히 약해져서 음향음영으로 이행한다.

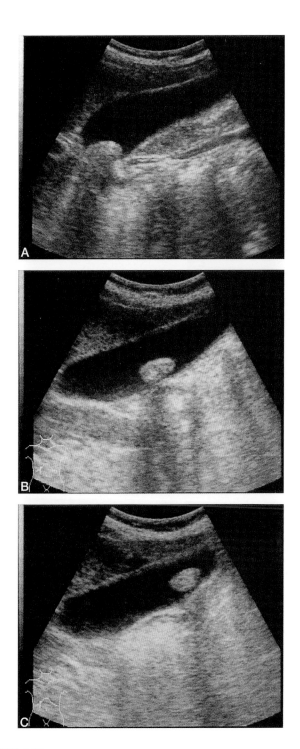

그림 5-5. **체위 변화에 따른 담석의 이동**

　　A. 앙와위(supine position) 상태에서 담석이 경부에 있다. B, C. 좌위(sitting position)로 체위를 변화시키면 담석이 담낭 체부(body, B)를 거쳐 저부(fundus, C)로 이동한다.

2) 초생달 모양의 담낭 담석

　초음파 빔이 담석 표면에서 대부분 반사되고 극히 적은 양만이 담석 안으로 입사될 때 담낭 담석의 전면에 강한 에코가 초생달 모양으로 나타난다. 담낭 담석이 층상 구조를 이루고 있으며 석회화가 많이 되어 딱딱하고 치밀한 물질로 구성되어 있을 경우 초음파 빔을 표면에서 강하게 반사한다. 나머지 약한 빔은 조금밖에 투과할 수 없게 된다. 그 결과로 담낭 담석의 전면에 강한 에코가 초생달 모양(crescent-shape)이나 활(arc) 모양으로 나타난다. 후방음향음영이 강하고 체위 변화에 따른 담석의 이동이 있다. 혼성석(combination stone 또는 hybrid stone)에서 많이 보인다.

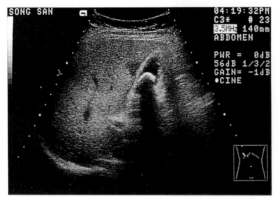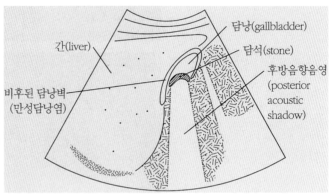

그림 5-6. **초생달 모양의 담석**

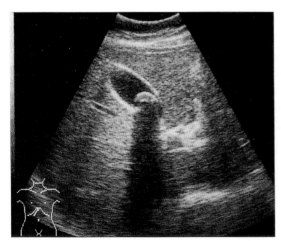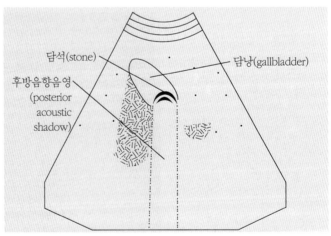

그림 5-7. **두층의 활 모양으로 관찰되는 담석 화상**

3) 반달 모양의 담석

반달 모양의 담석은 초음파 빔이 담석 표면에서 일부는 반사되고 일부는 흡수되어 반달 모양 또는 삼각형 등 다양하게 나타나는 담낭 담석이다. 초생달 모양의 담석보다는 석회화 정도가 적거나 단단함과 치밀함이 적은 물질로 구성되어 초음파 빔이 내부로 약간 깊게 입사된다. 후방음향음영이 강하고 체위 변화에 따른 담석의 이동이 있다. 혼합석(mixed stone)에서 많이 보인다.

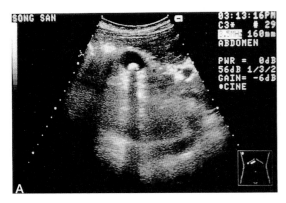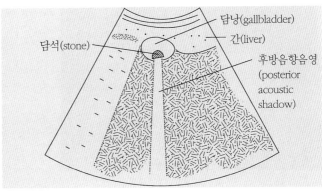

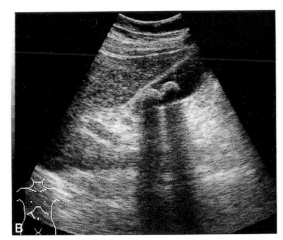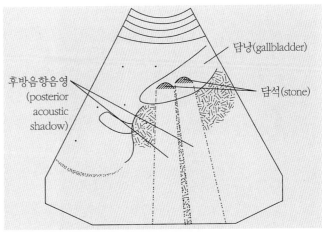

그림 5-8. **반달 모양의 담석**

4) 불규칙한 담석

불규칙한 형태와 표면을 가진 담석이 표면과 내부의 구별 없이 이질적 내부에코(heterogeneous internal echo)를 가지고 초음파 상에 나타나는 것을 불규칙한 담낭 담석이라 한다. 이 담낭 담석은 색소석 중에 칼슘빌리루빈석(calcium bilirubinate stone)에서 많이 보인다. 대개 명료하지 않은 후방음향음영이 있고 체위에 따른 담석의 이동이 있다.

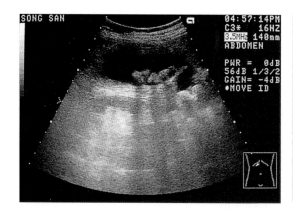
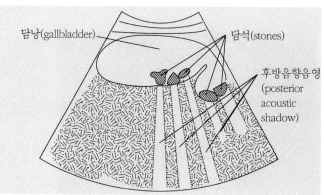

그림 5-9. **불규칙한 형태의 담석**

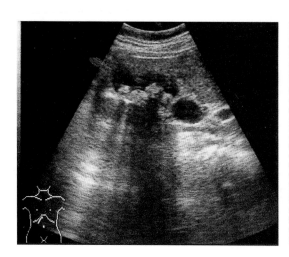
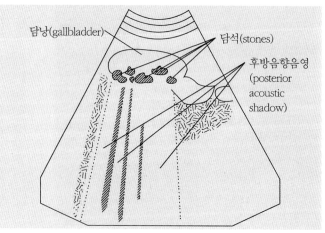

그림 5-10. **불규칙한 모양과 이질적인 내부 에코를 가진 담석**
불명료한 후방음향음영은 다수의 담석 사이로 초음파 빔이 통과하기 때문이다.

5) 사석(Sand Stones)

　사석은 모래 같은 담석이 담낭 안에 모여 있는 것을 말하며 후방음향음영이 거의 없거나 아주 약하다. 체위 변화에 따른 담석의 이동이 쉽게 잘 될 때는 담니(sludge)와의 감별이 쉽다. 사석은 흑색석(black stone)에서 많이 보인다. 담낭 결석 중에 흑색석은 담낭암을 유발시킬 수 있기 때문에 철저한 추적 검사와 치료를 요한다.

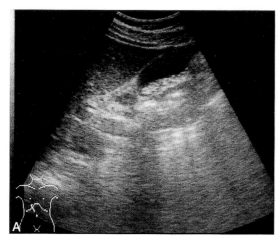
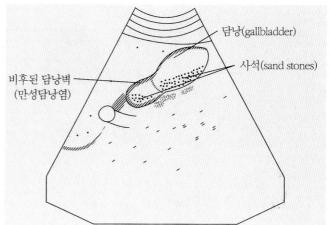

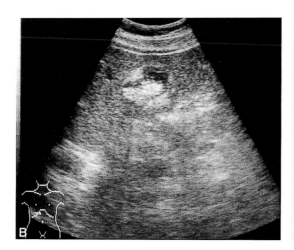
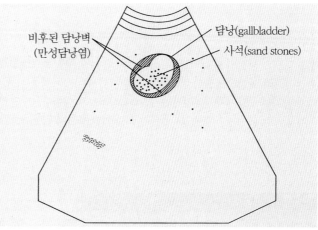

그림 5-11. 담낭 체부와 저부에 수많은 모래같은 담석이 있다. 후방음향음영은 없다. B. A의 cross-image

6) 소결석(Small Stone)

초음파 장치의 높은 분해 능력의 향상으로 인하여 소결석도 명확하게 진단할 수 있게 되었다. 소결석은 고에코의 점상으로 보인다. 담석의 이동은 체위 변화를 하거나 탐촉자로 두드리듯이 여러번 압박하면 볼 수 있다. 담석의 이동이 증명되면 polyp과 감별될 수 있는 점이다. 후방음향음영은 담석이 초음파 빔을 차단할 수 있느냐 없느냐에 따라 존재 여부가 결정된다.

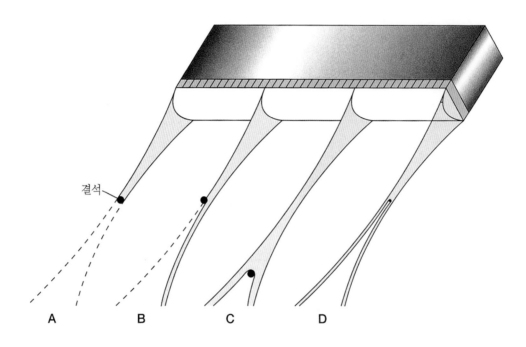

그림 5-12. 소결석이 초음파 빔을 차단하는 정도와 후방음향음영과의 관계

A. 소결석이라도 초음파 빔을 완전히 차단하면 뚜렷한 후방음향음영이 생긴다. B. 초음파 빔이 담석의 가장자리 면을 지날 경우 후방음향음영은 없거나 희미하게 생긴다. C. 담석이 초음파 빔의 영역에서 멀리 떨어져 있을 경우 후방음향음영은 생기지 않는다. D. 담석이 매우 작아 초음파 빔을 완전히 차단하지 못할 경우 후방음향음영은 없거나 희미하게 생긴다.

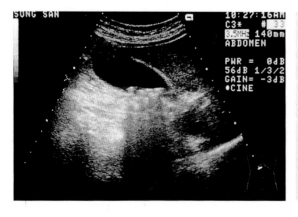
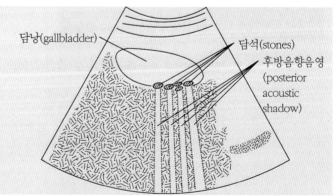

그림 5-13. 소결석이 여러 개 존재할 경우 초음파 빔은 결석 사이를 통해 후방으로 전달되기 때문에 뚜렷하지 못한 빗살 모양의 후방음향음영을 만들기도 한다.

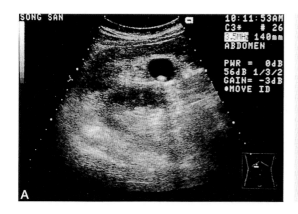
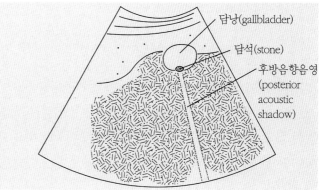

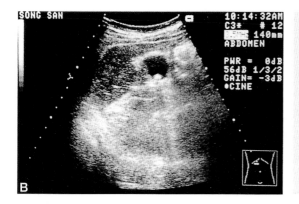
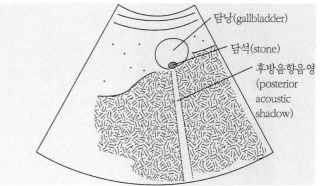

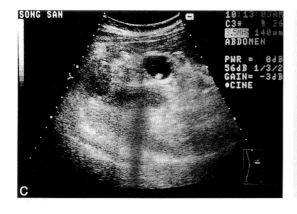
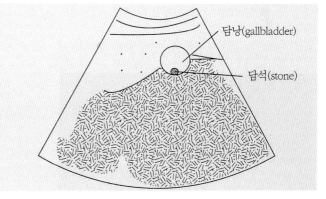

그림 5-14. **소결석의 후방음향음영**

A. 소결석이라도 초음파 빔을 완전히 차단하면 후방음향음영이 생긴다. B. 소결석이 초음파 빔을 완전하게 차단하지 못할 경우 후방음향음영이 희미할 경우가 많다. C. 소결석이 초음파 빔의 영역이나 초점에 있지 않을 경우 후방음향음영은 생기지 않는다.

7) 감돈 결석(Incarcerated Stone)

담낭 경부에서 체부로 이행되는 Hartmann's pouch는 담낭 결석이 잘 박히는 호발 부위이다. Hartmann's pouch에 박혀 있는 담석을 감돈 결석이라 한다.

감돈 결석은 체위를 변화시키거나 환자의 신체에서 탐촉자를 압박하여 진동시켜도 움직이지 않는다. 십이지장 gas로 인하여 관찰이 어려울 수 있고 담낭벽에 밀착되어 있는 경우 담낭벽과의 구별이 쉽지 않으며 그 결과로 후방음향음영이 뚜렷하지 않을 수 있다. 또한 감돈 결석으로 담낭이 확장되고 담낭내 축농증(empyema)이 발생할 수 있으며 급, 만성담낭염(acute, chronic cholecystitis)이 발병할 수 있다. 감돈 결석은 담낭 담석증 특유의 강한 통증인 담석 산통이 오는 경우가 많다.

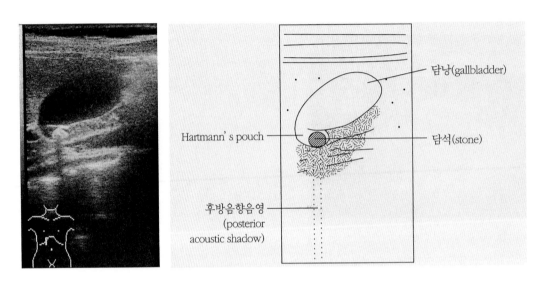

그림 5-15. Hartmann's pouch에 박혀 있는 감돈 결석

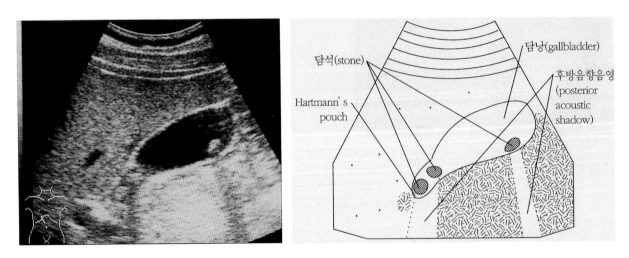

그림 5-16. 감돈 결석은 정확한 기교로 담낭 경부를 묘출하여야 확인할 수 있다. 3개의 담석 중 2개가 Hartmann's pouch에 있고 후방음향음영이 약하거나 없다.

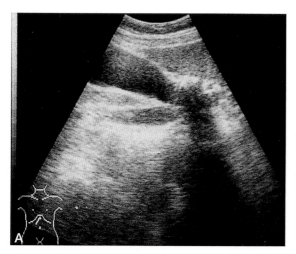
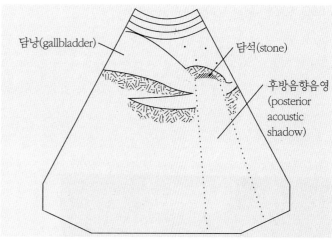

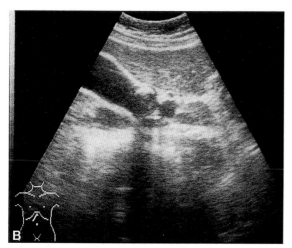
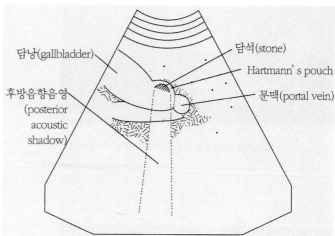

그림 5-17. A. 감돈 결석은 담낭경부에 싸여 결석의 형태가 나타나지 않는 경우가 있다. B. 탐촉자의 방향을 변화시키면서 자세하게 관찰하면 쉽게 구별이 된다. 이 증례는 만성담낭염으로 담낭벽이 비후되어 있고 담석산통(gallstone colic)이 있으며 탐촉자로 압박을 가하면 통증이 발생하였다.

229

8) 부유 담석(Floating Gallstones)

담낭 내에서 떠다니는 담석을 부유 담석이라 한다. 담낭 내에서 떠다닐 수 있는 이유는 담석과 담즙 사이에 특별한 중력관계가 작용하거나 담석이 작고 가볍기 때문이다. 탐촉자로 두드리듯이 여러번 압박하거나 체위의 변화를 주면 부유 담석은 담낭 내강을 떠다니게 된다. 시간의 경과가 있으면 중력이 작용하는 방향으로 가라앉는다. 대부분 소결석에서 많다.

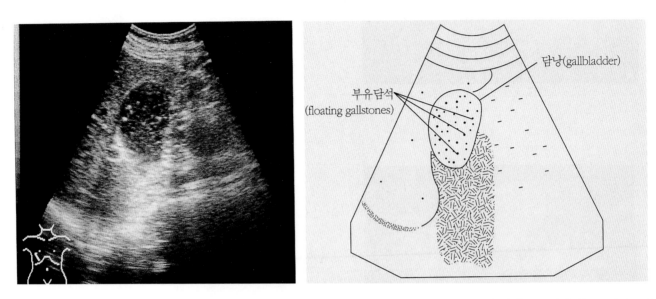

그림 5-18. 담낭 내강에 떠다니는 부유 담석. 체위 변화를 주고 관찰하면 담낭 내강에 고에코의 점상으로 떠다니는 소결석들이 보인다.

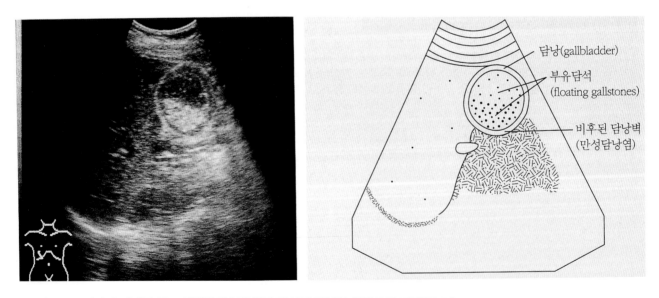

그림 5-19. 시간의 경과를 두고 관찰하면 부유하던 담석이 담낭의 하면으로 가라앉는다.

9) 담석 담낭(Stony Gallbladder)

담낭 내강 전체에 결석으로 충만된 경우를 담석 담낭(stony gallbladder) 또는 shell sign이라 한다.

Shell sign이란 담낭 내강에 큰 결석이나 작은 결석이 충만되어 있기 때문에 cystic하게 묘출되지 않고 담낭 전체에서 후방음향음영이 나타나는 것처럼 보여지는 것을 말한다. 이는 Weill이 명명했다.

Shell sign일 경우 담낭 자체의 묘출이 어려워 담낭이 보이지 않는 경우도 있다. 만일 shell sign이 의심될 경우에는 간을 음향창으로 하는 우늑간 주사(right intercostal scan)를 반드시 하여 담낭 내강이 결석으로 충만 되었음을 증명하여야 한다. 그렇지 않으면 여러 허상으로 인한 오진을 범할 수 있다.

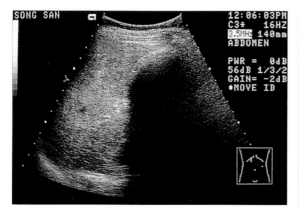
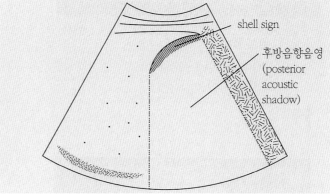

그림 5-20. **담석 담낭**

담낭 전체가 담석으로 충만되어 있기 때문에 담낭 위치에 뚜렷한 후방음향음영만이 보인다. Right intercostal scan 또는 흡기 상태에서의 longitudinal scan은 간을 음향창으로 이용하여 장의 gas를 배제시키고 담낭을 관찰할 수 있기 때문에 shell sign에서는 반드시 필요한 scan이다.

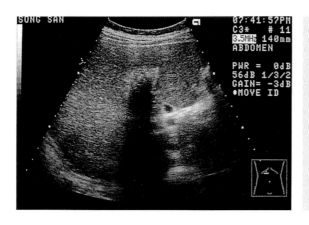
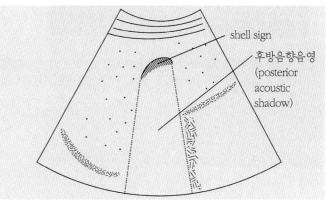

그림 5-21. **그림 5-20의 transverse scan**

Cystic한 담낭은 관찰되지 않고 담낭 위치에 강한 에코와 뚜렷한 후방음향음영만이 관찰된다.

231

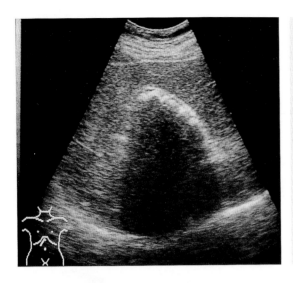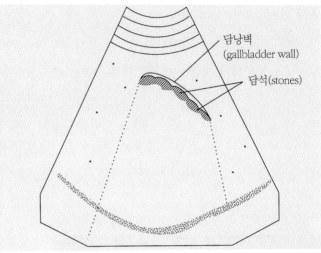

그림 5-22. **담석 담낭**

담즙이 담낭벽과 결석 사이에서 적은 양이라도 존재한다면 담낭벽과 담석 사이의 무에코공간이 생겨 담낭담석증의 진단이 용이해진다.

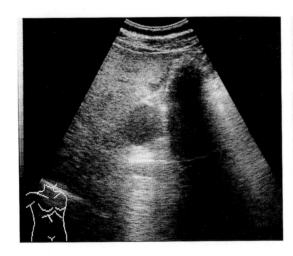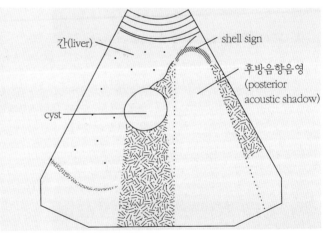

그림 5-23. 담낭 위치에 shell sign이 보이고 간 하면에 cyst같은 echo의 구조물이 하나 있다. 수술 후 담낭 안에는 0.5cm 크기의 담석이 30-40개 정도가 있었고 담낭 사이에 협착이 있기 때문에 생긴 3cm 크기의 담낭 일부가 cyst처럼 보인 것이다.

10) 담석의 형태와 기본 구조

담낭 담석증은 대부분 외과적인 담낭적출술로 담낭을 제거하여 치료하여 왔다. 그러나 콜레스테롤 담석(cholesterol gallstone)의 치료를 위해 chenodeoxycholic acid (CDCA) 또는 urosodeoxycholic acid (UDCA)를 사용한 경구적 용해 요법과 1985년부터 용해제인 Methyl-tert-butyl-ether (MTBE)를 시용한 경피경관적 용해법으로 비외과적인 방법이 개발되어 사용되고 있다. 또한 초음파 체외 충격파 쇄석술(ESWL)로 잘게 쪼개진 잔존 담석을 이 용해법으로 제거할 수 있게 되었다. 이러한 내과적 치료법을 사용하기 위해서는 담낭 담석의 화학 성분과 물리적 특성을 알아내는 것이 중요하게 되었다. 그리하여 담낭 담석을 쉽게 관찰할 수 있는 초음파 검사 방법으로 담석을 분류하게 되었다. 최병인 외 8인은 초음파 소견의 각 유형과 담낭 담석의 성분 분석의 상관관계를 검토하여 발표하였다. 담낭 담석의 초음파 분류는 에코 모양에 따라 표면 에코가 강하며 깨끗한 후방음영을 보이는 담석을 I형으로, 형태 전체가 나타나면서 표면과 내부의 구별이 없이 균일한 에코를 보이는 담낭 담석을 II형으로 하였다.

표 5-1. I형 중 담낭 담석의 전면 에코가 반달 모양으로 보이는 것을 Ia, 초생달 모양을 Ib, 두층 이상의 활(arc) 모양을 Ic, 단층의 활 모양을 Id로 세분하였다. II형은 후방음향음영이 한 IIa형과 후방음향음영이 약한 IIb형으로 나누었다.

표 5-2. 담낭 담석의 초음파 형태와 화학적 분석
담낭 담석 100개를 가지고 실험하였다.

	Cholesterol Stone			Pigment Stone		Rare Stone	Total
	Pure	Mixed	Combination	Calcium	Black		
Ia	2						2
Ib	4	27	5			4	40
Ic	1	6	5				12
Id	3	11	9	1			24
IIa				8	1		9
IIb					11	2	13
Total	10	44	19	9	12	6	100

표 5-3. 담낭 담석의 형태와 기본 구조에 따른 분류

이 표는 담낭 담석의 육안적 단면 구조를 화학적으로 분석한 결과다. 이 표로 인하여 화학적 분석을 하지 않아도 육안적 단면 구조 및 외관 관찰로 담낭 담석증의 성인을 예측할 수 있게 되었다. 실제 임상에서 쉽게 이용되어 담석 용해제 및 체외 충격파 쇄석술의 적응증 설정 및 치료 효과 예측에 도움을 줄 수 있을 것으로 생각된다.

Stone type		Major composition (minor composition)	Cross sectional morphology
Cholesterol	Pure cholesterol	Cholesterol	
	Combination stone	Inner: cholesterol Outer: cholesterol or calcium bilirubin	
	Mixed stone	Cholesterol (calcium bilirubin)	
Pigment	Calcium bilirubinate	Calcium bilirubin (cholesterol)	
	Black stone	Bile pigment polymer	
Rare	Calcium carbonate	Calcium carbonate	
	Fatty acid, calcium	Fatty acid, calcium	

11) 담석과 장내 gas와의 감별점

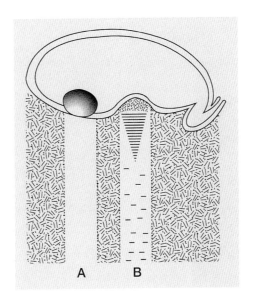

그림 5-24. **Clean shadow (A) 와 Dirty shadow (B)**

담석의 음향음영은 담석의 뒤에서 깨끗하게 생긴다. 이를 clean shadow라 한다. 장내 gas의 음향음영은 안개 같은 뿌연 모양으로 탁하게 생긴다. 이를 dirty shadow라 한다.

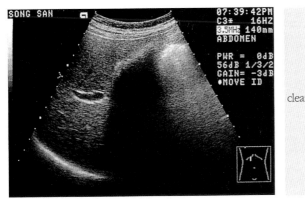
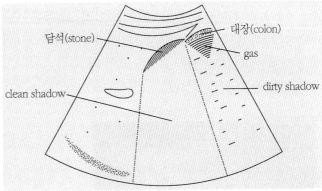

그림 5-25. **Clean shadow와 Dirty shadow**

담낭부위에 담낭 담석으로 인한 clean shadow와 gas로 인한 dirty shadow가 잘 비교되고 있다.

12) 담낭 담석을 확인 못하는 경우

담낭 담석이 체표 가까이 있어 다중 반사에 가리울 때 관찰 못하는 경우가 있다. 또한 장의 gas에 의해 가릴 때와 감돈 결석으로 묘출이 어려울 경우에 관찰하지 못하는 경우가 있다.

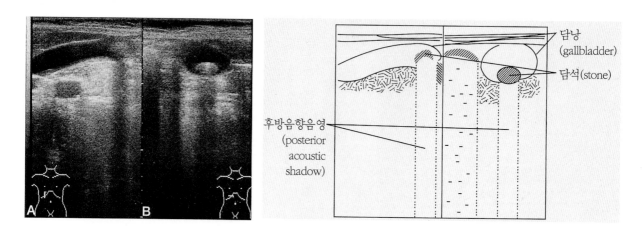

그림 5-26. 담낭 저부에 담석이 있으나 체표에 가까이 있어 다중반사에 의한 허상으로 관찰하지 못하는 경우가 있다.

A. 장의 gas와 다중반사에 가려서 담석은 보이지 않고 후방음향음영만이 보인다. B. 체위 변화와 cross-image로 검사한 결과 타원형의 담석이 나타났다.

13) 담낭 담석으로 착각되는 경우

장의 점막 주름, 십이지장의 음식물 통과, 장의 gas 등은 담낭의 초음파 검사시에 담낭 담석으로 오인할 수 있다. 초음파는 허상이 다른 검사법보다 많기 때문에 초음파 검사 중 어떤 질병이 발견되었을 때 항상 cross-image로 확인하여 진단한다면 대부분 오인으로 인한 오진을 범하지 않는다. 다음의 경우도 cross-image와 체위 변화를 하여 검사한다면 쉽게 허상을 구별할 수 있을 것이다.

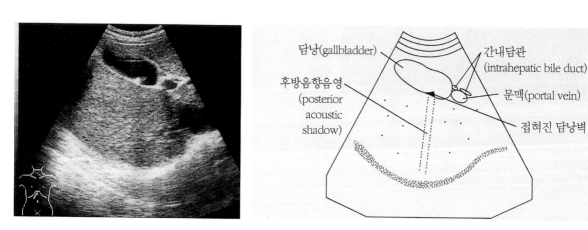

그림 5-27. 담낭 내벽에 고에코와 후방음향음영이 관찰되어 담석증으로 의심이 된다. 그러나 이것은 담낭 내벽의 주름에 의해 형성된 부분이었다.

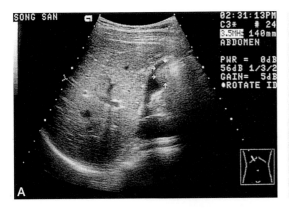
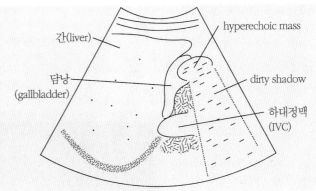

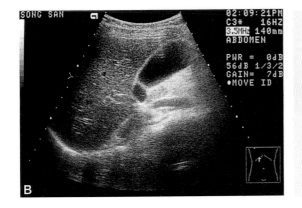
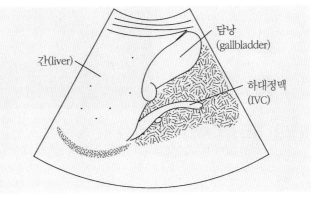

그림 5-28. 담낭 하면에 원형의 고에코(화살표)가 담낭 내강 쪽으로 밀고 올라와 담낭 담석처럼 보이나(A), 시간의 경과를 관찰
하면 이는 장이 연동운동으로 인하여 담낭으로 밀고 올라온 것임을 알 수 있다(B).

14) 초음파 검사 시 담낭이 보이지 않는 경우

1. 담낭 내에 결석이 충만된 경우 담낭의 묘출이 어렵다(stony gallbladder 참조).

2. 담낭관(cystic duct) 상부의 담도가 폐쇄되어 담낭이 없어진 경우에 담낭의 관찰이 안된다.

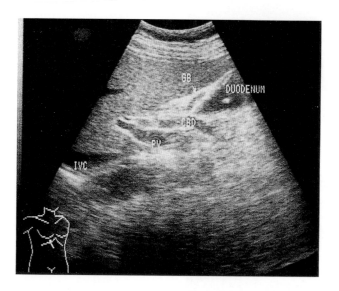

그림 5-29. 담낭 담석증의 환자로 12시간 동안 금식을 하여 검사하였으나 담낭은 거의 묘출이 힘들 정도로 위축되어 있다. 이 경우 담석이 담낭 안으로 담즙의 유입을 방해하고 있기 때문이었다.

3. 환자가 금식하지 않은 상태에서는 담낭의 관찰이 어렵다.

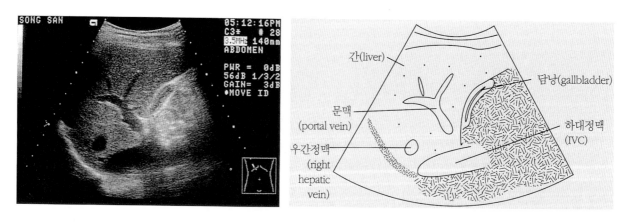

그림 5-30. 식사 후에는 담낭의 위축이 오게 되어 관찰이 어려울 수 있다. 이 초음파 상에서 자세히 관찰하면 위축된 담낭이 보인다.

4. 담낭적출술(cholecystectomy) 후의 경우

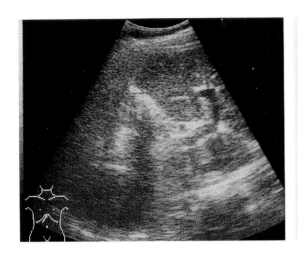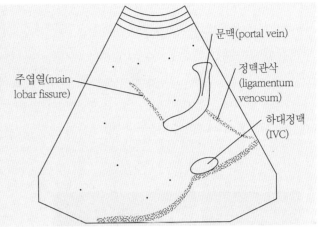

그림 5-31. 담낭적출술을 받은 후 담낭 자리에는 주엽열(main lobar fissure)만 관찰된다.

5. 선천성 무담낭증일 경우

6. 담낭 묘출을 위한 수기상의 오류가 있을 경우

03 급성담낭염(Acute Cholecystitis)

급성담낭염은 담낭이 종대되면서 담낭벽이 비후되어 관찰된다. 비후된 담낭벽은 고-저-고에코의 3층 구조로 나타난다. 고에코층 사이의 저에코층(hypoechoic layer 또는 sonolucent layer)은 염증세포층으로서 감염으로 인한 이차적인 담낭벽의 부종(edema)이나 부분적 박리(desquamation)를 나타낸 것이라고 생각되어진다.

담낭 내강에는 담즙 혈액, 고름이 섞여 초음파 상에서는 debris echo의 저류로 나타나게 된다. 급성 담낭염의 경우에 탐촉자를 담낭 위치에 두고 압박을 가하면 통증을 느끼게 된다. 이것을 Murphy's sign이라 한다. 급성담낭염의 원인은 90% 이상이 담낭관의 폐쇄이기 때문에 어느 부분의 폐쇄인가를 잘 관찰해야 한다.

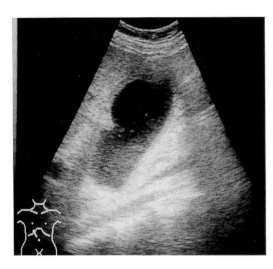
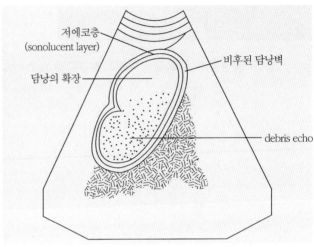

그림 5-32. **급성담낭염**

담낭이 종대되어 있고 담낭벽은 가운데 저에코층을 동반한 3개의 층구조로 보인다. 담낭 내강에는 debris echo가 보이고 Murphy's sign이 있었다.

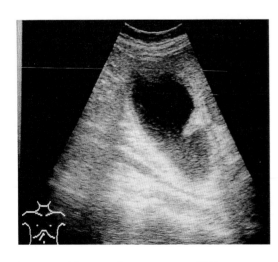
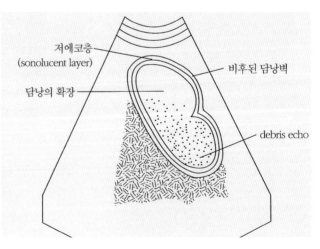

그림 5-33. **그림 5-32의 cross-image 화상**

04 만성담낭염(Chronic Cholecystitis)

만성담낭염은 담낭벽 비후성과 위축성이 있다. 대부분 담낭벽 비후성이 많기 때문에 대개 만성담낭염은 비후성 담낭염을 말하며 초음파로 관찰이 잘 된다. 비후성 만성담낭염은 담낭벽 비후와 담낭 내강의 협소가 있고 대부분 담석이 관찰된다. 벽비후가 심할 경우에는 벽침윤형 담낭암과 구별이 어려울 수 있다. 담낭관의 오랜 폐쇄로 인한 위축성은 초음파로 판별이 어렵다.

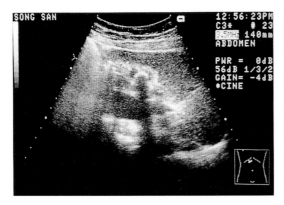
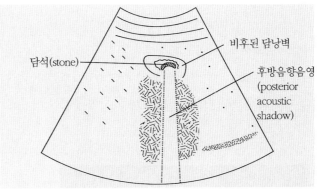

그림 5-34. **만성담낭염**

담낭벽이 10mm 정도로 불규칙하게 비후되어 내강의 협소가 관찰된다. 담낭 내강에는 15 X 10mm의 담석이 있다.

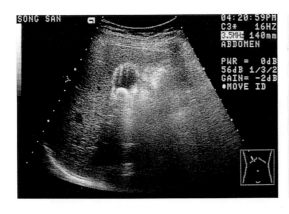
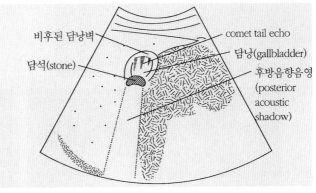

그림 5-35. **담낭이 비후되어 있고 담낭 내강으로 comet tail echo가 관찰되는 만성담낭염**

담낭 내강에는 10mm 크기의 담석이 있다.

05 담니(膽泥, Bile Sludge)

담니는 비정상적인 미세하고 echogenic한 물질로 담낭 내강에서 관찰되는데 이는 폐농양의 X-ray에서 보이는 air fluid level과 비슷한 horizontal fluid-fluid level로서 초음파 상에 나타난다. 담낭내 담니 에코의 근원은 pigment granule과 소량의 cholesterol crystal이다. 이는 점도가 높기 때문에 환자의 체위 변화에 따라 매우 느리게 움직이며 중력에 의한 수평면을 유지한다.

측파에 의한 허상(side lobe artifact)에서도 담니와 비슷한 sludge가 보일 수 있다(그림 1-52). 그러나 담니의 경우에는 탐촉자의 방향을 바꾸어도 sludge가 원래의 상태로 관찰되어 측파에 의한 허상과 구별할 수 있다.

점도가 높은 담니가 뭉쳐 있을 경우 이것을 tumefactive biliary sludge 또는 sludge ball이라 부르고 stone이나 mass처럼 묘출되어 pseudo tumor라 부른다. pseudo tumor는 탐촉자로 여러 번 강하게 압박하거나 환자의 체위를 변화시키면 모양과 위치가 변하는 것을 관찰하여 감별진단할 수 있다.

담니는 대부분 후방음향음영이 없으며 gain의 증감에 영향을 받지 않는다.

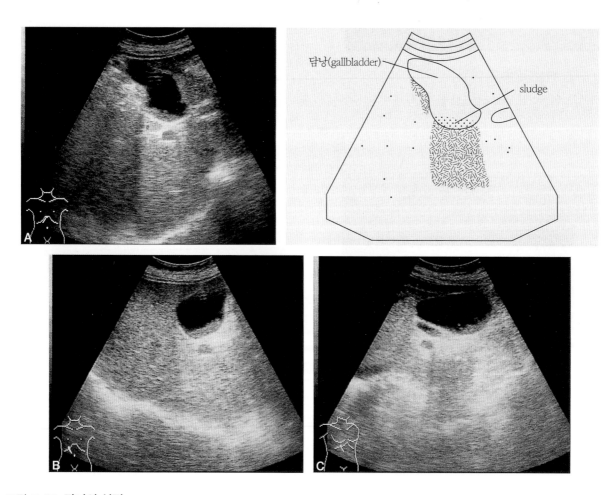

그림 5-36. **담니의 성질**

　　A. 앙와위. 담낭 내강에 비정상적인 echogenic한 물질이 수평면을 이루고 있다. B. A.의 cross-image. echogenic한 물질이 관찰되어 담니로 진단된다. C. 좌측와위로 체위를 변화한 결과 bile sludge가 담낭 저부로 느리게 이동하였다.

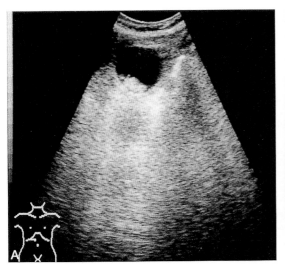
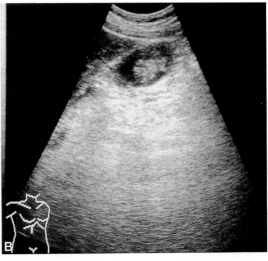

그림 5-37. Sludge ball

A. 앙와위에서 담낭 저부에 담석 같은 hyperechoic mass가 있다. B. 좌측와위 상태에서 탐촉자로 두드리듯이 여러 번 압박을 가한 결과 bile sludge가 펼쳐지기 시작하였다.

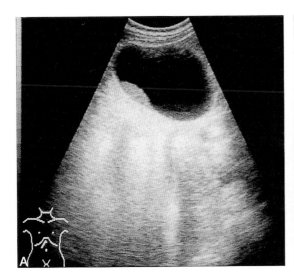
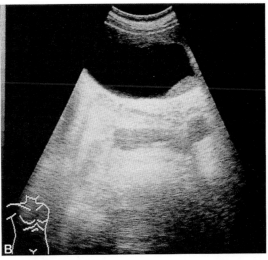

그림 5-38. Sludge ball의 이동

A. 앙와위에서 sludge ball이 담낭 저부에 있다. B. 좌측와위로 체위를 변화한 결과 담낭 경부로 담니가 이동하여 mass와 감별이 된다.

06 Comet Tail Echo

담낭벽에 adenomyomatosis, rokitansky-aschoff sinus (R-A sinus)의 증식, intramural stone, cholesterol polyp이 있을 경우 다중반사에 의한 허상(reverberation artifact)으로 꼬리가 길게 달린 comet tail echo가 나타난다. 대부분이 담낭 전벽에서 담낭 내강쪽으로 관찰된다. 간실질이나 신장실질 등에서도 작은 공간이나 작은 결석이 있는 경우에 다중반사로 인하여 comet tail sign이 나타날 수 있다(그림 4-77 참조).

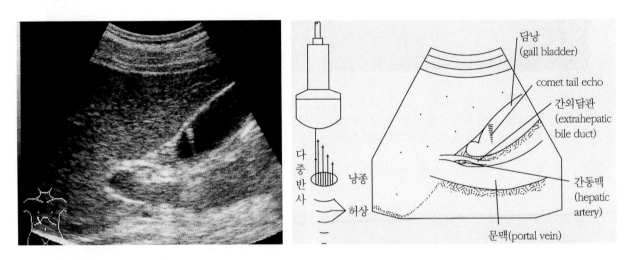

그림 5-39. 담낭벽에서 담낭 안쪽으로 긴 꼬리를 한 comet tail echo가 나타난다. 이 현상은 초음파 빔 방향으로 다중반사에 의해 생성된다.

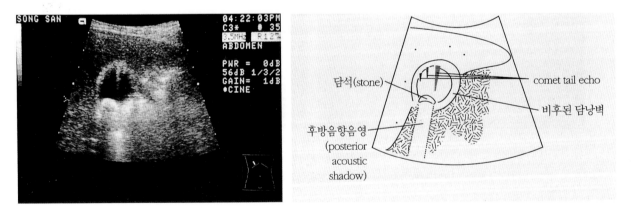

그림 5-40. 만성담낭염의 비후된 담낭벽에 생긴 comet tail echo

07 선근종증(Adenomyomatosis)

담낭 선근종증은 병리조직학적으로 rokitansky-aschoff sinus (R-A sinus)의 증식에 의한 담낭벽 비후를 초래하는 질환이다. R-A sinus 자체가 낭성구조로서 보이는 것은 많지 않으나 벽내에서 증식에 의한 comet tail echo는 초음파 진단상에서 많이 관찰된다.

형태에 따라 3가지 type으로 분류하는데(그림 5-41) fundal type과 segmental type이 빈번하게 관찰된다. 담낭 선근 종증은 cholecystitis glandularis proliferans, cholecystitis cystica, intraluminal diverticulosis 등의 명칭을 갖는다.

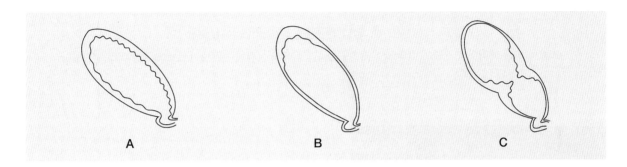

그림 5-41. **담낭 선근종증의 분류**

A. generalized type, B. fundal type, C. segmental type

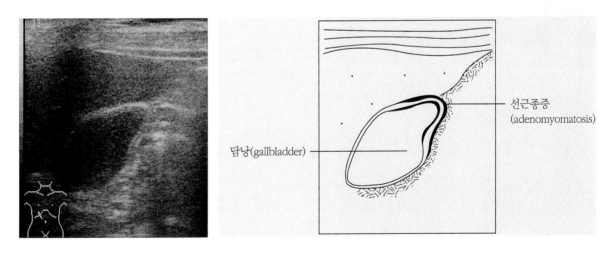

그림 5-42. **담낭 선근종증의 fundal type**

담낭저부의 비후로 내강이 협소되어 보인다.

245

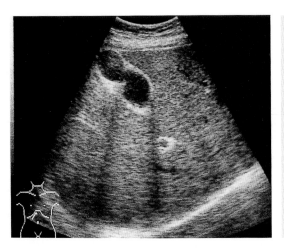 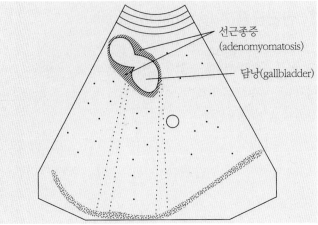

그림 5-43. **담낭 선근종증의 segmental type**

비후 부분의 내강이 협소되어 잘록해진 부분이 초음파 상에서 삼각형으로 보여 triangle sign이라 불리운다.

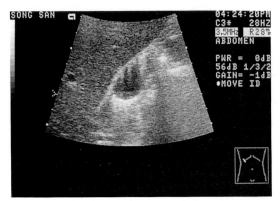 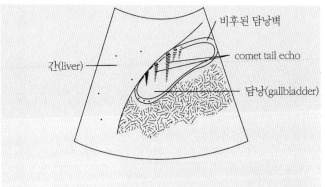

그림 5-44. **미만형 담낭 선근종증의 comet tail echo**

08 담낭의 융기성 병변(Polypoid Lesion of the Gallbladder)

담낭의 융기성 병변이란 담낭벽에서 담낭 내강으로 돌출된 형태를 가지고 체위를 변화시켜도 변동이 없는 병변을 말한다. 여기에는 polyp, 과증식(hyperplasia), 선종(adenoma) 등의 양성병변과 암(carcinoma)의 악성병변이 있다.

Cholesterol polyp은 가느다란 목을 가지고 1cm 이하의 isoechoic mass가 붙어 있으며 후방음향음영이 없거나 희미하게 있을 수 있다.

선종(adenoma)은 넓게 기초한 반구 모양의 융기(hemispheric elevation)로 담낭벽에 단단하게 붙어있다. 체위 변화에도 움직이지 않고 hypoechoic하게 관찰되며 후방음향음영은 없다.

과증식(hyperplasia)과 융기성 담낭암도 선종과 비슷한 구조로 관찰된다. 그러나 담낭암은 추적검사(follow up study) 시 성장 속도가 빠르게 진행된다.

Polyp, hyperplasia, adenoma는 초음파 진단으로 carcinoma와의 감별이 어려울 경우가 많다. 그러나 초음파 내시경으로는 암종과 구별할 수 있다.

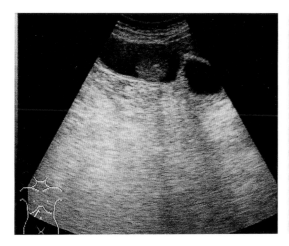 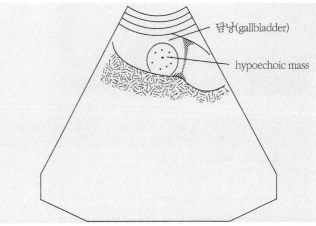

담낭(gallbladder)

hypoechoic mass

그림 5-45. Hypoechoic mass가 벽에 넓게 기초하여 붙어 있고 체위 변화에도 움직이지 않았다. 수술 결과 tubular adenoma로 판명되었다.

247

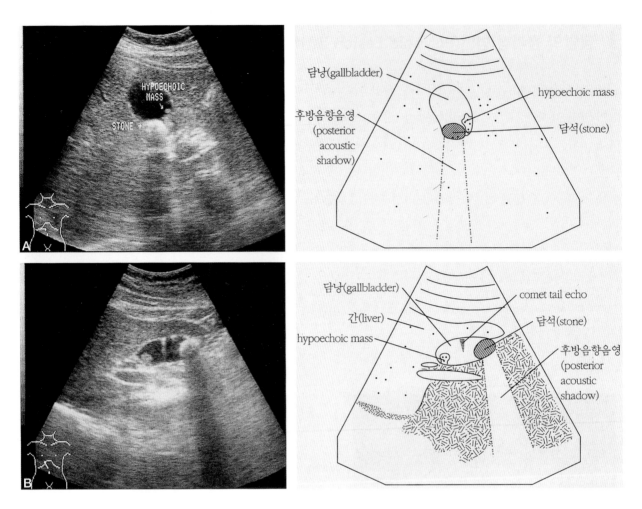

그림 5-46. A. 담낭 담석이 있고 그 옆의 담낭벽에 hypoechoic mass가 있다. 수술 결과 epithelial hyperplasia로 판명되었다. 이 초음파 상만으로는 담낭암과의 감별이 어렵다. B. A의 cross-image, 담석과 epithelial hyperplasia 사이에 comet tail sign이 보인다.

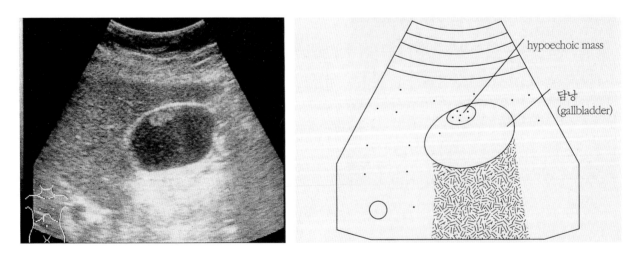

그림 5-47. 13 x 7mm의 hypoechoic mass가 담낭 내강에 있다. 수술 결과 hyperplastic polyp이었다.

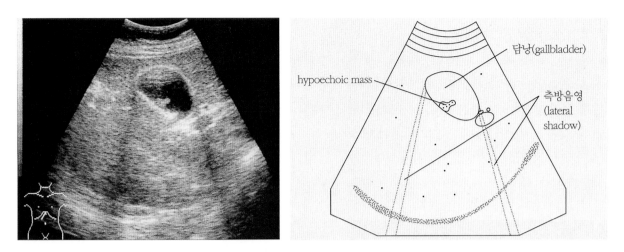

그림 5-48. 9mm의 hypoechoic mass가 담낭 내강에 돌출되어 있다. 수술 결과 hyperplastic polyp이었다.

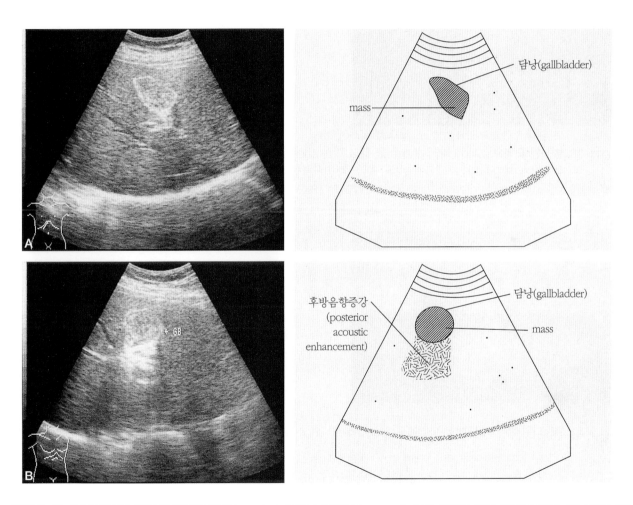

그림 5-49. 담낭 내강이 주위 간실질에 비해 isoechoic하거나 약간의 hyperechoic만 물질로 가득 채워져 있다. 담낭암이 의심되나 이 정도 크기의 담낭암이었다면 주위를 침범한 전이가 있음을 발견할 수 있다. 그러나 그 주위 간실질은 정상적이고 담낭벽도 형태가 정연하였다. 수술 결과 hyperplastic polyp으로 담낭을 가득 채운 것이었다.

09 Cholesterol Polyp

Cholesterol polyp은 담낭벽 내에 버섯 모양을 하는 isoechoic한 점상의 융기상으로 보인다. 대개 직경 6mm 이내이고 1 cm를 넘지 않으며 가느다란 목(slender stalk)이 존재한다. 한 개에서 다수로 발견되며 간혹 hyperechoic하게 보이기도 한다. 대부분 후방음향음영은 없으며 체위 변화에도 움직이지 않는다. 추적검사(follow up study) 시 크기의 변화가 거의 없다. 잠재적인 악성이 없는 양성 병변이다.

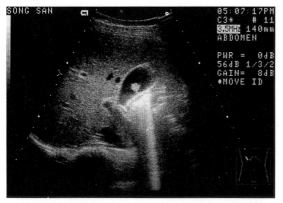 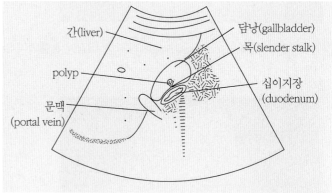

그림 5-50. **별사탕 모양으로 isoechoic pattern을 하고 있는 cholesterol polyp이 가느다란 목을 가지고 담낭벽에 붙어 있다. Cholesterol polyp은 후방음향음영이 없는 것이 감별점 중의 하나이다.**

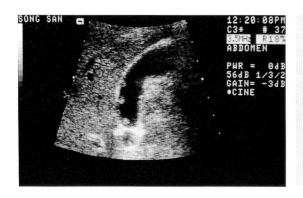 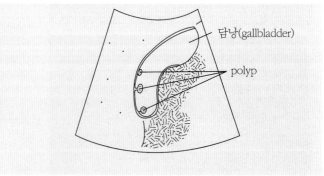

그림 5-51. **가느다란 목을 가진 버섯 모양을 한 isoechoic만 cholesterol polyp 3개가 담낭벽에 붙어 있다.**

10 담낭암(Cancer of the Gallbladder)

담낭 내강에 1cm보다 큰 저에코 병변(hypoechoic lesion)이 보이면 일단 담낭암을 의심할 수 있다. 1cm보다 작아도 저에코 병변이 있으면 적극적인 여러 가지 검사를 시행해야 한다.

초음파 장치의 진보로 조기 담낭암의 발견율이 높아지고 있다. 그러나 담낭암은 인접한 간으로의 직접적인 침윤이 빠르고 쉬우며, 간내담관침윤, 임파절 전이, 간으로의 혈행성 전이를 일으키기 때문에 생존율은 매우 저조한 치명적인 병이다.

담낭암의 초음파 상 특징은 다음과 같다.

1. 담낭 내강에 저에코의 융기성 종류(tumor)가 있다.

2. 담낭벽의 일부 또는 전체적인 융기와 부정연한 비후가 있다.

3. 대부분 결석이 존재하는 경우가 많다.

그 밖에 간침윤, 간내담관침윤, 간문주위 임파절 전이 등의 연관된 소견을 관찰해야 한다.

표 5-4. **담낭암의 분류**

I	II	III	IV	V
polyp 같은 융기성 병변	mass type	담낭벽의 미만성 비후를 보이는 침윤형 (infiltrating type)	담낭 전체가 종양으로 접거된 결석을 동반한 type (massive tumor type)	담낭 전체가 큰 단일의 종양으로 형성된 type (large solitary type)

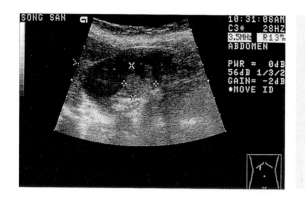 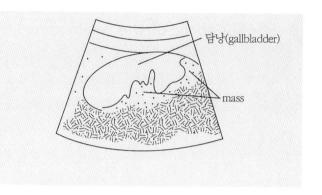

그림 5-52. 담낭 내강에 불규칙한 저에코의 용기를 보이는 담낭암

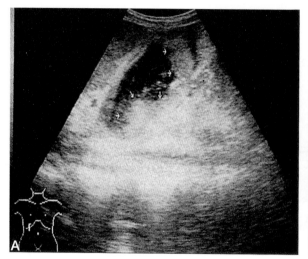 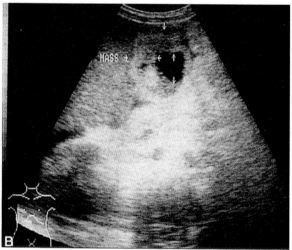

그림 5-53. 침윤형 담낭암. 담낭벽에 불규칙하게 침윤하고 있는 담낭암

11 담낭의 선천적 기형(Congenital Anomalies of the Gallbladder)

담낭의 형태는 가지나 서양배 모양과 유사하다고 하나 실제로는 많은 경우에 있어서 매우 다양한 모양을 하고 있으며 담낭의 선천적 기형도 꽤 일반적이다. 형태의 다양함은 대부분 극히 정상적이다. 그러나 선천적 기형은 잠재적인 임상적 의의를 가질 수 있으며 초음파 진단에서 자주 볼 수 있다.

간상(月干床, liver bed)에 있는 담낭이 발육에서의 불일치로 인하여 담낭의 저부가 꼬이거나 접혀서 phrygian cap 또는 storking cap으로 형성되는 경우가 있다. 접혀진 담낭의 저부는 이차원적 초음파 상에서 두 개의 cystic pattern이 연접한 모양으로 보인다. 이런 경우에는 탐촉자의 방향을 바꾸어 관찰하면 그것이 하나의 연결된 담낭임을 알 수 있다. 이러한 발육의 차이, 담낭염(cholecystitis), 담낭선근종증(adenomyomatosis), 간경변의 이차적 변형 그리고 수술 후의 변형으로 인하여 담낭이 여러번 접히는 굴곡담낭(folded gallbladder)이 있다. 이 굴곡담낭은 초음파 상에 여러 개의 cyst가 연접한 모양이나 담낭 내에 격벽이 있는 것처럼 오인되어 관찰되는 경우가 있다.

Phrygian cap, 굴곡담낭 그리고 담낭 내강의 중격(septa)이 있는 담낭은 담도계(biliary system)에서 울체(stasis)의 잠재적 원인이 되며 그것은 나아가 결석 형성을 촉진할 수 있다.

어떤 경우 담낭은 전체적으로 장막(serosa)에 의해 둘러 싸여 있고 장간막(mesentery)에 의해 간과 떨어져 떠 있는 부유담낭(floating gallbladder)을 만들기도 한다. 이는 장간막이나 담낭관을 꼬이기 쉽게 하여 담낭의 hemorrhage infarction을 일으키기 쉽게 한다.

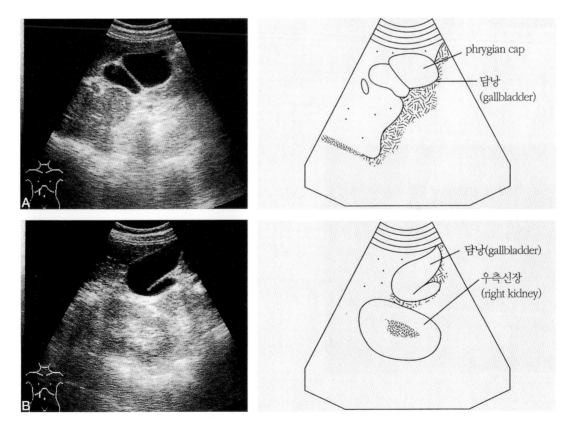

그림 5-54. **Phrygian cap**
A. 두 개의 cyst가 접하여 모자를 쓰고 있는 형태를 하고 있다. B. 탐촉자 방향을 약간 바꾸어 관찰한 결과 굴곡된 담낭이었다.

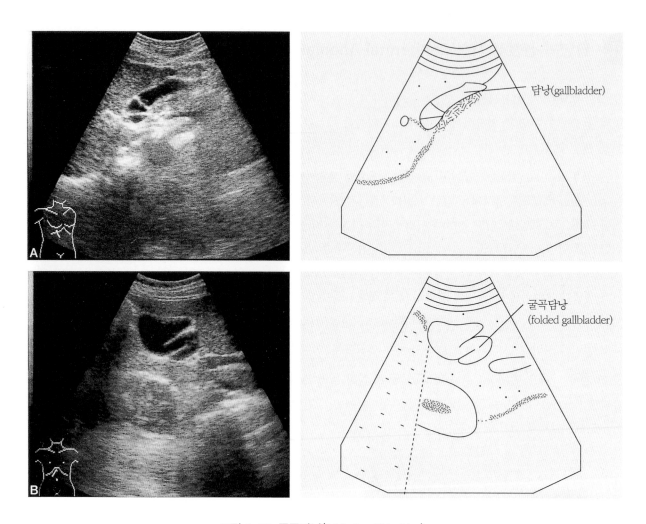

그림 5-55. **굴곡담낭(folded gallbladder)**

A. 담낭 안에 격벽이 있어 3개의 cyst가 연접해 있는 모양을 하고 있다. B. A의 cross-image 화상. 굴곡된 담낭이 명확하게 보인다.

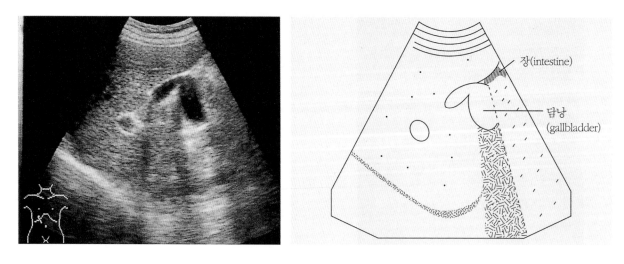

그림 5-56. **부유담낭(floating gallbladder)**

담낭이 간 하면에서 떨어져 장의 gas로 압박을 받고 있다.

12 담낭벽의 비후

Engel 등은 담낭벽 두께가 3.5mm 이상인 그의 환자 중 98%가 질환이 있었다고 지적한 반면 담낭 질환의 50%에서 벽 두께가 3mm 이하였다는 보고도 있다. 담낭벽의 비후는 어떤 질환이 있다는 것을 암시하며 몇몇의 경우를 제외하고는 임상에서 반드시 중요한 의의를 지니는 것은 아니다.

담낭벽의 비후를 일으키는 것으로는 급,만성담낭염(acute, chronic cholecystitis), 담낭암(carcinoma of the gallbladder), 선근종증(adenomyomatosis), 간경변(liver cirrhosis), 간경변의 복수(ascites), 담낭 주위 병소, 저단백증(hypoalbuminemia) 등이 있다.

Y.Higashi 등은 복수(ascites)가 복막암(peritoneal carcinoma), 신장병(renal disease), 심부전(cardiac failure)에서 이차적일 때 담낭벽의 두께는 정상이라고 했다.

13 총담관 결석증(Choledocholithiasis)

Convex probe의 개발로 총담관(common bile duct)의 묘출이 보다 쉬워졌고 총담관 결석증의 발견율도 높아졌다. 간외담관 내의 결석은 담관과 결석 사이의 음향저항 차이가 적기 때문에 뚜렷하게 보이는 예가 많지 않다. 그 결과로 후방음향음영이 불명료한 것이 많다. 하부 총담관이 결석으로 막히면 상부 총담관이 확장하여 문맥의 굵기와 비슷해진다. 이때 초음파 상에는 shot gun의 형상으로 나타나 이를 shot-gun sign(그림 4-87B, 그림 6-9A)이라 부른다. 또한 간내담관이 확장하여 문맥과 평행을 이루는 parallel channel sign(그림 6-9C)이 나타나게 된다. 이러한 폐쇄가 심하면 폐쇄성 황달의 원인이 되며 간내담관이 확장되는 too many tube sign(그림 4-86)이 나타난다. 만일 총담관 결석이 총담관을 폐쇄시키지 못할 정도의 작은 결석일 때는 이와 같은 확장 소견은 없다. 소장 내 gas로 인하여 간의 담관의 묘출이 어려울 경우에는 다량의 물을 마시거나 체위의 변화와 탐촉자를 사용한 압박으로 gas를 배제하면서 관찰하면 도움이 된다.

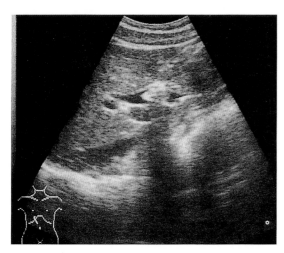
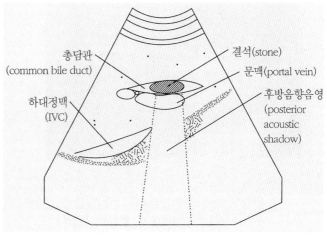

그림 5-57. **총담관 결석증**
확장된 담관 사이에 hyperechoicstone이 있다 총담관이 확장되면서 고인 담즙으로 인하여 비교적 명료한 후방음향음영이 있다.

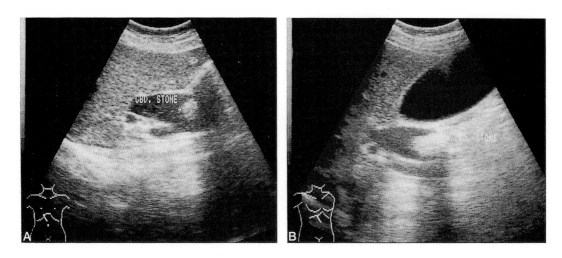

그림 5-58. 총담관 결석이 장의 gas 때문에 방해가 될 경우(A)에는 간우엽을 음향창으로 우측단 신장부위에서 늑간주사(B)하면 관찰되는 경우가 있다. 2.5 x 2cm 크기의 담석이 총담관에 있다.

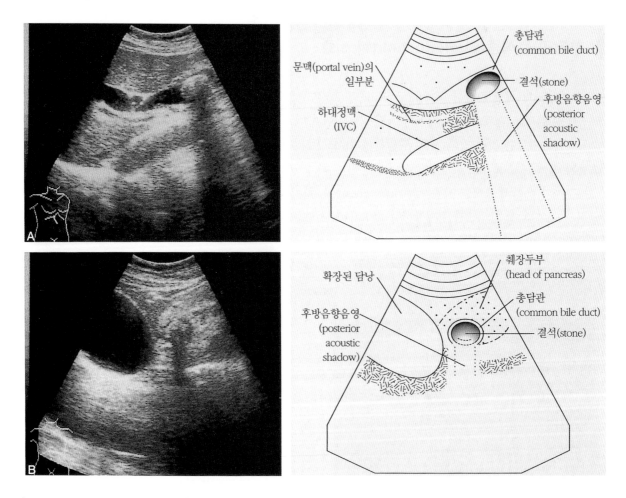

그림 5-59. A. Right oblique scan. 확장된 총담관 사이에 2cm의 결석이 있다. B. Transverse scan. 고도로 확장된 담낭과 췌장두부(head)의 총담관 내에 자리잡고 있는 결석이 관찰된다. 결석과 췌장 두부와의 음향저항 차이가 작기 때문에 후방음향음영이 선명하게 보이지는 않는다.

14 총담관암(Cancer of the Common Bile Dict)

총담관에 발생된 암은 담관계(biliary system) 폐쇄와 확장으로 폐쇄성 황달의 원인이 된다. 종양의 크기가 클 때는 초음파로 쉽게 진단되나 작을 때는 묘출이 어렵다. 췌장 두부 근처의 총담관암은 췌두부암과의 구별이 어렵다. 종양부의 에코는 저에코 또는 혼합된 에코로 나타난다.

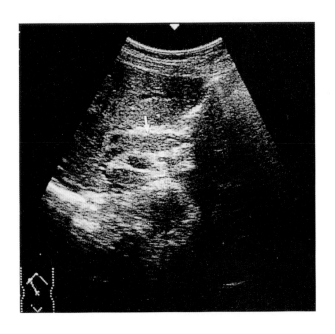

그림 5-60. 총담관을 폐쇄한 동등에코의 담관암이 관찰된다.

06 췌장(Pancreas)

01 췌장 묘출의 기교

췌장은 초음파 입문자에 있어서 가장 묘출하기 어려운 장기이다. 이는 췌장을 묘출하는 데 방해되는 요인이 많기 때문이다. 췌장은 전방에 위장과 췌두부를 감싸는 십이지장의 C자 만곡이 있어 gas의 영향을 많이 받고, 전방의 간과 에코강도(echogenicity)가 비슷하여 경계가 불분명하기 때문에 묘출이 쉽지 않다. 비만하거나 너무 여윈 사람, 간좌엽이 협소하거나 절제된 환자, 위장내 gas가 많은 환자 등이 췌장의 묘출을 어렵게 만든다. 환자의 호흡 상태나 체위, scan 방향에 따라 췌장의 크기와 형태가 변하기 때문에 정확한 묘출이 쉽지 않다.

췌장 묘출의 방해 요인을 배제하려면 환자로 하여금 복식호흡과 좌위(sitting position), 좌측와위, 우측와위(left or right decubitus position) 등의 체위 변화를 적절히 시행하며 관찰하여야 췌장을 보다 잘 묘출할 수 있게 된다. Convex probe와 sector probe를 사용하거나 probe를 압박주사하는 경우도 있으며, 위장내 gas가 많을 때는 약 500cc가량의 물을 마시게 하여 음향창을 만들어 관찰하는 "fluid filled stomach법"을 시행하기도 한다.

췌장 묘출의 가장 쉬운 방법은 주위 관상구조물을 이용하여 관찰하는 것이다. 췌장의 후면에는 비정맥(splenic vein)이 주행하고 있으며 longitudinal scan시에 비정맥은 대동맥(aorta)에서 분지되는 복강동맥(celiac artery)과 상장간막동맥(superior mesenteric artery) 사이에 위치하기 때문에 췌장을 찾는 지표로 활용하면 쉽게 묘출할 수 있다(그림 3-42, 3-43).

02 급성췌장염(Acute Pancreatitis)

알코올 환자, 담낭 담석증, 복부의 외상(trauma) 그리고 과지질혈증(hyperlipidemia)은 급성췌장염의 진전을 돕는
다. 급성췌장염증이 심할 경우에는 상체를 구부려 펴지 못할 정도의 급격한 상복부통(severe epigastric pain)이 발생하
며 쇼크(shock)를 동반하기도 한다. 이때 췌장은 전체적 또는 국소적인 부종이 생기며 출혈 괴사가 이루어질 수 있고 복
수가 보일 수 있다. 초음파 상에서의 췌장실질은 약간의 저에코 소견의 부종이 있으며 괴사나 복수 등을 알리는 무에코
소견이 나타날 수 있다. 급성췌장염증에서 혈중 및 요중 amylase가 상승하나 이것은 급격한 복통의 특징은 아니다. 또한
마비성 일레우스(paralytic ileus)에 의한 장내에 많은 양의 gas가 나타나며 이때에는 췌장의 묘출이 어려워진다. 위에
열거한 초음파 소견은 진전된 급성췌장염일 때 잘 나타난다. 그러나 초음파를 이용한 췌장염 같은 염증질환의 진단에 있
어서는 몇몇의 예를 제외하고는 크게 효과적이지 못할 때가 많다.

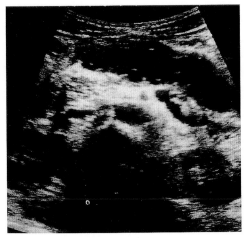
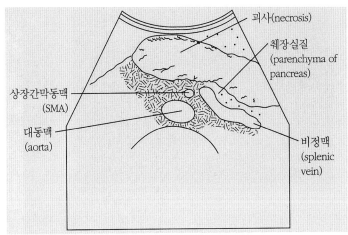

그림 6-1. Transverse scan. 급성췌장염

췌장의 괴사부분이 무에코로 관찰된다. 괴사부분은 췌장 효소의 활성화로 인하여 췌장조직의 자기소화에 의한 것이다.

03 만성췌장염(Chronic Pancreatitis)

만성췌장염은 췌장의 염증성 병변이 6개월 이상 지속될 때 췌장 실질이 위축되고 섬유화가 되는 병변을 말한다. 췌장의 위축으로 인하여 췌장 외곽의 표면이 불규칙해지며 췌장실질의 섬유화 때문에 췌장실질은 조밀해지고 약간 상승된 에코로 보인다. 또한 고,저에코의 혼합인 불균일한 혼합 에코도 존재하게 된다. 그리고 췌석(pancreatic stone)이 존재하는 경우가 있으나 췌장실질과의 음향저항의 차이가 작기 때문에 불명료하고 후방음향음영도 뚜렷하지 않다. 췌관은 3mm 이상으로 대개 평활하게 확장되며 또한 가성낭포(pseudocyst)를 형성할 수 있다. 종류형성성 만성췌장염증일 경우에 부분적인 종대가 있게 된다. 이때에는 췌장암과의 감별이 어려워진다. 그러나 종류형성성 만성췌장염일 경우 확장된 췌관이 종류 내로 끊이지 않고 길게 관통하여 나타나는 penetrating duct sign이 관찰되어 췌장암과의 감별점이 된다.

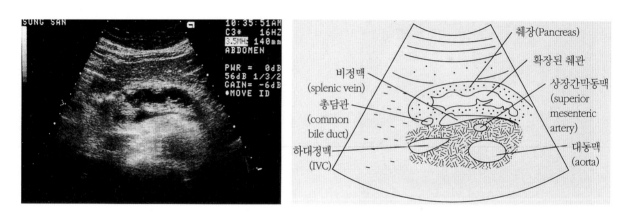

그림 6-2. **불규칙한 췌관이 8~13mm까지 확장되어 있고 췌실질의 위축과 약간 상승된 고에코 소견이 보이는 만성췌장염**

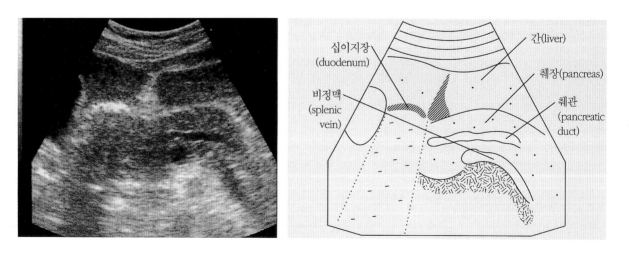

그림 6-3. **만성췌장염의 췌관 확장**
십이지장 gas로 인하여 췌두부는 보이지 않고 확장된 췌관이 췌장 중앙을 지나가고 있다.

04 췌석증(Pancreatolithiasis)

만성췌장염의 합병증으로 췌장에 석회침착이 있는 것을 췌석증이라 한다. 췌석증은 췌관 내에 결석을 형성하는 진성 결석과 췌장 실질에 석회침착하는 가성 결석으로 분류된다. 초음파 진단시 췌장 실질과 췌석과의 음향저항의 차이가 작기 때문에 담낭 담석과 같은 선명한 강한 에코와 뚜렷한 후방음향음영을 만들지 못한다. 췌관의 결석도 췌관의 확장이 있는 경우를 제외하고는 이러한 원인으로 췌석의 발견이 어려워질 수 있다. 췌장이 지방 침윤이나 섬유화되어 고에코를 나타낼 때 췌석의 발견은 더욱 어렵다.

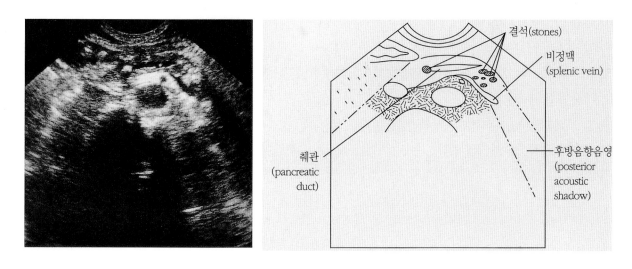

그림 6-4. 췌석증. 고에코의 췌석과 후방음향음영이 관찰되고 췌관의 확장소견이 관찰된다.

05 췌장암(Pancreatic Cancer)

췌장암의 초음파 소견은 저에코인 국소 종대(localized enlargement)가 있다. 췌장암은 발생 부위에 따라 췌두부암, 췌체부암, 췌미부암으로 나누어진다. 그 중에서 췌두부암의 발생 빈도가 제일 높다.

췌두부암의 경우 췌두부의 경계가 불규칙하고 변연이 불명료한 저에코 종류가 대부분 관찰된다. 췌관은 췌체부와 췌미부에서 염주알 모양으로 불규칙한 확장을 일으킨다. 또한 담관의 확장으로 shotgun sign, parallel channel sign, 담낭종대 그리고 담관의 폐쇄가 심해지면 폐색성 황달인 too many tube sign(그림 4-86)이 오게 된다. 만일 췌두부암의 크기가 작을 때는 관찰이 어렵기 때문에 말단에 있는 췌관의 확장을 관찰하여 역으로 종류를 찾아 장소, 크기, 성상 등을 관찰하면 도움이 많이 된다.

췌체부암일 경우 불규칙한 저에코 종류로 인하여 비정맥(splenic vein)을 압배할 수 있고 췌미부로 췌관의 확장이 온다. 암종은 대부분 크기가 커지면 주변 혈관을 압배하여 협착하거나 편위를 일으킬 수 있다. 췌미부암은 췌관의 확장 없이 암성종류만 나타난다.

췌장암은 대부분 복강동맥 또는 상장간막동맥으로 성장하는 경향이 있다. 그리고 췌장암은 림프나 혈행전이 때문에 초음파 검사시에 항상 담관계의 확장, 전이, 주위 lymph node의 전이성 종대 그리고 간으로의 전이된 병소를 찾아야 한다. 췌장암의 임상증상으로는 체중 감소와 심한 복통을 동반하는 경우가 많다.

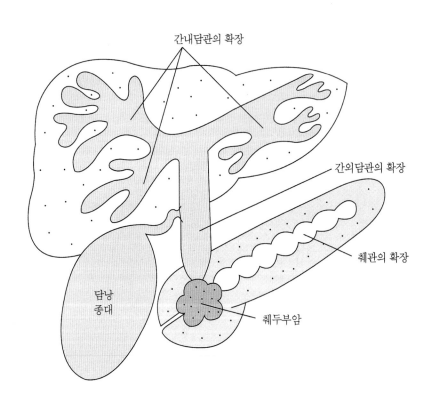

그림 6-5. **췌장암**

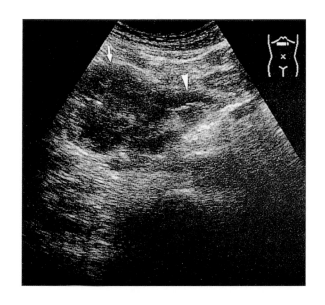

그림 6-6. 췌장 두부에 59 x 54mm의 저에고성 췌장암(화살표)이 있고 췌관의 확장(화살촉)이 관찰된다.

그림 6-7. 췌장 두부에 10mm 크기의 저에코 암종(회살표)이 있고 체부와 미부에 염주알 모양으로 확장한 췌관(화살촉)이 관찰된다.

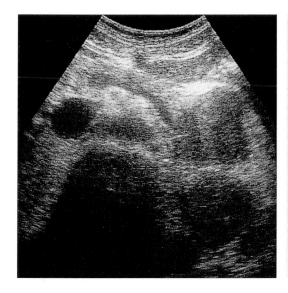

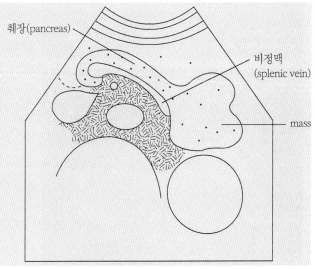

그림 6-8. **췌미부암**

55mm 크기의 저에코 종류가 췌미부에서 관찰된다. 종류가 췌미부에 있기 때문에 췌관의 확장은 보이지 않는다.

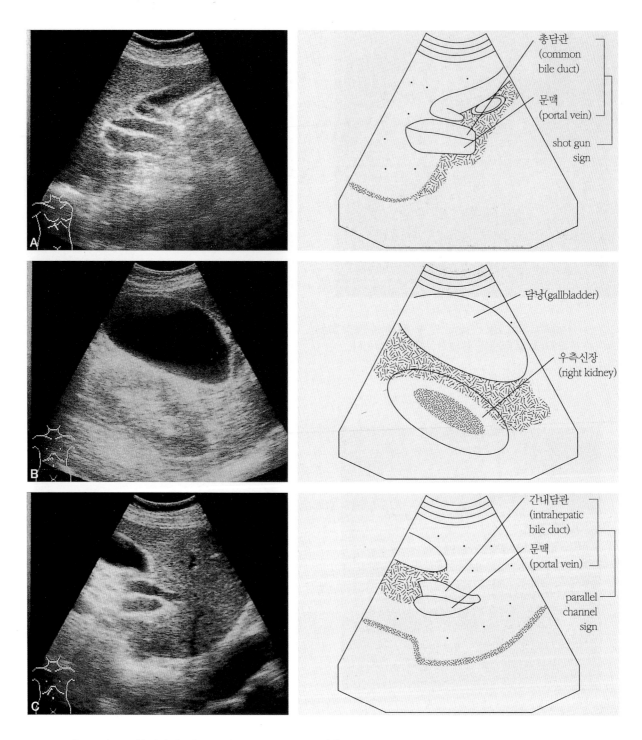

그림 6-9. 췌두부암으로 총담관이 폐쇄될 경우 shot-gun sign(A), 담낭의 확장(B), 간내담관의 확장으로 문맥의 굵기와 비슷해지는 parallel channel sign(C)이 나타난다.

06 췌장 낭종(Pancreatic Cyst)

췌장 낭종의 분류

진성 낭종 (True Cysts)	선천성	단순성 낭종(Simple cyst) 다낭포 병(Polycystic disease) 유피 낭종(Dermoid cyst) 등
	후천성	체류 낭종(Retention cyst) 기생충성 낭종(Parasitic cyst) 종양성 낭종(Neoplastic cyst) 1) 양성 점액성 낭선종(Musinous cystadenoma) 　　장액성 낭선종(Serous cystadenoma) 　　혈관낭종(Angiocyst) 등 2) 악성 점액성 낭선암(Mucinous cystadenocarcinoma) 　　장액성 낭선암(Serous cystadenocarcinoma)
가성낭종(Pseudo Cyst)		

　췌장 낭선종(pancreatic cystadenoma)은 양성종양으로 점액성 낭선종(mucinous cystadenoma)와 장액성 낭선종(serous cystadenoma)로 분류한다. 점액성 낭선종은 낭종 내에 크기가 다른 격막으로 나누어져 있어 다방성으로 묘출되며 비교적 큰 낭포로 형성되어 있다. 격막은 초음파 상에 고에코의 선상으로 묘출된다. 장액성 낭선종은 미세한 소낭포의 집합체로 고에코의 충실성 종류처럼 나타난다. 점액성 낭선종에 악성변성이 오면 낭선암(cystadenocarcinoma)이 된다.

　단순성 낭종은 간낭종과 같은 초음파 소견이 나타난다. 낭종 내부가 무에코로 나타나고 후방음향증강이 있으며 대부분 경계와 후벽이 명료한 구형상으로 묘출된다.

　대부분의 췌장낭종은 가성낭종(pseudocyst)이다. 가성낭종(pseudocyst)은 급만성췌장염(acute, chronic pancreatitis), 복부외상(abdominal trauma), 십이지장 주위에 암 또는 염증으로 인한 이차적인 췌관의 폐쇄로 생긴다.

　가성낭종은 섬유벽(fibrous wall)에 의해 경계를 이루며 내부에 격벽이 없는 원형 또는 타원형으로 전형적인 낭종상을 갖는다. 단발성이 많으나 다발성의 경우도 있다. 가성낭종은 드물게 출혈이 있거나 중복감염(superinfection)으로 인하여 internal echo, fluid-fluid levels 또는 불규칙한 벽을 가질 수 있다. 일반적인 발생부위는 체부의 만곡부위인 소망융기(tuber omentale)에서 전방으로 자주 발생한다. 또한 가성낭종은 간, 비장, 좌측신장 등의 장기에서 발생된 낭종으로 착각하는 경우도 있다. 가성 남종은 경과 관찰 6주 이내에 소실되는 경우가 많기 때문에 추적검사를 필요로 한다.

　낭종의 크기가 작을 때는 췌장실질의 다중반사 또는 빔두께에 의한 허상으로 무에코가 아닌 저에코 소견으로 보일 수 있다. 이때는 mass와의 구별이 어려우나 낭종의 특징인 후방음향증강이 중요한 감별점이다.

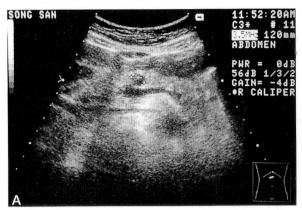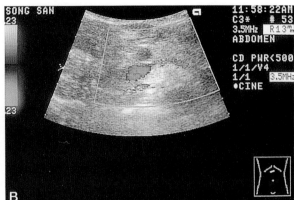

그림 6-10. **가성낭종**

    A. 췌체부에 11mm 크기의 구형인 무에코의 가성낭종이 관찰된다. B. Doppler color image에서는 color flow가 비정맥에는 나타나나 가성낭종 내에서는 나타나지 않는다.

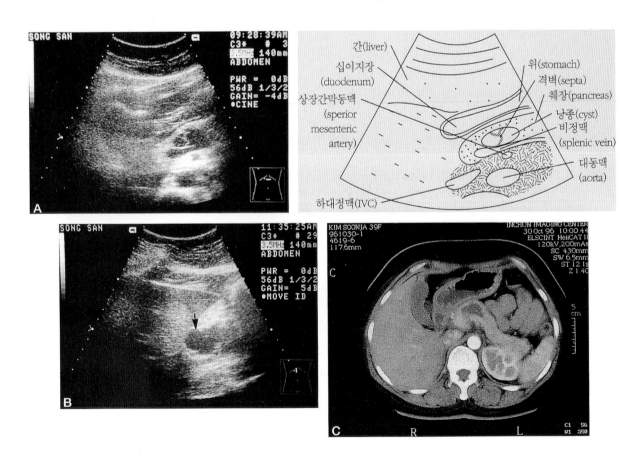

그림 6-11. **췌장의 점액성 낭선종(mucinous cystadenoma)**

    A. 비정맥 전방으로 28×20mm 크기의 격벽을 가진 무에코의 점액성 낭선종이 관찰된다. B. Longitudinal scan. 38× 20mm 크기로 관찰된다(화살표). C. CT scan .

07 인슈리노마(Insulinoma)

인슈리노마는 공복 시 저혈당의 존재와 함께 중추 신경계의 포도당 결핍으로 두통, 시력 장애, 의식 장애가 오고 부신의 영향으로 빈맥(tachycardia), 발한, 진전(tremor) 등의 증상이 오면서 초음파 상에는 1 cm 이하의 경계가 명료하며 무에코 소견을 한 작은 구형 또는 타원형의 낭종 형태가 췌장에 나타난다. 인슈리노마는 만성췌장염, 췌관 확장 등의 변화를 보이지 않으며 담관의 확장도 없다.

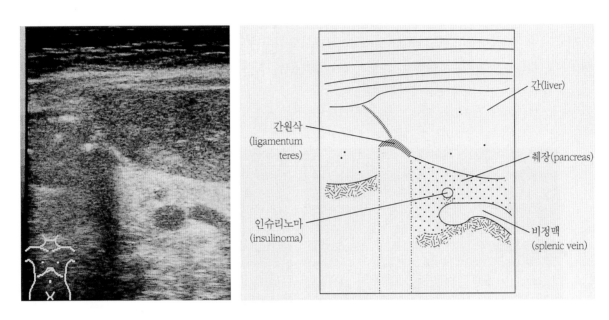

그림 6-12. **인슈리노마**

공복 시 혈당 66mg/dL. 지방변성으로 인하여 고에코로 보이는 췌장의 두부와 체부의 경계부에 무에코의 원형 병소가 보인다. 다중반사나 빔두께의 허상이 있을 때 인슈리노마는 저에코의 내부 에코형태로 보일 수 있다.

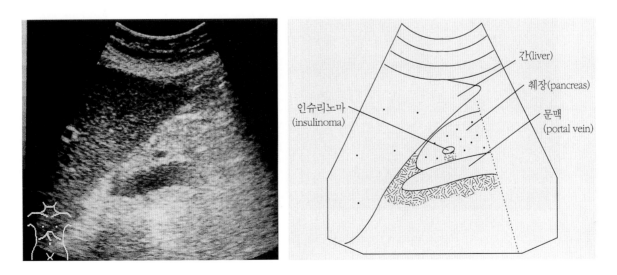

그림 6-13. **그림 6-12의 cross-image**

문맥 상부에 구형의 무에코병소가 보인다.

267

08 췌장 실질 에코의 변화

췌장의 정상적인 에코는 간과 같거나 약간 저에코를 나타낸다. 전체적으로 또는 국소적으로 echo level의 변화는 어떤 병적인 변화를 나타내거나 암시할 수 있다. 만일 췌장에 전체적으로 미만성 에코 레벨이 상승하였다면 췌장의 지방침윤이거나 만성췌장염증일 때 췌장실질의 섬유화를 의심케 한다. 그러나 연령이 증가하면서 췌장이 고에코로 보이는 것은 많은 예에서 연령에 따른 정상적인 지방침윤의 경우로 병적인 소견이 아니다.

미만성으로 에코레벨이 저하한다면 급성췌장염이나 미만성 췌장암 또는 만성췌장염에서 볼 수 있다. 국소성 에코레벨의 증가는 췌장암이나 석회화 같은 결석에서 나타난다. 국소성 에코레벨의 감소는 췌장 낭종, 가성낭종, 췌장암, 종류형성성 췌장염, 췌장낭포선암(cystadenocarcinoma) 등에서도 나타나게 된다. 이상과 같이 췌장실질에서 에코레벨의 변화는 정상적인 경우와 비정상적인 경우가 있다. 이것을 감별진단하기 위해서는 췌장 구조나 변연의 변화, 그리고 췌관의 변화 등을 종합적으로 주의 깊게 관찰하여야 한다.

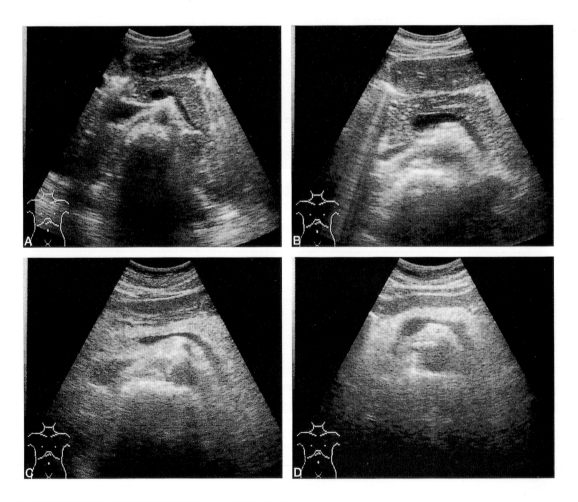

그림 6-14. **연령의 증가에 따른 정상적인 췌장 에코레벨의 변화**

A. 12세의 췌장. 좌측간엽과 동등한 에코를 갖는다. B. 36세 남성의 췌장. 간실질의 에코레벨과 같다. C. 50세 남성의 췌장. 정상적인 지방변성으로 약간의 고에코가 관찰된다. D. 56세 여성의 췌장. 췌장실질의 위축과 고도의 지방변성으로 인하여 고에코의 위축된 췌장이 관찰된다. 기능에 이상없는 정상적인 췌장이다.

09 췌장 종양을 의심하게 하는 경우

간의 미상엽이 선천적 또는 후천적으로 하방으로 돌출하게 되면 췌장의 종양으로 오인하기 쉽다. 특히 췌장이 지방변성으로 고에코로 나타날 때 저에코의 병소로 췌두부와 췌체부에 나타나 악성 종양을 의심케 한다. 췌장에 종류성 병변이 있을 경우에는 췌장암에서 나타나는 여러 sign과 routine study를 주의 깊게 하여야 한다. 또한 환자에게 호흡운동을 실시하게 하여 어느 장기에 따라 움직이는가 잘 살펴보면 쉽게 구별할 수 있을 것이다.

췌장 체부의 우측단에 위장의 소만(lesser curvature)으로 돌출하여 접하고 있는 만곡부가 언덕모양의 융기상으로 관찰된다. 이것을 소망융기(tuber omentale)라고 하며 췌장의 관찰 시에 이 소망융기를 췌체부암으로 오인하는 경우가 많기 때문에 주의를 요한다.

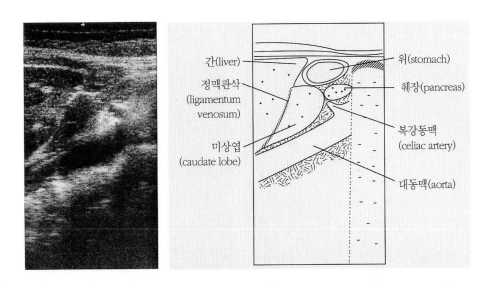

그림 6-15. 간의 미상엽이 하방으로 돌출할 경우 췌장암으로 오인할 수 있다.

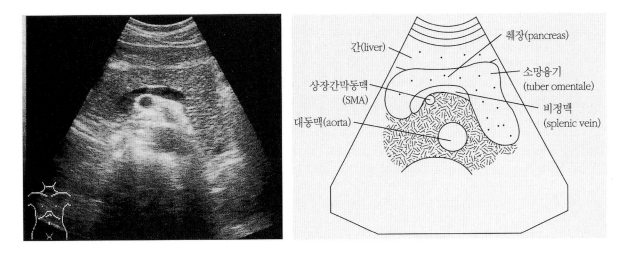

그림 6-16. 소망융기가 전방으로 융기된 것이 종류 모양을 하고 있다. 췌장실질의 에코레벨과 연계하여 췌장의 일부임을 확인한다면 국한설 병변으로 오인하는 일은 없을 것이다.

269

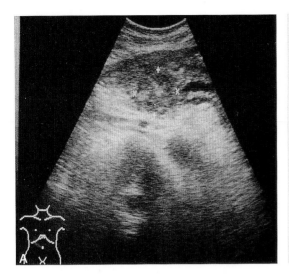
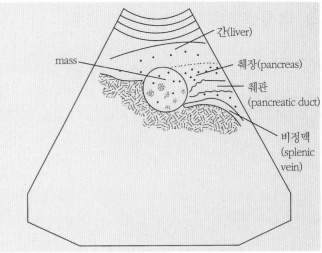

간(liver)

mass

췌장(pancreas)

췌관
(pancreatic duct)

비정맥
(splenic vein)

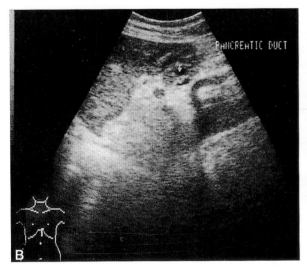
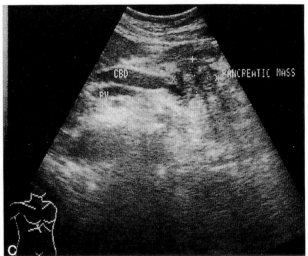

그림 6–17. 췌두부에 암성 종류(tumor) 모양과 이에 따르는 초음파적 소견을 하고 있는 증례

A. Transverse scan. 췌장 두부에 26×31mm 크기의 이질적인 혼합에코를 가진 종류가 있고 확장된 췌관은 불규칙하다. B. Longitudinal scan. 췌관의 확장이 뚜렷하게 관찰된다. C. Right oblique scan. Shot–gun sign. 총담관이 문맥보다 두께가 굵어졌으며 하방에 종류가 총담관을 막고 있는 형상을 하고 있다. 이상과 같은 초음파 소견은 췌장암으로 진단 되어질 수 있다. 그러나 CT와 ERCP 소견상 확장된 췌장두부로 진단되었으며 초음파 진단할 당시에 췌장염증으로 나타난 소견이 아닌가 의심해 본다. 이 환자는 알콜 섭취가 많은 47세의 남성이었다.

07 신장(Kidney)

01 단순성 신낭종(Simple Renal Cyst)

신낭종도 간낭종과 같이 초음파 진단에서 가장 이해하기 쉽고 발견하기 쉬운 기본적인 질환이다. 신장에서 낭종형태 (cystic pattern)의 충족조건을 갖추었다면 신낭종으로 진단된다. 낭종형태의 초음파소견은 다음과 같다.

1. 종양 내부는 무에코(anecho)를 나타낸다.

2. 후방음향증강(posterior acoustic enhancement)이 있다.

3. 후벽 (posterior wall)이 명료하다.

신낭종은 대개 구형으로 수 mm에서 10cm 이상까지 다양한 크기로 신장의 전 구역에서 발생하며 고령자일수록 많이 발견된다. 5mm 정도의 작은 낭종은 다중반사에 의한 허상(reverberation artifact), 빔 두께에 의한 허상(beam thickness artifact) 그리고 기계 자체의 잡음(noise)으로 인하여 anechoic하게 보이지 않을 수 있다.

간과 신장 사이의 경계면에서 생긴 낭종은 거의 대부분이 신낭종이다. 만일 구별이 어렵다면 환자에게 심호흡을 시킨 다음 낭종이 어느 장기를 따라 이동하는가를 관찰하면 쉽게 구별할 수 있다. 또한 신낭종이 신실질(renal parenchyma) 의 가장자리에 있을 경우 충분한 탐촉자의 선동운동을 하지 않으면 찾지 못하는 경우도 있다. 그리고 신낭종과 신수질 (renal medulla)의 구별이 어려운 경우가 있는데 신수질은 일정한 간격을 두고 배열되어 있다는 점이 신낭종과 다르다.

단순성 신낭종은 신피질에서 발생되는 낭종을 피질성 낭종(cortical cyst), 신우주위에서 발생되는 낭종을 신우주 위 낭종(parapelvic cyst)이라 한다. 단순성 신낭종은 존재하는 수에 따라 단발성 낭종(solitary cyst)과 다발성 낭종 (multiple cysts)으로 나뉘어진다. 또한 격벽이 없는 방이 하나인 단발성 낭종과 격벽이 존재하는 수에 따라 다방성을 갖는 다방성 낭종(multilocular cyst)으로 분류한다.

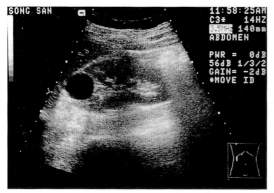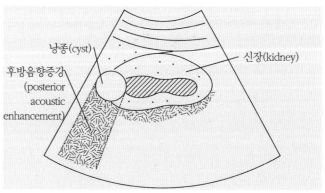

그림 7-1. **전형적인 단순성 신낭종**
우측신장 상극에 내부벽이 평활하며 무에코인 구형의 낭종이 있고 후방음향증강이 보인다.

272

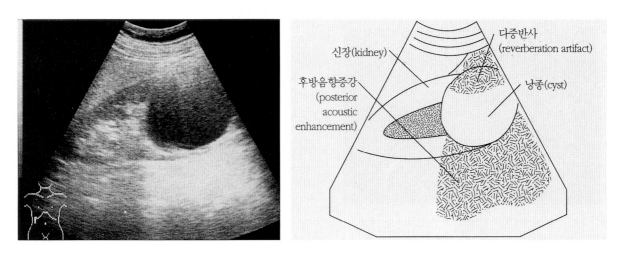

그림 7-2. **전형적인 단순성 신낭종**

우측신장 하극에 내부벽이 평활하며 무에코인 구형의 낭종이 있고 낭종의 후방으로 음향증강이 보인다.

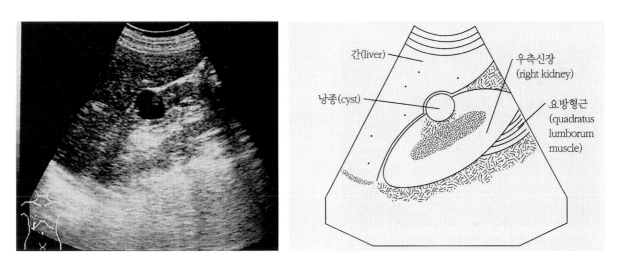

그림 7-3. **신장과 간의 사이에 있는 신낭종**

신낭종이 간우엽을 밀고 있는 것이 보인다.

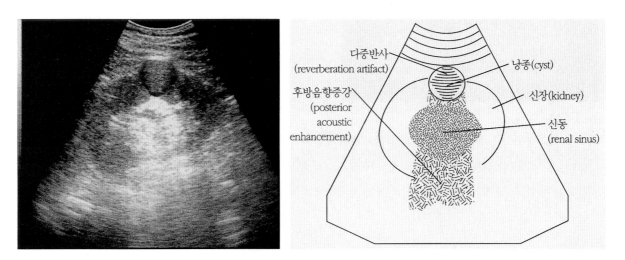

그림 7-4. **신체 표면 가까이 있는 신낭종은 다중반사로 인하여 내부에코가 보일 수 있다.**

273

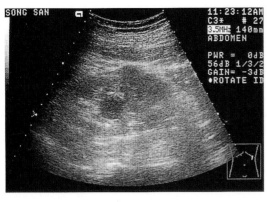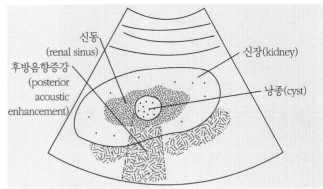

그림 7-5. **신우주위 낭종**

신우주위 낭종은 신동의 고에코 영향으로 낭종 내부가 anechoic하게 보이지 않는 경우가 많다.

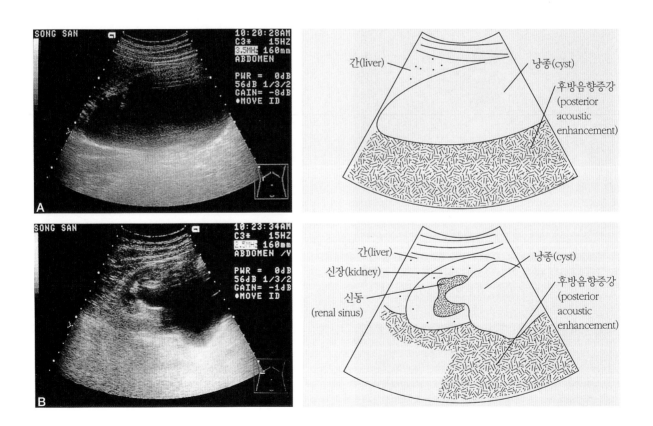

그림 7-6. **크기가 큰 신낭종은 신장의 존재를 찾기 어렵게 만들 수 있다.**

A. Right longitudinal scan. 우측신장 부위에 20 x 10cm 크기의 낭종만 보인다. B. Right transverse scan. 낭종과 우측신장의 일부분이 관찰된다.

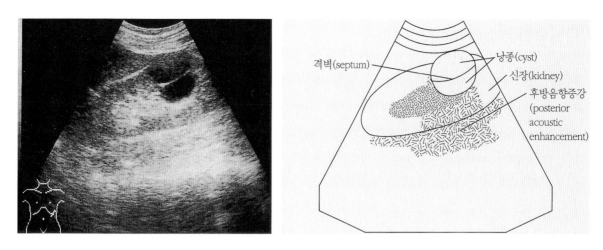

그림 7-7. **다방성 신낭종(multilocular renal cyst)**

낭종 안에 얇은 벽이 존재한다.

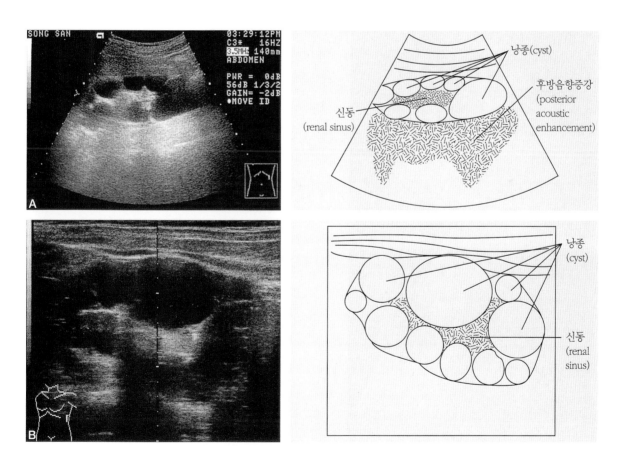

그림 7-8. **다발성 단순성 신낭종(multiple simple cysts)**

다수의 낭종이 존재한다면 신장의 형체를 알아보기 어려운 경우가 생긴다. 다발성 단순성 신낭종(multiple simple cysts)은 낭종벽이 평활하고 구형으로 중심 에코복합체가 대부분 잘 유지되어 있다는 것이 다낭성신(polycystic kidney)과 다른 점이다.

02 다낭성신(Polycystic Kidney)

다낭성신은 선천성으로 상염색체성 우성유전(autosomal dominant inheritance)인 성인형과 상염색체성 열성유전 (autosomal recessive inheritance)인 소아형으로 크게 나뉜다. 대개 양측성으로 오며 불확실한 벽의 경계를 가진 크고 작은 무수한 낭포가 발생한다. 중심에코복합체(CEC)가 수많은 낭포에 의해 소실되어 보이지 않을 수도 있다. 30~50세의 성인에서 복부의 종괴(abdominal mass)가 만져지며 고혈압 또는 부종으로 오는 성인형에서는 혈뇨(hematuria), 신결석(renal stone), 신농양(renal abscess) 등의 합병증을 일으킨다. 최종적으로는 만성신부전(chronic renal failure)으로 발전된다. 그리고 소아형은 예후가 나쁘다. 대개 태어난지 수일에서 수주안에 사망하는 것으로 알려져 있다.

다낭성신은 간, 췌장, 비장, 폐 등으로 전이되기도 한다. 또한 다낭성신은 다발성 단순성 신낭종(multiple simple renal cysts)과 비슷하여 오인하기 쉬우나 다발성 단순성 신낭종은 낭종벽이 평활하고 정연하며 같은 크기의 낭종이 다수 존재한다. 그리고 중심에코복합체가 잘 유지되어 있다.

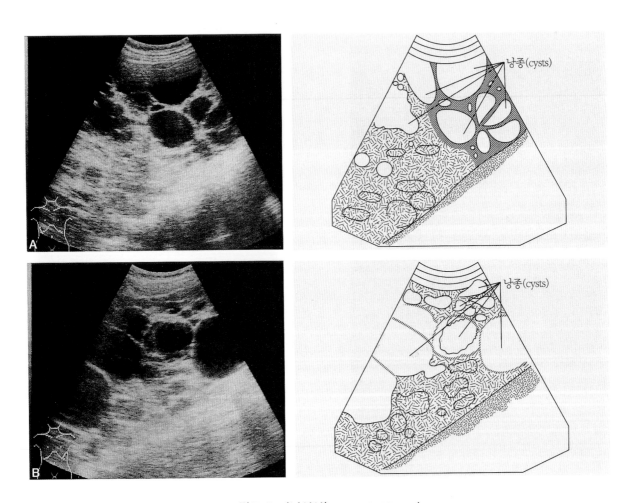

그림 7-9. 다낭성신(polycystic kidney)

불규칙한 크기와 경계를 가진 무수한 낭종으로 신장이 확장되어 있다. A. Right kidney, B. Left kidney.

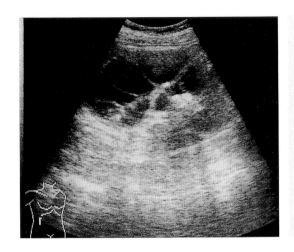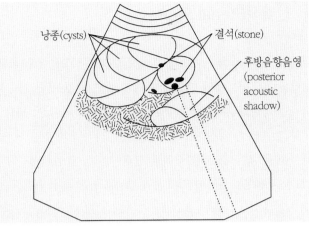

낭종(cysts) 결석(stone)

후방음향음영
(posterior
acoustic
shadow)

그림 7-10. 다수의 낭종과 4개의 신결석(renal stone)이 있다 다낭성신에서는 신결석을 동반하는 경우가 많다.

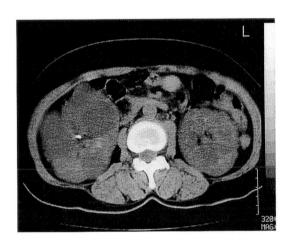

그림 7-11. 그림 7-10의 CT scan

양측 신장에 다낭성신으로 신장의 구조를 설명하기 어렵게 보인다. 우측 신장에는 결석이 관찰된다.

03 신결석(Renal Stones)

결석이 생기는 부위에 따라 신우결석, 신배결석, 신실질결석이라 부르며 이것을 총칭하여 신결석이라 한다. 신결석은 둥근모양과 타원형모양이 많고 기타 술잔모양, 산호모양, 사슴뿔모양 등 형태와 크기가 다양하다. 신결석은 신장과 결석 사이의 음향저항의 차이가 작기 때문에 담낭 담석과 같이 명료한 강한 에코와 뚜렷한 후방음향음영이 형성되지 않는다. 간결석과 같이 약간 강한 에코가 신장 안에 나타나고 후방음향음영이 나타난다. 만일 신결석으로 인한 약간 강한 에코의 감별이 어려울 경우 gain을 줄이면 신결석은 정상 신실질이나 신동보다 높은 고에코로 보다 뚜렷하게 나타나는 경우가 많다. 또한 후방음향음영이 있다면 신결석의 존재를 유추할 수 있다.

신실질에 있는 결석은 작더라도 관찰하기 쉽다. 그러나 신동(renal sinus)은 자체적으로 고에코를 가지기 때문에 그 안에 있는 신결석은 크기가 크지 않으면 찾기가 어렵다. 신결석은 좌측, 우측에 관계없이 어느 쪽에서든지 관찰되어진다. 신결석의 화학 성분은 옥살산칼슘(calcium oxalate)과 인산칼슘(calcium phosphate)의 혼합결석이 흔하다. 다음이 인산마그네슘석, 요산염석, 수산염석, 암모늄결석 그리고 탄산염석의 순이다.

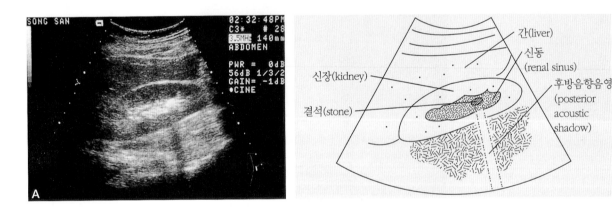

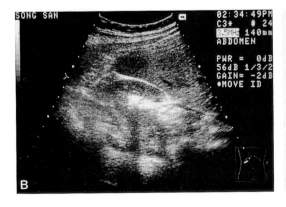
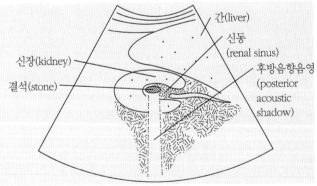

그림 7-12. A. 신결석. 구형의 강한 에코와 후방음향음영이 보인다. B. Cross-image

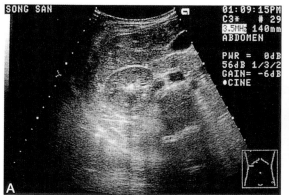
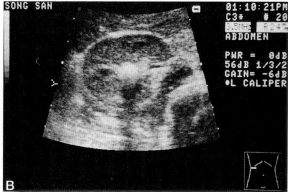

그림 7-13. 신결석은 간결석과 같이 약간 강한 에코와 뚜렷하지 못한 후방음향음영이 나타나는 경우가 많다. B는 A를 close up시킨 화상

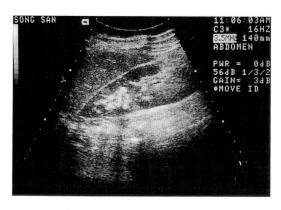
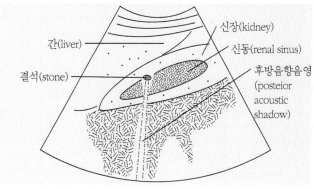

그림 7-14. **5mm 크기의 신결석**

점상의 강한 에코가 신동에서 나타나고 후방음향음영이 관찰된다. 후방음향음영이 관찰되면 신장결석의 존재를 유추할 수 있다.

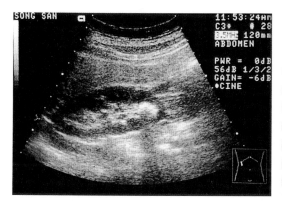
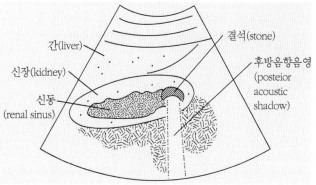

그림 7-15. **신동에서 생긴 결석은 신동의 고에코에 싸여 찾기가 쉽지 않다. 또한 불규칙한 형태의 신결석은 신동과 혼합되어 있는 것처럼 관찰된다.**

만일 신결석으로 인한 약간 강한 에코의 감별이 어려울 경우 gain을 줄이면 신결석은 정상 신실질이나 신동보다 높은 고에코로 보다 뚜렷하게 나타나는 경우가 많다. 신결석은 신동보다 강한 에코와 후방음향음영 그리고 cross-image로 시각화하여야 한다.

04 수신증(Hydronephrosis)

신우, 요관, 방광, 요도 등 요의 수송로인 요로계가 내인적 폐쇄 또는 협착이나 외인적 압박으로 요의 저류가 생겨 신배(renal calyx), 신우(renal pelvis)가 확장되는 상태를 수신증이라 한다.

정상적으로 신우(renal pelvis)와 신배(renal calyx)는 초음파 검사시 관찰되지 않는다. 수신증은 신동(reanl sinus)의 신우와 신배에 초음파 빔의 전달이 잘 되는 무에코(anecho)의 액체가 저류되기 때문에 매우 민감하게 초음파로 진단된다. 수신증은 신낭종(다발성 단순성 신낭종, 다낭성신 등)과는 달리 벽에 의한 막힘이 없고 무에코 부분이 서로 교통하고 있다. 초기의 수신증은 신우 신배에 무에코 상태로 관찰되나 수신증이 진행되면서 신실질을 압박하여 두께의 감소가 일어난다. 최종적으로는 신실질이 거의 없어지게 되어 신장 기능부전이 오게 된다. 한쪽 신장이 수신증으로 기능이 없어지면 반대측 신장의 기능이 증가하여 크기가 커지는 대상성 비대가 오게 된다. 수신증은 요로계의 폐쇄로 인한 2차적인 증상이기 때문에 수신증으로 진단되었다면 그 원인을 찾아야 한다.

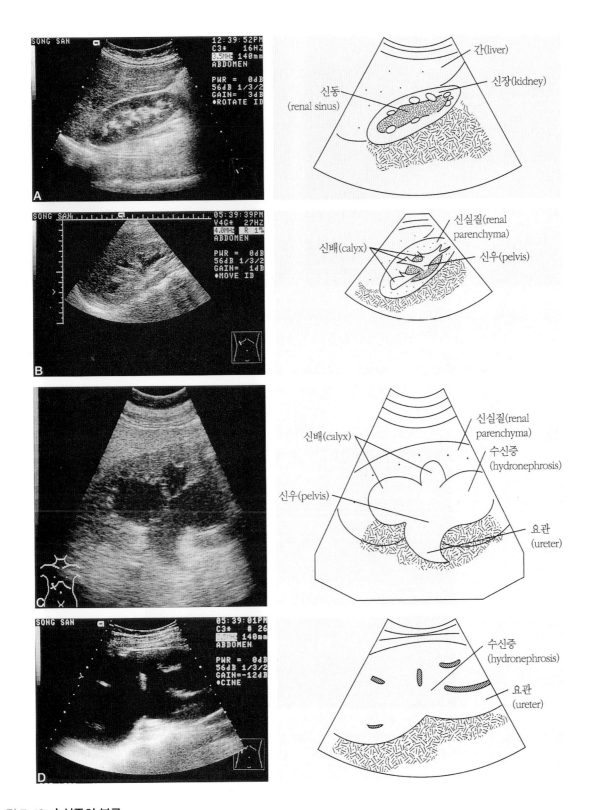

그림 7-16. **수신증의 분류**

    A. grade 0. 정상신장, B. grade I. 신우와 신배가 약간 확장된 상태, C. grade II. 신배가 외측으로 확대되어 신실질의 두께가 감소된 상태 D. grade III. 신장 중심부의 신우와 신배가 심한 확장으로 큰 낭종상을 형성하고 신실질이 매우 얇아진 상태

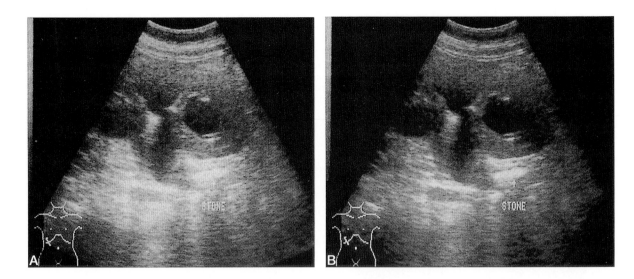

그림 7-17. B는 gain을 낮추어 관찰한 것으로 grade II의 수신증과 신우 하방의 요관에 고에코의 결석이 잘 관찰되었다. 요관
결석으로 인한 수신증이다.

Gain을 줄이면 결석으로 인한 약간 강한 에코가 주위 조직보다 고에코로 나타난다.

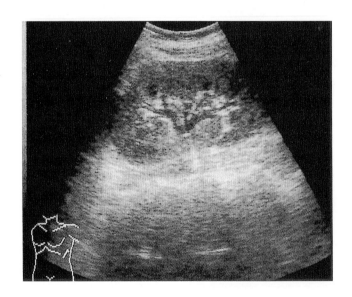

그림 7-18. 신장의 혈관은 신동에서 무에코 영역으로 관찰되며 좌측신장의 경우 신혈관이 정상적으로 굵게 관찰되는 경우가
많다. 이런 경우 수신증을 의심하는 경우가 많다. Doppler color image의 이용은 신혈관과 수신증과의 감별에서 유
용하다.

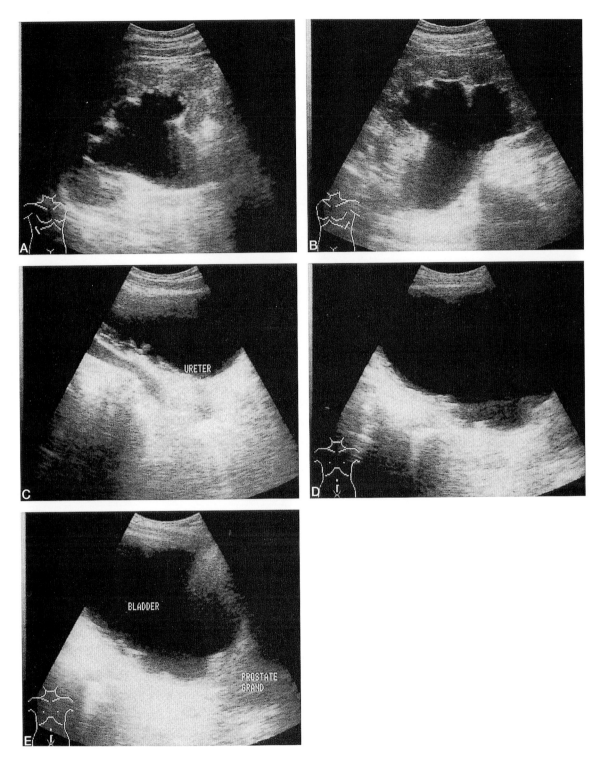

그림 7-19. **수신증의 routine study**

A, B. 양측 신장 모두 grade II 정도의 수신증이 나타났다. C. 확장된 요관(ureter)이 협착이나 폐쇄 없이 방광안으로 유입하고 있다. D. 고도로 확장된 방광, E 소변을 배출하고 진찰하여도 잔뇨가 반 이상 남아 있었다. 이 증례는 전립선의 결절성 과형성(nodular hyperplasia)으로 생긴 수신증이다.

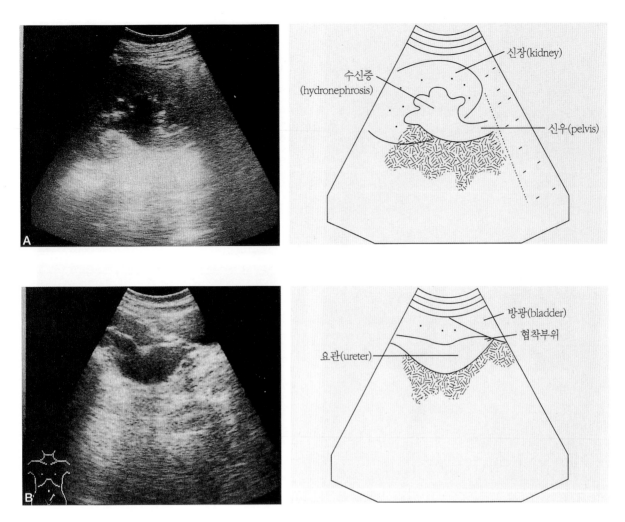

그림 7-20. **수신증의** routine study

A. 요관, 신우, 신배가 확장된 수신증, B. 요관이 방광 연결부에서 협착되어 있는 것이 보인다. 이 증례는 방광과 요관의 연결부위에서 염증으로 인한 협착으로 생긴 수신증이었다.

05 신장암(Renal Cell Carcinoma)

　신장암은 근위세뇨관(proximal straight tubule)에서 유래하는 신장의 상피성 악성종양으로 신실질과 비교적 동등하거나 약한 저에코의 내부 에코를 갖는 충실성 종류(solid mass)로 관찰된다. 또한 신장 윤곽이 변연 돌출로 변형되는 경우가 많다.

　진행중인 신장암은 중심에코복합체(CEC)를 압박, 소실 등으로 왜곡(distortion)시키고 신장암 내부의 출혈 괴사, 석회화 등을 동반하여 불균일한 패턴으로 초음파 상에 나타나기도 한다. 즉 고에코 또는 부분적 낭종의 형태를 보일 수 있다.

　신장암의 경우 하대정맥(IVC)과 신정맥(renal vein) 안에서 종양색전(tumor thrombus)을 찾는 것이 중요하다. 신장암은 60세 정도에서 많으며 여자보다 남자에서 많이 발견된다.

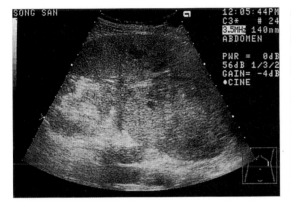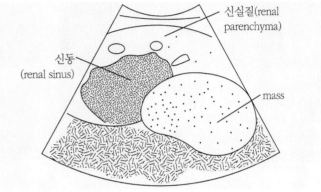

그림 7-21. 좌측 신장 중앙에서 하극 아래로 변연돌출을 보이는 10×6cm 크기의 신장암이 신장과 동등에코로 관찰된다.

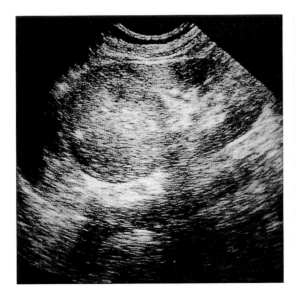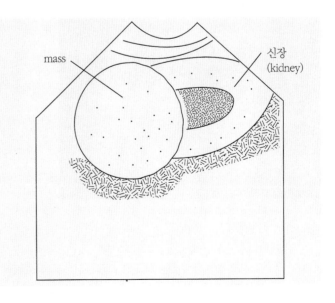

그림 7-22. 60×60mm 크기의 신장암이 있다. 신실질과 동등한 에코를 가지고 구형으로 자리잡고 있어 신장 윤곽의 변연돌출을 보이는 변화를 가지고 있다.

285

06 신우종양(Renal Pelvic Tumor)

신우종양은 신종양의 약 10%에서 발생하며 그 안에 약 80%는 이행상피암(transitional cell carcinoma)이고 20%는 편평상피암이다. 이행상피암의 약 반수는 요관 또는 방광종양을 동반하고 있다. 신우종양은 신우에 국한되어 변형을 초래하고 요로를 폐쇄하기 때문에 수신증을 동반하는 경우가 많다. 초음파에서는 저에코의 소견이 많으며 대개는 종양의 경계가 불명료하다. 종종 Bertin's columna hypertrophy를 신우종양으로 착각하는 경우도 있으므로 신우종양을 감별하기 위해서는 주의 깊은 관찰이 요구된다. 신우종양의 주요 증상은 혈뇨이고 신세포암보다 비교적 일찍 현미경적 혈뇨가 관찰되는 경우가 많다. 신우종양은 50~60대 남성에게서 많이 발생한다.

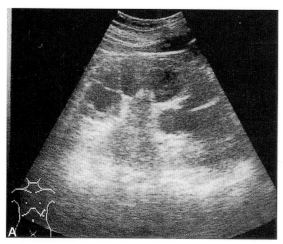
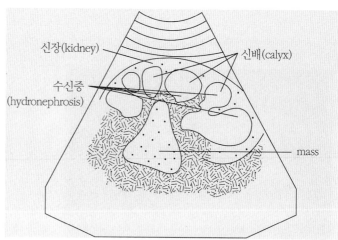

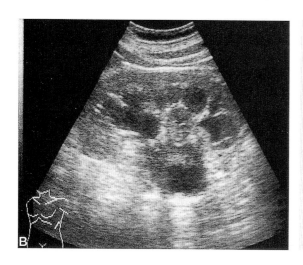
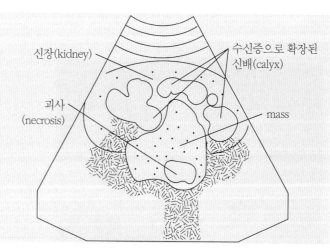

그림 7-23. **신우종양**

A. Left intercostal scan. 신우 부분에 isoechoic mass가 불규칙한 형태로 존재한다. 중심에코복합체(CEC)를 압박하여 왜곡시키고 신배가 수신증으로 확장되어 있다. B. 좌측와위에서 scan하였더니 신우종양 내부에 괴사가 일어나 낭종형태로 관찰되었다.

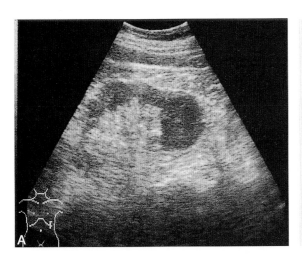
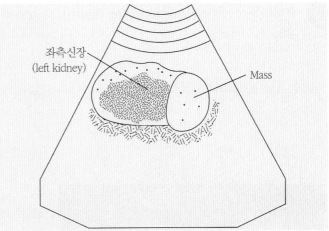

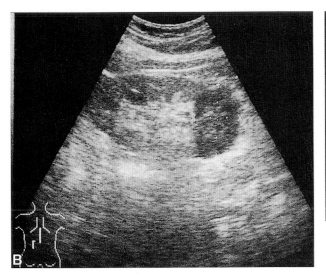
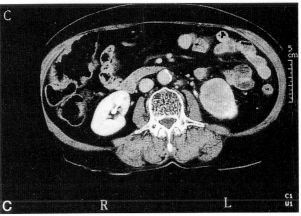

그림 7-24. A, B. 좌측신장 하극에 30×40×50mm 크기의 저에코성 신장암이 관찰된다. C. CT 화상. 초음파 검사와 CT 검사 결과 신장암(renal cell carcinoma)으로 진단되었으나 수술 후 병리조직검사 결과 이행상피암으로 결과가 나왔다. 이 경우와 같이 신실질에만 있는 신장암과 이행상피암을 초음파 진단만으로 감별하기는 어려운 경우가 있다.

07 전이성 신종양(Metastatic Renal Tumor)

다른 장기에서 발생된 악성종양이 이차적으로 신장에 전이되어 종양을 형성하는 것을 전이성 신종양이라 한다. 종류의 내부는 신실질에 비하여 동등에코이거나 저에코 소견으로 나타난다. 폐암에서의 전이가 많고 식도암, 유암, 대장암의 전이가 많다.

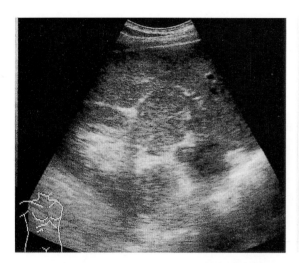
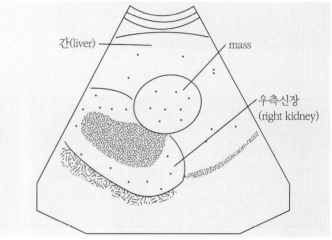

그림 7-25. **전이성 신종양**(metastatic renal tumor)

40×50mm 크기의 동등에코를 하고 있는 구형의 전이성 신장암이 신문쪽에서 내측으로 위치하고 있다. 식도암이 발생되어 신장으로 전이된 증례이다. 전이성 신장암은 신세포암과의 감별이 어려운 경우가 많다.

08 가성종양(Pseudotumor)

초음파 검사 중 종양을 흉내 내는 신장의 정상변이를 흔히 접할 수 있는데 대표적인 것이 Dromedary hump와 Bertin's columna hypertrophy이다.

1) Dromedary Hump

Dromedary hump는 좌측신장에서 나타나며 신장외측으로 정상실질이 종양처럼 돌출한 것으로 모양이 단봉낙타의 등에 있는 혹과 흡사하다고 하여 붙여진 이름이다. 대개 신장 변연의 윤곽을 변화시키기 때문에 종양으로 착각할 수 있으나 정상적인 신실질이며 신체 발육 과정 중 비장의 눌림 때문에 신장중심의 윤곽이 외측으로 돌출된 것이다.

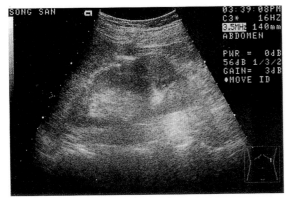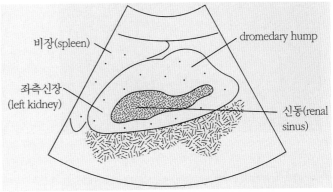

그림 7-26. Dromedary hump는 신장 외측으로 돌출하여 종양을 흉내 낸다고 하여 가성종양(pseudotumor)이라 한다. 가성종양은 신실질의 연속임을 관찰하여 확인함으로써 정상적인 신실질의 변형인 것을 알 수 있다.

2) Bertin's Columna Hypertrophy

신장 내부의 신주인 Bertin's column이 비대되어 신동쪽으로 돌출하듯이 자라나 종양처럼 보이는 것을 Bertin's columna hypertrophy라 한다. 비대가 계속되면 신동을 2개로 갈라 놓은 형상이 되는데 이러한 경우에 중복신우(duplex renal pelvis)와 감별이 어려울 경우가 있다. 그러나 Bertin's columna hypertrophy는 신장 길이의 변화가 없는 정상적인 신장 크기를 유지하는 것이 감별점이다.

Bertin's columna hypertrophy는 신장 내부의 종양처럼 보이나 이것을 cross-image로 관찰하고 신실질의 연속임을 관찰한다면 정상적인 소견으로 가성종양(pseudotumor)임을 알 수 있다.

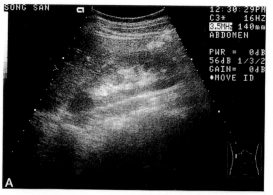 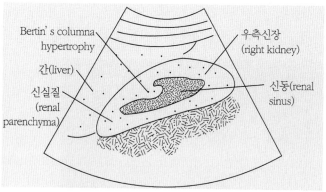

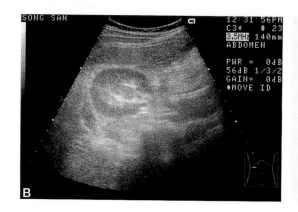 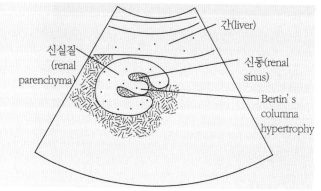

그림 7-27. **가성종양의 Bertin's columna hypertrophy**

　　A. 신동으로 돌출된 Bertin's columna hypertrophy. B. A의 cross-image. 신문쪽으로 비대된 Bertin's columna hypertrophy. 신실질과 같은 조직 소견으로 신실질과 연결되어 있는 것이 보인다.

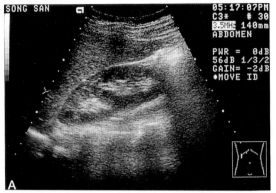
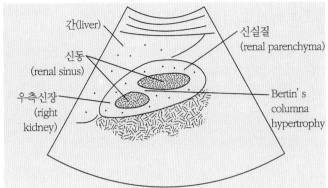

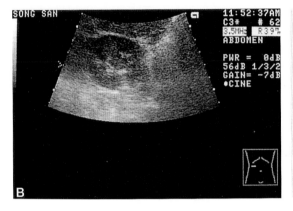
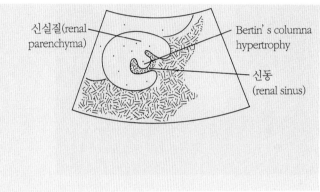

그림 7-28. Bertin's columna hypertrophy

A. Benin's columna hypertrophy가 완전히 신동을 2개로 갈라 놓았으나 신장과 신동의 크기에는 변함이 없다. 이것이 중복신우와 감별점이 될 수 있다. B. A의 cross-image. Bertin's columna hypertrophy가 신실질의 연속임을 알 수 있다.

09 중복신우(Duplex Renal Pelvis)

중복신우는 선천적으로 신우(pelvis)가 두 개로 형성되고 두 개의 요관(ureter)에 연결되는 기형을 말하며 중심에코복합체(central echo complex, CEC)가 2개로 나누어져 있다. 또한 정상 신장에 비해 신장의 길이가 길며 분리된 중심에코복합체의 하부(inferior portion)가 상부(superior portion)에 비해 대부분 크다. 그 비율은 대략 2:1로 보여진다. 이는 Bertin's columna hypertrophy와 구별되는 점이다.

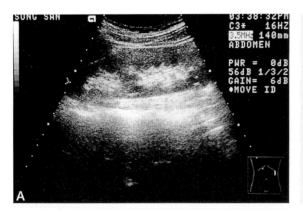
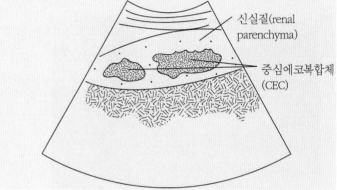
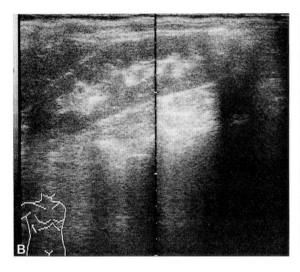
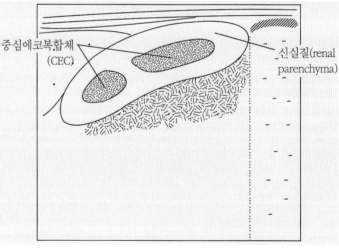

그림 7-29. **전형적인 중복 신우**

중앙의 신실질에 의해 중심에코복합체가 2개로 갈라져 있고 전체적인 신장의 길이가 상당히 길게 보인다. 신장 하부가 신장 상부에 비해 2배로 크다.

10 신혈관근지방종(Renal Angiomyolipoma)

신혈관근지방종은 지방(fat), 평활근(smooth muscle), 혈관(blood vessel)을 포함한 과오종(hamartoma)이다. 결절성 경화증을 가진 환자에게서 흔히 보이며 대개 신실질 내에 고에코 종류상으로 명확하게 묘출된다. 크기가 크거나 근조직으로 거의 채워져 있는 혈관근지방종은 저에코 종괴로 나타나 신장암과의 감별을 어렵게 한다.

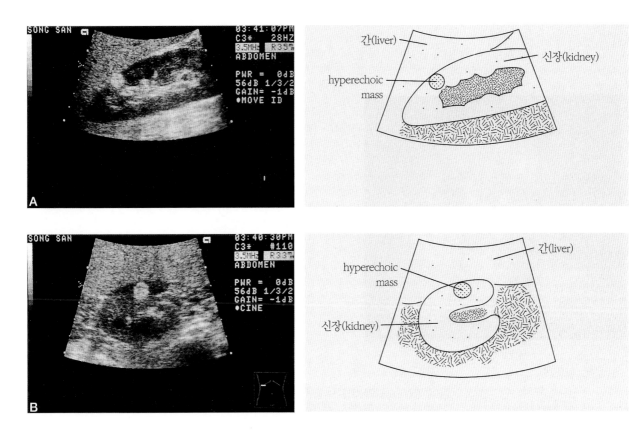

그림 7-30. A. 우측신상극에 10×10mm인 구형의 고에코로 관찰되는 신혈관근지방종, B. A의 cross-image

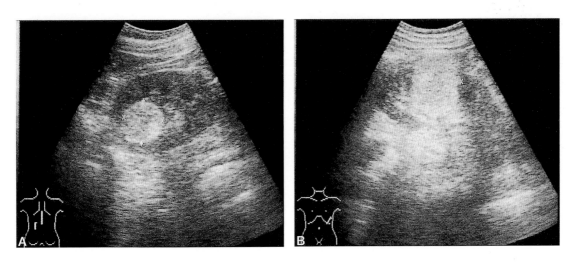

그림 7-31. 40 x 28 x 26mm 크기의 고에코인 신혈관근지방종이 좌측으로 자라나 있다.

293

11 신결핵(Renal Tuberculosis)

신결핵은 폐 또는 다른 병소로부터의 혈행성 감염에 의한 2차적 결핵이다. 신결핵은 신피질의 감염 방어 능력 때문에 신피질에 먼저 침입하여도 활동성 병변을 일으키지 못한다. 신수질에 들어온 결핵균은 병소로 자리잡고 신유두(renal papilla)를 파괴하여 심출성 건락성 변화를 일으키기 시작한다. 이러한 건락성 변화로 건락성 공동이 형성되며 초음파 상에는 낭포성 병변으로 묘출된다. 결핵이 진행되면 신실질이 석회화되어 초음파로 내부의 묘출이 어려워질 수 있다. 혈행성 파급으로 인하여 정도의 차이는 있으나 대개 양측성으로 오는 경우가 많다. 또한 이 병변은 신우, 요관, 방광으로 파급된다.

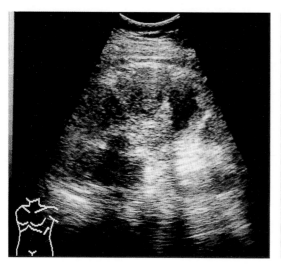
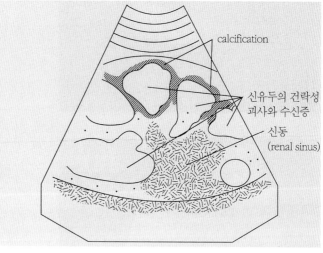

그림 7-32. **신결핵**

신유두 부위에 큰 건락상 공동이 생겨 초음파상에서는 낭포성 병변으로 보인다. 신피질의 석회화로 인하여 신장의 묘출이 명료하지 못하다.

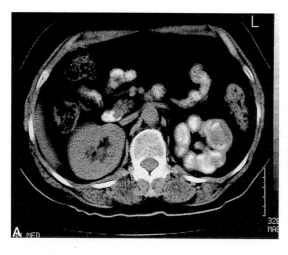
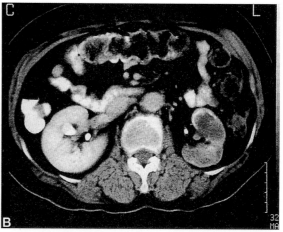

그림 7-33. **그림 7-32의 CT 화상**

신실질의 석회화, 수신증(A), 요관결석(B, 수술 결과 건락성 괴사 물질로 결석을 이루고 있었다.)이 관찰된다.

12 신경색(Renal Infarction)

신경색 초기에는 관찰되는 소견이 없다. 시간이 지남에 따라 경색 부위의 응고 괴사(coagulation necrosis)를 일으키며 이것이 차츰 기질화가 되어 신장 윤곽의 함몰을 만든다. 이 때에 신장 윤곽이 초음파 상에 삼각형의 고에코 함몰로 관찰된다. 초음파의 명확한 진단은 신경색 발생 후 대개 1개월 후부터이다.

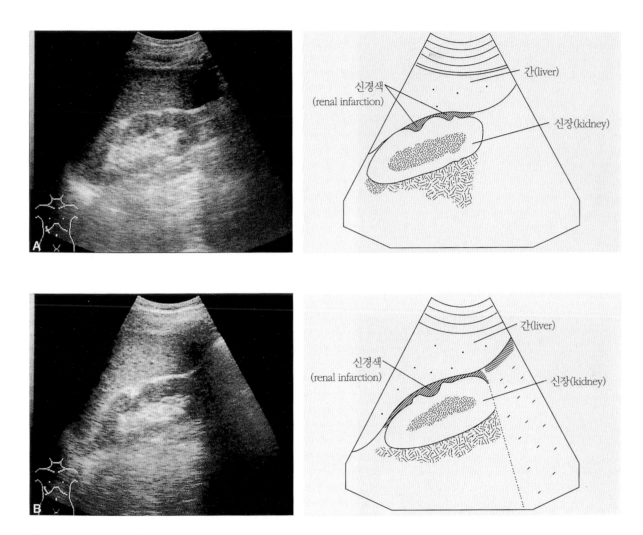

그림 7-34. **신경색의 관찰**

    A. 2개의 역삼각형 모양의 고에코 부분이 신경색 부위이다. 이 환자는 승모판 협착증 환자로 심내막으로 인한 뇌경색의 기왕력이 있는 환자이다. B. A에서 신장 중앙에 있는 신경색을 중심으로 초점을 맞추었다.

13 급성신부전(Acute Renal Failure)

급성신부전은 정상적인 기능을 하고 있던 신장이 어떠한 원인으로 급격한 신장기능의 저하를 나타내는 것을 말한다. 초음파 상에서는 대개 수질의 종대를 수반하는 신장의 전후경이 종대되어 나타나고 피질의 에코 레벨이 상승하여 신동과의 대비가 불명료하게 된다. 급성신기능부전은 핍뇨나 무뇨를 동반하기 때문에 수신증(hydronephrosis)과 구별된다.

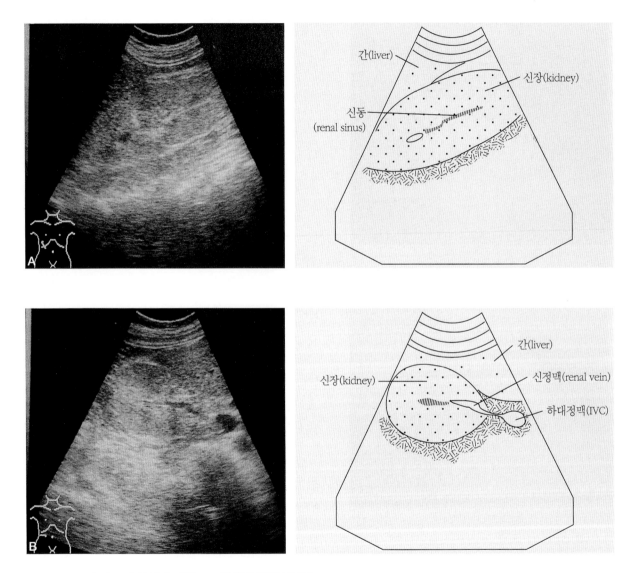

그림 7-35. **급성 사구체 신염의 진행으로 발생된 급성신부전**
　　　A. 신장의 종대와 신장 에코 레벨이 상승하여 신실질과 신동의 구별이 어렵다. B. A의 cross-image. 신동과 신실질의 구별이 어려울 정도로 고에코의 종대상이 관찰된다.

14 만성신부전(Chronic Renal Failure)

수개월 이상의 신질환 끝에 비가역성의 만성신부전이 오게 된다. 만성신부전은 신장의 위축이 생기며 신장 윤곽이 불규칙하게 변형된다. 또한 피질의 섬유화로 인하여 정상에 비해 에코 레벨이 상승하며 소낭종이 생기는 경우가 있다. 피질의 심한 위축이 있는 경우에는 중심에코복합체(CEC)만이 고에코로 관찰되는 경우가 많다. 이러한 초음파 상들이 만성신부전에서 보이게 된다. 결과적으로 전체적으로 위축된 신장은 피질과 신동의 구별 없이 동질성(homogeneous)으로 에코강도(echogenicity)가 상승되어 나타난다.

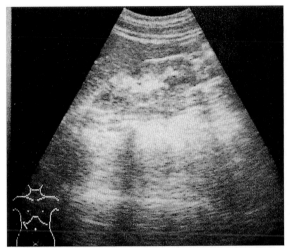 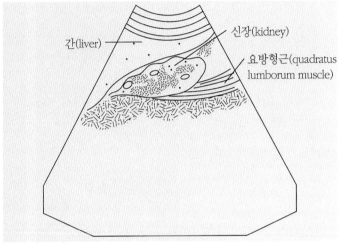

그림 7-36. 신장이 위축되었으며 변연이 부정연하다. 신피질에 무에코 소견은 신수질인지 낭종인지 구별이 어렵다.

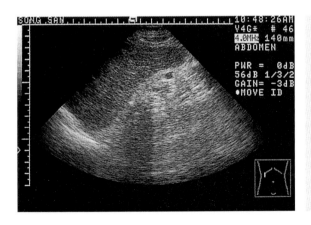 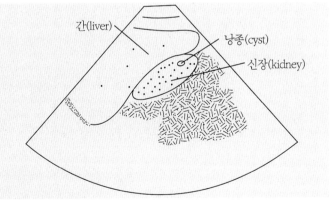

그림 7-37. 신피질과 신동의 구별이 거의 없어졌고 소낭종이 관찰된다.

15 신동맥류(Renal Aneurysm)

　동맥이 국한성으로 확장하여 종류 모양을 하는 것을 동맥류라 하며 이것이 신장에 형성될 때 신동맥류라 한다. 동맥류는 임상적으로 낭상동맥류(saccular aneurysm)와 방추형 동맥류(fusiform anemysm)로 나누어진다. 신장동맥의 확장으로 인하여 생기는 신동맥류는 낭상동맥류로서 관찰되어진다. 이는 공처럼 둥근 모양으로 무에코 내지 저에코의 내부에 코형태를 취하기 때문에 신낭종이나 신장암과의 감별이 어려울 수 있다. 도플러 초음파의 이용은 이러한 것의 감별에 유용하다.

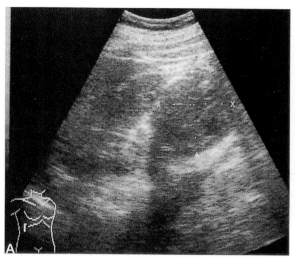 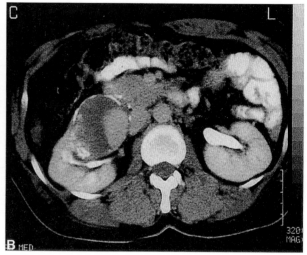

그림 7-38. **신동맥류**

　A. 우측신장 하극에 5cm 크기의 isoechoic pattern을 하고 있는 mass가 있다. 이 상태에서는 mass의 형태로 신장암과의 감별은 어렵다. B. CT 검사 결과 신동맥류가 확인되었다. 초음파 검사에서 나타난 내부 에코는 동맥류의 벽에 calcification으로 인한 후방음향음영의 결과였다.

16 신장석회침착증(Nephrocalcinosis)

신장 추체부의 세뇨관, 집합관 내에 인산칼슘 침착으로 초음파 상에는 이 부위가 고에코로 묘출된다.

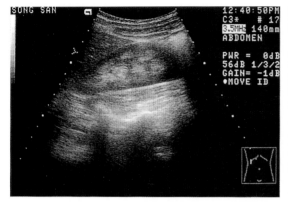 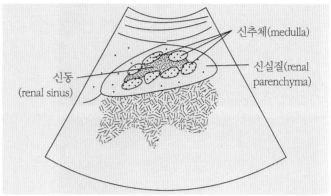

그림 7-39. **우측신장 추체부에 석회 침착이 고에코로 관찰된다.**

17 신장 기형

신장 기형은 신장의 수, 크기, 위치, 형태의 이상을 말한다.

신장이 완전히 결손되어 없는 경우를 신결손(renal agenesis) 또는 무신증이라 하는데 양측성과 편측성이 있다. 양측성 무신증(bilateral renal agenesis)의 경우에는 생명을 유지할 수 없다. 이는 양수 과소증(oligohydramnios)으로 폐형성부전(pulmonary hypoplasia), 근골격 기형과 함께 나타나는 경우가 많다.

편측성 무신증(hemilateral renal agenesis)은 선천성 단신증(congenital solitary kidney)이라고 하는 데 건강한 쪽에서는 대상성 비대가 있게 된다. 편측성 무신증은 초음파 검사시 우연하게 마주치는 경우가 많다. 이와 반대로 3개의 신장이 존재하는 경우가 있다. 이것을 과잉신(supernumerary kidney)이라 하는데 극히 드물다.

크기의 이상으로는 무형성신(renal aplasia)과 발육부전신(renal hypoplasia)이 있다. 무형성신은 신장의 흔적만 있고 기능이 없는 상태로서 반대측 신장에 대상성 비대가 있다. 발육부전신은 정상 신장을 그대로 축소한 듯이 보이며 기능은 있으나 역시 반대측 신장에 대상성 비대가 있다. 이는 선천적 이상이다. 후천적 위축신에서는 신실질이 얇아지고 윤곽이 함몰하거나 신우 신배의 변화가 있을 수 있다.

위치와 형태의 이상을 신변위(renal ectopia)라고 한다. 단순성 신변위(simple renal ectopia)는 신장이 발생 단계에서 상승하지 못하고 골반에 남아 있는 골반신(pelvic kidney)과 과잉 상승으로 흉부에 위치한 흉부신(thoracic kidney)이 있다. 초음파 검사시에 한쪽 신장이 없고 반대쪽 신장의 대상성 비대가 없다면 한쪽의 신장을 흉복부 전체에서 어느 곳에 위치하고 있나를 의심하고 찾아야 한다.

융합성 교차성 신변위는 Abeshouse 등에 의해 6가지로 분류한 것이 그림 7-43에 있다. 마제형신에서는 양측 신장 하극이 연결된 협부(isthmus)가 있다.

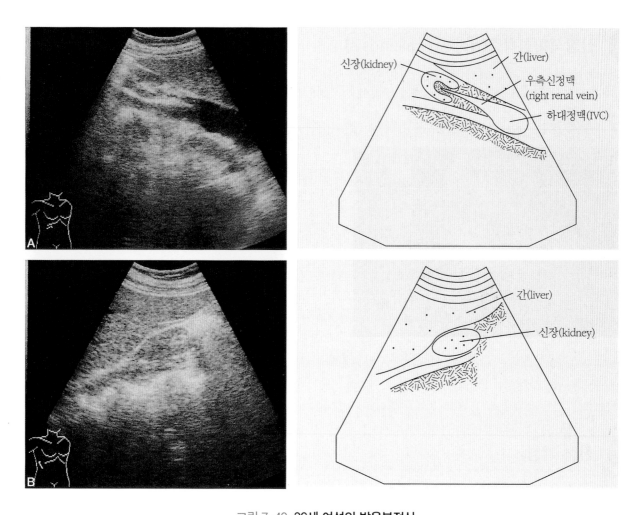

그림 7-40. **36세 여성의 발육부전신**

A. 하대정맥으로 유입되는 우신정맥이 보이고 신동과 신실질이 관찰된다. B. 신동이 거의 보이지 않고 신장이 위축되어 있다.

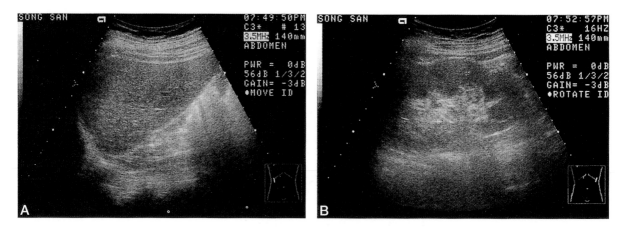

그림 7-41. **편측성 무신증**

우측신장은 없고(A) 좌측신장은 대상성 비대를 보인다(B).

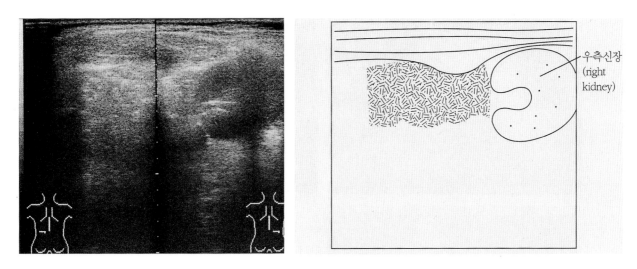

그림 7-42. 복와위(prone position) 상태로 transverse scan하면 좌측신장이 없는 것이 분명하게 보인다.

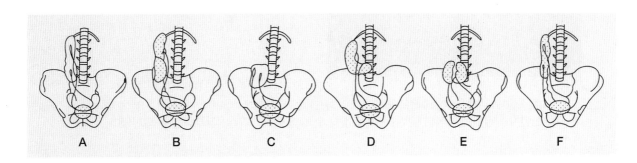

그림 7-43. 융합성 교차성 신변위. (Abeshouse 등)

A. unilateral fused kidney (inferior ectopia), B. sigmoid or S-shaped kidney, C. lump kidney, D. L-shaped kidney, E. disc kidney, F. unilateral fused kidney (superior ectopia)

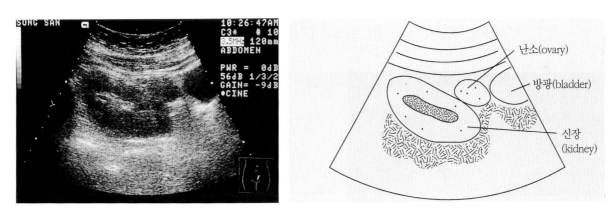

그림 7-44. 골반신

좌측골반에 좌측신장이 자리잡고 있다.

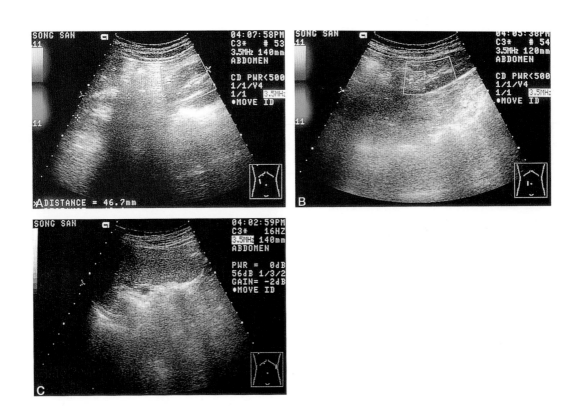

그림 7-45. A. 좌측신장이 우측신장 아래 배꼽 옆에 위치하고 있다. B. 복부에 위치한 신변위의 신장에 대한 color flow의 확인으로 신변위 신장이 정상적인 혈액순환이 있음을 알 수 있다. C. 좌측신장부위는 신장이 없다.

18 부신낭종(Cyst of Adrenal Gland)

부신은 신장상극에 접하고 제11-12 흉추의 양쪽에 접한 후복막장기이다. 부신낭종은 내부가 무에코이고 대개 구형으로 후벽이 명료하며 후방음향증강이 나타나는 낭종이 부신에 있는 것을 말한다.

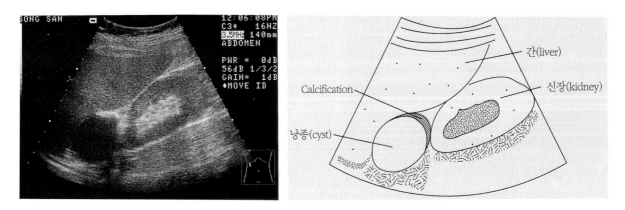

그림 7-46. 우측부신에 6×5mm 크기의 무에코 낭종이 관찰된다.

08 비장(Spleen)

01 비장의 계측 방법과 비장 종대

비장은 폐의 공기 때문에 초음파로 전체를 묘출하기가 쉽지 않다. 또한 개인의 차이에 따라 위치와 크기가 다르기 때문에 linear probe로 전체적인 묘출이 어려운 경우가 있다. 이러한 경우에 convex probe를 사용하면 묘출이 잘 된다.

비장의 계측 방법에는 여러 가지 방법이 있다. 전통적인 방법으로는 비장 단면의 최대 직경과 이것에 직각으로 비문부에서 비장 외측 볼록한 면까지의 거리를 측정하여 면적을 구하는 Spleen Index가 있다. Linear probe를 사용하면 전체적인 비장의 묘출이 어렵기 때문에 Spleen Index 대신에 비장 하극에서 비문부까지의 거리와 이와 직각으로 비문부에서 비장 외측 볼록한 면까지의 거리를 계산하는 간편한 방법을 사용하기도 한다.

또한 A. Mizushima 등은 비장이 종대되면 비장의 하극이 배꼽(umbilicus)쪽으로 확장한다는 이론하에 8cm linear probe를 사용하여 탐촉자의 한쪽 끝을 늑궁연에 위치하는 좌늑간 주사를 하여 비장의 시각화 정도를 측정하였다. 이때 정상 크기를 4cm 이하, 최소의 종대를 5~7cm, 중간 종대를 7~9cm, 심한 종대를 9cm 이상일 때로 정하였다. 이 방법은 이론상 진보적인 방법으로 여겨지며 매우 유용한 때도 있으나 실제 초음파 검사시 비장은 호흡에 따라 위치의 변동이 심하고 개인의 늑궁연 넓이에 따라 측정치가 다르므로 객관적인 측정이 어렵게 된다. 저자는 전통적인 Spleen Index 방법에 convex probe를 사용하는 것이 효과적인 비장 계측 방법이라고 생각한다. Spleen Index의 측정 방법으로 비장의 정상 범위는 36~38cm^2 이하이다.

비장의 종대를 유발시키는 질환은 다음과 같이 여러 가지다. 비장 종대의 계측은 이를 유발시키는 여러 질환 등의 진단에 도움을 줄 수 있다.

02 비장 종대의 원인

Congestive disease of the spleen.
Primary hepatic disease: Cirrhosis of the liver, chronic hepatitis, acute hepatitis.
Obstruction of the portal vein or splenic vein.
Hematologic disorders.
Hemolytic anemia, malignant lymphoma, idiopathic thrombocytopenic purpura, leukemia, myelofibrosis, polycythemia vera.
Infectious or inflammatory diseases.
Acute inflammation: sepsis, infections, mononucleosis, infectious endocarditis, psittacosis.
Chronic inflammation: Tuberculosis, malaria, sarcoidosis.
Collagen disease: Felty's syndrome, systemic lupus erythematosus.
Miscellaneous.
Glycogen storage disease, Gaucher's disease, Niemann-Pick disease, Hand Schüller-Christian disease, amyloidosis(A. Mizushima 등).

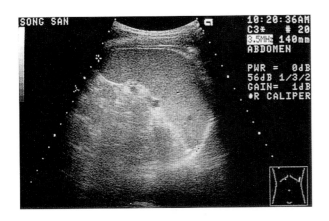

그림 8-1. Spleen Index

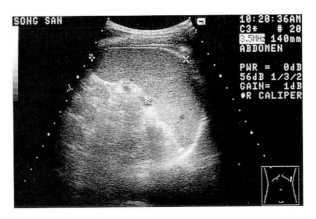

그림 8-2. 간편하게 측정하는 비장 계측 방법

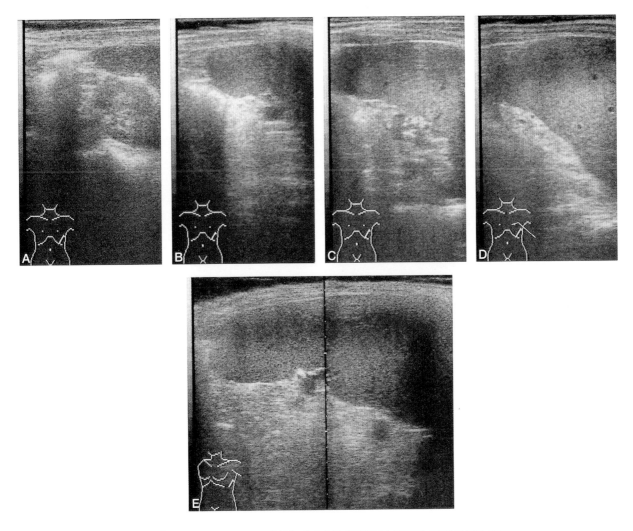

그림 8-3. A. Mizushima 등의 비장계측 방법으로 촬영만 비장종대의 구분

A. Normal, B. Minimal, C. Mild, D. Moderate, E. Marked

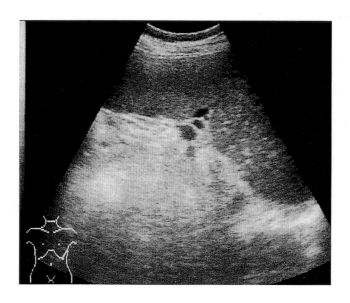

그림 8-4. **다혈증으로 인한 비장 종대(splenomegaly)**

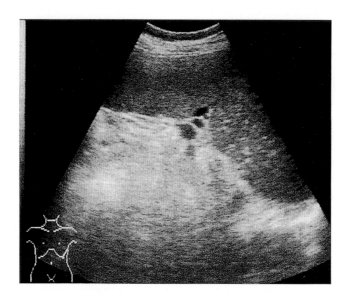

그림 8-5. **간경변으로 인한 비장 종대**

간경변이 있을 때 비장 종대는 간경변의 정도를 알 수 있는 좋은 지표가 된다.

03 악성 림프종(Malignant Lymphoma)

악성 림프종은 림프계 조직에 생긴 악성 종양을 말한다. 비장의 림프계에 생긴 악성 종양을 비장 악성 림프종이라 한다. 비장의 악성 림프종의 전형적인 초음파 상은 원형의 작은 저에코 상이 다발적으로 존재하거나 저에코의 halo를 띤 target sign이 나타나는 경우가 많고 동등에코나 혼합에코도 나타나며 비장 종대를 수반한다. 무에코나 동등에코는 초음파로 다른 질환과 감별 진단하기 어려울 수 있다.

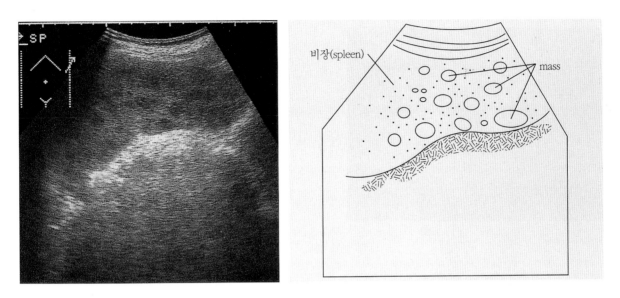

그림 8-6. 비장실질내 구형의 작은 저에코의 악성림프종이 다발적으로 관찰된다.

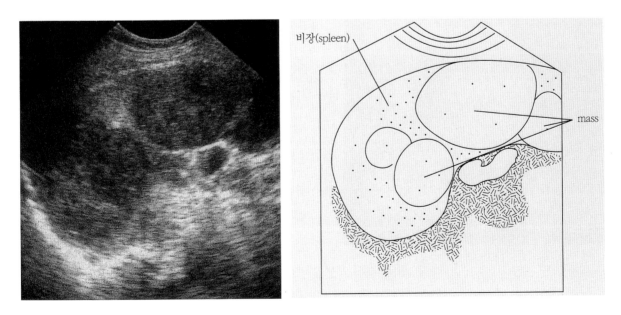

그림 8-7. 크기가 큰 저에코의 악성림프종이 관찰된다.

307

04 부비(Accessory Spleen)

대개 비문부에 비장과 똑같은 구조를 가진 콩알 크기만한 소구형의 소장기가 있는 것을 간혹 볼 수 있는데 이것을 부비라 하며 선천적인 기형이다. 부비는 부검시 약 10~25%의 비율로 보인다. 비장과 동등한 에코로 0.5cm 이상일 때 초음파로 발견할 수 있다. 임상적 의의는 없으며 비장적출 후에 부비의 대상성 비대가 보이는 경우가 있다.

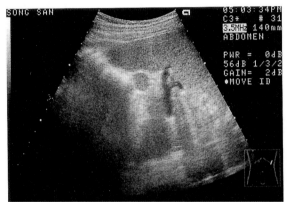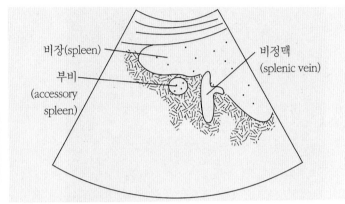

그림 8-8. **생후 7개월 된 남아**
비문부 쪽에 14×13mm의 부비가 보인다.

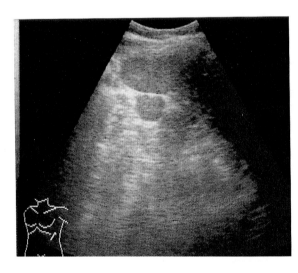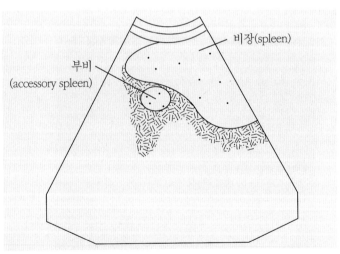

그림 8-9. **비문부에서 약간 떨어진 비장 내측면에 부비가 있다.**
17×19mm의 부비가 비장과 동등에코로 보인다.

05 비장내 석회화(Splenic Calcification)

비장내 강한 에코와 후방음향음영이 보인다. 비장 실질과 석회화 물질과의 음향저항 차이가 적기 때문에 담석과 같은 명료한 강한 에코가 나타나지 않을 수 있다.

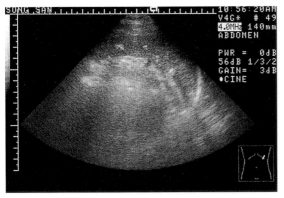 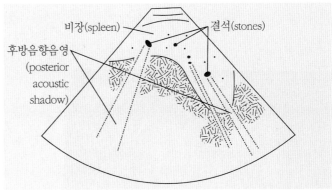

그림 8-10. 비장에 여러 개의 강한 에코와 후방음향음영이 관찰된다. 이 초음파 화상은 비장의 다발성 석회화 증례이다.

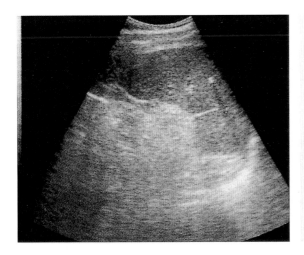 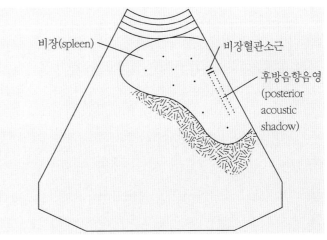

그림 8-11. 비장내 혈관의 소근이 비장 석회화와 같은 강한 에코와 후방음향음영이 나타나는 경우가 있다. 이러한 경우에는 간 내 문맥소근의 경우와 같이 나란한 두 줄의 고에코 선을 보고 감별할 수 있다.

06 비장낭종(Splenic Cyst)

비장에 낭종 형태가 나타나는 것을 비장낭종이라 한다.

1. 종양 내부가 무에코(anecho)를 나타낸다.

2. 후방음향증강(posterior acoustic enhancement)이 있다.

3. 후벽(posterior wall)이 명료하다.

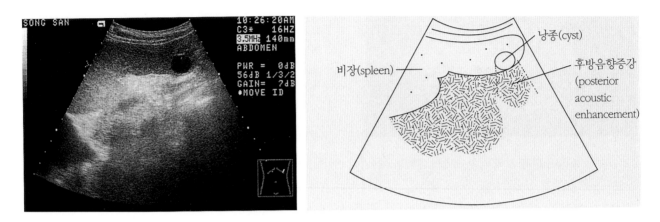

그림 8-12. 15×15mm 크기의 무에코 낭종이 구형으로 관찰된다.

09 자궁(Uterus)

01 정상 자궁의 크기와 형태의 변화

　자궁의 크기와 형태의 변화는 월경의 유무와 나이에 따라 일관성 있게 변화한다. 그러나 자궁의 크기와 모양은 개인에 따라 차이가 많다.

　신생아 초기의 자궁은 산모의 hormone 자극으로 자궁의 크기가 증대하여 자궁의 체부가 경부에 비해 커진다. 점차 신생아에게서 산모의 hormone이 없어짐에 따라 유아의 자궁 크기로 줄어들어 자궁의 체부가 경부에 비해 작아진다. 초경이 시작되면서 자궁은 월경과 임신을 할 수 있도록 발육한다. 이 발육된 자궁은 저부, 체부, 협부, 경부로 구성되어 해부학적인 구분이 이루어지게 된다. 이런 결과로 전체적으로 커진 자궁 중에서 자궁의 체부는 경부보다 커지게 된다. 아이를 낳은 적이 없는 미경산부와 아이를 낳은 적이 있는 경산부의 자궁 크기는 대개 경산부의 자궁이 커져 있다. 또한 자궁의 크기도 월경주기에 따라 변화한다. 월경주기 12일에서 가장 작고 27일에서 가장 크다. 폐경이 되면 자궁은 위축되어 작아진다. 폐경 후의 자궁 크기는 각 개인마다 매우 다양해서 계측만으로 정확하게 임상에 응용하기는 어렵다.

　자궁내막은 자궁내막강(endometrial cavity)을 이루고 월경주기(menstrual cycle)에 따라 탈락과 증식을 반복하며 초음파 상에 고,저에코로 변화하여 나타난다. 나이가 많아지면서 점차로 자궁은 퇴화하여 위축되므로 자궁내막도 잘 묘출되지 않는다. 만일 폐경 후에 5mm 이상의 자궁내막이 관찰되었다면 병적인 비후로 의심할 수 있다. 자궁내막관(endometrial canal)은 자궁경부를 통해 자궁내막강내를 주행한다.

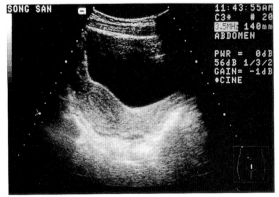 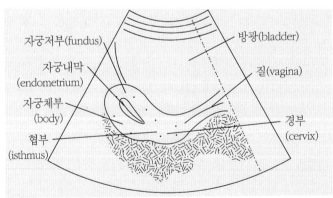

그림 9-1. **가임연령기의 정상 자궁상**
방광의 후면에서 자궁의 저부가 복부를 향하며 비스듬히 서 있다.

312

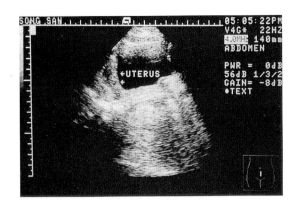

그림 9-2. **4세 유아의 자궁**

자궁 길이 3cm, 두께 1cm, 폭 1cm. 이 시기의 자궁 체부는 경부에 비해서 크기가 비슷하거나 작다.

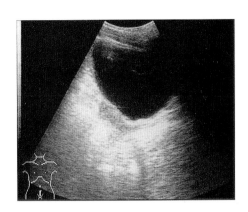

그림 9-3. **12세의 초경 개시 전 자궁(premenarcheal uterus)은 유년기를 지나면서 점차로 커진다.**

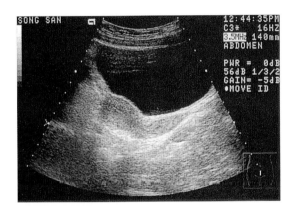

그림 9-4. **14세 초경 후의 자궁**

길이 7cm, 두께 3cm. 자궁의 저부, 체부, 협부, 경부의 구별이 이루어진다.

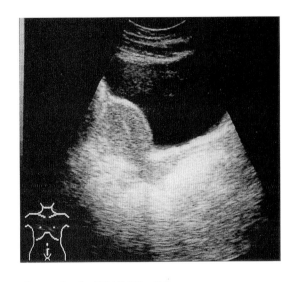

그림 9-5. **20세 미경산부의 자궁**

자궁중앙의 고에코 선은 자궁내막이다.

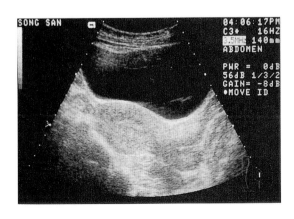

그림 9-6. **40세 경산부의 자궁**

미경산부의 자궁에 비해 커져 있다.

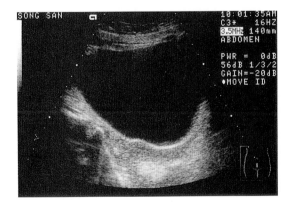

그림 9-7. **7년 전 폐경된 57세의 자궁**

자궁이 위축되어 작아져 있다.

자궁내막의 주기적 변화

1) 증식기(Follicular Phase, Proliferative Phase)

뇌하수체 전엽에서 난포자극 호르몬(Follicle Stimulating Hormone: FSH)의 분비로 난소에서 난포(follicle)가 성숙하게 되고 난소 기질과 포막세포(theca interna, 내난포막)에서 estrogen이 분비된다. 이 estrogen은 자궁내막의 증식과 비후를 만든다. 이 시기에 증식을 시작한 자궁내막은 초음파 상에 4~8mm의 두께로 계측된다. 증식기 후기에는 자궁내강에 맥립상(보리 알갱이 모양) 에코가 나타난다.

2) 분비기(Secretory Phase)

증식기 후에 뇌하수체 전엽에서 황체형성 호르몬(Luteinizing Hormone: LH)을 분비하여 성숙된 난포를 배란시킨다. 배란 후 난포는 황체(corpus luteum)를 형성하게 된다. 이 황체는 다량의 progesterone과 estrogen을 분비한다. 이 때 progesterone의 작용으로 자궁내막은 비후되고 자궁선도 분비 활동이 활발해지며 분비물은 선강으로 배출된다. 배란 후 분비기의 자궁내막 초음파 상은 자궁내막이 7~14mm의 두께로 비후되고, 분비물의 영향으로 저에코에서 고에코로 변화하며, 비후된 자궁내막의 후방으로 음향증강이 나타나는 경우가 많다. 황체는 형성 후 2~3일간의 성숙기를 거쳐 10~12일간 지속되다가 황체 세포가 변성 축소되어 백체(white body)가 된다.

표 9-1. 월경주기와 초음파 상의 자궁내막 전후 길이

월경주기	자궁내막(mm)
월경기	1~4
증식기	4~8
분비기	7~14

3) 월경기(Menstrual Phase)

황체 변성 축소로 호르몬의 분비 활동도 정지하여 자궁내막에 발달된 세동맥의 순환 장애를 유발한다. 세동맥의 순환 장애로 자궁기저층만 남기고 내막 기능층은 박탈되어 모세혈관의 충혈과 출혈이 오게 된다. 이것이 월경으로 질강을 통해 외음으로 유출된다. 월경기에 자궁내막의 초음파 상은 1~4mm의 두께로 계측되며 무에코 소견이 많다. 월경 직후 자궁내막은 자궁내막강의 central echo가 얇은 선상으로 나타난다.

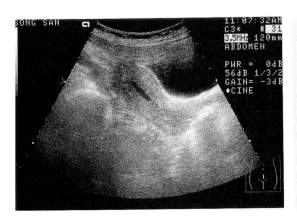 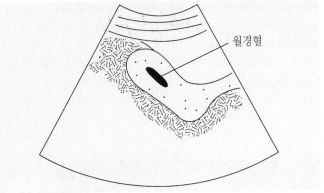

그림 9-8. **월경기**
자궁내막강에 무에코의 선상으로 월경혈이 보인다.

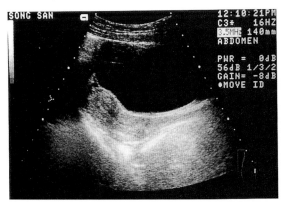 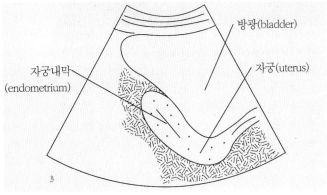

그림 9-9. **증식기**
자궁내강은 고에코의 얇은 선상으로 보인다.

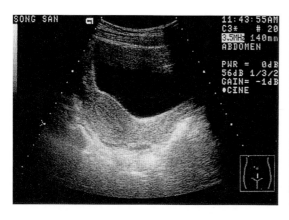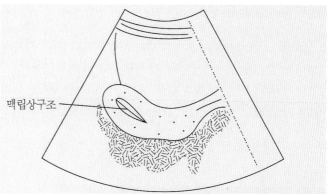

그림 9-10. **배란 직전**

분비기 중에 특히 배란 무렵에는 자궁내강에 맥립상 echo가 많이 나타난다. 맥립상 에코는 배란의 시기에 근접함을 알 수 있는 지표이다.

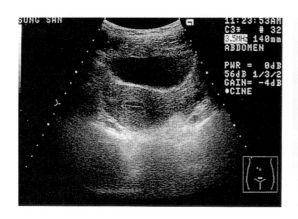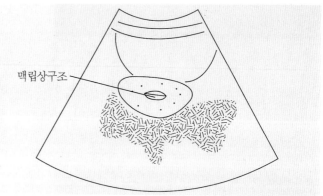

그림 9-11. **그림 9-10의 cross-image**

고에코 타원형 중앙에 가로로 선을 그은 듯한 자궁내막의 맥립상 구조가 보인다.

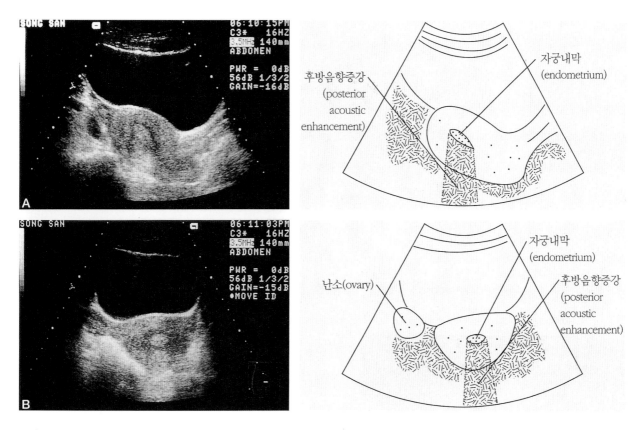

그림 9-12. **분비기 중기**

자궁내강의 벽이 비후되어 두꺼워진 것이 고에코의 타원형으로 보여진다. 내강의 비후는 후방으로 음향증강(posterior acoustic enhancement)을 일으키는 경우가 많다. 또한 자궁내막의 가장자리로 초음파 빔이 지날 때 모서리 부위에서 굴절되는 음향굴절현상(edge refraction)에 의한 edge shadow(또는 lateral shadow)가 생길 수 있다. 이런 현상들은 모두 정상소견이다.

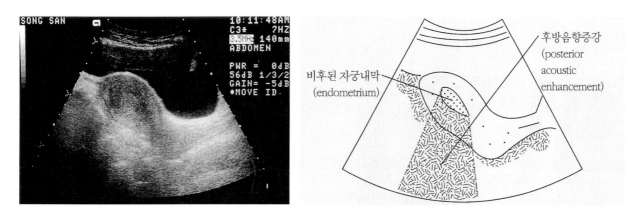

그림 9-13. **분비기 후기**

자궁내강의 벽이 고에코로 10mm 이상 두꺼워져 있고 후방음향증강이 관찰된다.

03 자궁 위치의 이상

정상 자궁은 소골반강의 거의 중앙에 위치한다. 방광을 충만시켜 sagittal scan을 실시하면 방광의 후면에서 자궁의 저부가 복부를 향하며 비스듬히 서 있는 형태로 관찰된다. 이때 질(vagina)에 대한 자궁 체부의 축은 방광의 충만도에 따라 복부쪽으로 100~150도 정도로 기울어져 있다.

자궁 경부와 체부를 잇는 일직선상의 축 전체가 전하방의 치골 결합(pubic symphysis) 또는 다리쪽으로 심하게 굽어 있다면 이것을 자궁 전경(anteverted uterus)이라고 한다. 만일 자궁 체부만 앞으로 꺾이듯이 굽어져 있다면 이를 자궁 전굴(anteflexed uterus)이라고 한다. 이와 반대로 자궁 체부와 경부를 잇는 일직선상의 축 전체가 천골쪽(sacrum)으로 굽은 것을 자궁 후경(retroverted uterus)이라 한다. 만일 자궁 체부만 뒤로 굽어져 있다면 이를 자궁 후굴(retroflexed uterus)이라 한다.

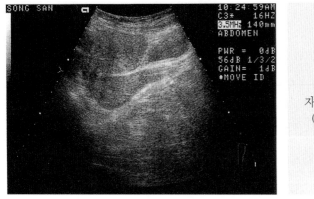
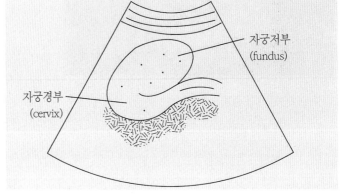

그림 9-14. **자궁 전굴(anteflexed uterus)**
자궁 체부만 다리쪽으로 꺾이듯이 굽어 있다.

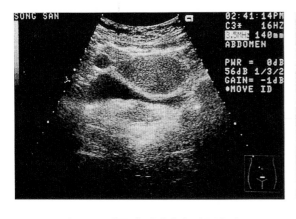
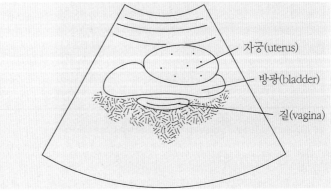

그림 9-15. **자궁의 전경이나 전굴일 때 transverse scan시 자궁 제부와 질 사이에서 방광이 보이는 경우가 있다.**

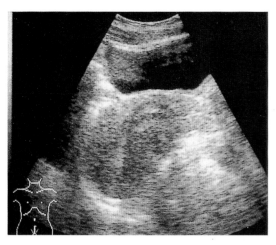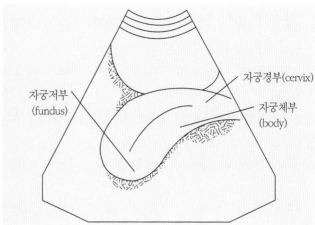

그림 9-16. **자궁 후굴증(retroflexed uterus)**
급격한 자궁 체부의 후굴이 관찰된다.

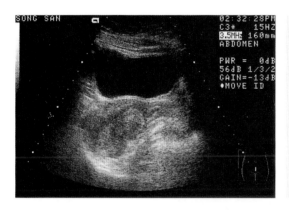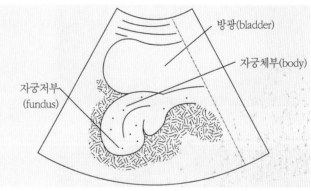

그림 9-17. **자궁 협부에서 굽은 자궁 후굴증은 언뜻 보아 권투장갑처럼 보인다.**

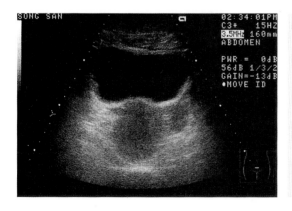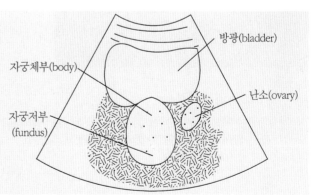

그림 9-18. **자궁 후경이나 후굴일 때 transverse scan을 시도하면 자궁의 체부와 저부가 초음파 상에 길게 나타나 큰 종양처럼 나타나는경우가 있다. Longitudinal scan을 실시하면 종양이 아님을 알 수 있다.**

04 자궁내 피임 장치(Intrauterine Contraceptive Device: IUCD or IUD)

자궁내 피임 장치는 자궁에서 그 모양에 따라 특징적인 고에코 형태를 보인다. 초음파로써 자궁내 피임 장치의 위치를 손쉽게 확인할 수 있다. 그 밖에 자궁내 피임 장치로 인한 자궁천공(perforation of uterus), 이 장치 사용의 기억 상실로 인한 불임증, 이 장치의 자궁 밖 탈출로 인한 분실과 불량한 위치를 인지 못하는 경우로 임신할 수 있는 가능성, 장치가 있음에도 불구하고 임신된 경우 등을 초음파검사로 알 수 있다. 또한 자궁내 피임 장치의 사용은 자궁외임신을 유발시킬 수 있다. 이러한 경우에 초음파는 상당히 유용하다.

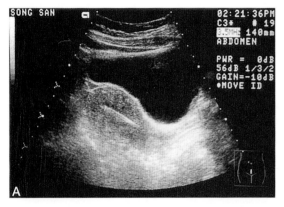
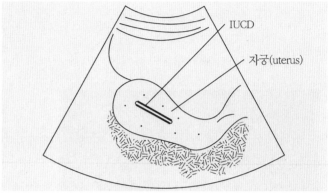
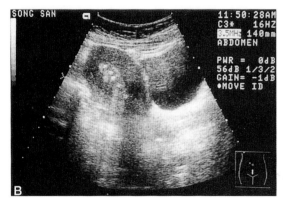
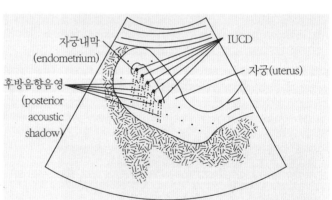

그림 9-19. IUCD의 바른 위치

자궁저부와 체부의 중앙선에 직선상으로 강한 에코로 나타난다(A). 구형의 IUCD는 나선형이기 때문에 초음파의 단면 상에는 끊어진 점상의 강한 에코가 여러 개 보인다.

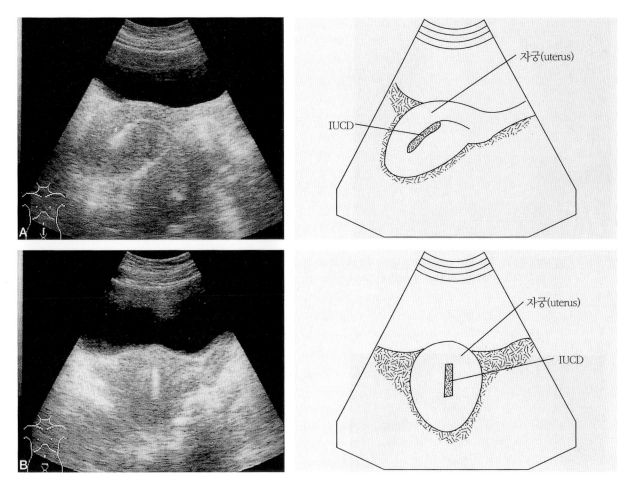

그림 9-20. **자궁 후굴의 자궁내 피임 장치**

A. Longitudinal scan, B. Transverse scan

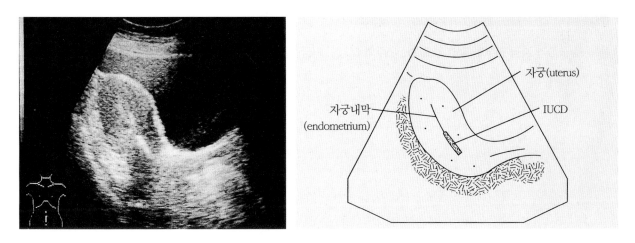

그림 9-21. **자궁내 피임 장치가 경부쪽으로 밀려 있다.**

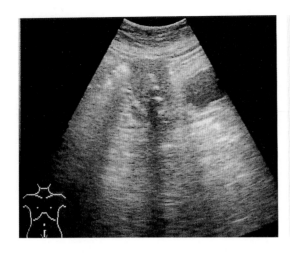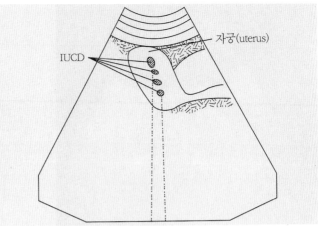

그림 9-22. 62세의 여성, 7년 동안 자궁내 출혈이 있다는 주소로 초음파 검사를 실시하였더니 IUCD가 위축된 자궁 내에 있었다. 본인은 이 장치의 사용을 기억하지 못하였다.

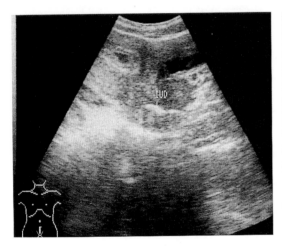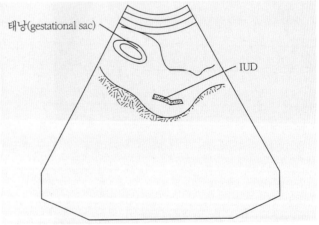

그림 9-23. IUD가 자궁 경부로 밀려 있고 임신 5주의 태낭이 자궁 저부에 있다. IUD의 위치불량으로 임신한 경우이다.

05 자궁근종(Uterine Myoma, Fibro-myoma, Fibroid)

자궁근종은 35세 이상 부인의 약 20% 정도에서 발생하고 30~40세 부인에게 호발하는 흔한 양성 종양의 하나이다. 자궁근종은 평활근에 기원하며 근육단의 섬유 사이에 결체조직이 섞여 수레바퀴 모양으로 둥글며 단단한 충실성(solid) 형태를 가진다. 인접한 근육의 압박으로 피막을 형성하므로 변연의 경계가 분명하게 보이는 경우가 많다.

초음파 진단시 나타나는 특징의 몇 가지는 다음과 같다.

1. 약 2/3는 자궁 크기의 증대 및 국한성 종대에 따른 자궁내막의 편향적 변위와 분엽상의 외형이 가장 일반적이다.

2. 수레바퀴 모양의 결절을 가지고 얇은 피막으로 정상 조직과 경계를 이룬다.

3. 근종이 방광 계면(interface)에 있을 때 근종으로 인한 외부 압력에 의해서 방광 내강으로 융기하는 윤곽의 변화가 온다.

4. 정상적인 근종의 에코 형태는 자궁과 거의 동등하거나 약간 저에코로 나타난다. 근종에 변성이 오면 약간 거칠어진 저에코 또는 고에코가 혼합된 혼합에코 형태로 관찰된다.

5. 성장 속도가 대체로 느리다.

그 외에 관찰되는 소견이 있다.

초기의 자궁근종은 방광 계면의 작은 윤곽 변화로 알 수 있으나 자궁과 직장 사이에 있을 때 자궁 후면의 경계가 뚜렷하지 않아 찾기가 어렵다. 또한 깊이에 따른 초음파 빔의 감쇠로 인하여 자궁 후방의 근종은 저에코 소견이 나타나는 경우가 많다. 크기가 큰 근종은 해부학적 구조를 왜곡시켜서 그 mass의 기원을 판단할 수 없게 할 수도 있다. 대개 자궁근종은 경부보다 체부에서 많이 발생한다. 그러나 자궁근종은 자궁 근육 조직 내 어느 부위에서도 발생되며 발생 부위에 따라 3가지 유형으로 나눈다.

1) 점막하근종(Submucosal Myoma)

자궁내막측에 발생한다. 비교적 작은 것이 많으며 자궁 형태의 변화는 적다. 유경형으로 된 myoma polyp은 자궁경관을 통해 질강까지 빠져 나올 수 있다. 월경 이상, 임신 합병증을 제일 많이 일으키며 다른 근종에 비해 육종화 변성율이 높고 임상적으로 중요한 변성을 빈번히 일으킨다.

2) 근층내근종(Interstitial Myoma)

자궁 근육 내에 위치하여 자궁의 형태를 변하게 한다. 자궁강의 표면적이 넓어지게 되고 자궁의 수축력에 영향을 주어 출혈량이 많아질 수 있다. 자궁근종 중에 근층내근종이 발생 빈도가 제일 높다.

3) 장막하근종(Subserosal Myoma)

장막하에 발생하여 자궁의 외관 형태가 변형이 되며 근종이 늘어져서 경(莖, pedicle)을 형성하기도 한다. 이때 부속기 종양(adnexal mass)처럼 보이기도 하며 간혹 광인대(broad-ligament)로 내려가 광인대근종이 되기도 한다.

그의 장막하근종이 자궁에서 완전히 떨어져 나가 장간막의 혈액 공급을 받아 기생하는 기생성근종 또는 유주근종(遊走筋臟 wandering myoma)이 있는 경우도 있다.

자궁근종이 오랜 시간의 흐름에 따라 속발성 변성(secondary degeneration)이 오면 내부 에코는 변화를 가진다.

초자양 변성은 자궁근종의 속발성 변성 중에 제일 많다. 이때 근종은 저에코(low echo)의 종류상으로 보인다. 점액성 변성은 낭종상(cystic)으로 묘출되기도 한다. 또한 칼슘이 침착되는 석회화 변성이 생기면 종양 내부의 일부분에 고에코와 함께 후방음향음영이 생긴다. 그러므로 고,저에코의 혼재로 인해 불균일한 이질적 에코 형태를 취하고 후방음향음영으로 인하여 초음파 상에 수박 같은 형상을 이루게 된다.

근종의 성장은 난포 호르몬, 성장 호르몬에 영향을 받는다고 알려져 있다. 폐경 이후에는 크기가 작아지는 원인이 이 때문이다. 만일 폐경 이후에도 근종이 커지면 육종화 변성(sarcomatous degeneration)이 아닌가 의심해 보아야 한다. 이는 치명적인 악성 종양으로 초음파 소견만으로는 감별이 어렵다. 육종화 변성의 중요한 초음파적 단서는 mass가 빠르게 증식하여 커가며 폐경 후에 mass를 동반한 출혈이 있게 된다. 또한 근종은 간혹 선암(adenocarcinoma)을 동반하기 때문에 주의 깊게 관찰해야 하며 추적 검사를 하여야 한다.

자궁근종의 크기가 큰 근종이더라도 증상이 없는 무증상일 경우가 많다. 증상이 있는 경우에는 종양에 의한 방광의 압박으로 오는 소변빈삭과 하복부 불쾌감 및 통증, 월경 과다증, 월경기간의 연장, 출혈과다로 인한 빈혈, 호흡 곤란과 피로감 등이 올 수 있다. 40세 이상의 부인에서 자궁근종으로 인한 자각 증상과 임상 증상이 없으면 자궁 절제술(hysterectomy)을 받을 필요가 없다. 그러나 근종의 크기가 작더라도 임상증상이 현저하게 나타나거나 자각 증상이 없어도 임신 12주 이상의 자궁 크기이면 자궁 절제술이 필요하다.

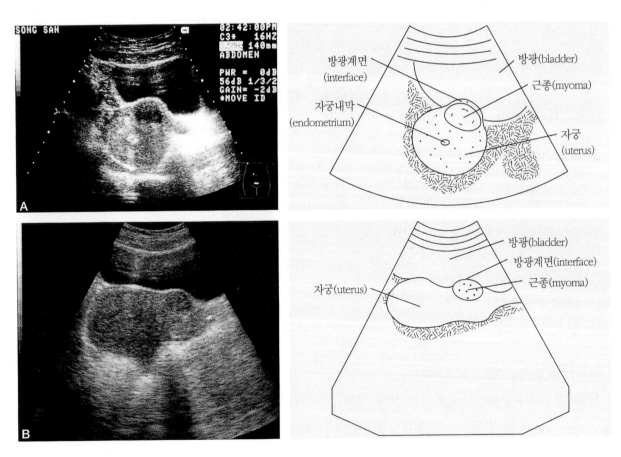

그림 9-24. 방광 계면에 작은 자궁근종에 의해 방광 윤곽이 방광 내강 쪽으로 융기되듯이 밀려 있다. 이러한 특징은 조기 자궁 근종의 진단에 중요한 단서가 된다.

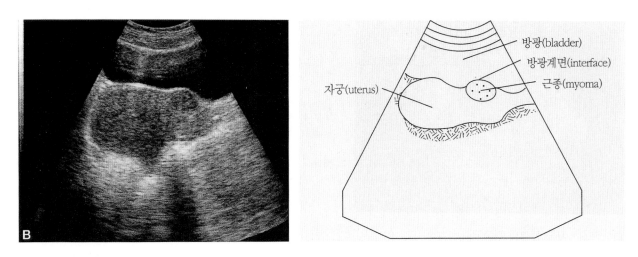

그림 9–25. **전형적인 자궁근종**
　자궁근층내 좌측으로 국한성 종대를 보이며 방광계면을 방광내강으로 밀어 올리고 있는 저에코에 약간 거친 고에코의 변성이 있는 구형의 자궁근종이 관찰된다.

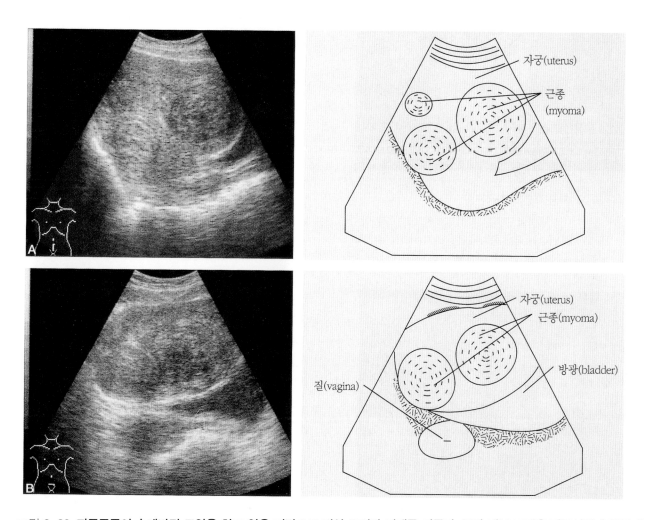

그림 9–26. 자궁근종이 수레바퀴 모양을 하고 얇은 피막으로 정상 조직과 경계를 이룬다. 종양 내부 조직은 자궁실질과 동등에코를 가지고 있으며 다수의 크기가 다른 근종이 관찰된다.

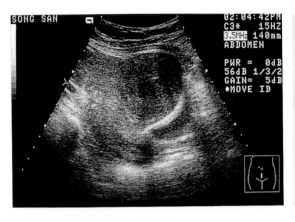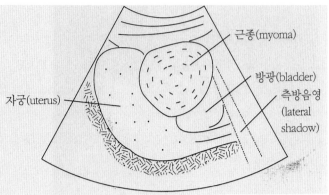

그림 9-27. **자궁 전면의 자궁근종**

　　자궁근종이 자궁의 전면에 발생하여 크기가 커지면 방광을 압박하기 때문에 소변빈삭 증상이 자주 나타난다.

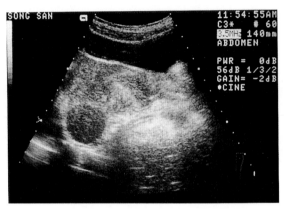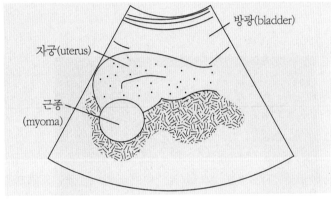

그림 9-28. **자궁 후면의 자궁근종**

　　자궁 후면의 근종은 깊이에 따른 에코의 감약으로 저에코 소견이 많다. 자궁 후면의 자궁근종은 직장과의 불선명한 경계로 인하여 작은 종양은 관찰하기 어려울 수 있다.

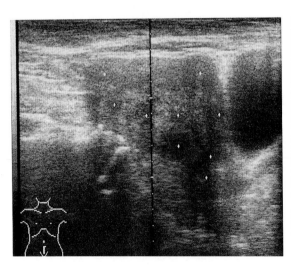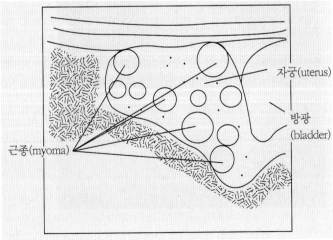

그림 9-29. **자궁 전체로 진행된 자궁근종**

　　수많은 근종이 저에코로 관찰된다(+ 표시는 자궁근종)

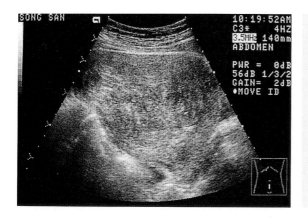 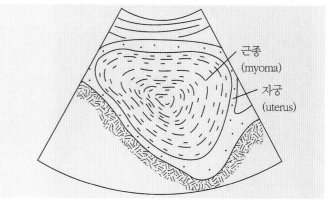

그림 9-30. **미만성 자궁근종**

자궁 전체에 미만성으로 퍼진 자궁근종은 종양의 크기와 위치를 알기가 쉽지 않다. 그러나 자궁의 크기가 증대되고 자궁 내부 에코패턴의 변화로 진단할 수 있다.

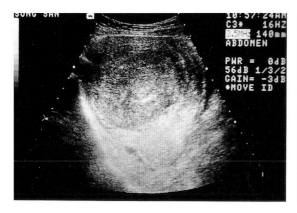 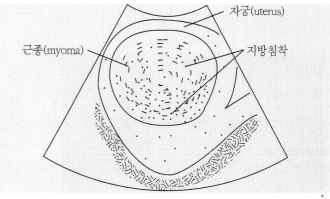

그림 9-31. **지방 변성된 자궁근종**

자궁근종이 진행되어 자궁근종내 지방이 침착되면 고에코의 부분으로 나타나기 때문에 정상 자궁근층 에코와의 대비로 얼룩덜룩한 모양으로 관찰된다.

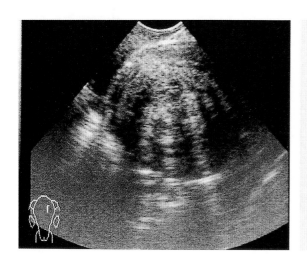 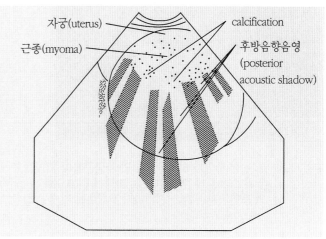

그림 9-32. **석회화 변성을 한 자궁근종.** transvaginal scan

석회화 변성으로 인하여 근종내 고에코 부분과 후방음향음영이 생겨 수박처럼 보이게 된다.

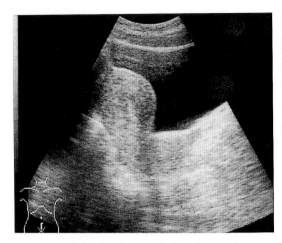
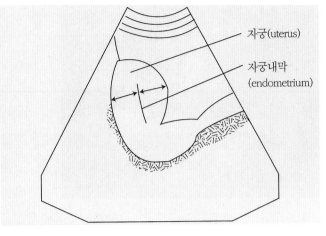

그림 9-33. 정상 자궁이 방광 계면을 밀고 나와 자궁 종양으로 의심될 수 있는 예

자궁 전후면의 두께가 5cm을 넘으면 자궁이 종대되었다고 진단되며 종양의 존재를 의심할 수 있다. 자궁종양이 자궁 내막 중심으로 자궁의 전면이나 후면 중에 한쪽에 자리를 잡고 있다면, 종양이 자리잡은 쪽은 종양 때문에 자궁내막에서 전후면의 두께가 증대되어 길게 측정된다. 이 화상의 경우는 자궁의 전후면의 두께가 4cm이고 자궁내막에서 전면의 두께가 후면의 두께와 같으며 종류가 관찰되지 않기 때문에 정상 자궁이다.

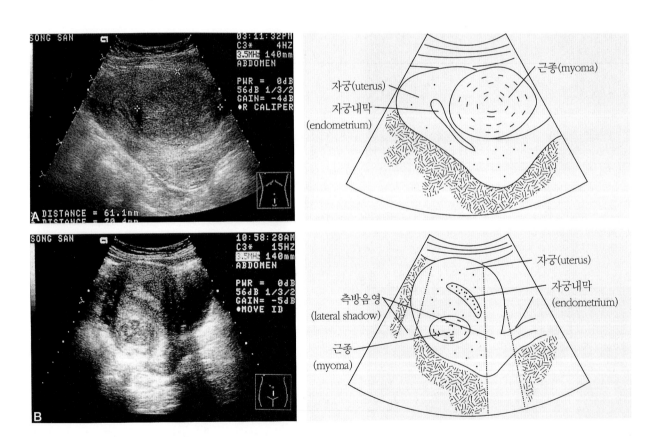

그림 9-34. A. 전면에 70×61mm 크기의 자궁근종이 자리잡고 있기 때문에 자궁내막에서 자궁의 전면까지 두께가 후면까지 두께보다 길게 관찰된다. B. 자궁 후면에 40×35mm 크기의 자궁근종이 자리잡고 있기 때문에 자궁내막에서 자궁의 후면까지 두께가 전면까지 두께보다 길게 관찰된다.

06 자궁선근증(Uterine Adenomyosis)

자궁내막 조직이 자궁 근층 속에 비정상적으로 존재하는 상태를 선근증이라 하며 양성질환이다. 자궁 근육의 일부에 국한성으로 자궁내막이 존재하는 것을 선근종(adenomyoma)이라 하고 자궁근육의 전체에 자궁내막이 존재하는 것을 미만성 선근종(diffuse adenomyoma) 또는 선근증(aden omyosis)이라 한다. 만일 자궁내막 조직이 자궁 밖에 존재하면 이것을 자궁내막증(endometriosis)이라고 말한다.

자궁선근증은 대부분 미만성 선근증이 많고 40~49세의 경산부에게서 발생율이 높다. 미만성 선근증의 초음파 소견은 대개 정상 자궁형을 유지하나 전체적으로는 평활하게 종대되어 있다. 대개 결절성 종류는 보이지 않지만 자궁근종과 같은 에코 형태를 나타내며 어떤 경우에는 조기 간경변과 같은 거칠고 성긴 내부 에코 형태로 관찰되기도 한다. 그리고 대개 자궁 후벽이 전벽보다 더 비대해져 있는 경우가 많다. 만일 국한성 종대가 있을 경우 자궁근종과의 감별은 쉽지 않다. 그러나 자궁선근증의 임상적 특징에는 월경 과다와 극심한 월경통이 있으며 자궁근종처럼 거대하게 커지는 경우는 없다. 선근증에 동반되는 질병으로 약 2/3가 자궁내막증식증, 약 1/2이 자궁근종, 그리고 자궁내막암 등이 있다.

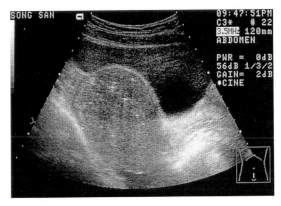
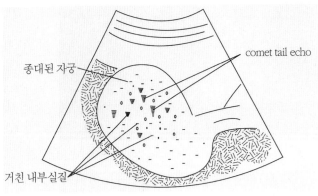

그림 9-35. **미만성 선근증**
　　　자궁이 전체적으로 종대되어 있고 간경변과 비슷한 거친 내부 에코가 관찰된다. 이러한 경우에는 월경과다와 극심한 생리통의 임상증상이 있는 경우가 많다.

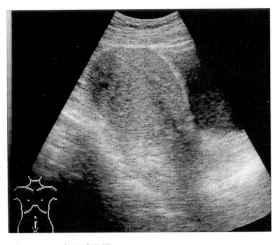
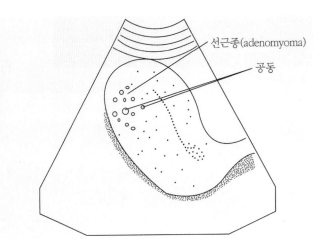

그림 9-36. **자궁선근종**
　　　정상자궁 형태로 선근종이 자궁의 후벽을 비후케하고 월경혈이 그 안에 미세한 공동 소견으로 관찰된다.

07 자궁내막증식증(Endometrial Hyperplasia)

자궁내막증식증은 난소호르몬 분비 기능의 이상 등으로 자궁내막이 이상 증식하는 것을 말하며 초음파 상에서 고에코의 비후된 자궁내막이 관찰된다. 초음파 상에서 자궁내막은 분비기에 가장 두껍게 관찰되더라도 약 14mm 이하로 계측된다. 자궁내막증식증은 초음파 상에서 고에코의 자궁내막이 14mm 이상 계측되었을 때 진단할 수 있다. 폐경 후의 자궁내막은 약 5mm 이하이다. 폐경 후의 자궁내막이 5mm 이상이면 자궁내막암인 경우가 많다. 자궁내막증식증은 근종 (myoma) 다음으로 흔히 이상 자궁 출혈을 일으킨다. 그리고 치료하지 않으면 선종성 자궁내막증식증과 비정형성 자궁내막증식증으로 되어 자궁내막암으로 진행하기도 한다. 자궁내막조직이 비정상적인 증식으로 자궁근층에 존재하는 것을 자궁선근증(adenomyosis)이라 하고 자궁 밖에서 증식할 경우 이를 자궁내막증(endometriosis)이라 한다.

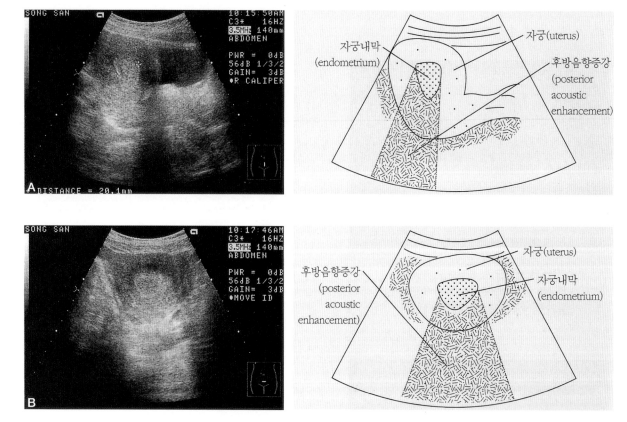

그림 9-37. 자궁내막증식증으로 고에코의 자궁내막이 20mm 정도로 비후되어 있다.

08 나보트 란(Naboth's Ovule)

나보트 란은 나보트 낭종(nabothian cyst)이라고도 부른다. 이는 자궁 경부의 만성 염증으로 자궁 경부미란(cervical erosion)의 깊은 곳에 있는 선(gland)이 꼬이고 눌려서 막힌 결과로 작은 낭포가 형성된 것을 말한다. 대개 2cm 이하의 크기로 자궁의 경부 중에 어느 곳에서도 발생되며 낭종의 조건을 가지고 있다. 만일 크기가 작을 경우 다중반사와 빔두께에 의한 허상으로 내부에코가 존재할 수 있다.

자궁의 체부와 협부의 근층(myometrium)내에 전후측으로 궁상동정맥(arcuate artery and vein)이 횡으로 지나간다. 만일 이것이 확장되어 있을 때 시상면 주사(sagittal scan)를 하면 nabothian cyst 모양으로 관찰되어 오인하는 경우가 많다. 이런 경우에는 transverse scan을 실시하여 횡으로 주행하는 혈관임을 증명함으로써 감별 진단해야 한다.

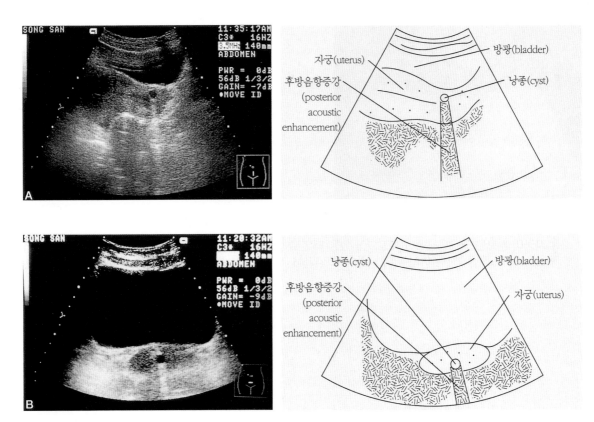

그림 9-38. Nabothian cyst

A. Longitudinal scan. 자궁 경부에 7mm의 낭종이 존재한댜 B. Transverse scan. 구형으로 무에코의 내부와 후방음향증강 그리고 후벽의 명료함의 3대 조건이 낭종(cyst)임을 알 수 있다.

331

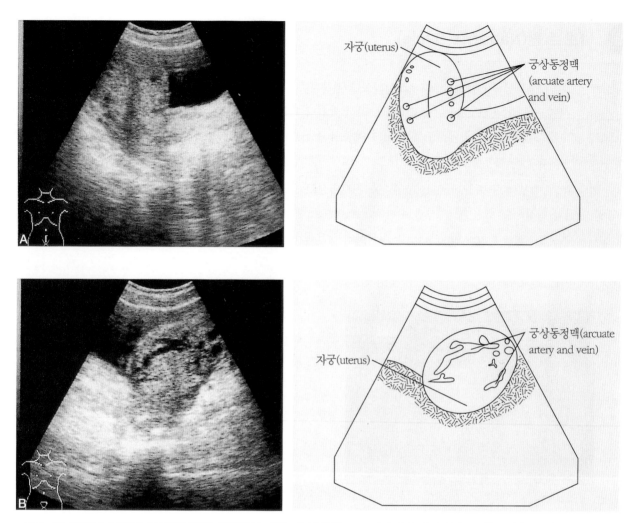

그림 9-39. 자궁내 분포된 궁상동정맥이 확장되어 있을 때 단축상으로 절단되면 낭종처럼 보이는 경우가 있다. Longitudinal scan시 자궁 전후방에 여러 개의 낭종이 보인다(A). Transverse scan을 하면 길게 사행하는 혈관임을 알 수 있다 (B).

09 질 낭종(Vaginal Cysts)

질낭종은 태생기의 관인 Gartner duct의 흔적이나 Müllerian duct의 수축으로 추론할 수 있다. 질의 내부에 무에코이고 변연이 평활하며 후방음향증강이 있는 낭종을 질낭종이라 한다.

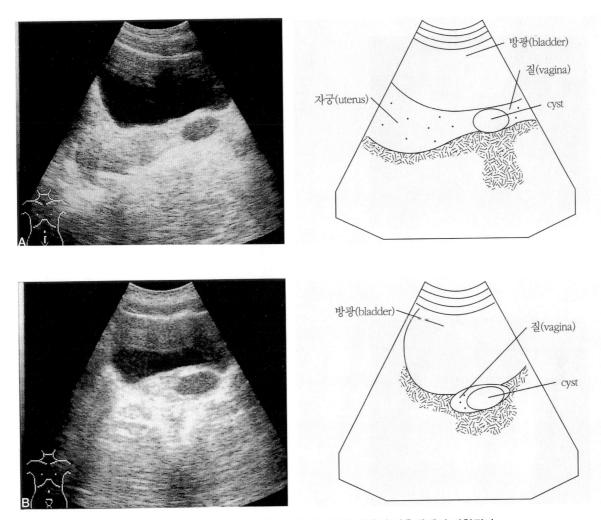

그림 9-40. 30×14×26mm의 질낭종이 질강의 가운데에서 관찰된다.

10 자궁 발육 부전

  가임 여성 연령에서 자궁의 발육 부전으로 초경 전의 자궁 크기와 모양을 갖는 것을 자궁 발육 부전이라 한다. 이는 시상하부 또는 하수체 기능의 감퇴(hypothalamic or pituitary hypofunction)에 관계 있는 것으로 알려져 있다. 자궁 발육 부전은 터너증후군(Turner's syndrome)의 결과로 난소의 발육장애 때문에 나타나는 경우도 있다. Müller관 형성부전증(Müllerian aplasia)과 Testicular feminization syndrome에서는 자궁 자체가 형성되지 않는다.

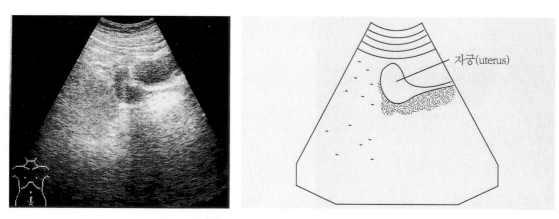

그림 9-41. **35세의 여성 자궁 길이 33mm, 자궁 두께 17mm로 측정된 자궁 발육 부전**
방광이 완전히 충만되어 있지 않지만 관찰이 용이하였다.

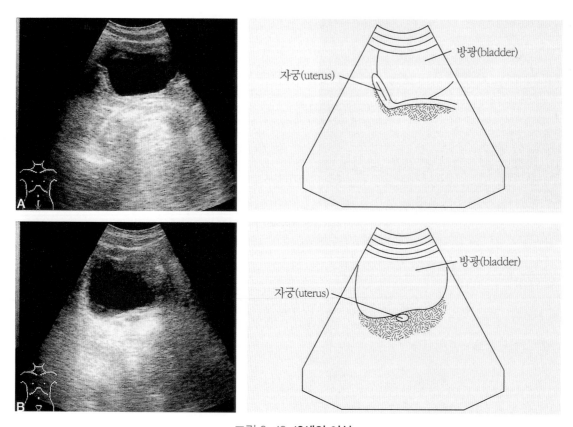

그림 9-42. **18세의 여성**
아직 초경을 하지 않았다. 자궁이 유아기 자궁 크기 그대로이다. A. Longitudinal scan, B. Transverse scan

11 자궁하수증

자궁의 여러 지지 장치의 이완 및 기능 장애에 의하여 자궁이 정상 위치보다 아래로 내려가 질구쪽으로 탈출된 것을 말한다. 자궁이 질구 바깥쪽으로 탈출한 것을 자궁탈(hysterocele)이라 한다. 자궁 하수는 자궁탈의 정도 중에 1도에 해당한다.

자궁탈의 정도

제1도: 자궁의 경부가 질구 이상의 수준까지 처져 있을 때를 말한다. 이를 자궁하수라 말한다.

제2도: 질 입구 근방에까지 탈출한 것을 말한다.

제3도: 질 외부로 자궁이 탈출된 것을 말한다.

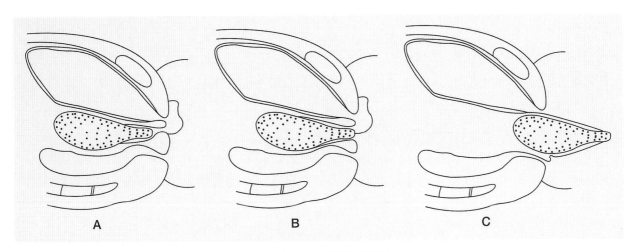

그림 9-43. **자궁탈의 정도**
A. 1도, B. 2도, C. 3도 자궁탈

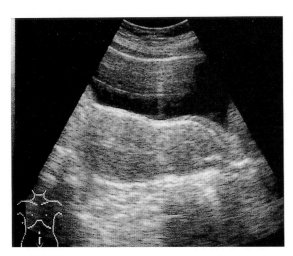
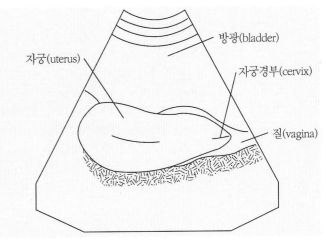

그림 9-44. **자궁하수의 초음파 상**
자궁이 전체적으로 하강하여 질강이 없어 보인다.

12 선천성 자궁 기형

1. 중복 자궁(duplication of uterus): 두 개의 완전히 독립된 자궁을 가지며 각각의 자궁 외측에는 나팔관이 붙어있다.

2. 쌍각 쌍경 자궁(uterus bicornis bicollis): 두 개의 자궁이 부분적으로 융합하여 중간의 벽이 존재한다.

3. 쌍각 단경 자궁(uterus bicornis unicollis): 두 개의 체부(body)가 하나의 경부(cervix)에 존재한다.

4. 중격 자궁(uterus septus and uterus subseptus): 얇은 중격(septum)이 자궁 내강을 둘로 나누어 존재한다

5. 단각 자궁(uterus unicornis): 하나의 자궁각과 난관만으로 형성된 경우

초음파는 선천성 자궁 기형을 비침습적인 방법으로 진단하는 경우에 유용하며 자궁 난관 조영술(hystero-salpingography), 자궁경 검사(hysteroscophy), 복강경 검사(laparoscopy) 같은 침습적인 진단 전에 초음파 진단이 선행될 수 있다.

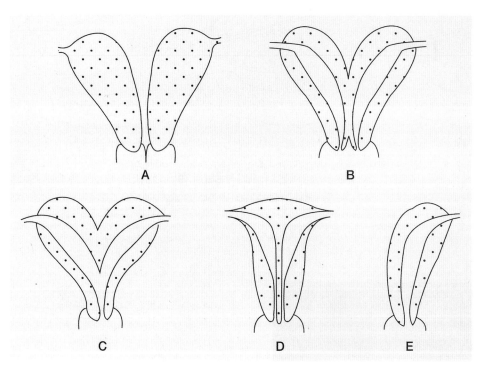

그림 9-45. **자궁 기형의 종류**
A. 중복자궁, B. 쌍각쌍경자궁, C. 쌍각단경자궁, D. 중격자궁, E. 단각자궁

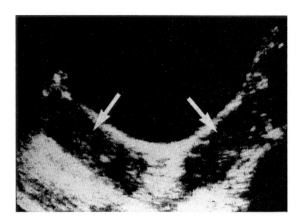

그림 9-46. 두 개의 자궁이 보이고 내강에 자궁내막(화살표)이 관찰된다.

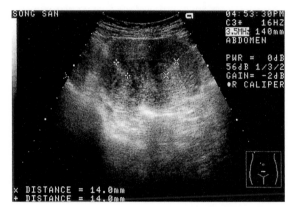
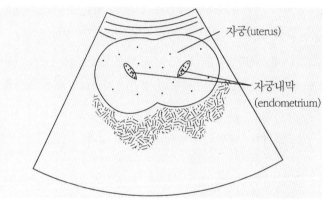

그림 9-47. **중격 자궁**

횡으로 증대된 자궁 체부 안에 2개의 자궁내막과 그 사이에 격벽이 존재한다.

337

13 자궁내막의 이상(The Abnormal Endometrium)

태낭(gestational sac), 태아(fetus), 태반(placenta) 등의 식별할 수 있는 구조물이 아닌 자궁내막의 에코는 여러 가지 가능성을 제공한다.

처녀막 폐쇄증(atresia of hymen)은 초경이 시작될 때 월경혈이 질(vagina)과 자궁내막강(endometrial cavity)에 계류되어 점액성 혈성자궁을 이룬다. 또한 자궁수종(hydrometra) 또는 자궁유혈증(hematometra)은 노년기 부인의 자궁구가 폐쇄되어 자궁 내에 물같이 투명한 액체나 혈액이 들어 있는 것을 말한다. 이때 자궁내강에는 debris가 있는 유혈증(hematometra)이나 무에코의 저류액으로 관찰된다.

폐경 전 자궁내막의 비후는 정상 소견이 많지만 외인성 호르몬(estrogen)의 자극에 의해서도 두꺼워진다. 그러나 폐경 후의 자궁내막 계측은 중요한 의미가 있을 경우가 있다. 폐경 후의 자궁내막 두께가 5mm 이상일 때는 병적인 것으로 의심할 수 있다. 폐경 후 출혈을 동반한 자궁내막의 비후는 자궁내막암을 강하게 암시한다. 이때 병이 진행되면 자궁 체부의 윤곽이 불규칙하게 나타난다. 그리고 자궁내막폴립(endometrial polyp)은 자궁내막내에 양성의 무경병변(benign sessile lesion)으로서 대부분 폐경기에 발생하며 비정상적인 자궁 출혈의 원인이 된다.

그 외 자궁내막염(endometritis), 융모암(choriocarcinoma), 불완전유산(incomplete abortion), 자궁내막 석회화(endometrial calcification) 등의 병변이 자궁내막에서 관찰된다.

자궁내막에 존재하는 구조물을 초음파 상으로 감별하는 것은 쉽지 않지만 초음파 장치의 발달과 transvaginal probe의 사용으로 여러 병변의 감별이 높아지고 있다.

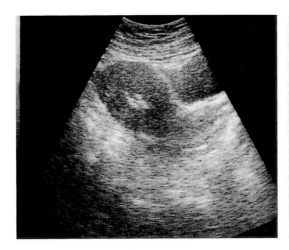
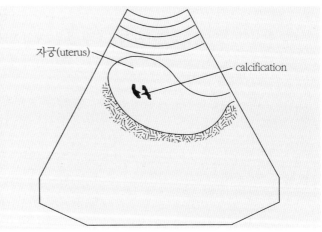

그림 9-48. **자궁내막에 강한 에코를 가진 물질이 존재한다. 소파술(curettage) 결과 석회화 물질이었다.**

14 자궁암

자궁내막은 초음파로 관찰하기가 용이하기 때문에 자궁내막의 변화를 관찰하여 자궁내막암의 진단은 이루어질 수 있다. 그러나 자궁경부암은 진행된 경우가 아니면 초음파로 진단하기가 어렵다. 자궁암의 95%는 자궁경부암이기 때문에 초음파의 역할은 암의 발생 범위와 침범이나 전이 정도를 관찰하는 것이다. 자궁내막암은 저에코 halo가 자궁내막하에 있고, 불규칙하고 비후된 자궁내막이 관찰된다. 자궁내막암이 자궁장막(uterine serosa)을 침범했을 경우 저에코로 나타나기도 한다. 자궁체암은 고에코의 괴상조직이 자궁체부에 있고 대부분 자궁내막은 정상이며 자궁내강에 무에코의 액체가 저류되는 경우가 있다. 자궁경부암은 진행된 경우에 괴상의 저에코 mass가 자궁경부에서 관찰된다.

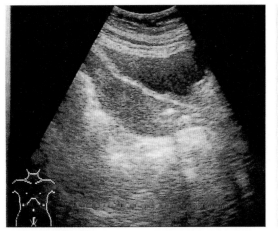 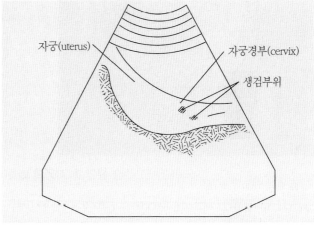

그림 9–49. 자궁경부암의 의심으로 생검을 한 부분이 고에코로 나타났다. 조직 검사 결과 자궁경부암 III기였다. 초음파 검사에서는 특징적인 소견이 없었다.

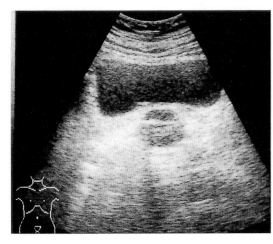 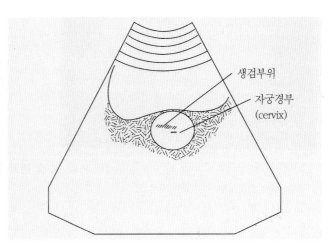

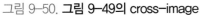

그림 9–50. 그림 9–49의 cross-image

15 산욕기(産褥期)의 관리 미흡으로 인한 자궁의 형태 변형

제왕절개 수술 후 또는 산욕의 관리가 미흡했을 때 자궁의 형태가 변형되는 경우가 있다. 만삭 자궁은 분만 후 퇴축하게 되는데 자궁의 인대가 난산 등으로 약화되어 퇴축이 원활하지 못할 경우에 자궁 후경 또는 후굴이 따를 수 있다. 후유증이 따르지 않을 경우 정상적인 자궁으로 진단된다.

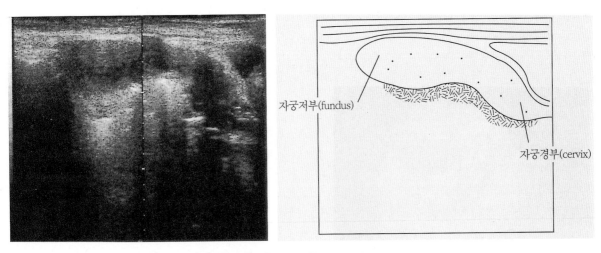

그림 9–51. 수술 분만 후 자궁의 퇴축이 불량하여 13cm로 이완된 자궁

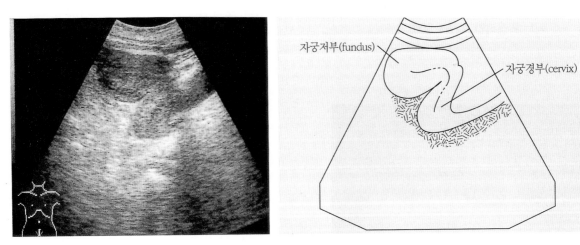

그림 9–52. 수술 분만 후 꺾여진 자궁

16 자궁이 보이지 않을 경우

자궁절제술, 소변 배출로 방광 위치에 장의 gas가 존재한 경우, 자궁 탈출증 3기, 자궁 형성 부전증 등으로 자궁이 보이지 않는 경우가 있다.

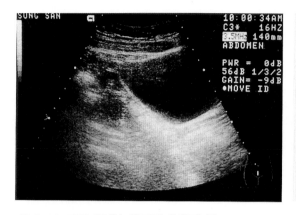
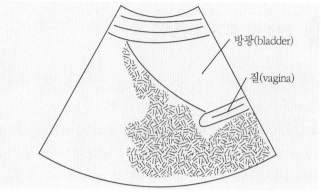

그림 9-53. **자궁 절제술 환자의 초음파 상**

질강만 보이고 자궁은 없다.

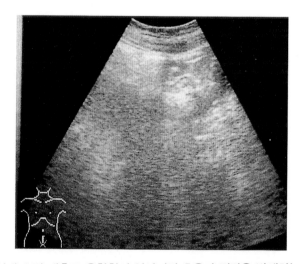

그림 9-54. Abdominal scan 시에 소변 배출로 음향창이 없어지면 초음파 전달을 방해하는 gas가 위치하게 되어 자궁을 시각화할 수 없다.

10 난소(Ovary)

01 난소의 주기적 변화

난소는 뇌하수체호르몬(FSH, LH) 분비기전으로 인하여 난소조직에서 난소호르몬(estrogen, progesterone)을 분비한다. 뇌하수체호르몬과 난소호르몬은 난소에서 난포의 발육과 배란을 일으키게 하고 황체를 형성하게 한다. 난소호르몬으로는 난포호르몬(estrogen)과 황체호르몬(progesterone)이 있다. 난포호르몬은 성숙 난포가 되기까지 분비된다. 황체호르몬은 배란 후 황체에서 대량으로 분비되며 이때 난포호르몬도 상당량 분비된다. 이 호르몬들은 수정란이 자궁 안에 착상할 수 있게 자궁내막 형성에 관여한다. 난포의 성숙과정과 배란 후 황체형성 등을 초음파로 난소에서 관찰할 수 있다. 초음파 검사시 난포는 무에코의 낭종으로 보이며 월경 주기에 따라 발육하고 배란되는 것을 관찰할 수 있다. 이러한 난포의 크기에 따른 배란 시기와 배란 유무를 비침습적인 방법으로 간편하게 확인하여 관찰할 수 있는 것은 초음파의 큰 장점이다.

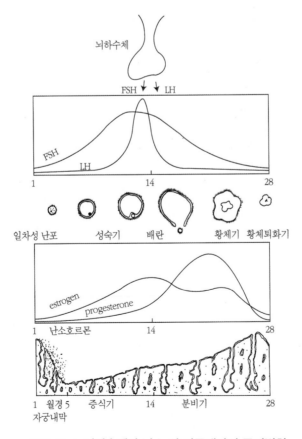

그림 10-1. **뇌하수체와 난소 및 자궁내막의 주기변화**

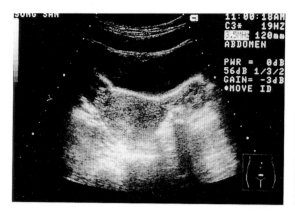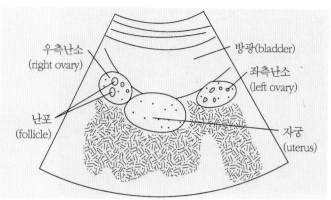

그림 10-2. **월경 주기의 5일째**

양측 난소의 반응은 보이지 않는다.

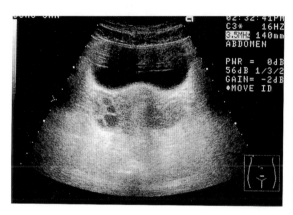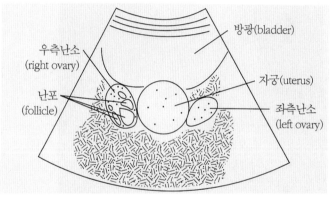

그림 10-3. **월경 주기의 7일째**

난소에서 여러 개의 난포가 발견된다.

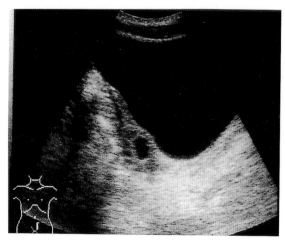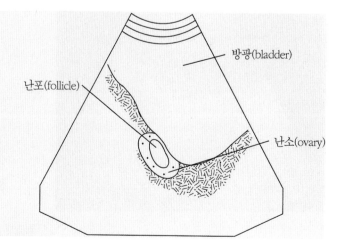

그림 10-4. **월경 주기의 11일째**

1.4cm 크기의 성장한 난포가 하나만 보인다.

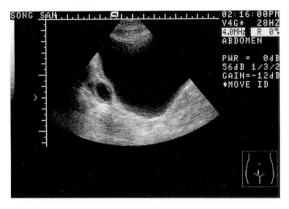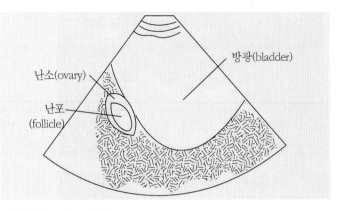

그림 10-5. **월경 주기의 13일째**

1.8cm 크기의 난포

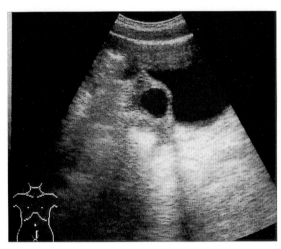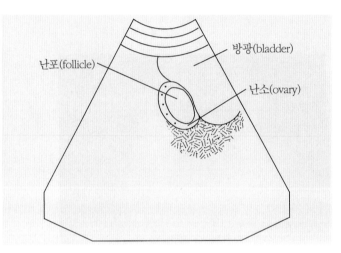

그림 10-6. **월경 주기의 15일째**

2.2cm 크기의 난포가 관찰된다. 이 크기에서 1일 이내에 배란된다.

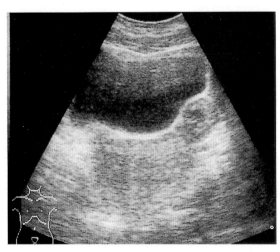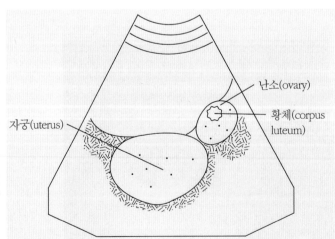

그림 10-7. **월경 주기의 18일째**

황체(corpus luteum)가 왼쪽 난소에서 보인다.

02 난소 종양(Ovarian Masses)

어떠한 원인에 의해서든지 난소에 종류를 형성하는 것을 난소 종양이라 한다. 난소 종양은 좁은 의미에서 종양만을 말하고 넓은 의미에서는 단순성 낭종, 염증성 낭종, 자궁외임신 등도 포함하여 말한다.

난소 종양은 낭종성과 충실성으로 구분되는데 낭종성이 발생 빈도가 많고 충실성은 발생 빈도가 적으나 대부분 악성이다. 난소낭종은 기능성인 비종양성 낭종(non-neoplastic cyst)과 종양성 낭종(neoplastic cyst)으로 나뉘어진다. 그런데 난소낭종은 다양한 양상과 발생의 애매함으로 인하여 분류가 어렵기 때문에 초음파 상에서도 양성과 악성을 구별하는 것은 어려울 수 있다. 그러나 비종양성낭종과 종양성 낭종 사이에서 나타나는 내부 구조 및 형태의 차이점을 관찰함으로써 양성(benign), 경계성 악성(borderline malignancy), 악성(malignancy)을 구별하는 데 많은 도움이 된다.

03 비종양성 난소낭종(Non-neoplastic Ovarian Cyst)

1) 단순성 난소낭종(Simple Ovarian Cyst)

단순성 난소낭종은 난소의 가장 일반적인 양성 병변이다. 이는 간, 신장 낭종과 같은 조건을 갖추고 있다. 얇고 매끄러운 테두리를 가진 대개 단방성(unilocular)의 구형으로 무에코의 내부와 명료한 후벽과 후방음향증강이 있다.

단순성 난소낭종에는 난포낭종(follicle cyst), 황체낭종(corpus luteum cyst), 정체낭종(retention cyst) 등이 있다. 난포낭종은 난포 내에 난포액이 과도하게 저류되어 팽창된 것으로서 그 크기는 다양하지만 대부분 작고 초음파 상에는 전형적인 낭종형태를 나타낸다. 만일 난포낭종 내부의 혈관이 파열되었을 경우에는 출혈성 난소낭종(hemorrhagic ovarian cyst)이 발생되어 초음파 상에 debris같은 미세한 고에코가 나타나기 때문에 황체낭종, 자궁내막낭종(endometrial cyst) 등과 감별을 요한다.

황체낭종은 혈관 신생(vascularization)시에 황체 내강으로 출혈이 일어나 형성된 황체의 혈종(hematoma)에서 유래된 것이다. 황체낭종 내에 혈액이 축적되었을 경우 초음파 상에 debris같은 미세한 고에코가 나타나기 때문에 출혈성 난소낭종, 자궁내막낭종(endometrial cyst)과 감별을 요한다. 황체낭종은 시간이 지남에 따라 혈액 성분이 흡수되어 낭종액이 점차로 맑아지면 초음파 상에서 난포낭종과 감별이 어렵게 된다. 월경이 없는 경우에 만일 복강 안에 출혈을 동반하면 자궁외 임신(ectopic pregnancy)과도 감별을 요한다. 난포낭종과 황체낭종은 대개 8주 이내에 소멸되어 없어지는 경우가 많고 8cm보다 큰 것은 많지 않다.

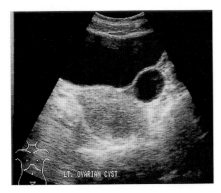 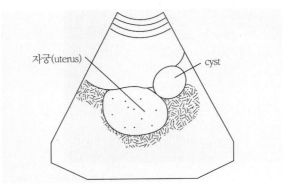

그림 10-8. **전형적인 단순성 난소낭종**
얇고 매끄러운 벽을 가진 단방성의 구형이 자궁 좌측에서 관찰된다.

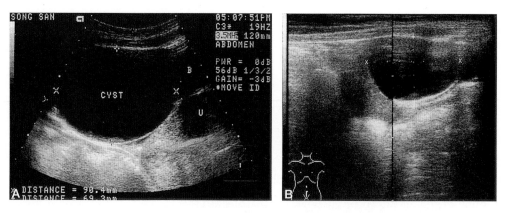

그림 10-9. **크기가 큰 난소낭종은 발생의 위치를 알기가 어려운 적이 많다.**
A. 90×70mm의 난소낭종, B. 80×50mm의 난소낭종이 방광위치에 있기 때문에 방광으로 오인할 수 있다.

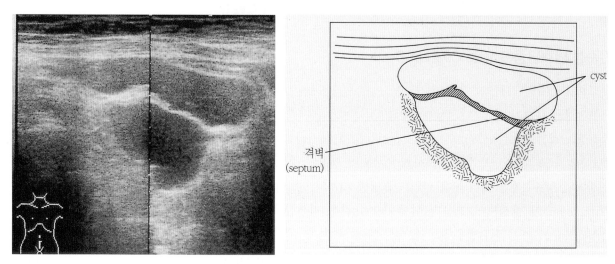

그림 10-10. **격벽을 가진 단순성 난소낭종**
자궁적출술(hysterectomy)을 받은 환자로서 11×9cm의 낭종 사이에 격벽이 존재한다.

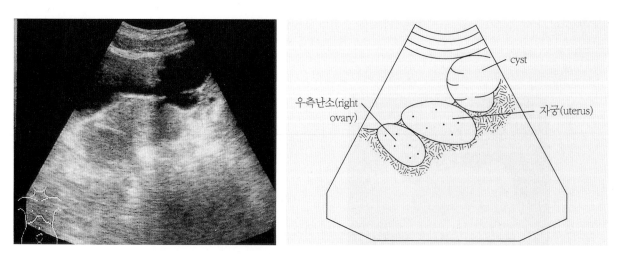

그림 10-11. **좌측 난소에 얇은 격벽으로 여러 방을 형성한 난소낭종**
우측 난소는 종류상으로 보이나 수술 결과 양호한 난소였다.

2) 자궁내막낭종(Endometrial Cyst: Chocolate Cyst)

난소에 자궁내막 또는 자궁내막양 조직이 유착하여 증식하고 그 내강에는 월경 같은 출혈이 괴어 낭포를 형성하는 것을 자궁내막낭종이라 하며 자궁내막증(endometriosis)의 일종이다. 생리와 같은 주기성 출혈이 낭종 안에 고여 있어 수술시 낭종을 절개하면 쵸코렛 색상의 내용물이 흘러 나오기 때문에 쵸코렛낭종이라고도 부른다. 불임 여성의 환자 중에 약 25%를 차지하며 월경통, 성교통이 있어 진단에 도움을 준다. 초음파 소견은 두꺼운 벽을 가지고 있으며 내부 출혈로 인한 내부의 debris같은 고에코가 나타난다. 난소 외에 직장자궁와(cul-de-sac)와 자궁벽 등에서도 많이 관찰된다.

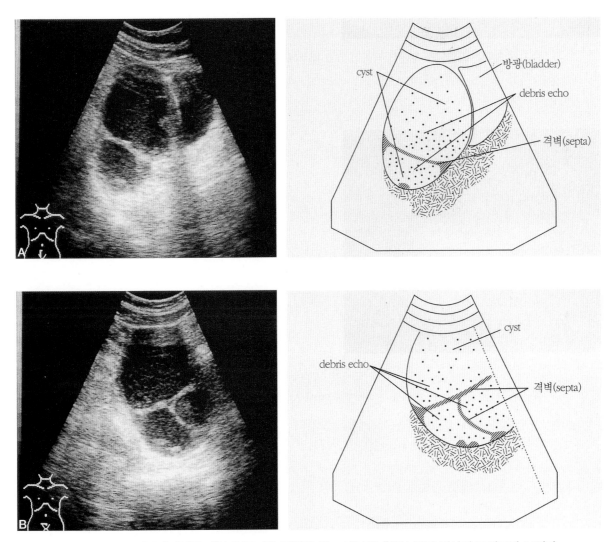

그림 10-12. 자궁내막낭종 내부에 두꺼운 격벽이 있고 내부의 출혈소견인 점상의 고에코가 보인다.

A. Longitudinal scan, B. Transverse scan

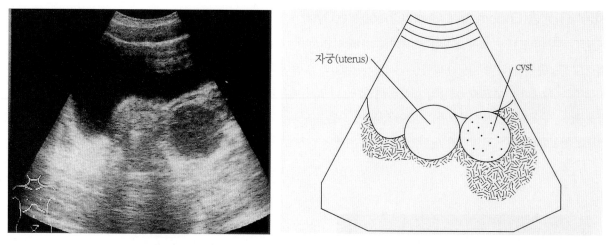

그림 10-13. **좌측난소 부근에 낭종이 있고 내부에 출혈을 나타내는 debris echo가 관찰된다.**

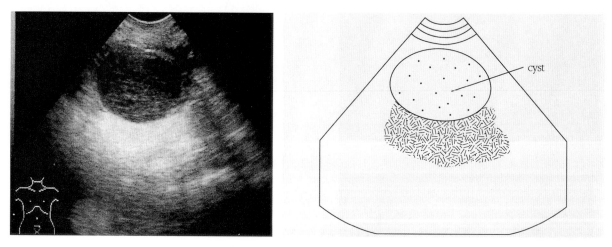

그림 10-14. **그림 10-13의 transvaginal scan**

46×30mm의 자궁내막낭종

04 종양성 난소낭종(Neoplastic Cyst)

1) 난소 기형종(Ovarian Teratoma, Dermoid Cyst)

여성의 배세포 종양 중에 가장 빈번하게 발생되는 종양으로 20~40세의 젊은 연령층에 많다. 난소 기형은 낭성(cystic), 충실성(solid), 이형성(atypia)의 3가지가 있다. 이 중에 낭성과 충실성이 가장 흔하다. 낭성 기형종은 그 특징적인 피부 조직으로 인하여 유피낭종(dermoid cyst)이라고 부르고 난소 기형종의 95%를 차지한다. 유피낭종은 편평상피로 구성된 두꺼운 피막이 있고 여기에 한선조직, 피부모낭, 피지선 등 다양한 피부조직과 유피종 돌기에 머리카락, 치아, 연골 등이 존재한다. 초음파 상에서 한선이나 피지선 등의 물질은 다양한 초음파 에코패턴을 나타낸다. 순수지방은 무에코로 나타나고 초음파를 반사할 수 있는 계면이 있을 경우에는 고에코 또는 동등에코로 나타난다. 또한 중력에 의한 fat-fluid level이 나타나기도 한다. hair는 고에코의 선으로 많이 나타나며 후방음향음영이 관찰되는 경우도 있다. Hair가 heterogeneous한 고에코성 종괴로 나타나면 변이나 gas가 가득찬 소장 또는 대장과 구별하는 것은 쉽지 않다. 지아나 뼈는 후방음향음영을 갖는 강한 고에코로 나타난다. 만일 치아나 뼈가 고에코의 유피종 돌기에 묻혀 있을 경우 찾기가 쉽지 않다. 유피종 돌기는 1~5%에서 악성 형태로 변화할 수 있다.

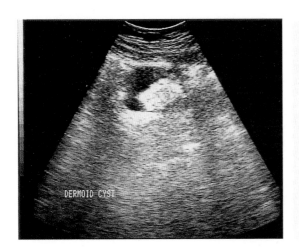
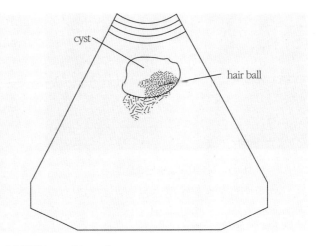

그림 10-15. **유피 낭종(dermoid cyst)**
난소낭종 안에 고에코의 hair ball이 관찰된다.

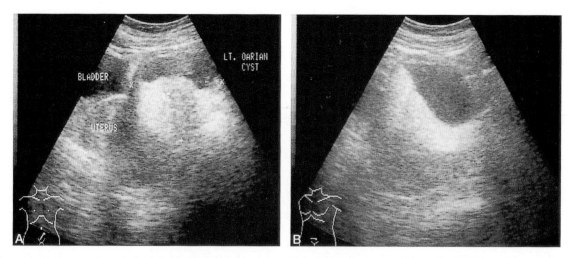

그림 10-16. 60×60mm 크기의 좌측 난소낭종 안에 sludge같은 것이 가라앉아있다(A). 유피낭종(dermoid cyst)으로 내강의 sludge는 수술 결과 피지선으로 체위를 변화시킬 때마다 중력에 의한 수평면인 fat-fluid level을 유지하였다(B).

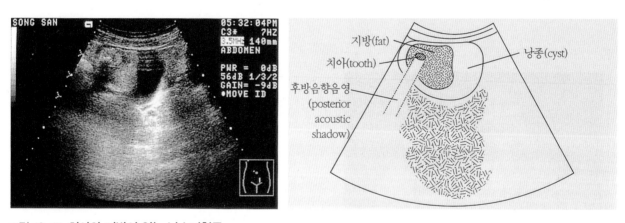

그림 10-17. **치아와 지방이 있는 난소기형종**

치아가 있는 난소기형종은 강한 고에코인 치아와 후방음향음영이 나타난다.

2) 점액성낭선종(Mucinous Cystadenoma)

점액성낭선종은 단방성과 다방성이 있으나 난소 내부에 격벽으로 나뉘어져 있는 다방성이 많다. 대개 일측성으로 복부 전체를 차지할 만큼 매우 커질 수 있다. 내부는 미세한 점상 에코가 보이는 경우도 있으며 초음파로 보아 크기가 작을 때는 장액성낭선종과 구별하기 어려울 수 있다. 만일 격벽이 심하게 비후되어 불규칙한 상이 보이면 점액성낭선암(그림 10-20)을 의심할 수 있다.

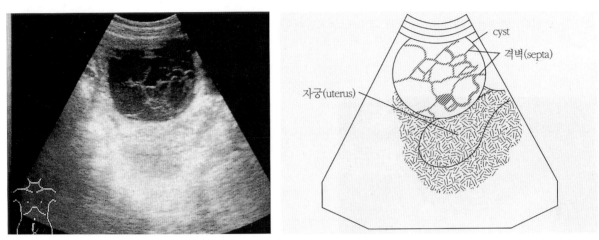

그림 10-18. **점액성낭선종**
난소 내강에 격벽으로 인한 불규칙한 여러 방들이 모자이크 상을 나타내고 있다.

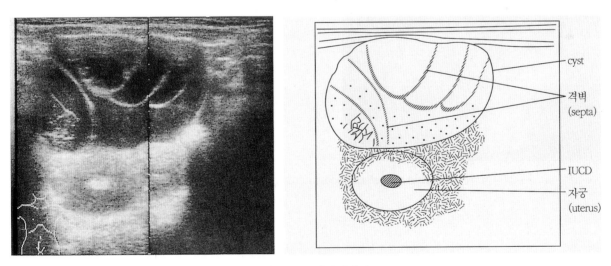

그림 10-19. **점액성낭선종**
낭종 내부에 격벽이 보이고 후방쪽에 뿌연 점상 내부 에코가 보이는 경우도 있다.

05 난소암(Ovarian Cancer)

난소에서 원발되는 악성종양의 대부분은 암종으로 낭포성과 충실성으로 구분한다. 난소암은 40세 이상의 부인에게 많고 특히 50대 부인에게 많이 발생된다. 낭포성 난소암 중에는 점액성낭선암(mucinous adenocarcinoma)과 장액성낭선암(serous cystadenocarcinoma)이 있다. 점액성낭선암은 점액성낭선종과 유사하나 격벽이 두껍고 심하게 불규칙하다. 장액성낭선암(serous cystadenocarcinoma)은 평활한 낭포벽에서 내강 쪽으로 돌출한 충실성 종류가 관찰되는 특징적인 소견을 보인다. 변연은 평활하며 낭종벽 외방으로의 침윤이 있을 수 있다. 대개 점액성 종양보다는 작다.

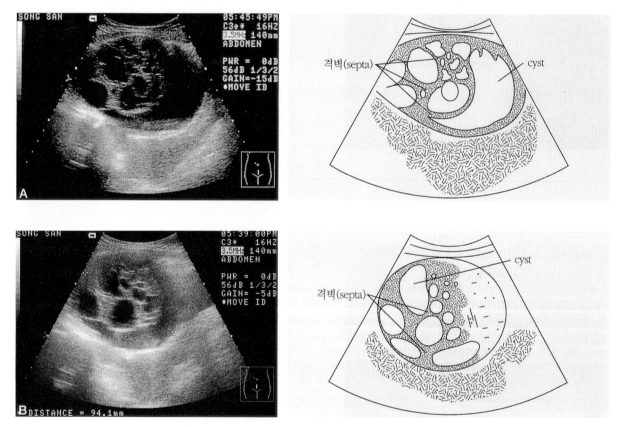

그림 10-20. 점액성낭선암(mucinous cystadenocarcinoma)은 내부의 격벽이 두껍고 불규칙하게 비후되어 있다.

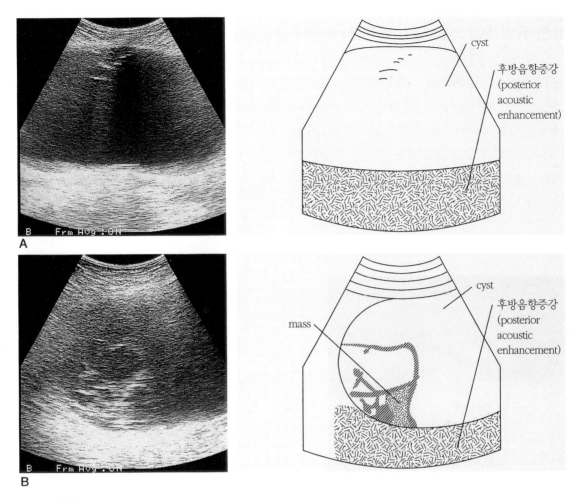

그림 10-21. **장액성낭선암**

A. 복부 전체를 차지하는 30×25cm 크기의 무에코 낭종만이 보인다. B. 간하면 쪽에서 유두상의 충실성 종류가 관찰된다.

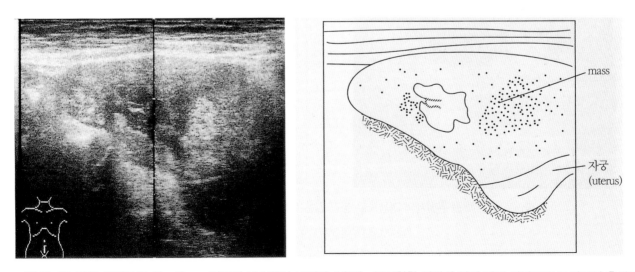

그림 10-22. **자궁 전면으로 15×10mm 정도의 난소암이 보인다. 내부는 불규칙한 격벽이 약간 있고 하방으로 고에코의 충실성인 부분이 보인다.**

06 배란 유발제에 의한 난소 과잉 자극 증후군(Ovarian Hyperstimulation Syndrome)

배란 장애로 인한 불임증의 치료시 배란을 유발시키는 약제를 사용하게 되는데 이러한 약재로는 성선 자극 호르몬제 (gonadotropic hormone agent)와 합성 에스트로겐제(synthetic estrogen agent) 등이 있다. OHSS는 불임에 대한 이 러한 약물치료를 받은 환자에게서 비교적 자주 발생하는 하나의 부작용으로서 발생율은 6~50%이다. 난소는 전체적으로 커지며 여러 크기의 난포가 형성된다. 난포의 크기가 1.5cm 이상 되는 것이 3개 이상일 때 배란 유발 치료가 중단되지 않으면 많은 난포가 형성되는 부작용이 오며 다태임신의 가능성도 증가하게 된다. 이 난포 형성의 관측과 계측에 초음파가 이용된다.

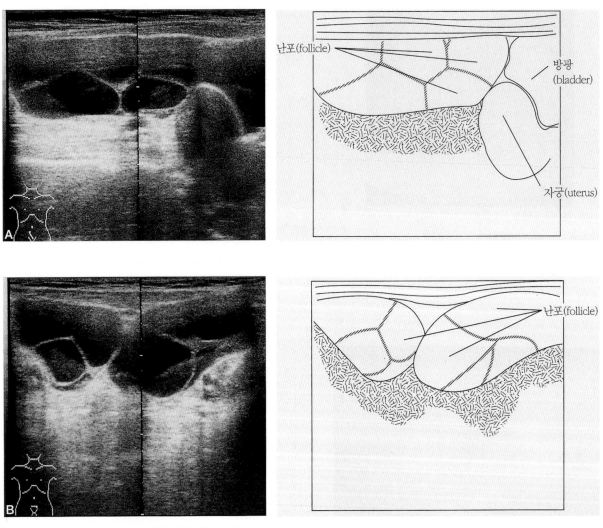

그림 10–23. 배란 유발제의 과용으로 생긴 많은 수의 난포가 자궁의 저부 윗쪽에서 보인다.

A. Longitudinal scan, B. Transverse scan

07 급성골반염(Acute Pelvic Inflammatory Disease)

골반염은 병원체가 상행성 감염을 발생시켜 자궁, 난관, 난소, 골반, 복막 등 골반대의 장기에 염증을 일으키는 것을 말한다. 급성골반염일 때 직장자궁와(cul-de-sac 또는 Douglas pouch) 부위에 농액이 상당량 고이게 된다. 이 경우 초음파로 무에코 또는 약간의 점상 debris echo가 보인다. 초음파 진단시 직장자궁와 부위의 저에코 소견은 급성골반염뿐만 아니라 복수, 자궁외임신으로 인한 출혈, 배란 후 등에서도 볼 수 있다. 또한 약간의 무에코 소견은 극히 정상 소견에서 관찰되는 경우도 많기 때문에 여러 가지 임상 진단에 의해 진단되어야 한다.

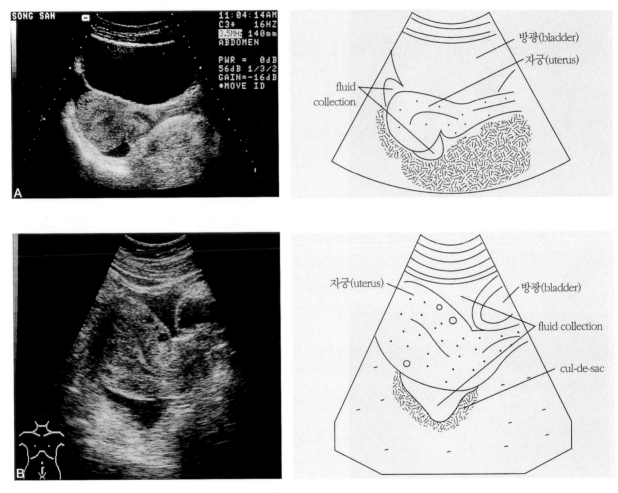

그림 10-24. **자궁 주위에 무에코의 액상이 보이는 급성골반염**

08 난관수종증(Hydrosalpinx)

난관염증의 원인으로 난관이 유착되고 그 내강에 피, 고름 또는 투명한 액체로 고이는 것을 난관수종증이라 한다. 초음파 상에서 정상적일 때 난관은 관찰되지 않는다. 그러나 난관의 염증으로 액상 내용물이 있는 경우에는 관찰된다. 주로 난관 부위를 따라 무에코의 부분이 관찰된다.

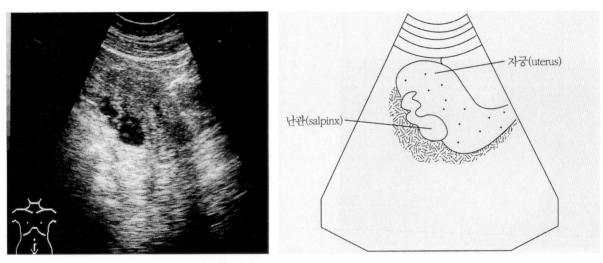

그림 10-25. 난관수종증의 초음파 소견은 올챙이 모양으로 관찰된다. 이 경우는 방광이 충만되지 않은 상태에서 scan되었다. 자궁 후방에서 자궁 저부에 올챙이 모양의 무에코 소견이 연결되어 있다.

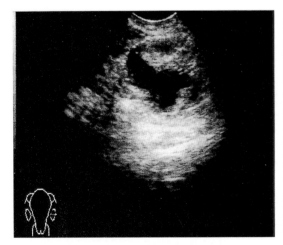
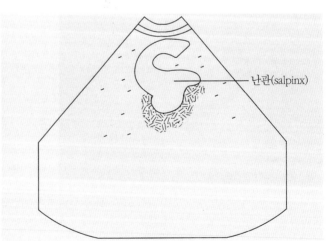

그림 10-26. Transvaginal scan. 난관 수종증
난관 팽대부가 가장 크게 보인다.

11 산과(Obstetrics)

산과에서 초음파는 임신과 태아의 상태를 진단하기 위한 필수적인 진찰 방법 중에 하나이다. 여기에는 조기 임신의 평가와 자궁 안의 정상적 임신을 확인하며 빈번하게 일어나는 임신 중의 출혈과 통증의 원인, 태아의 생존 여부, 성숙 단계의 확인, 태아의 위치, 분만 시기, 기형 여부 등 태아의 전반적인 진단에 응용된다. 또한 경질초음파촬영술(transvaginal sonography)의 사용으로 임신 초기에 결정적인 진단을 더욱 빠르고 정확하게 내릴 수 있게 되었다.

01 초기 임신의 초음파 상

1) 4~5주 임신

초음파로 4~5주의 임신은 자궁의 저부와 체부 사이에 태낭(gestational sac)의 존재로 진단할 수 있다. 영양막(trophoblast)에 의한 hyperechoic rim 안에 융모막낭(chorionic vesicle)에 의한 anechoic area로 구성된 태낭은 피막탈락막(decidua capsularis)과 벽측탈락막(decidua vera)에 의한 double ring sign으로 특징지어진다. 임신이 아닐 경우에는 double ring sign이 없으며, 만일 임신시에 double ring sign이 없다면 배아의 생명 유지는 어렵게 된다. 자궁외임신의 pseudogestational sac은 double ring sign이 관찰되지 않으며, 자궁강 내에 혈액이나 염증성 삼출액 등이 있을 경우에도 자궁내강이 무에코로 관찰되나 double ring sign은 나타나지 않기 때문에 double ring sign은 임신의 진단에 중요한 감별점이며 지표가 된다. 임신 4~5주의 태낭에는 무에코 소견으로 배아(embryo)나 난황낭(yolk sac)은 보이지 않는다. 태낭은 임신 12주까지 설명될 수 있다.

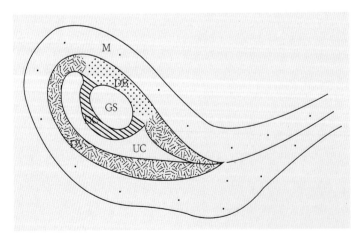

그림 11-1. **조기 임신에서 자궁 내 태낭의 종단 모식도(sagittal diagram)**

DB = decidua basalis, DV = decidua vera, DC = decidua capsularis, UC = uterine cavity, M = myometrium

358

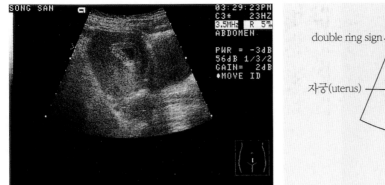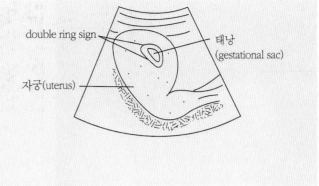

그림 11-2. **임신 5주된 태낭. 2개의 고에코 동심원 안에 무에코로 관찰된다.**

2개의 고에코 원을 double ring sign이라 부른다. 내측동심원은 decidua capsularis와 chorionic laeve이며 외측동심원은 decidua vera이다. 태낭은 자궁 저부의 한쪽 벽에 치우쳐져 있다. 임신으로 인하여 자궁은 전체적으로 커지게 된다.

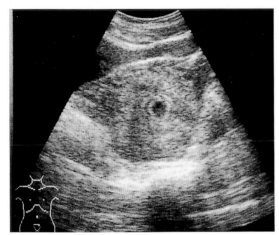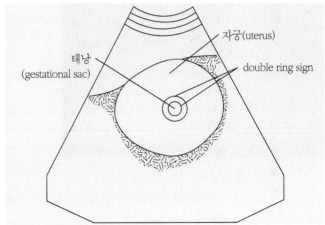

그림 11-3. **임신 5주된 태낭의 transverse scan**

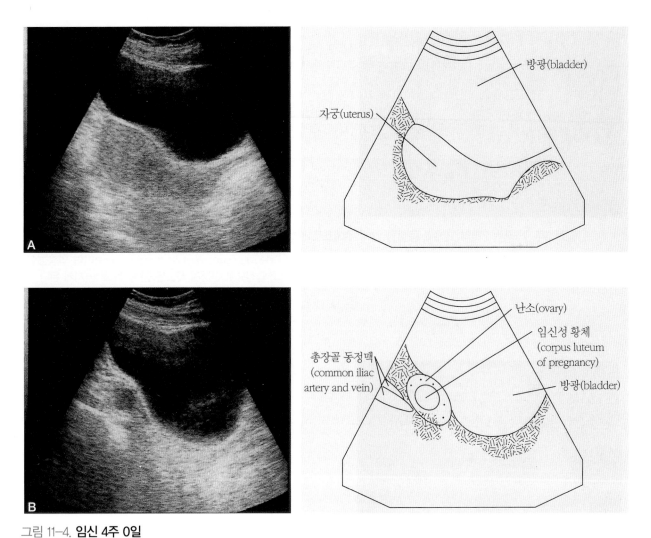

그림 11-4. **임신 4주 0일**

A. 자궁 안에서 태낭은 아직 관찰되지 않았다. B. 임신성 황체(corpus luteum of pregnancy)가 관찰되어 임신 진단에 보조적인 도움을 준다.

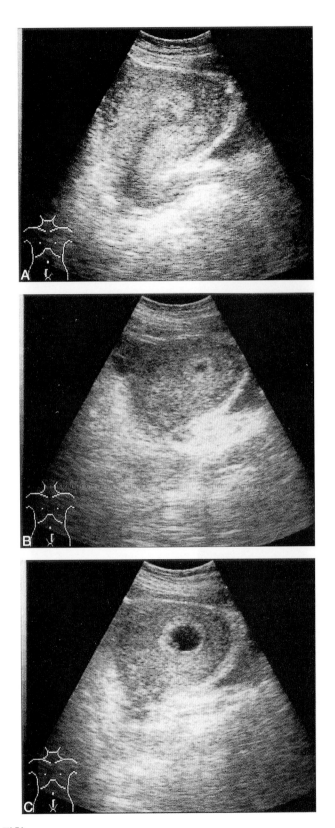

그림 11-5. **태낭의 선동운동 관찰**

    A. 태낭의 가장자리에 초음파 빔이 통과한다면 태낭은 보여지지 않는다. B. 태낭의 가장자리 일부가 묘출되면 작게 나타난다. C. 태낭의 정중앙에서 가장 큰 크기로 관찰하여야 임신 기간 측정과 배아 성장의 관찰에 적당하다.

2) 임신 6주

임신 6주까지의 태낭은 단면상 자궁의 1/3을 차지한다. 임신 5~6주 사이에는 난황낭(yolk sac)만 보이고 배아(胚芽, embryo)는 대개 보이지 않는다. 그러나 6주에서 화상의 확대나 해상도가 높은 transvaginal probe의 사용으로 배아(embryo)를 식별할 수 있으며 배아 심박동(embryonic heart activity)이 관찰되는 경우도 있다. 난소에서는 배란 후 황체를 형성한 후에 수정이 되면 황체가 증대되어 임신성 황체가 된다. 태낭의 직경이 1cm 이상이면 난황낭이 관찰되며 난소에서는 임신성 황체(corpus luteum)가 확장되어 관찰된다. 임신성 황체는 지름 6cm 이하의 단순 낭종으로 많이 관찰되며 그 외에 격벽과 출혈소견 및 debris 에코 모양이 나타나기도 한다. 임신성 황체에서 출혈, 파열, 염전(torsion) 등이 있을 경우 임신 초기 급성골반통증의 원인이 될 수 있다. 난황낭은 임신 6주에서 11주 사이에 관찰된다. 임신성 황체는 대개 임신 16주까지 관찰되고 그 후에 사라진다.

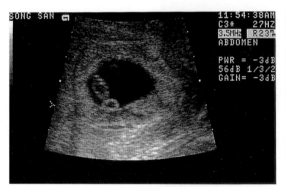
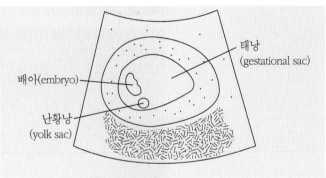

그림 11-6. 6주 6일된 태낭 안에 배아(embryo)와 난황낭이 확대된 초음파 상에서 관찰된다.

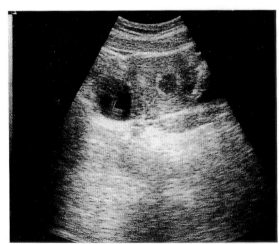
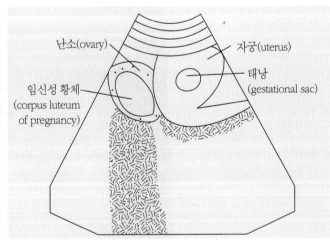

그림 11-7. 6주의 태낭이 조금 보이고 우측 난소에 임신성 황체가 보인다.

3) 임신 7주

이 시기에는 배아의 머리와 둔부(rump)가 구별된다. 두정부(crown)에서 둔부까지가 배아의 길이(crown-rump length: C. R. L.)이며 이것으로써 태령을 계측할 수 있다. 또한 배아 심박동의 확인으로 배아가 생존해 있음을 증명해야 한다. 환자의 약 20~50%가 임신 7~8주에서 자궁출혈을 경험하게 된다. 이는 정상적인 소견으로 착상출혈(implantation bleeding)이다. 그러나 출혈 환자의 20~30%가 유산으로 진행될 수 있기 때문에 초음파로 출혈 부위와 크기의 검사가 이루어져야 한다.

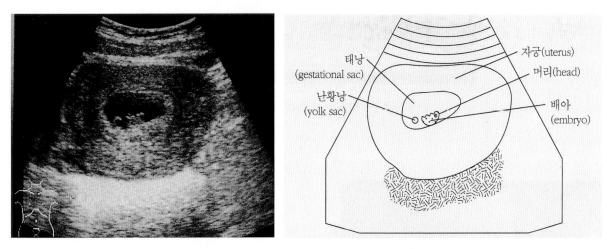

그림 11-8. 7주의 임신. 태낭 안에 배아의 머리와 엉덩이가 구별되며 난황(yolk sac)이 관찰된다. 배아의 머리에서 무에코 소견이 보일 경우가 있으나 정상 소견으로 12주까지 계속 관찰될 수 있다.

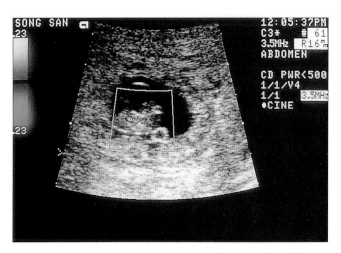

그림 11-9. 배아의 심박동은 Doppler color image에서 간단히 혈류의 흐름을 검사할 수 있다.

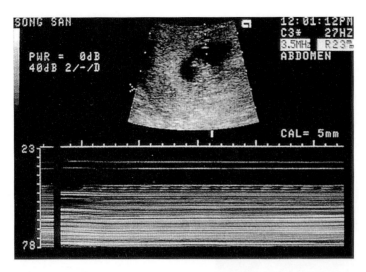

그림 11-10. 7주인 배아의 심박동을 M-mode로 검사할 수 있다.

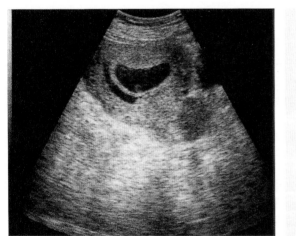
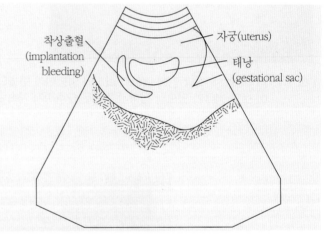

그림 11-11. 태령 7주 4일. 자궁경부쪽에 탈락막에 의한 착상출혈이 띠모양의 무에코로 보인다.

4) 임신 8주

배아의 심장 박동이 100% 관찰된다. 배아는 팔, 다리가 약간 보이며 척수(spinal cord)가 관찰된다.

태반 부위가 자궁의 한쪽 벽에서 고에코로 비후되어 보인다. 얇은 양막(amniotic membrane)은 초음파 빔에 직각으로 있을 때 보여질 수 있다. 양막의 내부는 양막강(amniotic cavity)으로 이루어져 양수(amniotic fluid)와 배아를 둘러싸고 있다. 양막의 외부와 융모막(chorionic membrane) 사이에는 융모막강(chorionic cavity)이 있다. 그러므로 양막은 양막강과 융모막강을 구별하여 chorioamniotic separation(C. A. S.)에 관계한다. 양막강은 융모막강보다 빠르게 성장하고 융모막쪽으로 양막이 확장하므로 임신 약 16주에서 융모막강은 거의 없어지게 된다. 난황낭(yolk sac)은 잘 관찰된다.

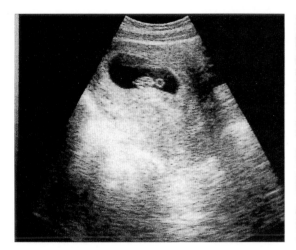
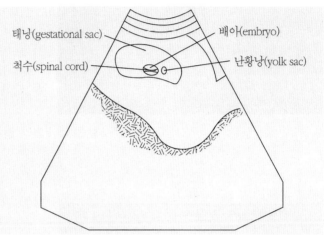

그림 11-12. 8주 2일 된 배아에서 척수(spinal cord)와 난황낭이 관찰된다.

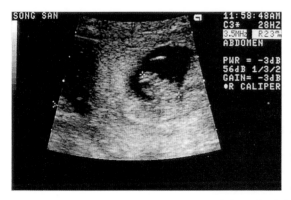
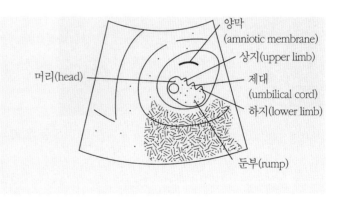

그림 11-13. C.R.L.이 8주 1일인 배아. 자세히 보면 팔과 다리가 구별된다. 융모막 안에 배아를 싸고 있는 얇은 양막(amniotic membrane)은 초음파 빔에 직각일 때 보이는 경우가 많다.

5) 임신 9주

태아의 머리, 팔, 다리, 제대(umbilical cord)가 명확하게 구별되어 관찰된다. 실시간(real time)으로 신체의 활동이 식별된다.

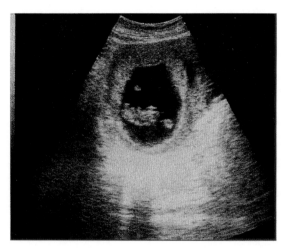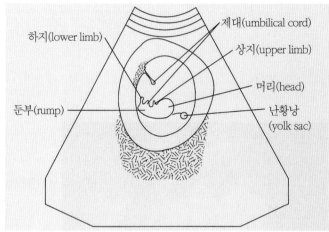

그림 11-14. 9주 3일 된 태아 머리, 팔 다리, 제대, 난황낭이 구별된다.

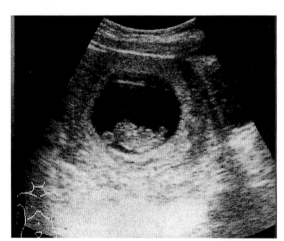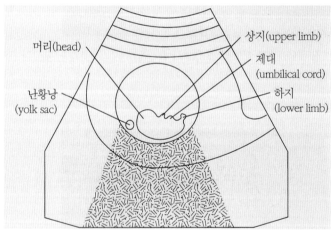

그림 11-15. 9주 1일의 태아. 1.5배 확대상

6) 임신 10, 11주

팔, 다리, 손, 발의 형태와 움직임을 관찰할 수 있으며 신체의 활동이 활발함을 쉽게 볼 수 있다. 11주까지 뇌구조가 보이기 시작한다. 11주까지 태아의 길이(C. R. L.)를 잴 수 있다.

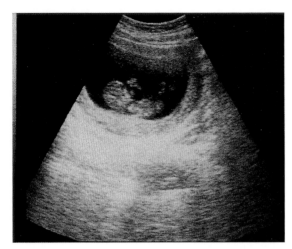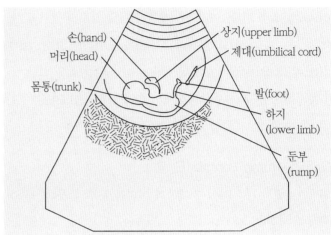

그림 11-16. **11주 2일의 태아. 손, 발까지 구별이 된다.**

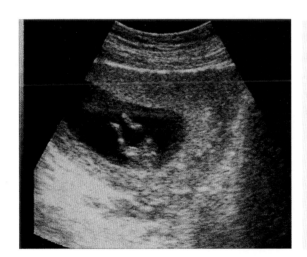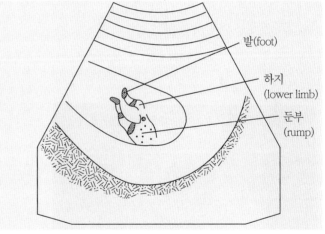

그림 11-17. **10주 5일의 태아. 다리와 발이 명확하게 보인다.**

02 태아의 Routine Study

태아 신체의 특정 부위를 계측함으로써 태령과 이에 따르는 성숙 과정, 임신 중의 계획, 비정상적인 성장에 따르는 기형의 평가가 이루어질 수 있게 된다. 이러한 특정 부위를 계측하여 태아의 전반적인 상황을 관찰하는 것이 태아의 routine study라 한다. 여기에서 계측하는 몇 가지 방법이 있다.

First trimester에서는 crown-rump length (C. R. L.)와 biparietal diameter (B. P. D.)를 측정하고 보조적으로 태낭(gestational sac)과 난황낭(yolk sac)을 관찰할 수 있다.

Second와 Third trimester에서는 B. P. D., abdominal circumference (A. C.), fetal long bone (F. L. B.), head circumference (H. C.)를 측정한다.

1) Crown-Rump Length (C. R. L.)

태령 7주에서 11주 사이에 태아의 머리와 둔부의 거리를 측정하여 태령을 산출하는 것이 C. R. L.이다. 이 기간 동안의 성장은 병적인 장애에 영향을 받지 않으며 생물학적 변화성은 최소이기 때문에 C. R. L.은 태령을 측정하기 위한 믿을만한 것으로 받아들여진다. 또한 C. R. L.은 태아의 측정 방법중 가장 적은 오차로 정확하게 태령을 결정할 수 있기 때문에 C. R. L.의 측정은 이러한 점에서 중요하다고 할 수 있다.

C. R. L.의 오차는 2일에서 크게는 7일로 계측되나 12주 이상이면 태아의 만곡(curvature) 때문에 C. R. L.이 측정은 큰 오차가 생기므로 믿을만하지 못하게 된다. 월경불순 환자에게서 월경 기간의 시작이 불명료한 경우에 이 방법의 계측으로 태령의 산출은 매우 유효하다.

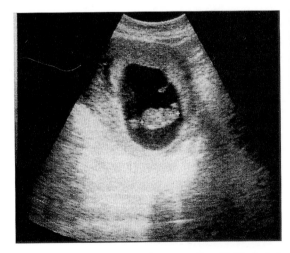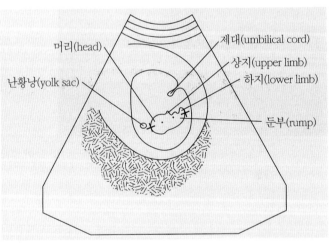

그림 11-18. 9주 3일 된 태아의 C. R. L. 머리와 둔부 사이의 머리를 측정한다.
이때 난황낭(yolk sac)을 포함하여 측정하면 산출이 틀려짐에 주목해야 한다.

2) Biparietal Diameter (B. P. D.)

B. P. D.는 12주~26주 사이에서의 태령 측정을 위한 가장 믿을만한 방법이다. B. P. D.는 투명중격동(cavum septi pellucidum)과 시상(thalamus)을 포함하여 axial scan하여야 한다. 머리 모양은 난형(oval shape)이 되어야 하며 midline echo는 중심선에 정확히 오도록 해야 한다. B. P. D.는 탐촉자(transducer)에서 가까운 쪽의 두개골(skull) 외측변연(outer edge)에서 먼 쪽의 두개골 내측변연(inner edge)까지를 계측한다. 즉 시상(thalamus)에서 가장 큰 직경을 재야 한다. 머리 모양이나 위치에 따라 B. P. D.가 머리 길이에 비해 작아져 계측이 잘못되는 경우가 있다. 이때 이것을 보완하기 위해 fronto-occipital diameter (F. O. D.)를 측정하여 cephalic index(C. I.)를 계측한다. F. O. D.는 B. P. D.의 직각 방향으로 양 두개골 외측변연(outer edge)을 측정하는 것이다.

$$CI = \frac{B.\ P.\ D}{F.\ O.\ D} \times 100$$

위의 공식에 대입시켜 그 비율이 85>C.I.>75가 되어야 한다. 이 비율에서 벗어난다면 믿을 만한 측정이 되지 못한다. B. P. D는 12~20주±1주, 20~30주±2주, 30~40주±3.5주의 오차가 있으며 태아 성장에 영향을 미치는 병적인 장애에 영향을 받기 때문에 femur length, abdominal circumference 등과 함께 평가되어야 한다.

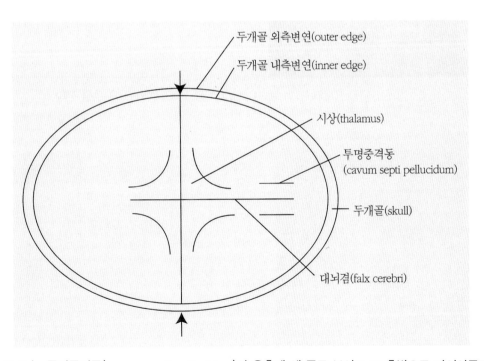

그림 11-19. B. P. D.는 투명중격동(cavum septi pellucidum)이 우측에 세 줄로 보이고 그 후방으로 다이아몬드 모양의 시상 (thalamus)이 보이는 시점에서 scan하여 측정한다.

369

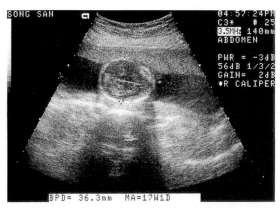
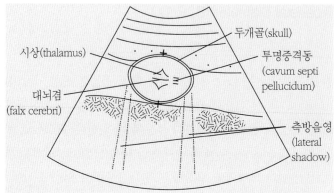

그림 11-20. B. P. D.의 측정은 탐촉자에서 가까운 두개골(skull)의 외측변연에서 먼 쪽의 내측변연까지를 계측한다.

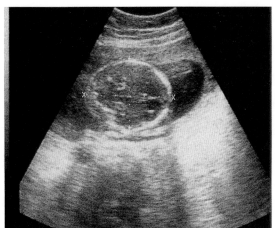
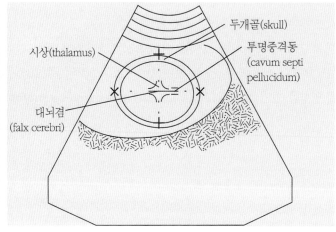

그림 11-20. Cephalic Index (C. I.)의 측정. F. O. D.와 B. P. D.를 잰다.

3) Abdominal Circumference (A. C.)

A. C.는 태아의 간(liver)과 위장(stomach)을 지나는 수준에서 간내 좌측 문맥이 j자 모양으로 묘출될 때 측정한다. 장축(long axis)에 직각 방향으로 scan된 단면은 가능한 한 둥글어야 하며 복부의 외측변연(outer edge)에서 둘레를 측정한다. A. C.는 태아의 체중과 불충분한 영양에 대한 성장의 방해를 찾는 데 사용된다. 측정 수치의 적음은 태아의 자궁내 성장 방해를 암시한다. A. C.는 태령 추정에 사용하지만 B. P. D.나 F. L.에 비해 정확성이 떨어진다.

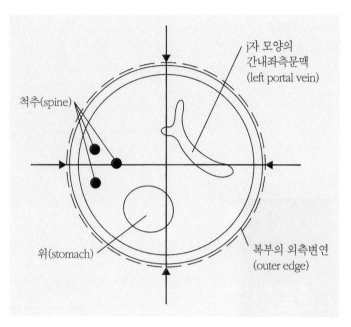

그림 11-22. A. C.의 측정은 위(stomach)가 보이는 시점에서 간내 좌측 문맥이 j자로 묘출되는 지점을 scan하여 복부의 가장 외측변연을 측정하게 된다. 이때 척추와 복부의 제부(umbilical portion) 부근을 측정의 기준으로 삼으면 정확하게 측정할 수 있다.

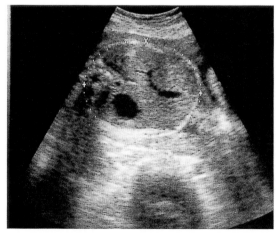
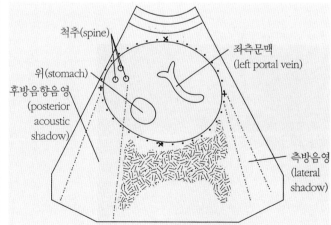

그림 11-23. A. C.의 계측

4) Femur Length (F. L.)

대퇴골(femur)은 태아의 뼈 중에서 가장 크고 가장 적게 움직이기 때문에 쉽게 측정된다. 이러한 이유로 fetal long bone (F. L. B.)중 femur length를 이용하게 되었다. F. L.은 13주 이후부터 측정할 수 있으며 F. L.은 대퇴골이 직선 상의 구조로 묘출되는 sagittal scan으로 계측할 수 있다. 계측은 대퇴골의 만곡에 관계없이 직선상으로 측정한다. 대퇴골(femur)은 뼈이기 때문에 고에코와 후방음향음영을 동반하는 경우가 많다.

F. L. 계측이 잘못 측정되는 다음과 같은 몇 가지 경우가 있다.

1. 대퇴골의 움직임 또는 기교의 미숙으로 장축 길이(long axis)가 정확히 묘출되지 못하여 실제 길이보다 짧게 측정 되었을 경우 잘못된 결과가 나타난다. F. L.의 측정은 기교상 쉽지 않기 때문에 최소한 3번 이상의 측정 중에 가장 길게 측정된 것을 이용하여야 한다.

2. 대퇴골이 비스듬히 놓여 있다면 부정확한 측정이 될 수 있다.

   초음파의 계측은 초음파 빔과 평행한 방향의 거리 측정은 오차가 적으나 초음파 빔에 직각으로 떨어져 있는 수평 길이의 측정은 정확도가 떨어진다고 알려져 있다. 그러나 F. L.은 A. C.보다는 정확하다고 알려져 있다.

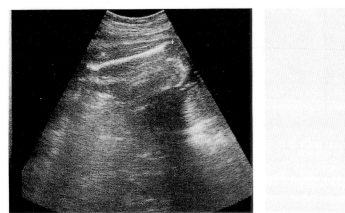
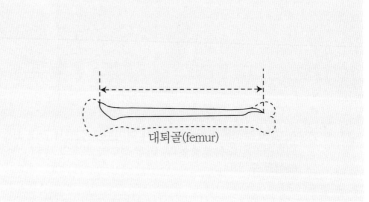

그림 11-24. F. L.은 대퇴골(femur)의 만곡에 관계없이 처음과 끝부분을 측정한다.

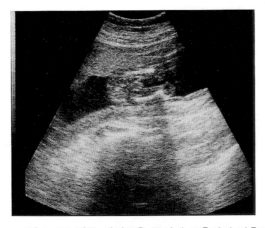
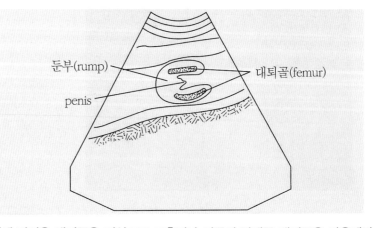

그림 11-25. 양쪽 대퇴골을 동시에 묘출하면 탐촉자에 가까운 대퇴골은 직선으로 묘출되나 먼쪽의 반대쪽 대퇴골은 가운데가 오목하게 들어가 휘어져 보인다. 측정은 항상 탐촉자에 가까운 직선의 대퇴골을 이용한다.

5) Head Circumference (H. C.)

B. P. D.와 같은 초음파 상에서 두개골의 외측변연을 잇는 원주를 계측하는 것이 H. C.이다.

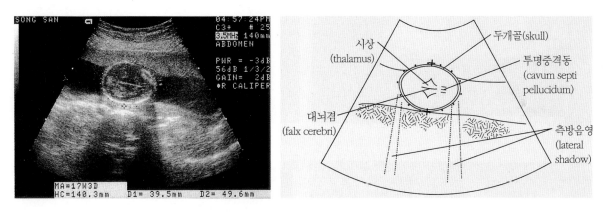

그림 11-26. **B. P. D.의 측정 부위에서 두개골의 외측변연의 둘레를 측정하면 H. C.가 산출된다.**

태아의 routine study는 C. R. L., B. P. D., H. C., A. C., F. L을 순차적으로 측정함으로써 이루어지며 이것으로 태아의 태령과 건강 상태도 알 수 있다.

최근 태아의 기형 감별에 대한 관심이 고조되어가고 있는 상황에서 초음파의 위치는 상당히 높게 간주되고 있다. 초음파 상으로 태아의 기형을 감별하는 것은 별도로 시행되는 것이 아니고 routine study히는 가운데 전체적인 태아의 신체 상황을 관찰하면 보다 쉽게 알게 되는 것이다. 검사자가 충분한 시간과 신중한 검사를 실시한다면 태아의 기형 감별에 있어서 큰 성과를 얻을 수 있을 것이다.

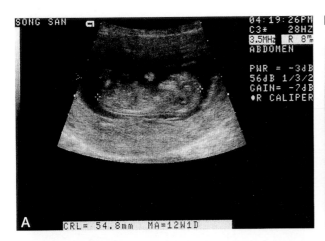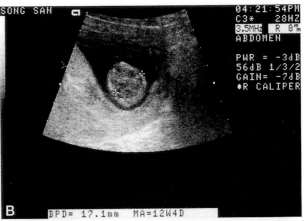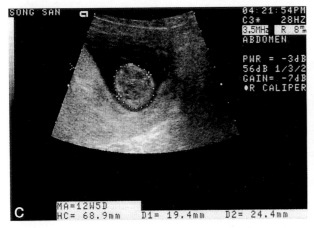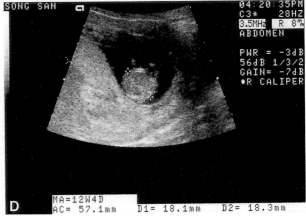

그림 11-27. L.M.P.의 계산으로 12주 4일된 태아의 routine study 증례 1

A. 태아의 종단면 머리, 얼굴, 손, 발이 모두 보인다. C.R.L. = 12주 1일 ± 7일 C.R.L.은 태령 11주가 넘어가면 태아의 만곡과 움직임에 의해 측정이 부정확할 수 있다. B. 시상(thalamus)이 보이는 시점에서 B.P.D.의 측정. B.P.D. = 12주 4일 ± 8일, C. 시상(thalamus)이 보이는 시점에서 H.C.의 측정. H.C. = 12주 5일 ± 8일, D. 제부(umbilical portion)에서 위(stomach)와 간(liver)내 좌문맥지가 보이는 상태에서 A.C.를 측정한다. A.C. = 12주 4일 ± 12일 F.L은 측정되지 않았다.

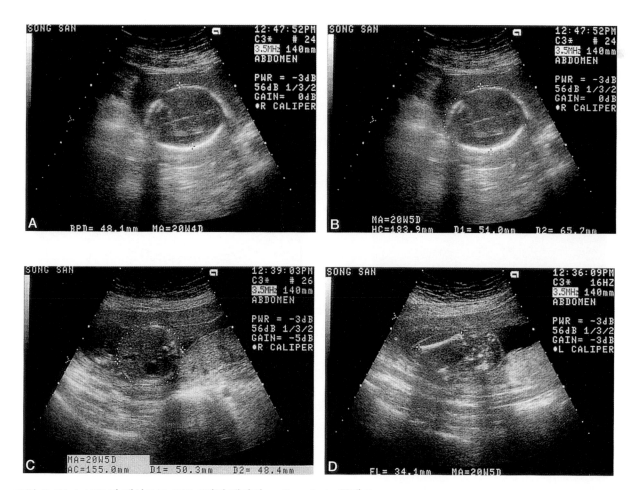

그림 11-28. L.M.P.의 계산으로 12주 4일된 태아의 routine study 증례 2

A. B.P.D. = 20주 4일 ± 12일, B. H.C. = 20주 5일 ± 10일, C. A.C. = 20주 5일 ± 14일, D. F.L. = 20주 5일 ± 13일

03 정상 태아의 해부(Normal Fetal Anatomy)

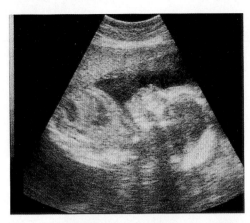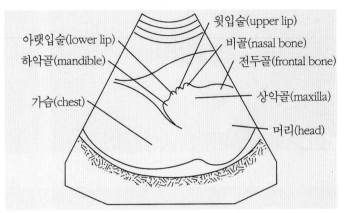

그림 11–29. 태령 22주 태아의 얼굴(face)과 머리(head)부위를 시상면 주사(sagittal scan)하여 얻은 화상이다. 얼굴에서 전두골, 비골 상악골, 하악골이 연조직으로 덮여 있다.

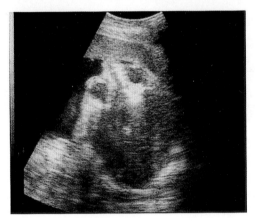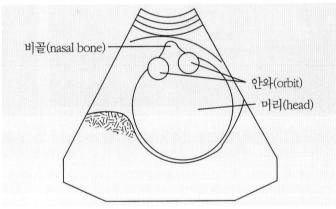

그림 11–30. **안와(orbit)가 보인다.**

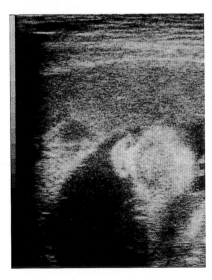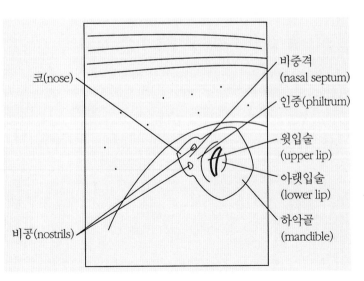

그림 11–31. **구순열(cheiloschisis) 검사**

위 화상은 정상적인 코, 콧구멍, 윗입술, 아랫입술이 묘출된 화상이다. 이와 같은 방법으로 scan한다면 만일 구순이 파열된 부분이 있을 경우 관찰되어진다.

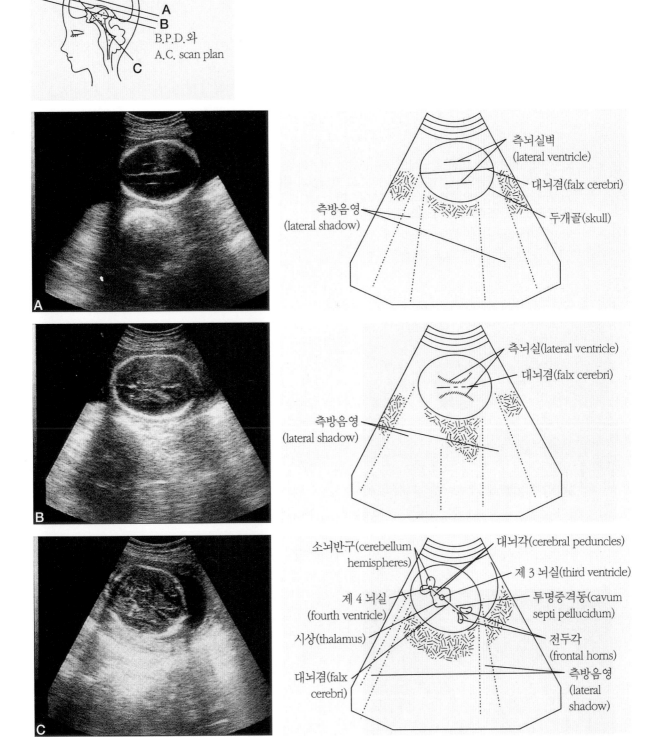

그림 11-32. **뇌의 scan. 태아의 머리를 scan부위에 따른 해부**

A. 측뇌실(lateral ventricles)이 관찰되는 scan, B. A와 B.P.D.를 측정할 수 있는 단면 사이에서의 scan, C. 소뇌 (cerebellum)가 관찰되는 scan

377

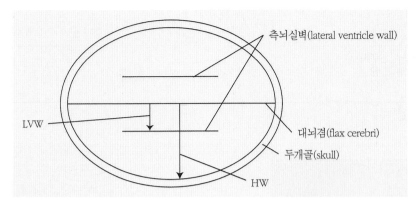

그림 11-33. 뇌반구의 폭(HW)에 대한 측뇌실의 폭(LVW)의 비율이 측뇌실 비율(LVR)이다. 뇌반구의 폭(HW)은 대뇌겸(falx cerebri)에서 두개골의 내측연까지의 거리이고 측뇌실의 폭(LWV)은 대뇌겸에서 측뇌실의 벽까지의 거리이다. 2nd trimester에서 정상적인 측뇌실의 폭(LWV)은 1.1 cm를 넘지 않는다. 정상적인 임신 15주에서의 측뇌실 비율(LVR)은 평균 56% , 25주에서는 33%이다.

$$LVR = \frac{LVW}{HW}$$

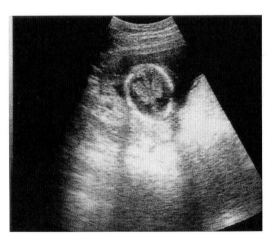
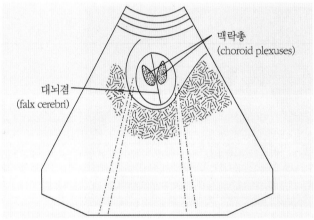

그림 11-34. **맥락총의 관찰**

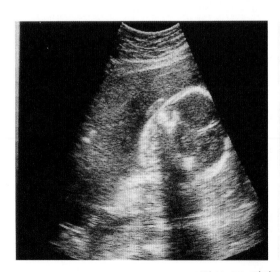
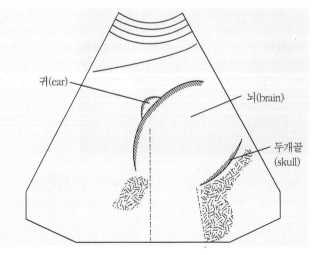

그림 11-35. **귀가 태아의 머리 측면에서 보인다.**

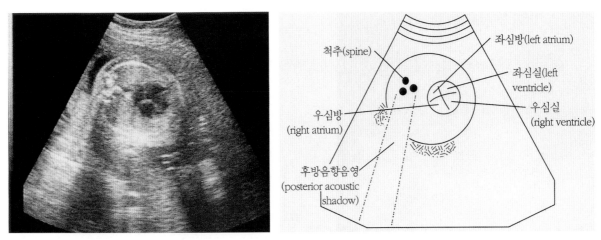

그림 11-36. 척추 앞과 흉골 뒤에 2개씩의 심방, 심실이 보인다. 태아의 흉곽(fetal thorax)은 복부에 비해서 그 직경이 약간 작으며 폐, 심장, 늑골이 관찰될 수 있다.

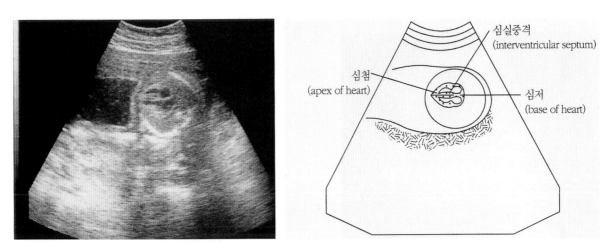

그림 11-37. **심장의 저부와 첨부의 단면상**

심실벽이 심방벽에 비해 두꺼워져 있는 것이 보인다. 초음파로 태아의 심장 위치의 이상, 결손, 리듬(rhythm)의 이상 등을 검색할 수 있다.

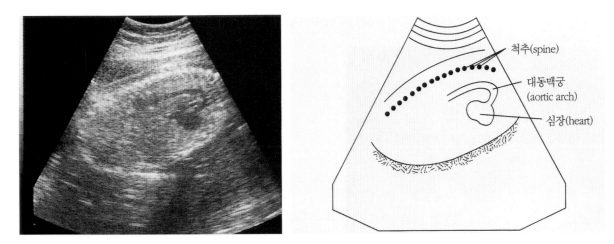

그림 11-38. **시상면 주사(sagittal scan)는 심장에서 나오는 대동맥궁(aortic arch)과 하행하는 대동맥이 척추 앞으로 지나가는 것을 볼 수 있다.**

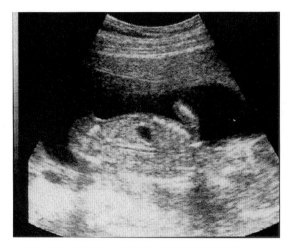

그림 11-39. 하행하는 대동맥 측면에 위가 보인다.

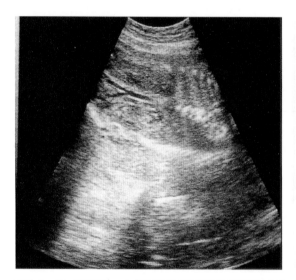
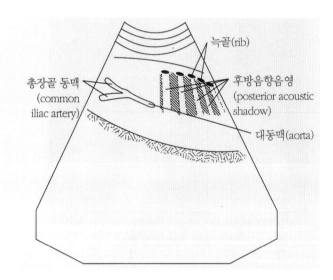

그림 11-40. 대동맥(aorta)을 따라 내려가면 총장골동맥(common iliac artery)으로 갈라지는 것을 확인할 수 있다.

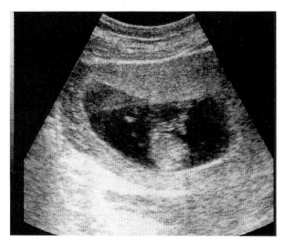
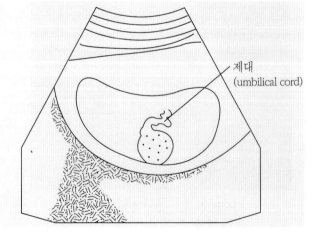

그림 11-41. 태령 10주 2일의 제대(umbilical cord)가 복부로 연결된 부위에서 부풀어 오르는 경우가 있다. 13주까지는 변 (feces)이 대장에 고여 제대로 탈출되는 경우가 있을 수 있기 때문이다.

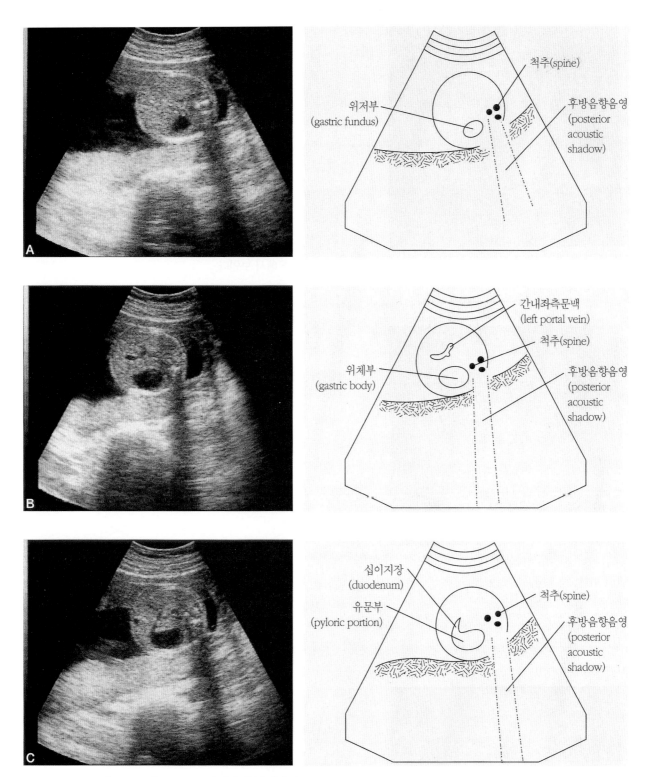

그림 11-42. **위장(stomach)의 분문부에서 유문부까지의 scan**

A. 위장의 저부가 저에코의 낭성 구조로 보인다. 복강의 나머지 부분은 간으로 채워져 있다. B. A보다 다리 쪽으로 약간 내려가면 abdominal circumference의 위치가 보인다. 액체로 가득 찬 위장이 무에코로 보이고 간내 좌측문맥이 j자 모양으로 보인다. C. B보다 약간 아래로 내려가면 위장이 십이지장과 연결되는 것을 관찰할 수 있다.

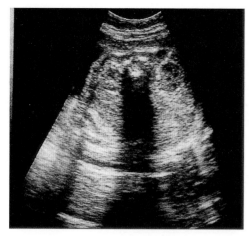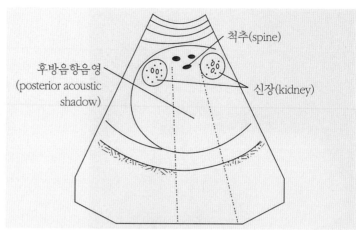

그림 11-43. Echogenic한 신장 캡슐(capsule)과 신장 내부가 척추 양쪽에서 보인다.

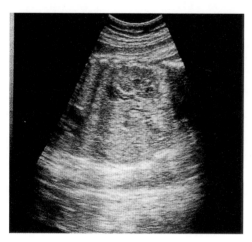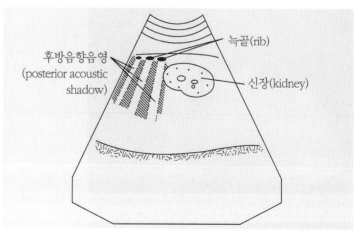

그림 11-44. **신장의 장축면상**

　　신동 부위에서 약간의 무에코 소견을 보이나 정상적인 소견이다. 만일 요도, 방광, 요관의 폐쇄가 있으면 수신증이 관찰된다.

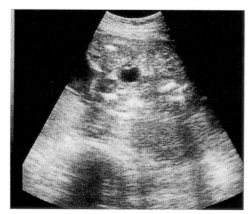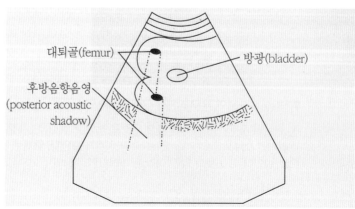

그림 11-45. 태아는 양수를 먹고 배설을 한다. 만일 방광에 소변으로 인한 무에코의 낭종성으로 묘출되지 않는다면 태아가 소변을 보았던가 아니면 요로계와 소화기계의 이상으로 보아야 한다.

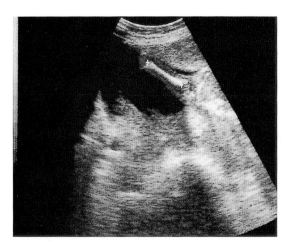
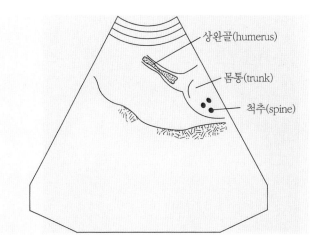

그림 11-46. **상완골(humerus)의 묘출**

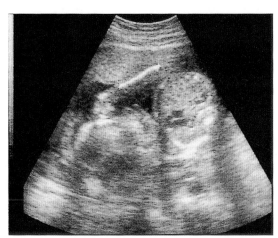
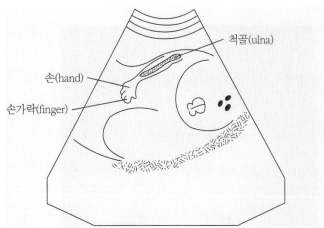

그림 11-47. **척골(ulna)이 손과 함께 묘출되었다.**

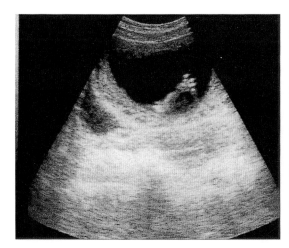
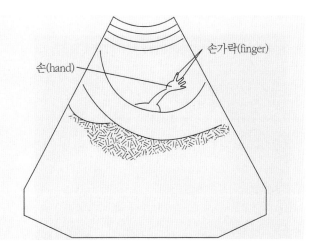

그림 11-48. **태령 14주의 태아손가락**
엄지 손가락을 제외한 4개의 손가락이 명확하게 보인다.

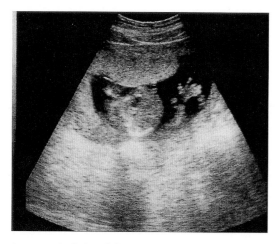 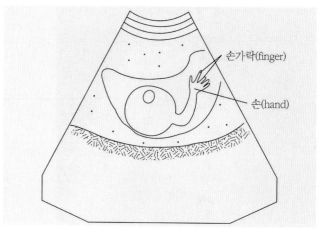

그림 11-49. 손가락 5개가 보이나 가운데 손가락이 초음파 빔과 약간 거리가 떨어져 깊게 묘출되지 않았다.

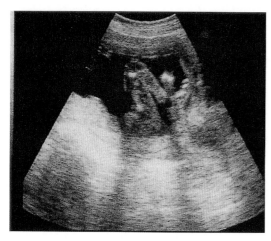 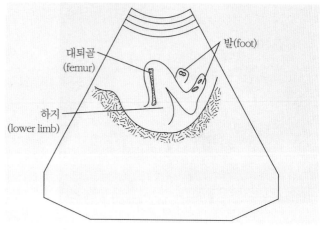

그림 11-50. 우측하지가 굽어져 있는 것이 보인다.

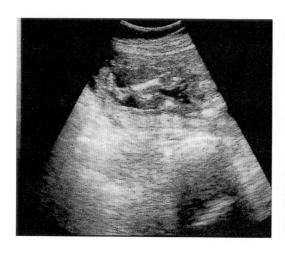 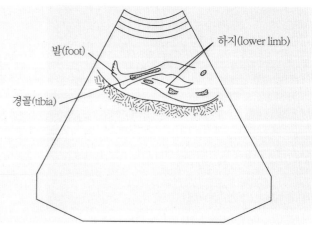

그림 11-51. 경골(tibia)이 엇갈려 있고 우측 경골, 우측발, 발가락이 관찰된다.

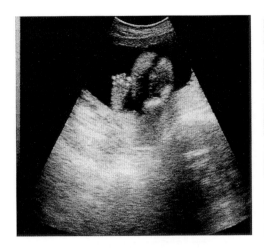 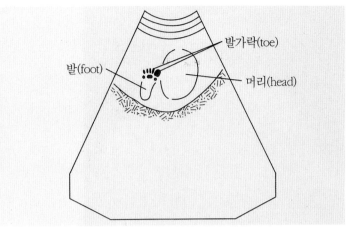

그림 11-52. **발가락 5개, 발, 머리가 보인다.**

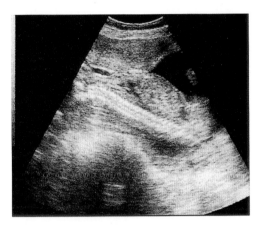 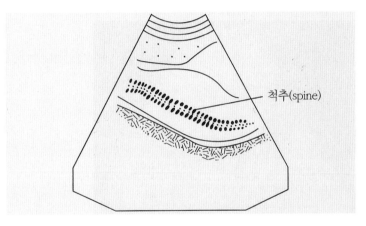

그림 11-53. **척추의 묘출**

경추, 흉추, 요추가 길게 보인다. 척추의 장축상은 3줄의 고에코로 보이며 경추부에서는 경한 이탈 또는 폭이 넓어지는 것을 볼 수 있다. 이와 같은 coronal scan으로 관찰하면 척추의 비정상적인 소견이 있을 경우 즉, 척추의 결손부를 통하여 뇌척수막(meninges)이나 신경조직(neural tissue)이 탈출한 수막류(meningocele) 또는 척수막류(myelomeningocele)를 관찰할 수 있으며 또한 이분척추(spina bifida) 등을 관찰할 수 있다.

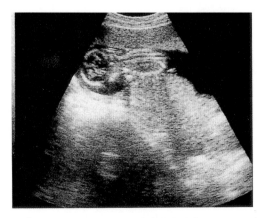 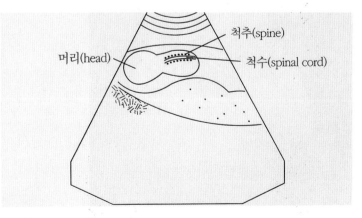

그림 11-54. **태령 13주된 태아의 척수(spinal cord)가 관찰된다.**

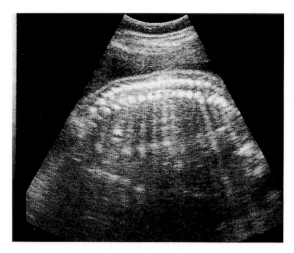 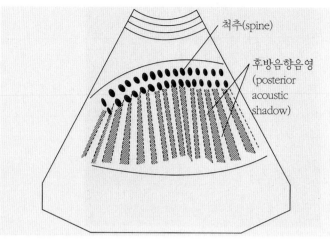

그림 11-55. 척추에 따른 후방음향음영이 빗살 모양으로 보인다.

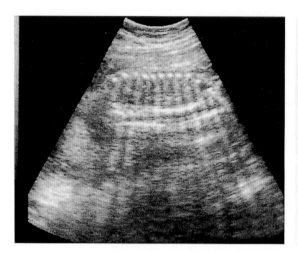 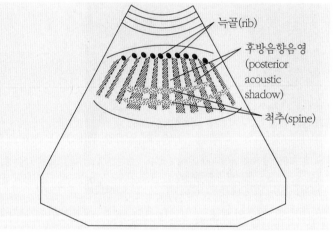

그림 11-56. 늑골(rib)에 의한 후방음향음영이 빗살 모양으로 보이고 후방에 척추가 있음이 관찰된다.

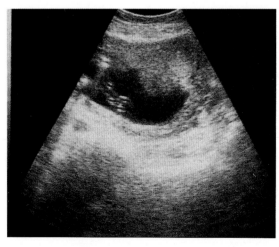 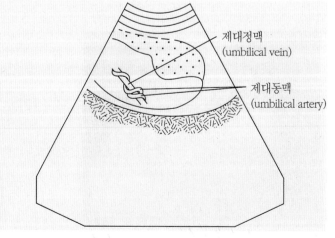

그림 11-57. 탯줄(umbilical cord)이 나선상의 구조로 보인다. 직선상의 굵은 줄은 제대정맥이고 나선상의 가는 두 줄은 제대동맥이다.

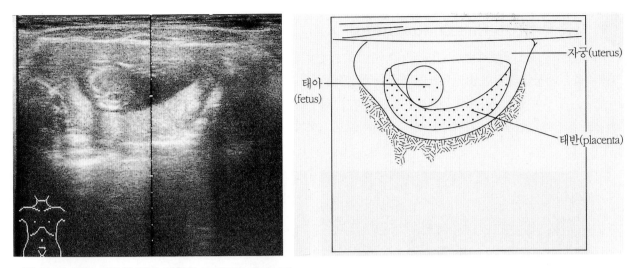

그림 11-58. 태령 16주의 태반. 평활한 고에코로 나타난다.

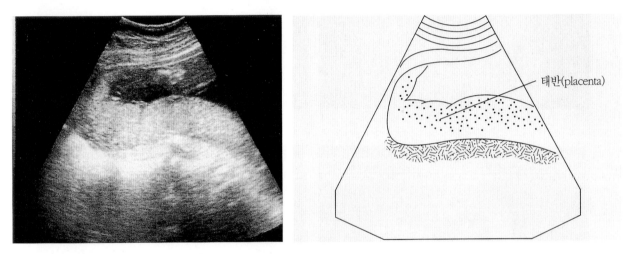

그림 11-59. 태령 22주의 태반. 고에코로 비후되어 있는 것이 관찰된다.

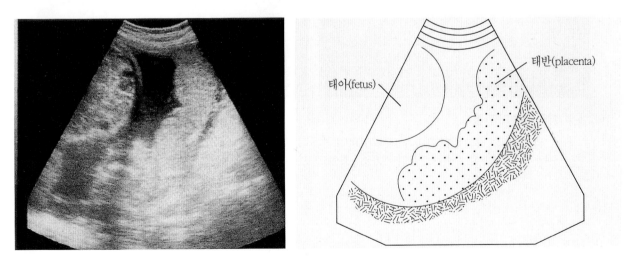

그림 11-60. Third trimester에서 태반은 정상적으로 석회화가 되고 평탄한 모양에서 요철이 있는 모양으로 변한다. 이 사진은 태령 33주의 태반 모습이다.

04 자궁 수축(Uterine Contractures)

자궁수축은 자궁근의 국한성 비후 또는 자궁하구역 자궁근의 원주상 비후로서 임신 기간 중에 나타날 수 있다. 자궁수축은 태낭의 일부벽에서 안쪽으로 돌출하듯이 수축하기 때문에 자궁근종으로 오인할 수 있게 만든다. 약 30분 후에 경과를 관찰하면 수축된 일부 자궁 근육이 이완되어 정상으로 돌아가는 것을 관찰할 수 있다.

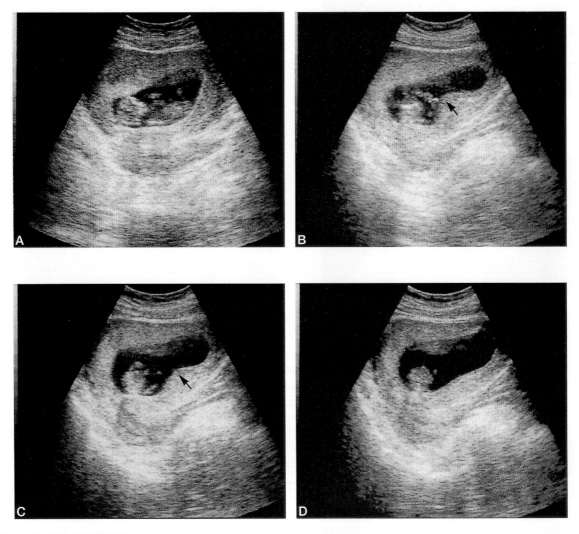

그림 11-61. **자궁 수축의 관찰**

A. 임신 11주의 태낭 안에 태아가 정상적으로 보인다. B. 자궁전벽의 수축으로 태낭내 삼각형의 돌출부를 만들었다(화살표) C. 시간 경과 후 수축된 부분이 적어졌다(화살표) D. 수축된 부분이 완전히 이완되어 정상으로 돌아왔다.

388

05 쌍태아(Twins)

임산 6주부터 쌍태아를 진단할 수 있다. 태낭이 2개 이상이거나 하나의 태낭 안에 배아(embryo)가 두 개로 보일 때 쌍태아의 진단이 내려질 수 있다. 그러나 대부분 생존한 쌍태아는 배아기(embryonic period)를 지난다.

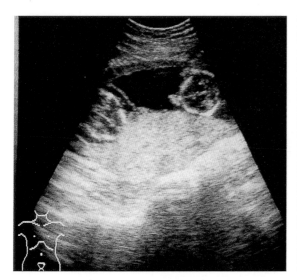
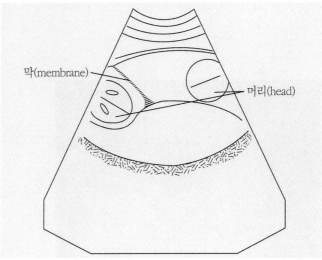

그림 11-62. 하나의 태낭에 가운데 얇은 막으로 벽을 만들고 둘의 태아가 각각 하나의 방을 형성하고 있다. 만일 가운데 막이 없을 경우 서로 엉켜 태줄이 꼬이면 사망할 수 있다.

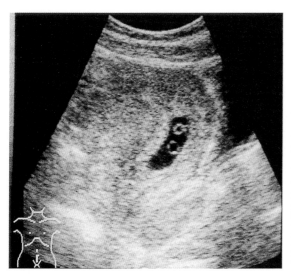
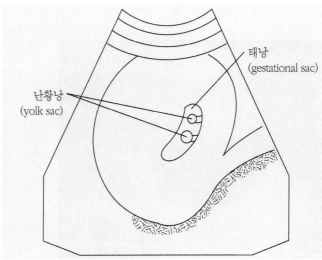

그림 11-63. 임신 6주된 태낭 안에 난황난이 2개 있다.

06 유산(Abortion)

태아가 정상적인 임신 지속 시간 전에 임신이 종결되어 태아가 밖으로 배출되는 것을 유산이라 한다. 자연 유산은 불완전 유산(incomplete abortion), 계류 유산(missed abortion), 불가피 유산(inevitable abortion), 습관성 유산(habitual abortion)으로 분류되기도 하나 초음파의 등장으로 이러한 분류의 의의가 없어졌다. 왜냐하면 임신 중 태아의 상태가 정상인가 비정상인가를 구별하여 유산의 유무만 결정하면 되기 때문이다.

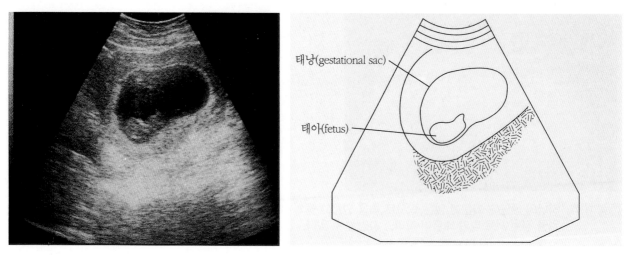

그림 11-64. 태아가 태낭 밑에 가라앉아 태아의 움직임이 없고 심박동이 관찰되지 않았다.

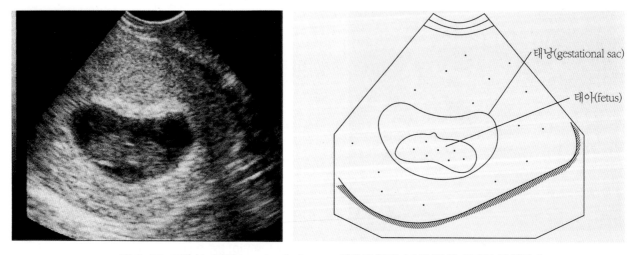

그림 11-65. 그림 11-64의 transvaginal scan. 태아의 형체가 불선명한 상태로 관찰된다.

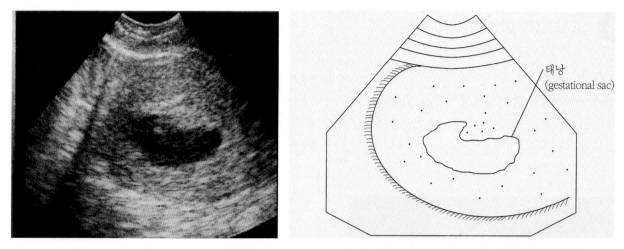

그림 11-66. Transvaginal scan. 태낭의 double ring sign이 없고 형태가 불선명하며 불규칙하게 관찰된다.

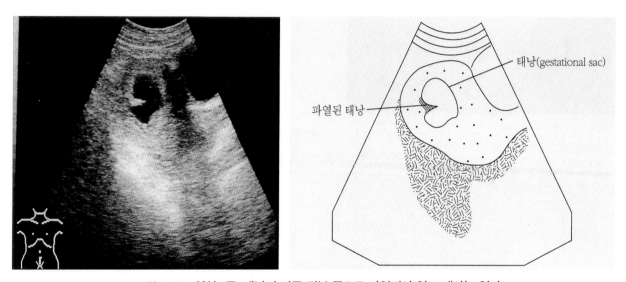

그림 11-67. 임신 7주. 태낭이 자궁 경부 쪽으로 파열되어 있고 배아는 없다.

07 고사란(Blighted Ovum)

고사란(blighted ovum)보다 적절한 용어로는 anembryonic gestation이 있다. 임신 초기에 어떤 이유 없이 배아(embryo)가 사망할 때 태낭에서 배아가 없어져 태낭이 비어 있는 것으로 관찰된다. 대개 태낭의 직경이 2.5cm 이상이고 배아가 관찰되지 않으면 이것을 고사란이라고 진단할 수 있다.

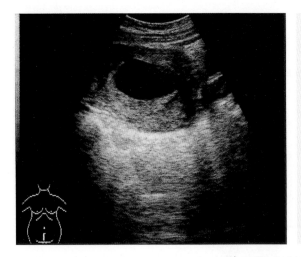 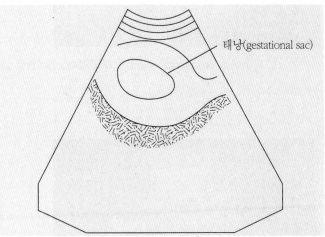

태낭(gestational sac)

그림 11-68. L. M. P.로 계산한 9주 3일의 태낭
태낭 안에는 어떤 구조물도 보이지 않았다.

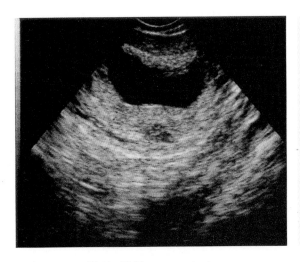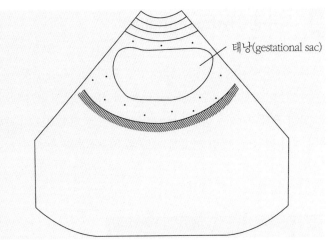

태낭(gestational sac)

그림 11-69. **그림 11-68의 transvaginal scan**

태낭은 비어 있다.

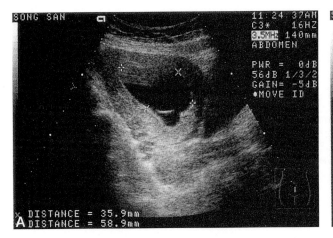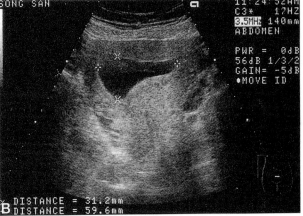

그림 11-70. **L.M.P.로 계산하여 11주 5일된 태낭**

태낭에는 어떤 구조물도 없이 비어 있다. A에서는 태낭의 아래 부분에 양막(amniotic membrane)인 듯한 구조물이고 에
코선으로 관찰된다.

08 뇌수종(Hydrocephalus)

뇌척수액은 측뇌실과 제3뇌실에 있는 맥락총(choroid plexus)에서 생성된다. 측뇌실의 맥락총에서 생산된 뇌척수액은 제3뇌실을 거쳐 중뇌수도를 지나 제4뇌실로 흐르고 지주막강으로 나가게 된다. 만일 뇌척수액의 배출 통로가 폐쇄되어 순환의 장애가 오는 경우 뇌척수액의 분비는 계속되므로 뇌척수액이 축적되어 이상하게 확대된 상태가 된다. 이것을 뇌수종이라 말한다. 이런 경우에 어느 유출로에 통과 장애가 있는가를 초음파로 추적 검사할 수 있다.

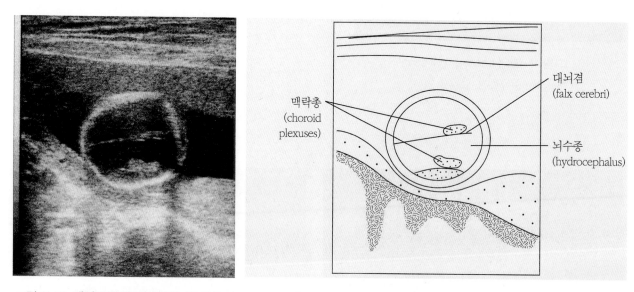

그림 11-71. 태령 17주의 태아에서 측뇌실(lateral ventricle)에 뇌수종(hydrocephalus)이 발생하여 측뇌실벽이 외측으로 편위되어 있고 맥락총(choroid plexuses)이 뇌실의 벽(ventricular wall) 하방으로 떨어져 있는 것이 보이는 axial scan

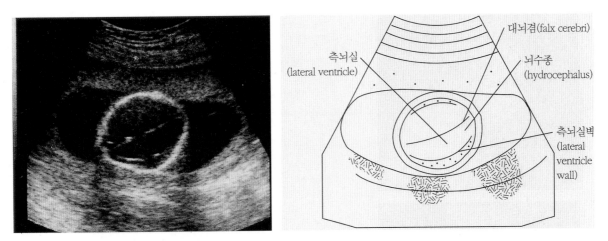

그림 11-72. 뇌수종일 경우 측뇌실의 비율(LVR)이 태령에 비해 비정상적으로 증가한다. 이때 B. P. D.는 종종 비정상적으로 증가한다.

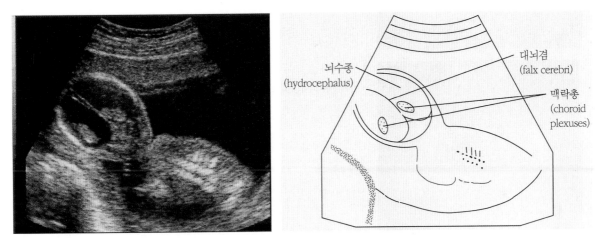

그림 11-73. 맥락총(choroid plexuses)이 뇌실 하방으로 떨어져 있고 측뇌실은 확장되어 있다.

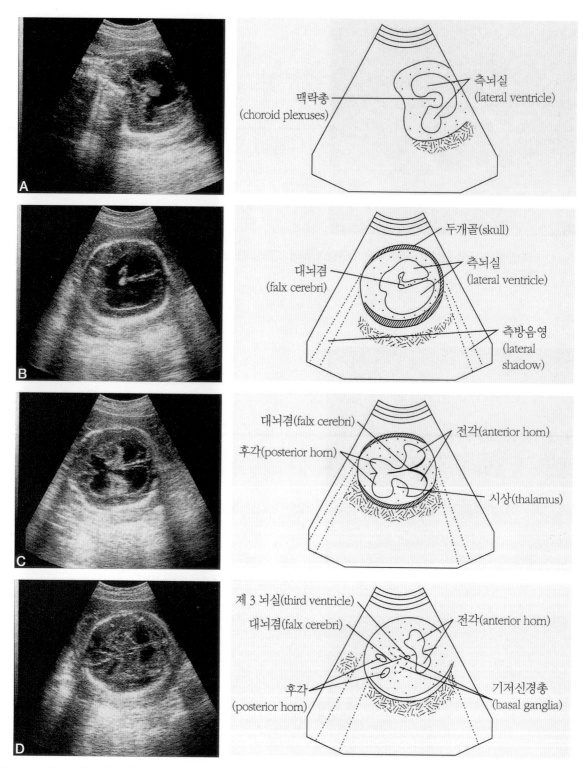

그림 11-74. **임신 28주 태아의 뇌수종 routine study**

A. Sagittal scan. 뇌수종에 의해 측뇌실(lateral ventricle)이 심하게 확장되어 있고 고에코의 맥락총이 중앙에서 상방으로 융기되어 있음이 보인다. B. Axial scan. 측뇌실벽이 뇌수종으로 인하여 외측으로 밀려나 있다. C. B에서 다리쪽으로 약간 내려온 axial scan. 측뇌실의 전각(anterior horn)과 후각(posterior horn)이 팽창되어 있다. D. C보다 다리 쪽으로 조금 더 내려온 부위에서의 axial scan. 측뇌실의 전각과 후각의 확장은 있으나 제3뇌실의 확장소견은 없다. 태아 뇌의 scan 결과 측뇌실은 확장소견이 관찰되나 제3뇌실은 확장소견이 없는 것으로 보아 측뇌실과 제3뇌실 사이에 CSF의 흐름에 장애가 있다고 생각된다.

09 두피 부종(Scalp Edema)

두피의 피하조직에 수종(hydrops)이 발생하여 정상보다 두꺼워지는 현상을 말한다.

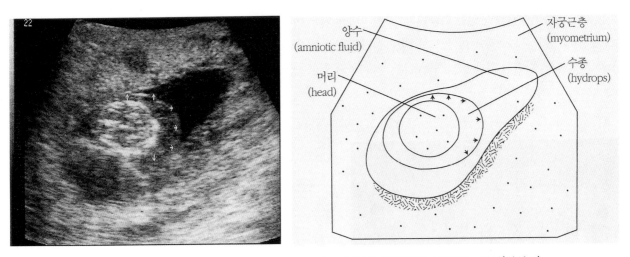

그림 11-75. 임신 13주에서 태아 두피의 피하조직이 두꺼워졌음을 보여주는 화상(화살표)

10 전신 부종(General Edema)

전신의 피하조직에 수종(hydrops)이 발생하여 정상보다 두꺼워지는 현상을 말한다.

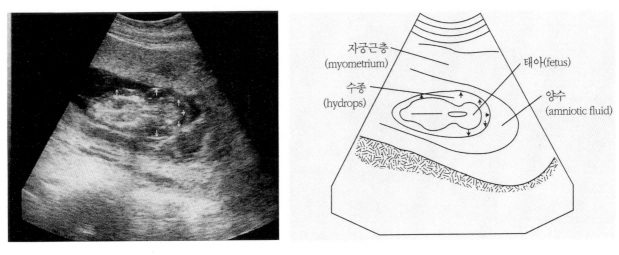

그림 11-76. Sagittal scan
태아의 전신 피하조직이 수종(hydrops)에 의하여 두꺼워져 있음을 관찰할 수 있다.

11 포상기태(Hydatidiform Mole)

임신시 생기는 태아막의 주요 성분인 맥락막(choroid membrane)은 융모로 되어 있는데 이것이 증식하여 포도송이처럼 자궁내강을 가득 채우는 것을 포상기태(H-mole)라 한다. 융모가 자궁벽을 침입하여 파괴하면 낭포화한다. 이러한 것이 자궁 안에 눈보라(snowstorm)같은 미만성 echo의 존재로 특징지어진다. 이들 내부 에코는 molar vesicle에 의해 만들어진 많은 접촉면에서의 반영을 나타낸다. 포상기태는 암은 아니지만 파괴성이 강하거나 증식성이 강한 것은 악성화한다. 또한 자궁벽과 간으로의 전이 등으로 생명에 위협을 주는 병이다. 간으로의 전이 여부를 알기 위해서 상복부도 함께 scan을 시행한다. 다양한 루테인 낭종(lutein cysts)으로 인한 난소의 확대가 포상기태와 빈번하게 연관되기도 한다.

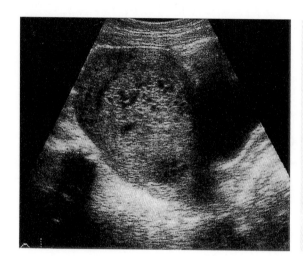 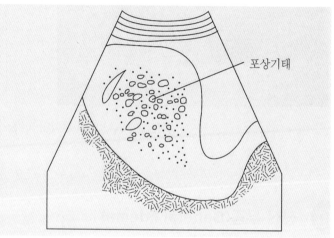

그림 11-77. **포상기태**

12 자궁외임신(Ectopic Pregnancy)

자궁외임신은 수정란이 자궁의 체부 내강에 착상되지 않고 그 외의 장소에 착상되는 임신을 말한다. 즉 나팔관, 난소, 복강내 그리고 자궁경부 등에 수정란이 착상되는 것을 말한다. 임신부 사망율의 첫 번째이며 first trimester에서 임신부의 사망율도 첫 번째이다. 그리고 임신부의 생명에 관계되는 응급질환인 경우가 많기 때문에 진단에 있어서 신속 정확하여야 한다. 이러한 자궁외임신의 초음파적 진단율은 상당히 높다. 임신시 자궁체부에 태낭이 없고 다른 부위에서 태낭이 발견되며 출혈이 있을 경우 직장자궁와(cul-de-sac)에 출혈의 양에 비례한 무에코 소견이 나타난다. 자궁외임신은 난관 채부(fimbria)와 팽대부(ampulla)에서 빈발한다. 골반염등의 여성생식기염증으로 난관의 이상을 초래할 경우에 많이 발생되어진다고 알려져 있으며 IUD를 사용하고 있는 여성, 자궁외임신의 기왕력, 난관수술후의 임신, 골반염 등이 있을 경우에 자궁외임신의 가능성이 높아진다고 알려져 있다.

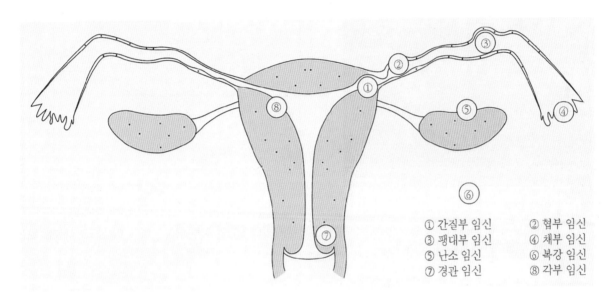

① 간질부 임신   ② 협부 임신
③ 팽대부 임신   ④ 채부 임신
⑤ 난소 임신   ⑥ 복강 임신
⑦ 경관 임신   ⑧ 각부 임신

그림 11-78. **자궁외임신의 발생부위**

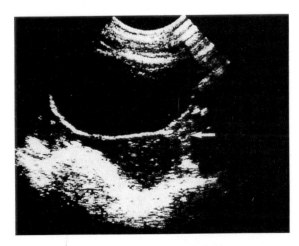

그림 11-79. **자궁외임신**

좌측 난관 부위에 태낭이라고 생각되는 고에코 테두리의 낭성 구조가 보이고 자궁 내강에는 아무것도 발견되지 않았다.

13 초기의 전치태반(Early Placenta Previa)

임신 초기의 분명한 전치태반이 third trimester에서는 전치태반이 아닌 경우가 자주 일어난다. 태반의 변연부가 자궁경부를 덮고 있는 경우 통상적으로 임신 20주를 지나서 자궁경부가 길게 늘어나 태반이 자궁경부로부터 멀리 떨어지는 경우가 많다. 만일 태반의 중심부가 자궁경부를 덮고 있다면 분만 시까지 전치태반의 가능성이 높다. 임신 초기에 전치태반의 가능성이 있을 경우에는 속단하지 말고 계속적인 추적검사를 해야 한다.

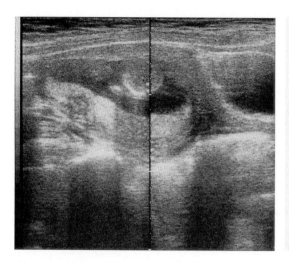 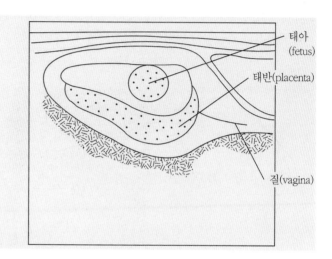

그림 11–80. **임신 17주**

태반의 변연이 자궁 경부를 덮고 있으나 이것만으로 전치태반의 진단은 이루어질 수 없다. 이 정도는 대부분 임신 후 반기에 정상적인 위치로 자리잡게 된다.

14 자궁근종과 임신

　자궁근종은 임신 중에 estrogen 효과 때문에 증대되는 경향이 있고 괴사와 석회화를 일으키기도 한다. 자궁근종은 임신 초기에 유산의 빈도를 높인다. 임신 중기에는 급격한 비대로 인한 동통과 압통을 일으키기도 한다. 임신 말기에는 조산이나 태반조기박리를 일으키며 분만 중에는 자궁 무력에 의한 난산을 야기시킬 수 있고 산후에는 이완성 출혈 등을 일으킨다.

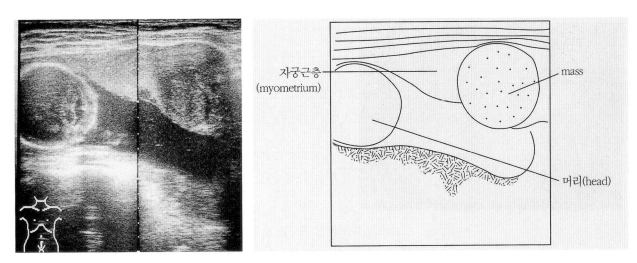

그림 11-81. **자궁경부의 전방에 4.5 x 5.0cm 크기의 자궁근종과 태아의 두부가 보인다.**

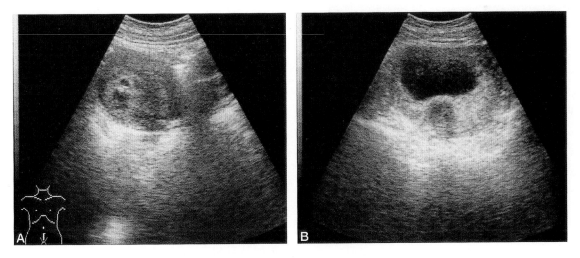

그림 11-82. **임신 초기의 자궁근종**

A. 임신 4주 6일. 태낭후방에 1.5cm 크기의 근종이 보인다. B. 임신 10주. 2cm 크기로 커졌다.

15 산욕기의 자궁

산후에 자궁 내에서 분비되는 배설물인 오로(惡露, lochia)가 대개 산후 2주일까지 관찰된다. 2주일 이상 오로가 관찰되면 태반편의 잔류 또는 태반 부위의 복구부전이 의심된다. 또한 자궁은 2주일 안에 진골반 안으로 들어간다. 이러한 것은 초음파로 쉽게 관찰할 수 있다.

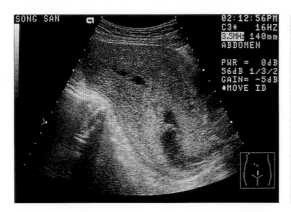
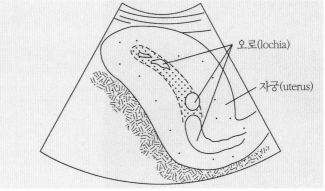

그림 11–83. **분만 후 7일 된 자궁**
확장된 자궁 안에 무에코의 오로가 보인다.

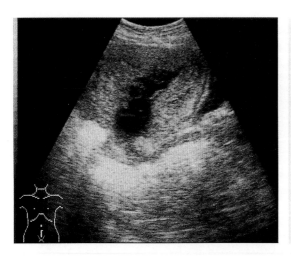
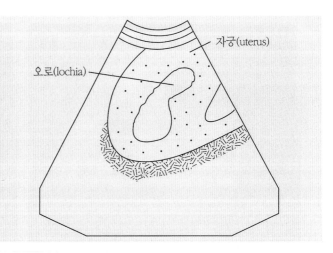

그림 11–84. **분만 후 24일 된 자궁**
오로의 배출이 전혀 이루어지지 않았고 태반편의 잔류가 남아 있다.

16 수신증(Hydronephrosis)

임신 중 자궁이 커지면서 요관을 압박함으로 모체의 신장에 수신증을 야기시키는 경우가 있다.

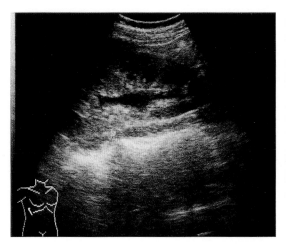 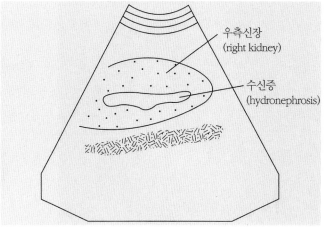

그림 11-85. **임신 29주**

모체의 우측 신장에 grade I 정도의 수신증이 보인다.

17 임신 초기의 약물 복용

임신 초기에 유산 목적으로 통경제를 임의 복용하면 불규칙한 태낭과 자궁에 저에코 병소가 나타난다.

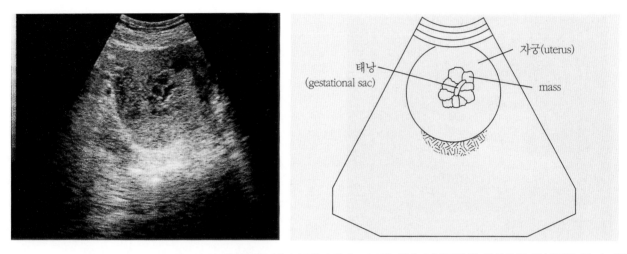

그림 11-86. 월경이 없자 유산의 목적으로 통경제를 임의 복용하였다. 6주된 태낭이 불규칙한 위축으로 유산임을 알 수 있고 자궁에 여러 개의 저에코 소견이 병적인 것임을 알 수 있다.

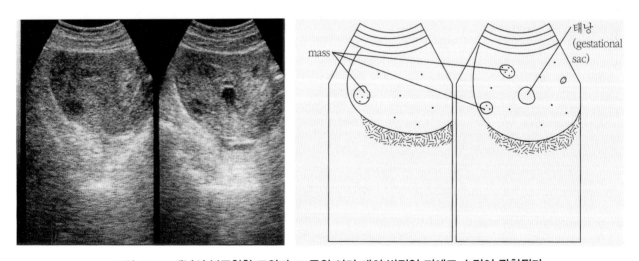

그림 11-87. 태낭의 불규칙한 모양과 그 주위 여러 개의 병적인 저에코 소견이 관찰된다.

12 심장(Heart)

01 심낭수종증(Hydropericardium)

심낭수종증이란 심막강에 삼출액 또는 누출액이 저류한 상태를 말하며 초음파로 쉽게 진단되어진다. 심막강은 심장을 싸고 있는 심외막과 벽쪽으로 심외막을 싸고 있는 벽측심막에 의하여 만들어진 내강을 말하며 여기에는 심막액이 있어 윤활작용을 한다. 그러나 심막액의 양은 소량이기 때문에 초음파로써 심막액의 관찰과 심막강의 구별은 대부분 어렵다. 만일 심막강에 누출액의 저류가 있다면 심막강에는 무에코 또는 debris가 있는 저에코로 심장 주위에서 관찰된다. 이러한 경우 가장 외측에 고에코로 나타나는 벽측심막은 움직임이 거의 없으며 내측에 심근과 심외막은 심장의 수축과 확장에 따라 요동치듯이 움직이는 것을 볼 수 있다. 심낭수종증은 심와부 음향창(epigastric window)에서 가장 잘 묘출되고 흉골 좌연 음향창(left parasternal window)에서 관찰할 수 있다.

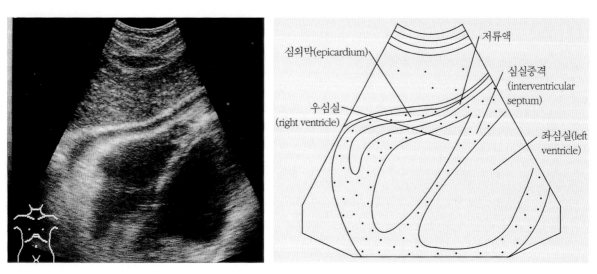

그림 12-1. **심막과 심근의 고에코 사이에서 무에코의 띠로 관찰되는 경미한 심낭수종증**

무에코의 띠인 심낭수종이 심장의 수축시에 1cm를 넘지 않을 경우에는 임상적인 증상의 발현은 없다.

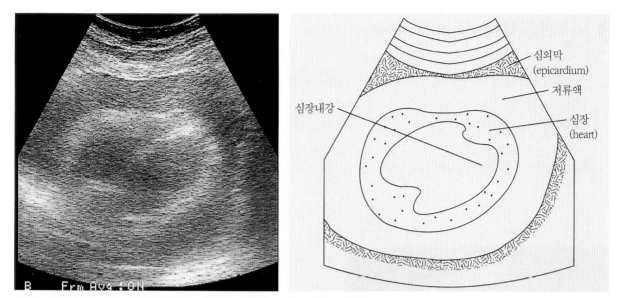

그림 12-2. 2개의 고에코 원이 보인다. 바깥쪽의 얇은 고에코 원은 벽측심막이고, 안쪽의 두꺼운 고에코 원은 심근과 섬외막이 하나로 합쳐져 관찰된 것이다. 그 사이의 넓은 무에코 소견은 저류액이 상당히 많은 양으로 고여, 존재하고 있음을 알려 준다.

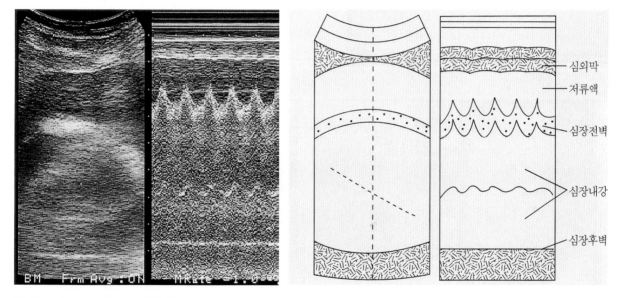

그림 12-3. Subcostal scan에서의 M-mode

벽측심막의 움직임은 거의 없기 때문에 심근의 움직임에 따라 심막강의 무에코저류액의 넓이가 넓어졌다 좁아졌다 하는 것을 볼 수 있다.

02 승모판 협착증(Mitral Stenosis)

승모판 협착증은 좌심방과 좌심실 사이의 승모판이 유착과 변형으로 승모판구가 좁아져 좌심방에서 좌심실로의 혈액 유입이 제한되는 병이다. 대부분 류마티스 열(rheumatic fever)에 의한 승모판의 염증성 변화에서 오며 선천성으로 오기도 한다. 좌심방 확장, 승모판의 운동 상태, 승모판의 협착과 변형 정도, 혈전 형성 등을 초음파 검사로 쉽고 간편하게 알 수 있으며 도플러 초음파 검사와 컬러 초음파 검사로 승모판을 통과하는 혈류의 속도, 협착의 정도, 심장의 구조적 변화, 혈액의 역류 등을 알 수 있다.

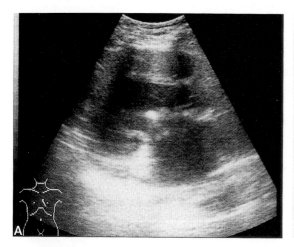
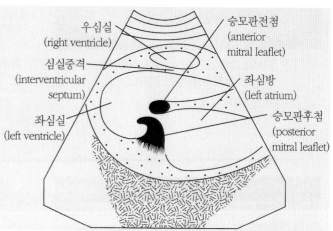

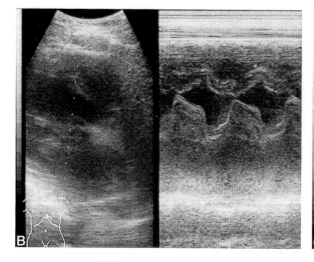
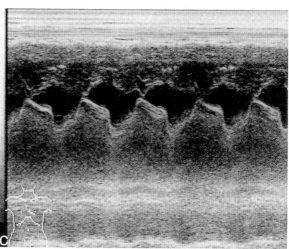

그림 12-4. **승모판 협착증**

A. 흉골좌연 음향창을 이용한 심장의 장축상. 승모판첨은 심하게 비후되어 있으며 좌심방의 확장이 뚜렷하게 보인다. 승모판첨이 석회화되었다는 것을 알리는 강한 에코가 승모판첨에서 관찰된다. B. B-mode와 M-mode. 승모판 협착증은 승모판 전첨의 E, F, G, A 비탈이 감소되어 바로 A, B 비탈로 이어진다. C. B의 M-mode 초음파 상

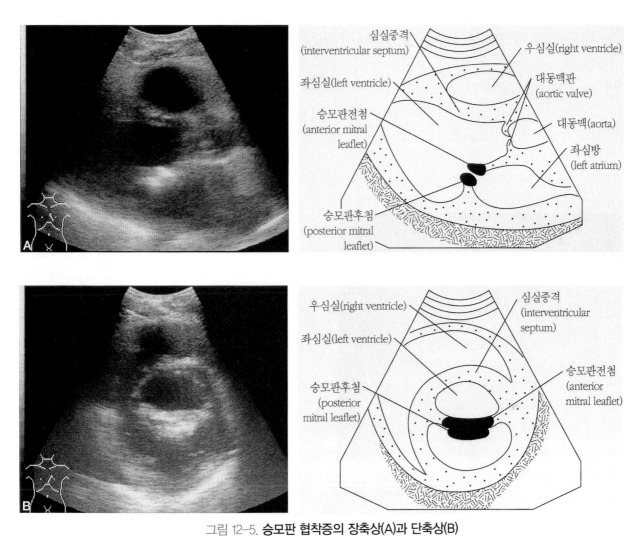

그림 12-5. **승모판 협착증의 장축상(A)과 단축상(B)**

A. 승모판첨의 비후와 석회화가 보이고 좌심방의 확장소견이 관찰된다. B. 두꺼워진 승모판이 입술 모양으로 관찰된다.

03 대동맥판 폐쇄부전(Aortic Incompetence)

대동맥판막의 폐쇄가 잘 되지 않아 좌심실의 확장기에 대동맥으로부터 좌심실로 혈액이 역류되는 것을 대동맥판 폐쇄부전이리 한다. 좌심실의 확장기 때 대동맥판첨이 완전히 닫히지 않고 간격을 두고 있는 것이 관찰되며 좌심실근의 비후나 좌심실의 확장은 없는 경우가 많다.

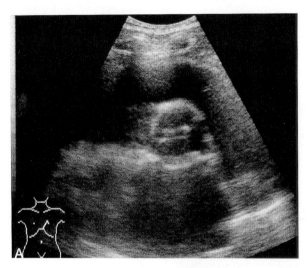
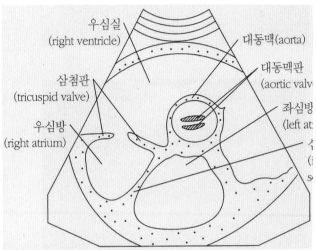

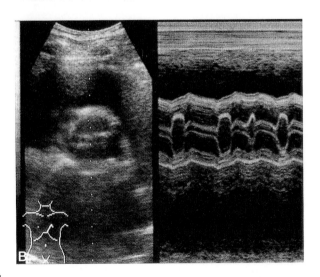

그림 12-6. 대동맥판 폐쇄부전

　A. 흉골좌연 음향창을 이용한 심장의 단축상. 좌심실의 확장기 때 대동맥판의 완전 폐쇄가 이루어지지 않아 간격이 생기는 것이 관찰된다. B. B-mode와 M-mode. M-mode 화상에서 대동맥판의 전첨과 후첨이 완전히 폐쇄되지 않는 것이 관찰된다. 이 경우는 부정맥이 있는 환자였다.

04 대동맥판 협착증(Aortic Stenosis)

대동맥판 협착증은 대동맥판의 입구가 좁아져 잘 개방되지 않는 질환으로 승모판 협착증과 유사하며 대동맥판의 변성, 석회화, 비후가 관찰된다. 대동맥으로 유출될 혈액의 역류로 인하여 좌심실압이 높아져 좌심실의 확장이 일어난다.

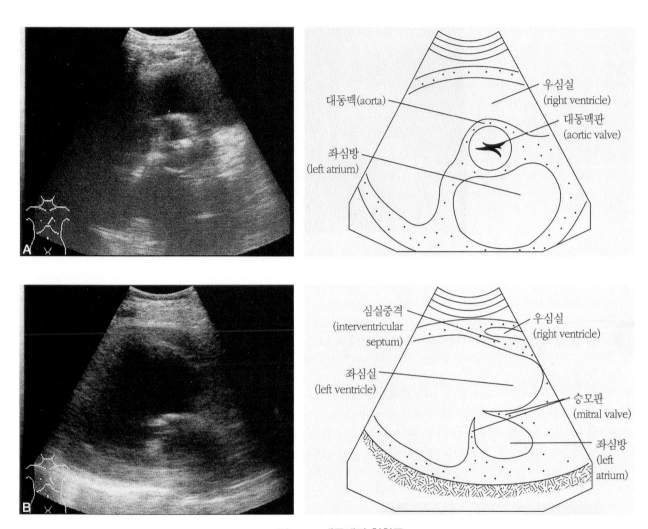

그림 12-7. **대동맥판 협착증**
A. 흉골좌연 음향창에서의 심장 단축상. 대동맥판이 비후되어 협착되어 있다. B. 좌심실의 확장이 고도로 이루어져 있다.

05 인공심장판막(Prosthetic Cardiac Valve)

과학 기술의 발달에 따라 심장 판막질환에 있어서 심장 기능을 정상으로 만들기 위해 인공심장판막으로 대체하는 치료가 많아졌다. 이에 따른 인공판막의 기능 평가와 경과 및 관찰에 있어서 초음파는 많은 도움을 주고 있다.

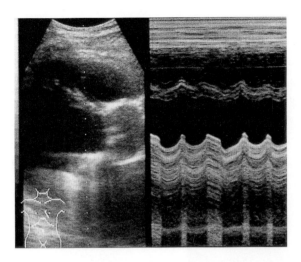

그림 12–8. 승모판 협착증 때문에 인공판막으로 대체된 승모판의 기능이 정상임을 초음파를 통해 알 수 있었다. 부정맥이 있던 환자이기 때문에 심박동의 리듬은 불규칙하다.

06 좌심실류(Light Ventricular Aneurysm)

관상동맥경화로 발생하는 허혈성 심질환으로 좌심실첨부의 심근이 괴사되어 이상팽륜으로 관찰되는 것을 좌심실류라 한다. 정상 심근과 괴사된 심근 사이에 심근의 두께가 차이 나며 경계를 이룬다. 이 경계를 hinge point라 하며 이것은 좌심실류의 특징이다. 또한 심첨부의 이상팽륜부는 본래의 좌심실의 형태보다 심첨부 쪽으로 부풀어 있는 것같이 보이며 심장의 수축기나 확장기 모두에서 부풀어 팽륜되어 있는 것이 관찰된다.

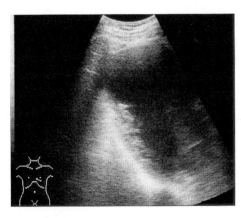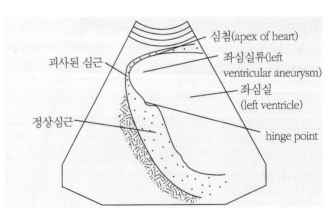

그림 12–9. 좌심실류

흉골좌연 음향창을 이용한 심장의 장축상. 심첨부가 팽륜되어 부풀어 있으며 정상 심근과 괴사된 심근 사이에 경계가 선명한 hinge point가 관찰된다.

07 부정맥(Arrhythmia)

정상적인 사람의 심박동은 1분에 60~80회 정도로 규칙적인 박동을 한다. 부정맥이란 규칙적이고 정상적인 심박동을 유지하지 못하는 것을 말한다. 여기에는 규칙적인 심박동의 부정맥과 불규칙적인 심박동의 부정맥이 있다. 규칙적인 심박동의 부정맥은 규칙적인 심박동을 유지하나 너무 빠른 심박동 또는 너무 느린 심박동으로 정상적인 심박동 수를 벗어나는 것을 말한다. 불규칙적인 심박동의 부정맥은 말 그대로 불규칙한 리듬의 심박동이 발생하는 것을 총괄하여 말한다. 초음파로 심장이 보일 수 있는 어느 음향창에서나 부정맥은 쉽게 관찰된다.

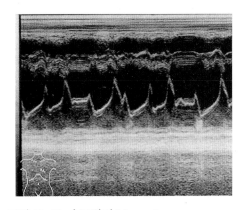

그림 12-10. **승모판의 M-mode**

리듬이 불규칙한 부정맥

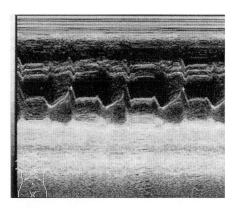

그림 12-11. **승모판의 M-mode**

규칙적인 심박동을 유지하나 1분에 약 50회의 심박동을 유지하는 부정맥. 이러한 부정맥으로 인한 전신무력감, 심한 피로감, 현기증, 의욕저하, 체중감소 등의 임상적인 증상이 없는 경우에는 정상으로 진단하여야 한다.

08 심방세동(Atiral Fibrillation)

심방이 동결절(sinus node)로부터의 자극에 의한 규칙적인 박동을 하지 못하고 심방의 여러 흥분중추에서의 무질서한 흥분에 의한 자극으로 인하여 질서 없이 불규칙하게 빈삭하며 수축하는 상태를 심방세동이라 한다. 심방세동은 부정맥의 일종이다.

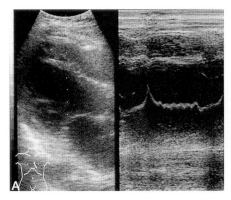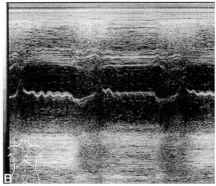

그림 12-12. **심방세동.** A. B-mode, M-mode, B. M-mode

심장의 수축으로 인하여 승모판이 개폐되므로 승모판의 M-mode 상은 부정맥을 검사할 수 있다. 심방세동은 대개 작고 불규칙한 수축이 대소부동하게 발생하다가 약간 큰 수축이 일어남을 관찰할 수 있다.

13 소화관
(Gastro-Intestinal System)

01 급성위염(Acute Gastritis)

급성위염은 위벽이 급격하게 비후되어 커다란 저에코의 pseudokidney sign을 나타낸다. 이때 위벽의 에코 레벨은 낮으며 균일하다. 위벽의 비후란 벽의 두께가 5mm 이상일 경우라고 할 수 있다. 위벽의 비후를 초래하는 질환으로는 급만성위염, 위암, 위궤양, 점막하종양, 악성 림프종 등이 있다. 급성위염은 위벽이 비후 되었더라도 약간의 연동운동을 감지할 수 있다. 그리고 시간 경과와 치료에 따라 비후 소견이 사라지며 정상으로 돌아간다. 진행된 위암은 위 연동운동을 관찰할 수 없으며 시간 경과에 따른 위벽 비후의 개선도 없다.

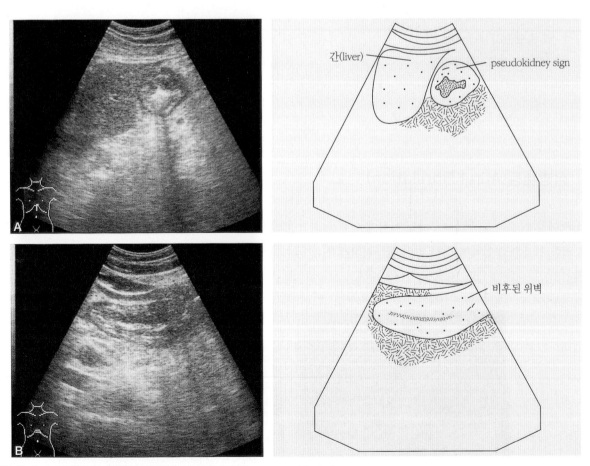

그림 13-1. A. 과식으로 인한 급성위염으로 벽이 최대 2cm로 비후되어 pseudokidney sign이 관찰된다. 이 상태에서는 진행된 위암과의 감별이 어렵다.

A. Longitudinal scan, B. Transverse scan

414

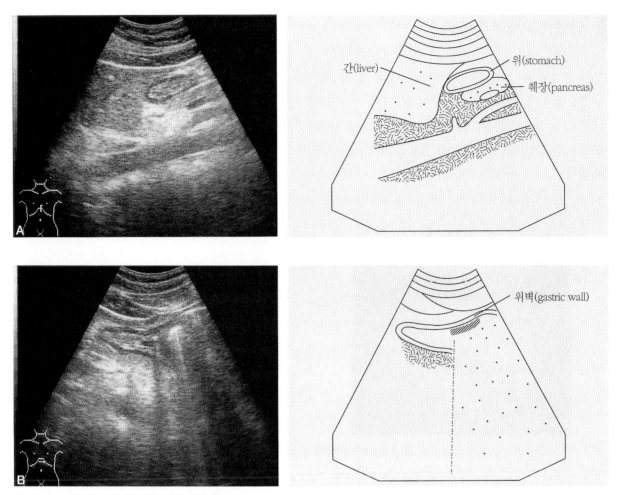

그림 13-2. 그림 13-1의 환자를 치료 3일 후 scan

A. 위벽의 비후 소견이 없어져 정상으로 관찰된다. B. Transverse scan

Pseudokidney Sign이란?

Borrmann IV형 위암에서 위는 암이 미만성으로 침윤한 위벽의 비후 때문에 언뜻 보아 신장과 흡사한 모양으로 보인다. 저에코로 비후된 위벽은 신장실질의 화상과 같고 위장 내강의 강한 에코는 신동과 유사하므로 이것을 pseudokidney sign이라 Bluth가 제창하였다. 소화관의 pseudokidney sign은 악성종양, 급성위염, 위궤양, 장중첩(intussusception), 대장의 염증성 질환, 장결핵 등에서 나타난다. 위 내강의 강한 에코는 벽 비후와 관강의 경계면에서 음향저항의 차이가 크기 때문에 생기는 것이라고 알려져 있다.

02 위암(Gastric Cancer)

위암은 위 분문부(cardia region)에서 유문부(pylorus) 사이의 어느 곳에서나 발생할 수 있는데 약 75%가 유문부나 유문동에서 발생한다. 이곳의 위암에 대한 초음파 진단율은 대단히 높다. 그러므로 유문부나 유문동의 검사시에는 종괴나 비후 소견을 신중히 관찰하여야 한다. 암의 침윤이 위벽에 미만성으로 퍼져 있을 때 pseudokidney sign이 나타난다. 저에코로 비후된 위벽은 연동운동에 영향을 받지 않음과 경과 관찰시 벽 비후가 개선되지 않음에 주목하면 감별진단에 도움이 된다.

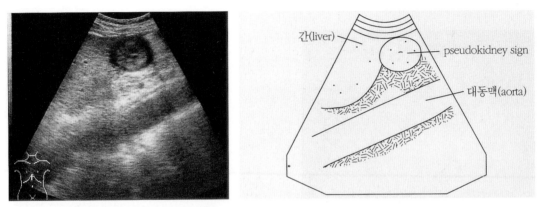

그림 13-3. 전형적인 pseudokidney sign을 나타내는 진행된 위암. 위의 연동운동은 전혀 관찰되지 않았다.

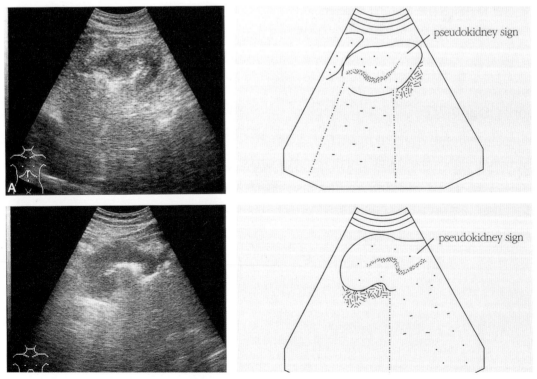

그림 13-4. 전체적인 위벽의 비후를 나타내는 pseudokidney sign. 진행된 위암임을 알 수 있다.

A. Longitudinal scan, B. Transverse scan

03 위궤양(Gastric Ulcer)

위궤양은 저에코 소견의 전주성 위벽비후 또는 국소적 위벽비후가 보이며 궤양 부위에 air 또는 debris의 저류를 반영하는 강한 에코가 나타난다. 저에코 소견의 전주성 벽비후는 pseudokidney sign으로 나타난다. 이 경우의 위궤양은 진행된 위암과 감별하기가 쉽지 않다. 위궤양은 초음파적 진단이 선행되었을 때 약 70%의 진단율이 되었다고 한다.

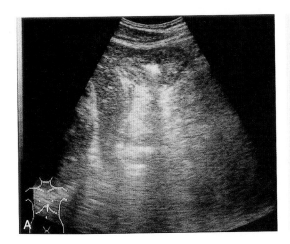
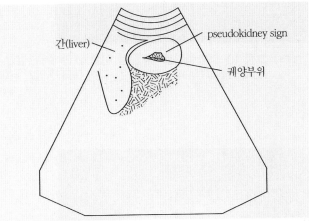
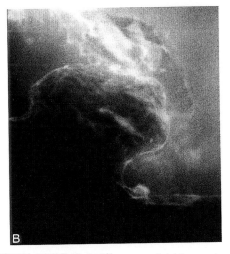

그림 13-5. A. 내부에 강한 에코와 저에코의 벽비후를 보이는 pseudokidney sign이 나타나고 내강 중심에서 소만(lesse curvature) 쪽으로 강한 에코가 나타났다. B. A의 X-ray상

417

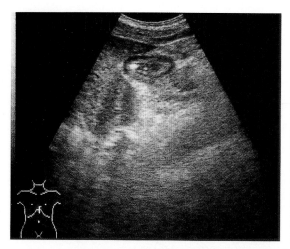 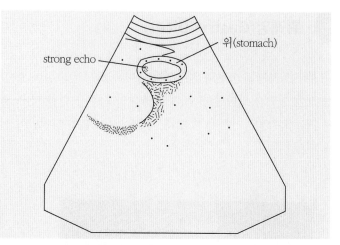

그림 13-6. 그림 13-5의 환자를 1개월간 치료를 한 후 관찰한 결과, 벽비후 소견은 완전히 없어졌으나 위장 소만(lesser curvature) 부위에 air로 보이는 강한 에코가 약간 남아 있었다.

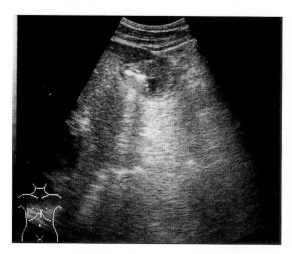 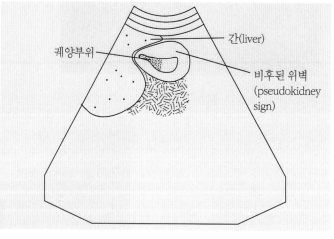

그림 13-7. **전형적인 위궤양의 초음파 상**

위장 소만(lesser curvature)부위가 깊게 파여 있고 air로 생각되는 강한 에코가 나타나 보인다. 벽은 저에코 소견으로 비후되어 있다.

04 만성위염(Chronic Gastritis)

위벽이 5mm 이상이면 병적인 이상으로 보아야 한다. 대개 만성위염은 5~10mm 사이의 벽 비후를 나타낸다. 비후된 벽은 크기가 작은 pseudokidney sign을 형성하기도 한다. 벽비후형이 아닌 만성위염은 초음파로 진단하기가 어렵다. 그리고 대개 만성위염의 초음파 진단율은 높지 않기 때문에 내시경 검사 등을 실시하여 확진을 얻어야 한다.

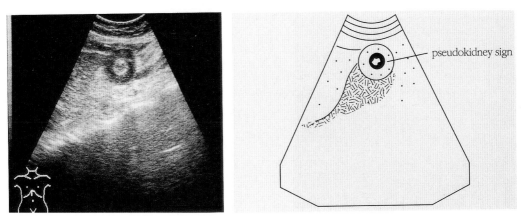

그림 13-8. **만성위염**
위벽이 10mm로 비후되어 pseudokidney sign이 관찰된다.

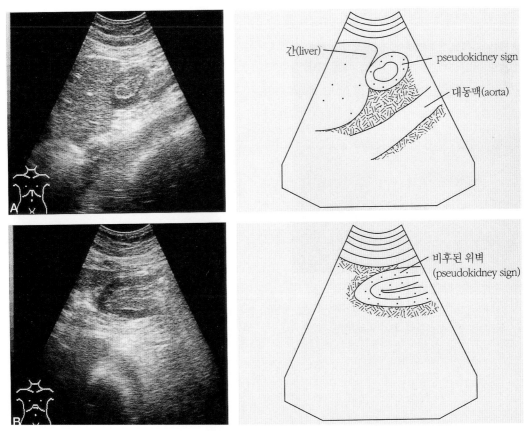

그림 13-9. **위벽이 9mm로 비후되어 있는 만성위염**
A. Longitudinal scan, B. Transverse scan

05 위하수(Gastroptosis)

위가 정상보다 아래에 처져 있는 증상을 위하수라고 한다. 엄밀한 정의는 없으나 위의 하단이 배꼽 밑으로 골반에까지 이르는 수가 있다. 일반적으로 여윈 사람, 특히 여성에게 많다.

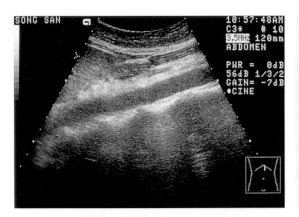
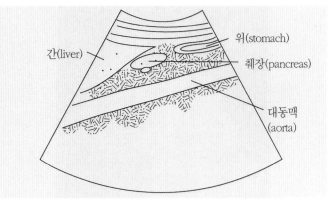

그림 13-10. 대동맥 위치에서의 sagittal scan

위하수는 위의 하단이 배꼽까지 내려와 위치하며 위기능의 약화로 대동맥이 복부 가까이에 접근하게 된다.

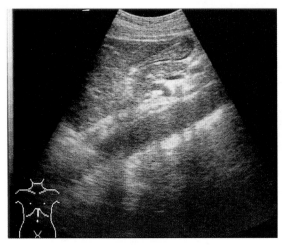
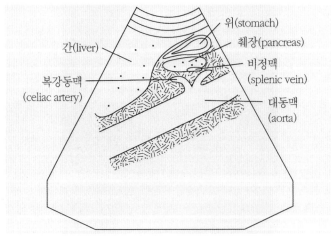

그림 13-11. 정상적인 위의 위치

간하연의 아래 전방으로 위가 있고 후방으로 췌장이 인접해 있다. 그림 13-10과 같이 위하수는 간하연의 아래에 췌장이 위치하고 그 하방으로 위가 위치하게 된다.

420

06 십이지장 궤양(Duodenal Ulcer)

십이지장 궤양은 십이지장구부(duodenal bulb)에서 대다수가 발생한다. 십이지장구부는 심와부(epigastrium)에서 약간 우측으로 담낭과 췌장두부 사이의 전방에서 관찰할 수 있다. 십이지장궤양은 위궤양과 거의 같은 초음파 소견을 보인다. 저에코의 벽비후를 나타내는 pseudokidney sign과 궤양 부위에 debris 또는 air를 반영하는 강한 에코가 나타난다. 유문 협착(pyloric stenosis)의 합병증이 있을 때도 초음파 검사로 알 수 있다.

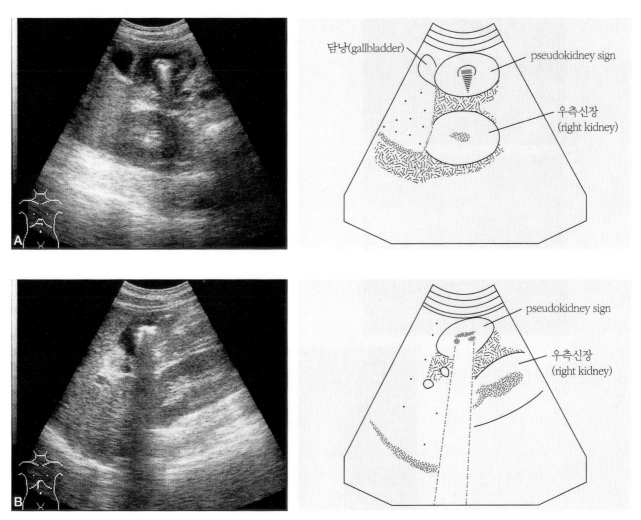

그림 13-12. **십이지장 궤양**

A. 담낭과 췌장두부의 사이에 저에코의 pseudokidney sign과 강한 내부 에코가 보인다. B. A의 longitudinal scan. 담낭 좌측으로 pseudokidney sign과 내부의 강한 에코가 관찰된다.

07 유문 협착(Pyloric Stenosis)

유문 협착은 유문륜의 내강이 좁아져 음식물이 저류되는 것을 말한다. N. P. O.에 따른 초음파 검사 시 위장 안에 많은 양의 음식물이 잔존함을 확인할 수 있다.

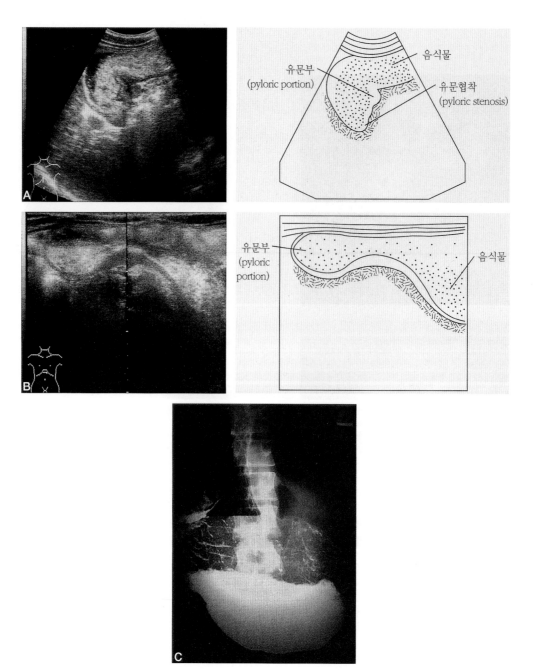

그림 13-13. **유문 협착**

    A. 십이지장 구부와 유문의 묘출시 위장에 음식물의 저류로 유문이 협착됨을 알 수 있다. B. A의 transverse scan. 유문부의 협착으로 음식물이 저류된 것이 잘 보인다. C. X-ray상

08 대장암(Large Bowel Cancer)

대장암은 발생 부위에 따라 직장암(cancer of the rectum)과 결장암(colon cancer)으로 나눈다. 대장암은 암의 침윤이 대장벽에 미만성으로 퍼져 있을 때 저에코의 pseudokidney sign이 나타난다. 저에코로 비후된 대장벽은 연동운동에 영향을 받지 않고 경과 관찰시 벽 비후가 개선되지 않음을 주목하면 진단에 도움이 된다. 직장암은 대장암 중에 가장 빈도수가 많으며 발생부위는 직장팽대부 전벽에서 많이 발생한다.

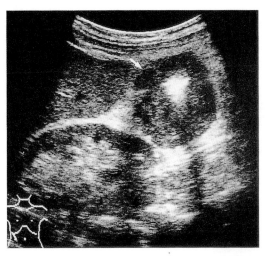

그림 13-14. **결장암**

우측신장 전하방으로 상행결장이 저에코로 비후되어 pseudokidney sign을 나타내고 있다(화살표).

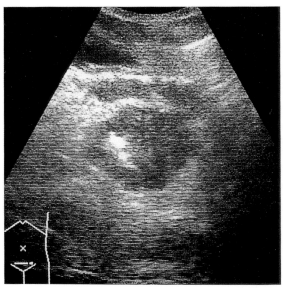
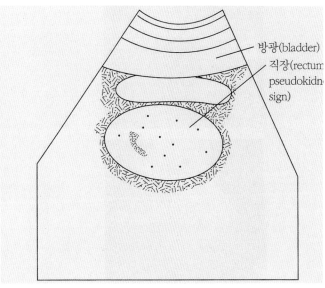

그림 13-15. **직장암**

직장이 저에코의 pseudokidney sign으로 관찰된다.

09 크론씨병(Crohn's Disease)

미국인 의사 크론(Burill Bernard Crohn)이 1932년에 처음으로 보고하였다. 장벽 전층에 미치는 원인 불명의 비특이적이고 만성인 염증성 장질환이다. 염증과 궤양으로 인하여 무에코에서 저에코의 비후된 장벽이 작은 pseudokidney sign으로 보이고 또한 협착된 부위에 음식물의 저류도 관찰할 수 있다. 초음파로 크론씨병, 대장결핵, 대장암의 감별은 쉽지 않다.

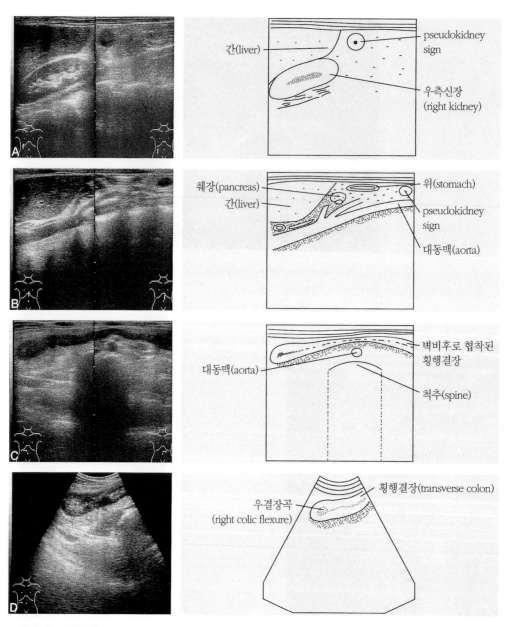

그림 13-16. **대장의 크론씨병**

A. 우측신장 아래쪽으로 대장이 저에코의 벽비후로 작은 pseudokidney sign이 나타난다. B. 대동맥(aorta) 위치에서 횡행결장은 비후된 무에코 원으로 보이는 협착 소견이 있다. C. Transverse scan. 우측에서 좌측까지의 횡행결장 전체가 무에코에 가까운 벽비후와 협착이 보인다. D. 우측 횡행결장 시작 부위에 음식물 찌꺼기가 지나가는 것이 비후된 장벽 사이에서 조금 보인다.

14 기타

01 유방암(Mammary Carcinoma)

유방암은 현대의 여성에게서 날로 급증하고 있는 악성질환이다. 유방암은 침윤암, 비침윤암, Paget 씨 병으로 크게 분류한다. 침윤암은 침윤성유관암과 특수형으로 분류한다. 침윤성유관암은 유두선관암, 충실선관암, 경암의 3형으로, 특수형은 점액암 이하 11종으로 분류한다. 비침윤형암은 비침윤성 유관암과 비침윤성소엽암으로 분류한다. 침윤성유관암이 전체 유방암의 85~90%를 차지한다.

경암은 유방암 중에 가장 많이 발생되는 암이며 초음파 상에서 가장 특징적인 소견을 보이는 암이다. 괴상으로 침윤적으로 발육하기 때문에 변연 경계가 불규칙하고 조잡하며 후방음향음영이 나타난다. 유두선관암은 형태가 유두상으로 증식하고 관강 형성을 특징으로 하는 암이다. 초음파 상에는 변연과 형태가 불규칙하고 조잡하며 내부에 석회화가 관찰되는 경우가 있다. 충실선관암은 세포 성분이 조밀하고 충실하며 팽창성 발육을 하기 때문에 주위조직과 경계가 비교적 명료하다. 초음파 상에는 형태가 비교적 정연하고 저에코의 내부가 비교적 균일하다. 후방음향은 증강되거나 동등하기 때문에 양성종양과 감별이 쉽지 않으나 종횡비는 크게 나타난다.

종횡비(depth/width ratio : D/W ratio)는 암에서 크게 나타나고 양성종양에서는 작게 나타난다. 암은 탄력성이 적고 침윤적 발육을 하기 때문에 압박에 의한 변형이 작은 반면, 양성종양은 전후방에 중력이 가해지면 주변 조직에 고정되지 않았기 때문에 압박에 의해 회전하기가 쉽다.

유방의 초음파 검사는 유방의 실질이 풍부하여 종괴가 뚜렷이 보이지 않는 경우나 종괴의 내부 구조의 차이에 따른 유방 병소의 구별에 많은 도움을 준다. 그러나 유방 병소가 2~3mm 이하의 경우나 0.008~0.1mm 정도의 미세석회화(microcalcification) 등은 잘 보이지 않고 지방성 유방인 경우 상대적으로 예민하지 못하므로 이러한 경우 필름유방촬영법(film-mammography)의 보완 검사로 유용하다. 수유중이거나 임신중인 경우 방사선조사를 피하기 위해서는 초음파 검사가 유용하다.

표 14-1. **유방암의 양성과 악성종양 감별점**

	악 성	양 성
형상	부정형, 괴기형, 계형, 삼각형 등 다양성	구형, 난형, 반원형
변연	불명료, 조잡	명료하고 정연함
경계에코	불규칙, 단열, halo(특히 측면이 강함)	규칙적, 선상
내부에코	조잡, 불균일, 불균질	균일, 균질
후방에코	감약, 소실	증강, 불변
측방음영	없음	현저함
탄력성	단단함	단단함, 부드러움
가동성	없음	있음
종횡비	큼	작음

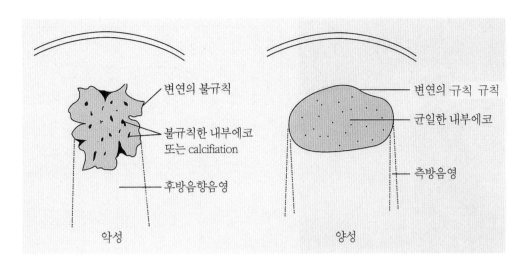

그림 14–1. **유방암의 진단 기준**

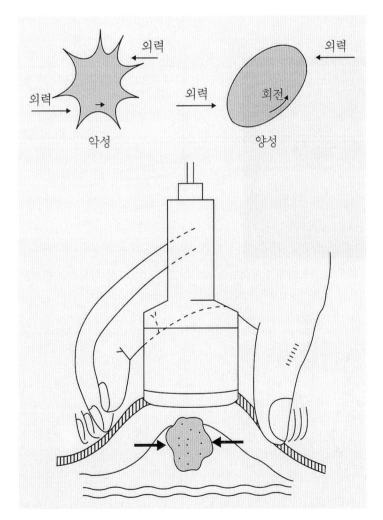

그림 14–2. **유방종양의 탄력성과 가동성 검사 방법**

악성은 대체로 단단하여 탄력성이 낮으며 가동성도 불량하나, 양성은 대개 부드러워 탄력성이 높으며 가동성도 양호하다.

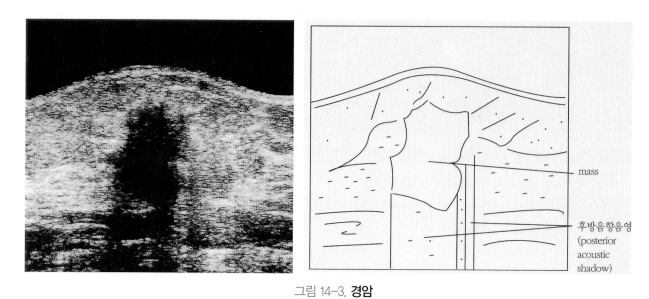

그림 14-3. **경암**

경암은 유방암 중에 빈도가 가장 많은 암이다. 경암은 변연이 불규칙하고 조잡한 형태를 가지고 후방음향음영이 있다.

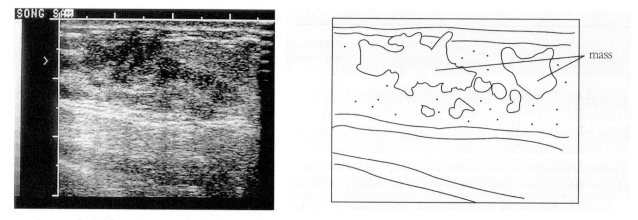

그림 14-4. 유방암은 경계가 매우 불규칙하게 침윤적으로 발육하고, 피부쪽으로 침윤하여 천재근막의 천층과 피부층의 연속성
을 끊어 버린다.

02 유선낭종증(Cyst of the Mammary Gland)

일반적인 단순성 낭종의 조건이 유방에서 발생되는 것을 유선낭종증이라 한다. 구형 또는 타원형의 낭종상은 변연이 평활하고 내부는 무에코로 관찰되며 후방음향증강이 있고 측방음향음영이 있을 수 있다. 낭종 내부에 유두상의 돌출이 관찰되면 악성을 의심할 수 있다.

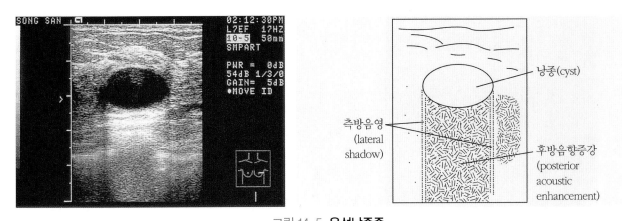

그림 14-5. **유선낭종증**
변연이 평활하고 내부 무에코와 후방음향증강과 측방음영이 나타나는 타원형의 낭종이 관찰된다.

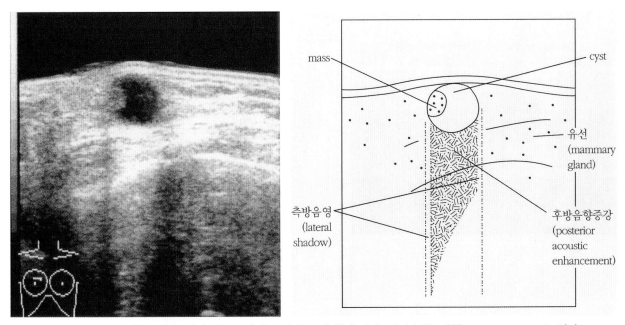

그림 14-6. **구형의 낭종 내에 저에코의 유두상 종괴가 있다. 수술 결과 낭종 내의 intraductal papilla였다.**

03 유선 섬유선종(Fibroadenoma of the Mammary Gland)

섬유선종은 유방의 양성 충실성종양 중에 가장 빈도수가 높다. 10대에서 30대에 많이 발생되며 50대 이후에는 발생빈도가 적다. 종양은 대개 구형 또는 타원형의 결절로 변연은 정연하고 경계가 명료하며 가동성도 양호하다. 대개 내부 에코는 균일하다. 후방음향은 약간 증가하는 경우도 있으나 대부분 변화가 없다.

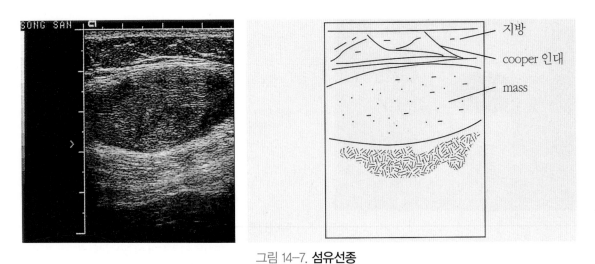

그림 14-7. **섬유선종**

타원형으로 변연은 경계가 명료하며 내부 에코는 균일한 저에코로 관찰되며 종횡비가 작다.

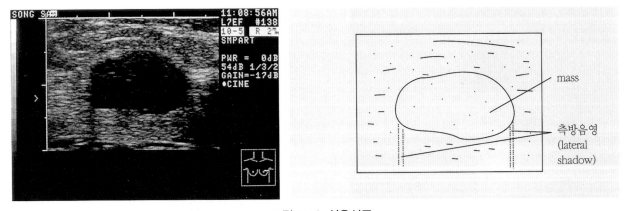

그림 14-8. **섬유선종**

내부 에코가 저에코에서 무에코로 관찰되며 측방음향음영이 나타난다.

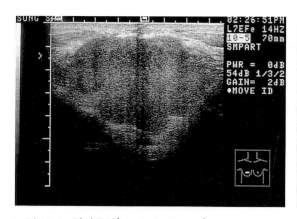

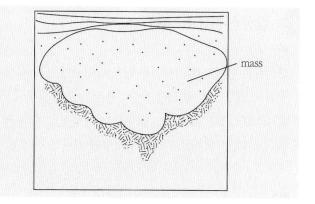

그림 14-9. **엽상종양**(phyllodes tumor)

엽상으로 분화된 외형이 관찰되면 변연은 평활하다. 내부는 섬유선종에 비해 약간 거칠며 저에코에서 동등에코로 나타난다. 엽상종양은 대개 10cm를 넘는 경우가 많으며 악성엽상종양은 양성엽상종양에 비해 발육 속도가 빠르다.

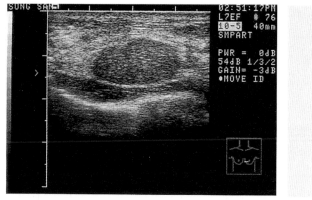

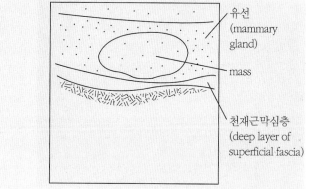

그림 14-10. **지방종**

지방종은 내부 에코가 약간 증가되어 나타나고 그 외에는 섬유선종과 유사하다.

04 갑상선종(Goiter)

갑상선종은 결절성과 미만성이 있으며 갑상선 조직의 일부분이 경계가 명료하게 구별되는 충실성 종류인 결절성 갑상선종이 많이 발견된다. 결절성 갑상선종은 halo의 유무에 관계없이 변연 경계가 뚜렷하고 내부 에코가 균일하다. 병변이 진행될 때 여러 개의 결절성 변화가 오며 다발성일 때는 크기와 모양이 다른 결절이 발생하고, 병변이 더 진행되면 낭포성변성, 섬유화, 석회화를 동반하기도 하나 침윤 소견은 없다.

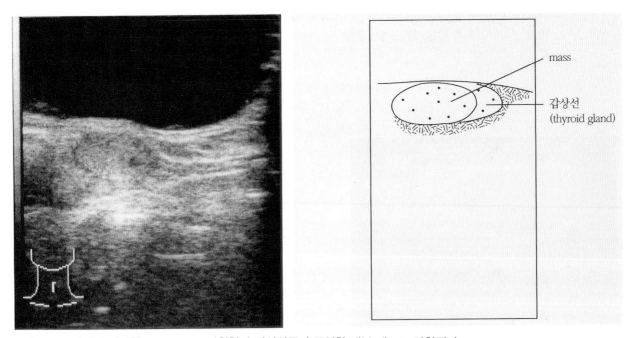

그림 14-11. 경계가 선명한 20 x 47mm 타원형의 갑상선종이 균일한 내부 에코로 관찰된다.

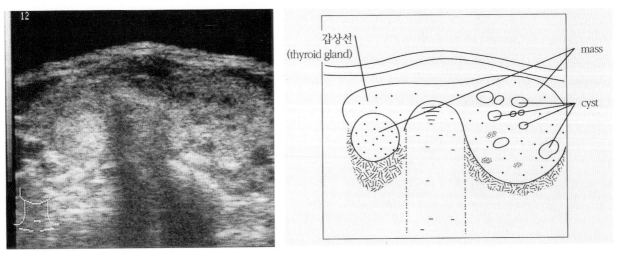

그림 14-12. 좌측에는 혼합에코형태의 큰 결절이 있고 내부에는 여러 개의 소낭포성 변성이 있는데 이러한 경우 선종양 갑상선종(adenomatous goiter)이 많다. 우측에는 19mm 크기의 고에코 구형종양이 있다.

432

05 바제도우씨 병(Basedow's Disease)

갑상선 호르몬의 과잉 생산으로 갑상선이 미만성으로 비대하여 과형성을 보이며 발한(發汗), 안구 돌출, 체중 감소, 빈맥 등의 임상 증상을 나타내는 갑상선 기능항진증의 병이다. 초음파로는 갑상선이 미만성으로 종대되고 내부 에코는 균일하며 저에코로 나타난다.

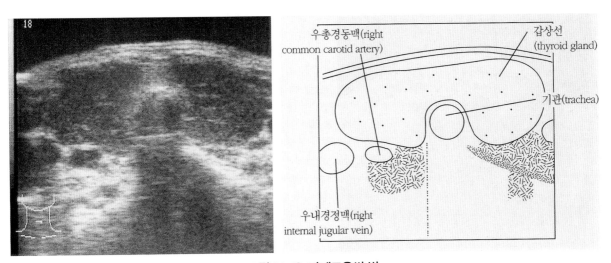

그림 14-13. **바제도우씨 병**
전체적으로 저에코인 갑상선이 비대되어 있다.

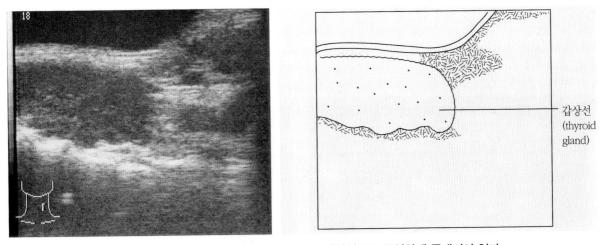

그림 14-14. **그림 14-13의 cross-image.** 미만성으로 균일하게 종대되어 있다.

06 갑상선암(Thyroid Carcinoma)

남성의 발병률보다 여성의 발병률이 높으며 50대에 발병하는 경우가 많다. 초음파 소견은 변연이 불규칙하고 조잡하며 충실성 종류로 관찰된다. 내부 에코는 저에코이거나 불균일한 혼합에코가 많다. 침윤성 발육으로 주위의 근육이나 기관(trachea) 등을 침범하는 소견이 관찰될 수 있다.

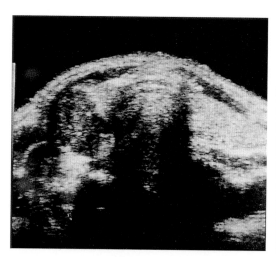 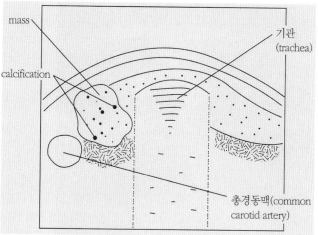

그림 14-15. 갑상선 우엽에 경계가 불규칙하며 혼합에코 형태의 갑상선암이 관찰된다. 내부의 고에코 부분은 석회화된 부분이다.

07 갑상선결석증(Stone of the Thyroid Gland)

갑상선에 결석이 있을 경우 강한 에코와 후방음향음영이 관찰된다.

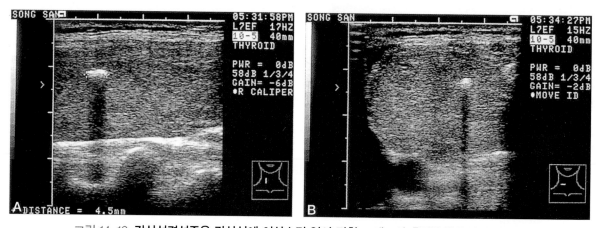

그림 14-16. 갑상선결석증은 갑상선에 이상소견 없이 강한 고에코와 후방음향음영이 나타난다.

08 갑상선낭종증(Cyst of the Thyroid Gland)

갑상선에 있는 낭종을 갑상선낭종이라 한다. 낭종 내부에 유두상 돌출물이나 종괴가 형성될 때는 악성의 가능성도 있다.

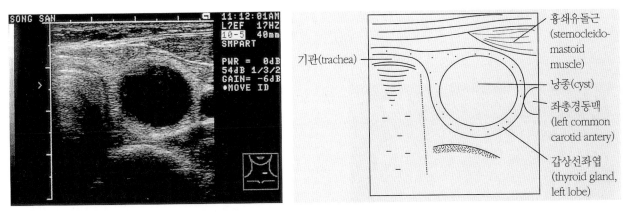

그림 14-17. 15×15mm 크기의 갑상섭낭종이 구형으로 무에코의 내부와 벽의 평활함 그리고 후방음향증강이 관찰된다.

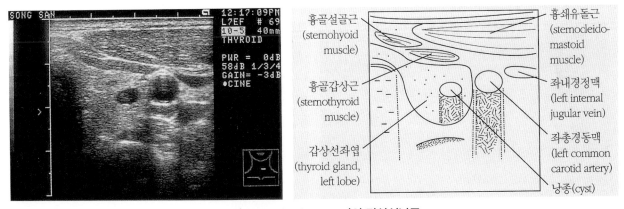

그림 14-18. 5×3mm 크기의 갑상선낭종

09 육종(Sarcoma)

비상피성 세포에서 유래한 종양이 악성화된 것을 총칭하여 육종이라 한다. 육종은 암종과 같이 악성 종양으로서의 성상을 모두 갖추고 있으며 특히 성장이 빠른 것과 파괴적인 침윤성의 발육을 하는 점에 있어서는 암종 이상으로 악성인 것도 볼 수 있다. 전이는 주로 혈행을 거쳐서 이루어치며 임파선을 거치는 것은 암종과 달리 오히려 드문 일이다. 빨리 성장하는 것일수록 연한 세포성으로 초음파 상에 명암이 밝은 에코로 나타난다. 흔히 이차적으로 점액 변성이나 괴사, 출혈 연화 등을 일으킬 수도 있다.

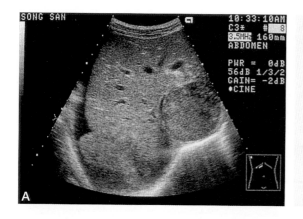
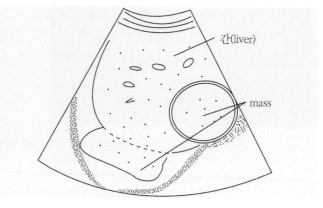

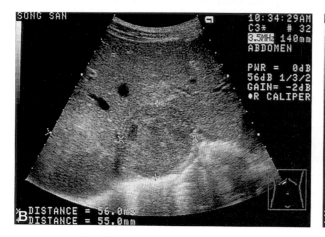
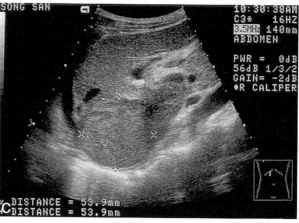

그림 14-19. 간과 횡격막하에 육종이 있고 복수가 관찰된다. 육종은 연한 세포성으로 밝은 에코 또는 간실질과 동등에코로 나타나는 경우가 많다. 이 경우에서 간내에 침윤한 육종은 피막인 halo를 형성하고 있는 구형으로 내부는 분화된 듯한 에코 패턴을 보이고 있어 간세포암과의 감별이 쉽지 않으나 전체적인 상황으로 구별을 하여야 한다.

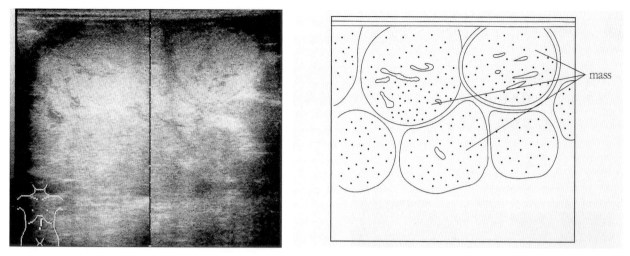

그림 14-20. Gain을 낮추어 관찰하여도 명암이 밝은 에코로 나타나며, 피막을 형성한 구형의 육종이 복부 전체에 빽빽히 채워져 있다.

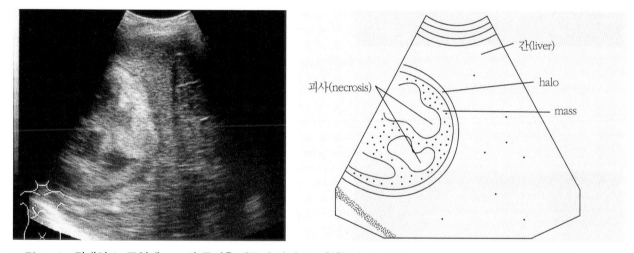

그림 14-21. 간내의 S₈ 구역에 halo와 두꺼운 테두리 안에 불규칙한 괴사 상태가 보인다. 육종에 의한 괴사 상태다.

10 전립선암(Prostatic Carcinoma)

전립선에 발생되는 암으로 전립선에 종류를 형성시켜 요도폐색의 원인이 된다. 노인인 경우에 많이 발생되며 정낭(seminal vesicle), 림프관(lymph vessel) 그리고 혈관을 따라 방광이나 골반 내로 전이된다. 초음파로는 저에코 내지 동등에코로 불규칙한 모양의 괴상형을 나타낸다.

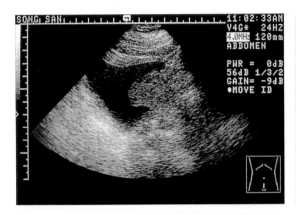
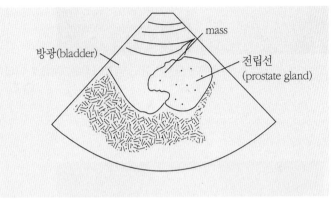

그림 14-22. **전립선암의 longitudinal scan**
전립선이 저에코의 불규칙한 모양으로 방광을 밀고 나와 있으며 방광벽의 불규칙한 비후는 방광으로의 전이를 알 수 있다.

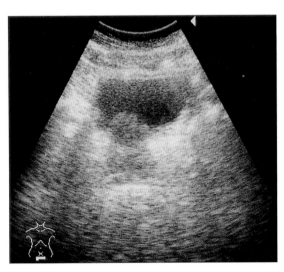
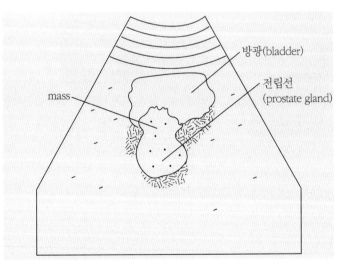

그림 14-23. **전립선암**
저에코의 불규칙한 괴상형태를 하고 있는 전립선암이 방광으로 밀고 들어와 있다.

11 전립선비대증(Prostatic Hypertrophy)

남성의 전립선은 50세 이상이 되면 선조직이나 주위 섬유조직의 증식이 많게 되어 소결절을 형성한다. 이러한 원인으로 전립선이 비대해지는 것을 전립선비대증이라 한다. 전립선이 비대해지면 방광부 또는 회음부의 압통과 요의 빈삭, 배뇨곤란, 배뇨지연, 방광확장, 요의 실금이 오게 되고 심하면 수신증 등으로 인한 신기능 장애(그림 7–18) 및 요독증이 발생할 수 있다. 전립선비대증은 횡주사시 초음파 상에 밤알 크기의 삼각형 모양을 하고 있는 정상 전립선이 비대해지면서 변연이 평활해져 타원형에 가깝게 되고 이로 인한 전후경의 증대가 현저하게 나타난다. 방광에 소변을 충만시켜 관찰하면 비대된 전립선은 방광계면을 압박하여 방광 내강 쪽으로 밀어올리는 경우도 있다. 또한 비대된 전립선 내에 석회화라고 생각되는 강한 에코(strong echo)가 관찰되는 경우도 있다.

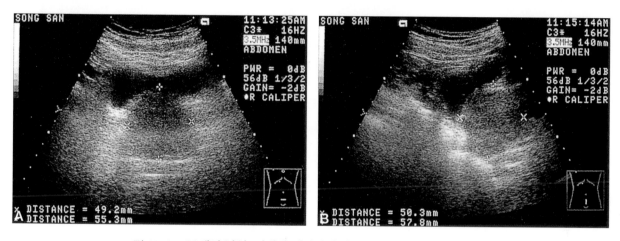

그림 14–24. **68세의 남성. 비대된 전립선이 방광 내강을 밀고 불쑥 올라와 있다.**

12 전립선결석(Prostatic Stone)

전립선결석증은 전립선의 대부에 strong echo가 관찰되며 후방음향음영이 나타난다. 이는 전립선 비대증을 동반하는 경우가 많으나 정상적인 전립선에서 관찰되는 경우도 많다.

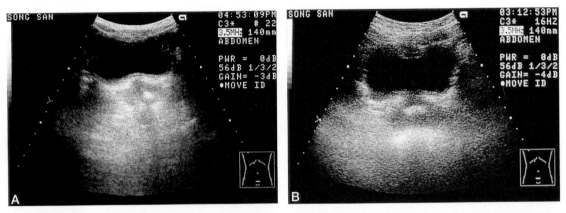

그림 14-25. A. 전립선 내강에 강한 에코와 함께 약한 후방음향음영이 있다. B. 강한 에코는 있으나 후방음향음영은 없는 경우도 있다.

13 전립선낭종(Prostatic Cyst)

전립선에 낭종의 조건이 관찰된다. 종양 내부가 무에코를 나타내고 후벽이 명료하나 후방음향증강은 명료하지 않는 경우가 많다.

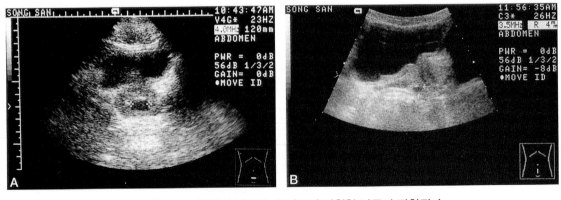

그림 14-26. 전립선 낭종증. 무에코의 타원형 낭종이 관찰된다.

14 방광 낭종증(Cyst of the Bladder)

방광 자체가 낭종의 요건을 갖추고 있기 때문에 방광낭종은 무에코의 대강과 낭종벽 이외에는 후방 음향증강같은 낭
종 조건은 관찰하기 쉽지 않다.

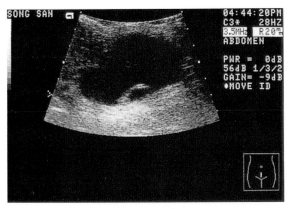
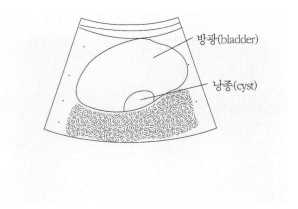

그림 14-27. 방광의 낭종은 낭종벽이 초음파 빔에 직각일 경우에 잘 나타난다. 무에코의 내부와 echogenic만 낭종벽이 관찰되
고 후방음향증강은 관찰하기 어렵다.

15 방광결석(Cyst of the Bladder)

방광 내에 강한 에코의 결석과 체위 변화 시 결석의 이동 그리고 후방음향음영이 관찰되는 것을 방광결석증이라 한다.
대개 신장이나 요로에서 결석의 이동이 방광에 정체되어 관찰된다.

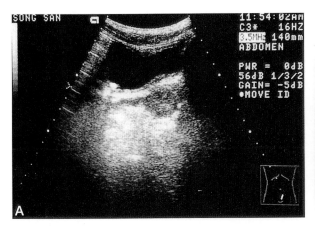
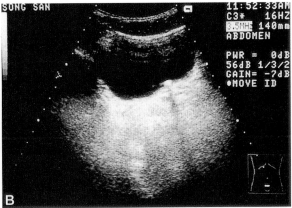

그림 14-28. 방광 내에 강한 에코와 후방음향음영이 관찰된다.

16 음낭수종(Hydrocele)

음낭(scrotum)은 체외에 노출되어 있어 장의 gas나 뼈에 방해 없이 탐촉자로 직접 대고 검사하기에 적합한 장기이다. 이런 이유로 초음파는 음낭내 종류성 병변의 진단에 위력을 발휘하고 있다. 음낭 수종은 고환을 싸고 있는 정소초막강 내에 액체가 축적되는 것을 말하며 후방음향증강을 동반한 무에코 영역(anechoic area)이 고환 주위에서 관찰된다.

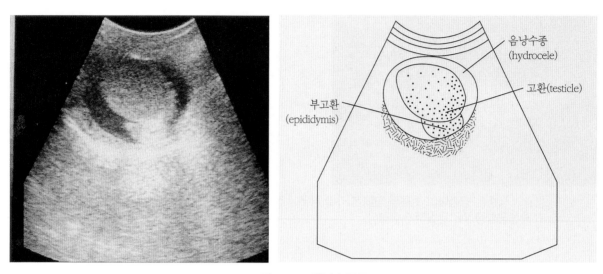

그림 14-29. **음낭수종증**
고환 후방으로 부고환이 보이고 무에코 영역이 이곳을 둘러싸고 있다.

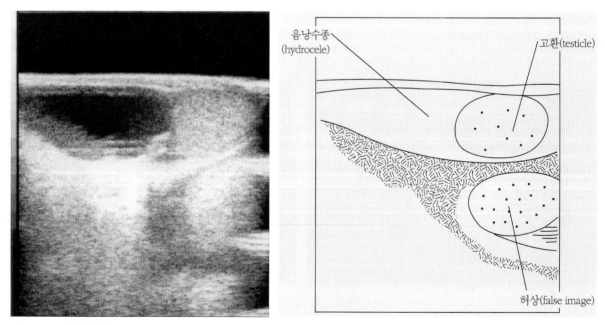

그림 14-30. 음낭 상부 쪽으로 무에코 영역이 관찰된다. 음낭 수종이 심하면 복강에까지 이르기도 한다. 고환의 후방으로 고환이 또 있다. 이것은 반대편의 고환이 아니라 경면현상(mirror artifact)에 의한 허상이다.

17 요도게실(Urethral Diverticulum)

요도의 게실이란 요도에 여러 가지 크기의 국한성 낭 또는 주머니가 형성되는 것을 말한다. 이는 질 낭종(vaginal cysts)과 구별되어야 한다. 질낭종은 Gartner duct의 흔적 또는 Miillerian duct의 압축으로 형성되는데 내부가 무에코이며 표면이 평활한 단방성의 낭종으로 나타난다(그림 9-41 참조). 이에 비해 요도게실은 요도 부위에 한 개에서 여러 개의 낭성 구조가 여러 형태로 관찰된다.

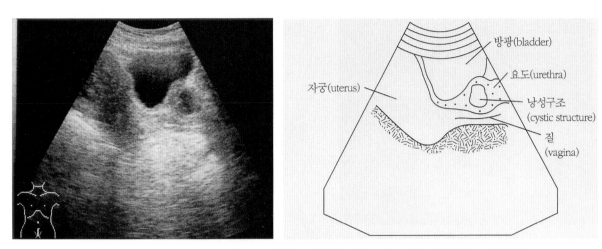

그림 14-31. 요도의 만성 염증으로 인하여 발생된 게실이 요도에 낭성 구조로 보여진다.

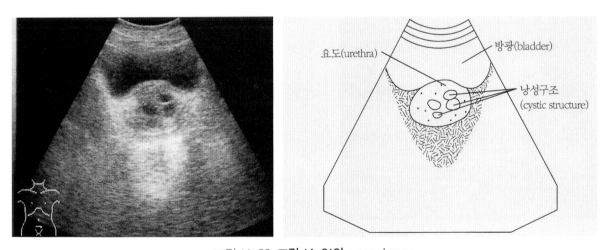

그림 14-32. 그림 14-31의 cross-image
4개의 방이 비후된 벽에 의해 구별되어 보여진다.

443

18 림프절암(Carcinoma of Lymph Node)

림프절암은 림프절에 암이 생겨 림프관을 따라 전신에 퍼지는 암종이다. 피부 근처의 림프절마다 변연이 불규칙한 형태로 관찰되며 내부에는 무에코와 저에코가 많으며 변성이 있으면 고에코의 혼합 에코가 나타날 수 있다.

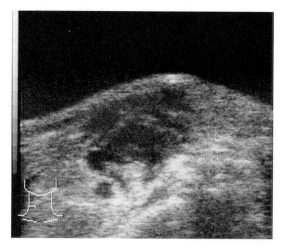

그림 14-33. **경부의 임파선 부위에 변인이 부정연하며 내부는 무에코 소견이 보이는 림프절암**
후방부위에 약간의 고에코가 보인다.

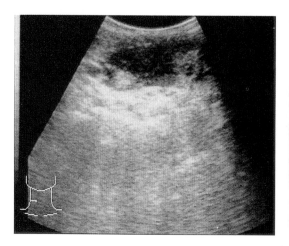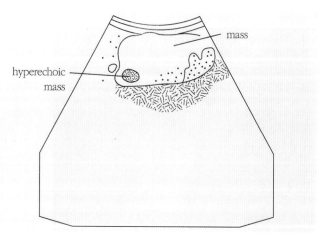

그림 14-34. **림프절암**
무에코의 종류에 후방으로 고에코의 작은 괴상이 보인다.

19 림프절 전이(Lymphadenopathy)

복강내 림프절의 종대는 복강장기에서 유래한 암(특히 위암, 담낭암, 췌장암) 또는 악성림프절종에 의한 것이 많다. 복강장기에서 유래한 암의 전이와 침윤에 의한 림프절의 종대는 림프절에 존재하는 세포의 이소성증식에 분류된다. 악성 림프절종은 림프절, 림프절 조직을 갖는 장기에 원발한 악성종양의 총칭이고 생물학적 특성이 다른 것에 따라서 호지킨 병(Hodgkin's disease)과 비호지킨병으로 분류된다. 그리고 감염증과 교원병 등에서도 림프절의 종창이 올 수 있다.

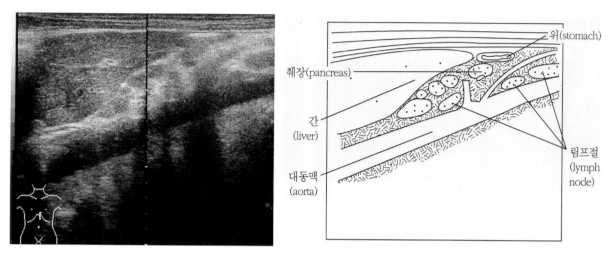

그림 14-35. 간과 대동맥 사이에서 림프절이 동등에코로 종창되어 빽빽하게 채워져 있는 것이 관찰된다. 이 증례는 후두임에서 전이된 것이다.

20 림프절염(Lymphadenitis)

림프절염은 림프절이 염증으로 종대되는 것을 말한다. 초음파로 변연이 매끄러우며 정연한 타원형으로 나타나고 내부가 저에코에서 무에코 소견으로 관찰된다. 대개 표피 부근의 림프절에서 많이 관찰된다.

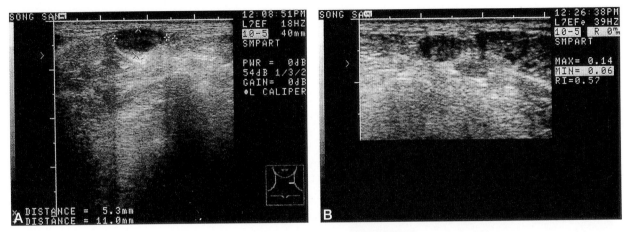

그림 14-36. **급성 경부 림프절염**

타원형의 내부에 무에코(A) 또는 약간의 내부 에코(B)가 관찰된다.

21 대동맥류(Aortic Aneurysm)

대동맥이 여러 원인으로 인하여 부분적 내지 전체적으로 확장하는 것을 말한다. 여기에는 박리성, 특발성, 색전성, 궤양성, 외상성 등으로 구별을 하나 임상에서는 방추형과 낭상동맥류로 구분을 한다. 초음파로는 동맥류의 형태와 크기 그리고 혈전의 유무 등을 쉽게 알 수 있다. 방추상 동맥류는 동맥벽의 약화로 인한 방추형으로 확장한 것을 말하며 동맥염이나 동맥경화가 원인인 경우가 많다.

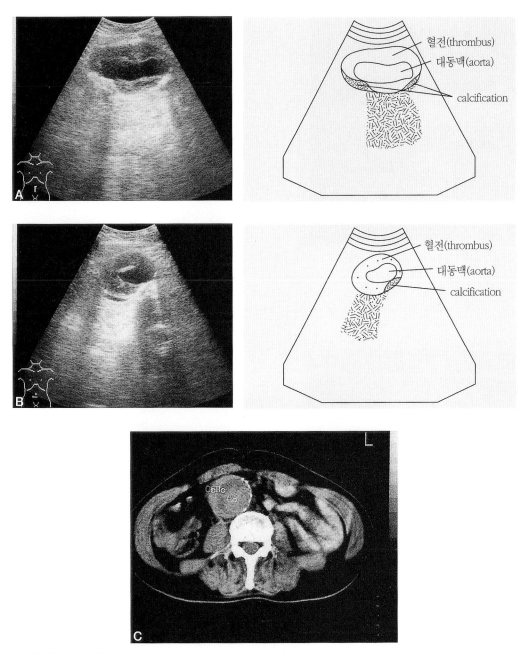

그림 14-37. 제부(umbilicus)의 우하단으로 밀려 있는 방주상 동맥류

A. Longitudinal scan. 원통형의 확장과 양끝이 좁아진 모양을 하고 있는 방추형의 동맥류로서 내강의 벽측에 저에코의 혈전이 관찰된다. B. Transversescan. 대동맥의 좌측벽에 저에코의 혈전이 두껍게 형성되어 있다. C. CT화상

22 근육내혈종

근육의 타박, 염좌 등으로 인하여 조직에서 혈병(血餠)으로 된 혈액이 국소적으로 집합하여 혈종을 이루게 된다. 초음파를 이용하여 혈종의 분포와 양 그리고 주위 조직의 상태를 알 수 있다. 혈종은 복강에서 보이는 것과 같이 무에코 영역으로 나타난다.

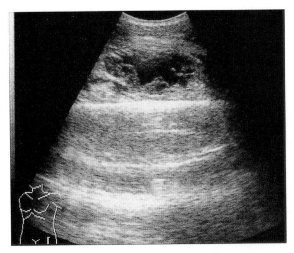 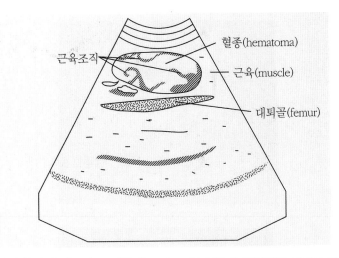

그림 14-38. **좌측 대퇴골 전면에 파열된 근육조직이 산만하게 흩어져 있으며 그 가운데 7×3cm의 혈종이 부정연한 무에코 영역으로 관찰된다.**

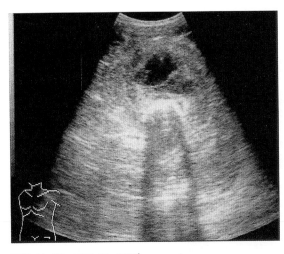 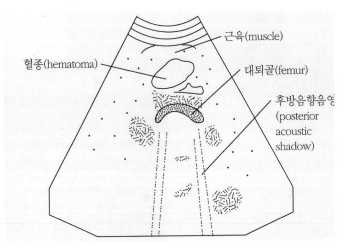

그림 14-39. **그림 14-38의 cross-image**

강한 초생달 같은 에코와 후방의 음향음영은 대퇴골의 단축상이다. 그 전연쪽으로 근육조직 사이의 무에코 영역이 혈종임을 알 수 있다.

23 흉수(Pleural Effusion)

정상적인 폐는 공기로 인해 초음파로 보여지지 않는다. 그러나 흉막강(pleural spaces)에 액체가 고이는 흉수는 초음파 상에 무에코 영역으로 잘 관찰된다. 흉수의 양과 저류 부위가 초음파 검사시 우연하게 발견되는 예가 많다. 간의 상면은 횡격막에 접하고 폐의 dome에 덮여 있어 초음파 상에 사각지대(blind zone)를 형성하는 경우가 많다. 흉수가 있을 경우 이 부위가 air의 영향을 받지 않는 무에코 영역으로 잘 관찰된다.

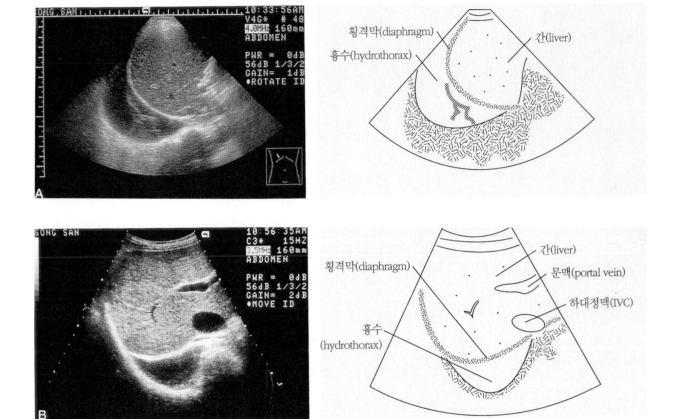

그림 14-40. A. Right intercostal scan. B. Right subcostal scan
간우엽 상방으로 우측 폐부위에 무에코 영역이 흉수임을 알 수 있다.

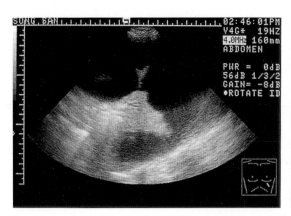
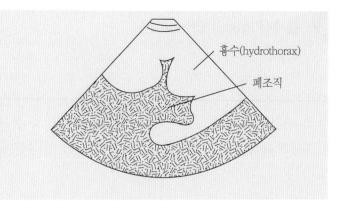

그림 14-41. **좌측 폐 전체에 흉수가 있음을 무에코 영역으로 알 수 있다.**

참고문헌

1. 權興植: 인체해부학(I)(II). 壽文社, 서울, 1983.

2. 金相準: 담도계 외과. 君子出版社, 서울, 1992.

3. 대한산부인과학회: 산과학. 칼빈서적, 서울, 1991.

4. 白泰庚: 腦解剖三次元 Atlas. 一中社, 대구, 1988.

5. 沈贊燮: 복부초음파진단. 麗文閣, 서울, 1989.

6. SANG KOOK LEE, JE GEUN CHI: COLOR ATLAS OF PATHOLOGY, KOREA MEDICAL PUBLISH-ING COMPANY, SEOUL, 1990.

7. 新太陽社編輯局: 原色最新醫大百科事典. 新新太陽社. 서울.

8. 오기근: 유방영상학. 고려의학, 서울, 1996.

9. 최유덕: 새임상 부인과학. 고려의학, 서울, 1993.

10. Man-Chung Han, Chu-Wan Kim: SECTIONAL HUMAN ANATOMY. ILCHOKAK, SEOUL, 1993.

11. 許俊: 超音波檢査技術. 新光出版社, 대구, 1989.

12. 성현경 외 5인: 간실질의 작은 고에코 병변은 무엇인가? Journal of Society of Medical Ultrasound, 11 : 106~111, 1992.

13. 최병인, 도영수 외 7인: 초음파 유형에 의한 담낭 담석의 특성 분석 Joural of Society of Medical Ultrasound, 11: 5~13, 1992.

14. 久直史 著, 金炯默 譯: 腹部 CT 및 US 診斷. 고려의학, 서울, 1990.

15. 尾本良三, 小林充尙 編著, 金炯默 譯: 超音波診斷 ATLAS. 고려의학, 서울.

16. Shoichi Sakamoto 偏, 고문사편집국: 産婦人科超音波診斷. 고문사, 서울, 1987.

17. 日本超音波學會 編, 李鍾太 譯: 超音波診斷, 一中社, 대구, 1990.

18. 中村憲司 著, 李東豪譯: 圖解心超音波診斷, 瑞光醫學書林, 대구, 1994.

19. A. D. T. Govan, P. S. Macfarlane, R. Callander 著, 이중달 譯: PATHOLOGY IL-LUSTRATED. 고려의학, 서울, 1991.

20. F. W. 크램카우 著, 서울, 1993. 金周完, 朴琇誠 共譯: 超音波診斷의 原理. 一潮閣, 서울, 1993.

21. 金森 勇雄 等著: 超音波檢査의 手技と實際. 醫療科學社. 東京, 1992.

22. 南里和秀: 腹部アトラス. ベクトル・ユア, 東京, 1993.

23. 大藤正雄 編著: 消化器超音波診斷學, 醫學書院, 東京, 1985.

24. 西岡淸春, 久直史: 超音波診斷の 盲點. 1990.

25. 岩下 淸明, 高披 登, 佐久間浩, 關根 智紀: 腹部超音波檢査 ノ-トベクト. ル・ユア, 東京, 1991.

26. 永江 學: 産婦人科アトラス. ベクトル・ユア, 東京, 1994.

27. 伊藤武雄, 高坡 登: 超音波トラス. 秀潤社.

28. 佐久間 浩: 乳房, 甲状腺アトラス. ベクトル・ユア, 東京, 1993.

29. 朝井均: 消化器系の 超音波檢査, 日本醫上新報社, 1987.

30. Arthur C. Fleischer, Donna M. Kepple: Transvaginal Sonography. J. B. LIP-PINCOTTCOMPANY, Philadelphia, 1992.

31. Arthur C. Fleischer, Roberto Romero, Frank A. Manning, Philippe Jeanty, A. Everette James: The Principles and Practice of ULTRASONOGRAPHY in OBSTETRICS and GYNECOLOGY. Appleton & Lange, California, 1991.

32. Carol A. Mittelstaedt: ABDOMINAL ULTRASOUND. Churchill Livingstone Inc. New York, 1987.

33. Carol A. Mittelstaedt: GENERAL ULTRASOUND. Churchill Livingstone Inc. New York, 1992.

34. Carol B. Benson, Thomas B. Jones, Marcia J. Lavery, Lawrence D. Platt: Atlas of OBSTETRICAL ULTRASOUND. J. B.   LIPPINCOTT COMPANY, Philadelphia, 1988.

35. Christonpher R. B. Merritt: Doppler Color Imaging. Churchill Livingstone Inc. New York, 1992.

36. Eberhard Merz, Werner Goldhofer: Ultrasound in Gynecology and Obstetrics. Georg Thieme Verlag, Stuttgart. 1990.

37. Frederick N. Hegge: A Practical Guide to Ultrasound of Fetal Anomalies. Raven Press Ltd, New York, 1992.

38. Frank H. Netter: THE CIBA COLLECTION OF MEDICAL ILLUSTRATIONS. CIBA Publication Department, New York,   1967.

39. Frederick W. Kremkau: Doppler ultrasound: Principles and Instruments. W.B. Saunders Company, Philadelphia, 1990.

40. G. J. Romanes: Cunningham's Textbook of Anatomy. Oxford Univercity Press, Oxford, 1981.

41. Helmut Ferner and Jochen Staubesand: Sobotta Atlas of Human Anatomy. Urban & Schwarzenberg, Baltimore-Munich, 1983.

42. Ilan E. Timor-Tritsch, Shraga Rottem: TRANSVAGINAL SONOGRAPHY. Elsevier Science Publishing Co, New York, 1991.

43. Johannes W. Rohen, Chihiro Yokochi: Color Atlas of Anatomy. IGAKU-SHOIN, New York, 1983.

44. Manfred Hansmann, Bernhard-Joachim Hackelo er, Alfons Staudach: Ultrasound Diagnosis in Obstetrics and Gynecology. Springer-Verlag, Berlin Heidelberg, 1985.

45. Melvin G. Dodson: TRANSVAGINAL ULTRASOUN. Churchill Livingstone Inc. New York, 1991.

46. M Mercadier. JP Clot: Experiences with anatomic hemihepatectomy and left lobectomy Surg Gynecol Obstet 133: 467, 1971.

47. Peter W. Callen: ULTRASONOGRAPHY IN OBSTETRICS AND GYNECOLO-GY. W. B. SAUNDERS COMPANY, Philadelphia, 1988.

48. R. M. H. McMinn, R. T. Hutchings: A Colour Atlas of Human Anatomy. Wolfe Medical Publications, London, 1982.

49. Roberto Romero, Gianluigi Pilu, Philippe Jeanty, Alessandro Ghidini, John C. Hobbins: PRENATAL DIAGNOSIS OF CONGENITAL ANOMALIES. 1988.

50. Roger C. Sanders: CLINICAL SONOGRAPHY. Little, Brown and Company, Boston, 1984.

51. Terry Reynolds, BS, RDCS. The Echo cardiographer's Pocket Reference. Southeastern medical books. Arizona, 1993.

52. W. N. McDicken: Diagnostic Ultrasonics. Churchill Livingstone Inc. New York, 1991.

53. Y. Higashi, A. Mizushima, H. Matsumoto: Introduction to Abdominal Ultrasono-graphy. Springer-Verlag, Berlin Heidelberg, 1991.

찾아보기

국문

ㄱ

가성낭종 ··· 365
가성낭포 ··· 260
가성종양 ··· 289, 290
가소성 ··· 213
가청 주파수 ··· 2
간 ·· 74, 160
간 기능장애 ··· 165
간 삼분지 ·· 100
간 삼주징 ·· 100
간경변증 ··· 160
간낭종 ··· 196
간낭포선암 ·· 196
간내 석회화 ··· 211
간내담관 ·· 91
간내담관결석 ··· 204
간농양 ··· 210
간담관암 ··· 185
간동맥 ····························· 74, 75, 99
간문. ··························· 74, 75, 87, 91, 100, 167
간문맥 폐쇄 ··· 165
간상 ··· 253
간세포암 ···················· 165, 173, 174
간염 ··· 208
간외담관 ·· 91, 97
간울혈 ··· 207
간원삭 ························· 74, 84, 165
간정맥 ··· 75
간종대 ································· 200, 207
간하 ··· 169
간혈관종 ··· 190
감돈 결석 ························· 219, 228

갑상선 ························· 31, 150
갑상선결석증 ··· 434
갑상선낭종증 ··· 435
갑상선암 ··· 434
갑상선종 ··· 432
갑상연골 ··· 150
거리분해능 ··· 8
건삭 ··· 130
검상돌기 ························· 54, 74, 132
결장암 ··· 423
겸상인대 ······································· 74, 76
경계성 악성 ··· 345
경면 허상 ·· 42
경부미란 ··· 331
경암 ··· 426
경질초음파촬영술 ··· 358
계류유산 ··· 390
고사란 ··· 392
고에코 ··· 6
고환 ··· 150
골반 ································· 128, 169
골반강 ······························· 119, 128
골반신 ··· 299
과오종 ··· 293
과잉신 ··· 299
과증식 ··· 247
과지질혈증 ·· 259
광인대 ··· 323
괴사 ··· 6
구면파 ··· 11
구상돌기 ······························· 101, 104
구순열 ··· 376
굴곡담낭 ··· 253
굴절 ································· 6, 32
궁상동정맥 ·· 331

궁상혈관··· 107
근거리영역··· 9
근거리음장··· 9
근골격 기형··· 299
근부위··· 32
근위세뇨관·· 285
근육내혈종·· 448
근층내근종·· 323
글리슨 초·· 75, 82
급성간염·· 208
급성골반염·· 355
급성담낭염·· 240
급성신부전·· 296
급성위염·· 414
급성췌장염·· 259
기관··· 150
기본 초음파 상··· 62
기생충성 낭종··· 265

ㄴ

나보트 란··· 331
난관··· 119, 121
난관수종증·· 356
난소··· 121, 342
난소 기형종··· 349
난소 종양·· 345
난소암·· 352
난소와·· 121
난소호르몬·· 121, 342
난포··· 314
난포 호르몬··· 121, 342
난포낭종·· 345
난포자극호르몬·· 314
난형··· 369
난황낭··· 358, 362, 365
낭상동맥류·· 298
낭선종·· 196
낭종형태·· 272
내경정맥·· 150

내난포막·· 314
내부 에코 패턴·· 6
내요도구·· 126
농구··· 210
농양··· 169, 210
뇌수종·· 394
뇌척수막·· 385
뇌척수액·· 394
뇌하수체호르몬·· 342
늑골··· 74

ㄷ

다낭성간··· 196, 199
다낭성신··· 276
다낭포 병·· 265
다발성 낭종··· 272
다발성 단순성 신낭종·· 275
다방성 낭종··· 272
다방성 신낭종··· 275
다중반사·· 36
다중반사에 의한 허상································ 244, 272
단각 자궁·· 336
단발성 낭종··· 272
단순성 낭종··· 265, 345
단층촬영법·· 14
단층촬영술·· 14
담관··· 74, 91
담관계·· 257
담낭·· 74, 87, 218
담낭관·· 219
담낭 담석증··· 219
담낭선근종증··· 253
담낭암·· 251
담낭염·· 253
담낭와······································· 76, 78, 87, 202
담낭적출술·· 239
담낭종대·· 262
담니··· 225, 242
담도기종·· 212

담석·· 219
담석 담낭 ·· 231
담석산통·· 219
담즙···87, 91
대결절성······································· 160, 161
대동맥····································75, 107, 258
대동맥 궁 ································ 132, 379
대동맥류·· 447
대동맥판·· 130
대동맥판 폐쇄부전 ·························· 410
대동맥판협착증································· 411
대상성 비대 ··· 299
대역폭··· 8
대장·· 147
대장결핵··· 424
대장방 구형성 ································· 169
대장암·· 423
대퇴골·· 372
대흉근·· 154
도플러 방법 ·· 18
도플러 변위 ·· 18
도플러 스펙트럼 ····························· 21
도플러 효과 ··18, 19
돔··· 62
동결절·· 413
동등에코··· 6
동맥 색전 ··· 184
동맥 색전 요법 ································· 184
동질성··· 175
동질의 에코형태 ························6, 173
두개골·· 369
두부··· 62
두정부·· 363
두피 부종 ··· 397
둔부··· 363

류마티스 열 ··· 408
림프관··· 438
림프절 전이 ··· 445
림프절암··· 444
림프절염··· 446

ㄹ

랑게빈·· 3
렌즈 효과 ··· 44

ㅁ

마비성 일레우스 ····························· 259
막구조··· 76
만성간염··· 208
만성담낭염··· 241
만성신부전··· 297
만성위염··· 419
만성췌장염··· 260
맥락막··· 398
맥락총··· 378, 394
맥립상 에코 ································314, 316
면상 배열 ··12, 13
모자이크··· 174
모자이크 형태 ····························175, 178
무에코··· 6
무형성신··· 299
문··· 25
문맥··74, 75, 101
문맥색전··· 182
문맥좌지수평부····································· 77
문맥좌지제부··· 78
미만성 선근종 ··································· 329
미만성 질환 ··· 160
미상엽······························74, 76, 160
미세석회화··· 426
미소진동자··· 10
민감도··· 34

ㅂ

바제도우씨 병 ··································· 433
박리·· 240
반사······································4, 6, 32

발신·······················3, 4
발육부전신···················299
방광······················126
방광 낭종증··················441
방광 삼각부··················126
방광결석···················441
방실중격···················130
방제정맥···················166
방추형 동맥류·················298
방형엽······················74
배농······················210
배란······················121
배아·····················358, 362
배아 심박동··················362
백선······················54, 55
백체······················314
벽측탈락막··················358
변성······················6, 194
복강······················74, 169
복강경 검사··················336
복강내 혈관···················69
복강동맥···············75, 101, 258
복막암····················255
복막전방의 지방················44
복부외상···················265
복수·····················165, 169
복와위····················52, 56
복직근······················44
부비······················308
부생식선···················128
부속기 종양··················323
부신낭종···················302
부신피질 호르몬················200
부유 담석···················230
부유담낭···················253
부정맥····················413
분문부····················416
분비기····················314
분해능·······················8
분해능력······················8
불가피 유산··················390

불규칙 지방간·················202
불완전 유산··················338, 390
비골······················376
비동맥····················117
비문부····················117, 168
비문합류부··················101
비장·····················117, 304
비장낭종···················310
비장내 석회화·················309
비장종대···················165, 168
비정맥················101, 117, 258
비종양성 낭종·················345
비침윤성소엽암················426
비침윤성유관암················426
빈맥······················267
빔 두께에 의한 허상···········40, 272

ㅅ

사각지대···················449
사석······················225
사정관····················128
사행성 구조··················165
산과······················358
산란·····················4, 6, 32
산욕기····················340
삼첨판····················130
상대정맥···················130
상악골····················376
상염색체 열성유전··············276
상염색체 우성병···············199
상염색체성 우성유전············276
상장간막동맥·················258
상장간막정맥·················101
상췌십이지장동맥···············99
상피세포···················196
상행결장···················148
색소석····················224
색전······················182
석영·······················3

석회화 ···················· 186
선근종 ···················· 329
선근종증 ···················· 245
선근증 ···················· 329
선동운동 ···················· 49, 62
선상 배열 ···················· 12, 30
선상 스위치 배열 ···················· 12
선상 위상차 배열 ···················· 12
선암 ···················· 324
선종 ···················· 247
선천성 단신증 ···················· 299
선천성총담관확장증 ···················· 211
섬유선종 ···················· 430
섬유성치환 ···················· 194
성선 자극 호르몬제 ···················· 354
소간세포암 ···················· 176
소결석 ···················· 226
소결절성 ···················· 160, 161
소낭 ···················· 169
소뇌 ···················· 377
소망융기 ···················· 265, 269
소입자 ···················· 4
소장 ···················· 146
소화관 ···················· 143, 414
속발성 변성 ···················· 323
수막류 ···················· 385
수신 ···················· 3, 4
수신증 ···················· 107, 280, 403
수종 ···················· 397
수질 ···················· 107
수침법 ···················· 31
순환계 ···················· 130
스티어링 ···················· 13
스펙트럼의 확장 ···················· 25
습관성 유산 ···················· 390
승모판 ···················· 130
승모판 협착증 ···················· 408
시상 ···················· 369
시상면 ···················· 69, 70
식도 ···················· 144
신결석 ···················· 276, 278, 299

신결핵 ···················· 294
신경색 ···················· 295
신농양 ···················· 276
신동 ···················· 107
신동맥 ···················· 107, 113
신동맥류 ···················· 298
신문 ···················· 107
신배 ···················· 107, 280
신변위 ···················· 299
신수질 ···················· 272
신실질 ···················· 107, 272
신우 ···················· 107, 280
신우종양 ···················· 288
신우주위 낭종 ···················· 272
신유두 ···················· 107, 294
신장 ···················· 107, 272
신장 기형 ···················· 299
신장 압흔 ···················· 219
신장석회침착증 ···················· 299
신장암 ···················· 285
신정맥 ···················· 107
신주 ···················· 107
신주위 ···················· 169
신혈관근지방종 ···················· 293
실시간 ···················· 12, 13
심낭수종증 ···················· 406
심막 ···················· 130
심방세동 ···················· 413
심방중격 ···················· 130
심실중격 ···················· 130
심와부 ···················· 62, 421
심와부 경사 횡주사 ···················· 70
심와부 음향창 ···················· 132
심장 ···················· 130, 406
심저 ···················· 130
심첨 ···················· 130
심첨부 음향창 ···················· 132
심축 ···················· 130
십이지장 궤양 ···················· 421
십이지장구부 ···················· 87, 146, 421
십이지장유두 ···················· 91

쌍각 단경 자궁 ……………………………… 336
쌍각 쌍경 자궁 ……………………………… 336
쌍태아 ………………………………………… 389

ㅇ

아메바성 간농양 ……………………………… 210
악성 림프종 …………………………………… 307
안와 …………………………………………… 376
알코올성 간염 ………………………………… 208
압박 주사 ……………………………… 50, 62, 176
압전자 …………………………………………… 3
압전효과 ………………………………………… 3
앙와위 ………………………………………… 56
양막 …………………………………………… 365
양막강 ………………………………………… 365
양수 …………………………………………… 365
양수과소증 …………………………………… 299
양측성 무신증 ………………………………… 299
에코 전환 시간 ………………………………… 46
에코강도 …………………………………… 6, 7, 32
여운시간 ………………………………………… 8
역학적인 진동 …………………………………… 4
연부조직 ……………………………………… 2, 4
연속파 도플러 ………………………………… 20
연속파법 ……………………………………… 4, 5
염전 …………………………………………… 362
염증성 낭종 …………………………………… 345
엽상종양 ……………………………………… 431
영양막 ………………………………………… 358
오로 …………………………………………… 402
와류 ………………………………………… 21, 25
외상 …………………………………………… 259
외인성 호르몬 ………………………………… 338
외장성 성장 ………………………………… 179, 183
요관 ………………………………………… 107, 126
요관구 ………………………………………… 126
요도 …………………………………………… 126
요도게실 ……………………………………… 443
우간정맥 …………………………………… 75, 76, 83

우계부사 주사 ………………………………… 70
우관상동맥 …………………………………… 142
우늑간 주사 …………………………………… 51, 66
우늑궁하 주사 ………………………………… 62
우신 …………………………………………… 107
우신동맥 …………………………………… 107, 114
우신정맥 ……………………………………… 107
우심방 ………………………………………… 130
우심실 ………………………………………… 130
우위대망동맥 ………………………………… 99
우측와위 ……………………………………… 56
원거리영역 …………………………………… 9
원거리음장 …………………………………… 9
원부위 ………………………………………… 32
월경기 ………………………………………… 315
월경주기 ……………………………………… 312
위 ……………………………………………… 145
위궤양 ………………………………………… 417
위상차 배열 ………………………………… 12, 30
위상차 배열 방식 ……………………………… 13
위십이지장동맥 ……………………………… 99
위암 …………………………………………… 416
위양성 소견 …………………………………… 36
위장 …………………………………………… 31
위축 …………………………………………… 213
위하수 ………………………………………… 420
유강 장기 ………………………………… 119, 130
유관 …………………………………………… 154
유두 ………………………………………… 74, 154
유두근 ……………………………………… 130, 142
유두선관암 …………………………………… 426
유리체 ………………………………………… 4
유문 협착 ………………………………… 421, 422
유문부 ………………………………………… 416
유방 ………………………………………… 31, 154
유방암 ………………………………………… 426
유산 …………………………………………… 390
유선 ………………………………………… 150, 154
유선 섬유선종 ………………………………… 430
유선낭종증 …………………………………… 429
유선후극 ……………………………………… 154

유주근종 …………………………………… 323
유피 낭종 …………………………… 265, 349
육아종 …………………………………… 176
육종 ………………………………… 186, 436
육종화 변성 ……………………………… 324
융모막 …………………………………… 365
융모막강 ………………………………… 365
융모막낭 ………………………………… 358
융모암 …………………………………… 338
음낭수종 ………………………………… 442
음속 ……………………………………… 10
음향굴절현상 …………………………… 317
음향렌즈 ……………………………… 8, 10
음향음영 ………………………………… 46
음향저항 ……………………………… 2, 6, 204
음향증강 ………………………………… 45
음향창 ………………………………… 4, 13
응고 괴사 ………………………………… 295
이분척추 ………………………………… 385
이상팽륜부 ……………………………… 412
이완성 출혈 ……………………………… 401
이질 아메바 ……………………………… 210
이질성 …………………………………… 175
이질의 에코형태 ……………………… 6, 173
이첨판 …………………………………… 130
이하선 …………………………………… 150
이행상피암 ……………………………… 286
인공심장판막 …………………………… 412
인슈리노마 ……………………………… 267
임계각 …………………………………… 18
임신성 황체 …………………………… 360, 362

ㅈ

자궁 ……………………………… 119, 312
자궁 간질부 ……………………………… 121
자궁 난관 조영술 ………………………… 336
자궁 발육 부전 …………………………… 334
자궁 수축 ………………………………… 388
자궁 전경 ………………………………… 318

자궁 전굴 ………………………………… 318
자궁 절제술 ……………………………… 324
자궁 후경 ………………………………… 318
자궁각 ………………………………… 119, 121
자궁강 …………………………………… 119
자궁경 검사 ……………………………… 336
자궁경부암 ……………………………… 339
자궁근종 ………………………………… 323
자궁근층 ………………………………… 119
자궁난관조영술 ………………………… 119
자궁내막 ………………………………… 119
자궁내막 석회화 ………………………… 338
자궁내막 증식증 ………………………… 330
자궁내막강 ……………………………… 312
자궁내막관 ……………………………… 312
자궁내막낭종 ………………………… 345, 347
자궁내막암 ……………………………… 339
자궁내막염 ……………………………… 338
자궁내막증 …………………………… 329, 330
자궁내막폴립 …………………………… 338
자궁선근증 …………………………… 329, 330
자궁수종 ………………………………… 338
자궁암 …………………………………… 339
자궁외임신 ………………… 345, 355, 399
자궁유혈증 ……………………………… 338
자궁절제술 ……………………………… 341
자궁천공 ………………………………… 320
자궁탈 …………………………………… 335
자궁하수증 ……………………………… 335
장간막 …………………………………… 253
장결핵 …………………………………… 415
장기역위증 ……………………………… 215
장막 …………………………………… 87, 253
장막하근종 ……………………………… 323
장액성 낭선암 ………………………… 265, 352
장액성 낭선종 …………………………… 265
장중첩 …………………………………… 415
재생결절 ………………………………… 160
재생능력 ………………………………… 160
저단백증 ………………………………… 255
저에코 …………………………………… 6

저에코 테두리 ……………………………… 174
적혈구 ……………………………………… 18
전두골 …………………………………… 376
전립선 …………………………… 31, 126, 128
전립선결석 …………………………… 440
전립선낭종 …………………………… 440
전립선비대증 …………………………… 439
전립선암 ……………………………… 438
전신 부종 ……………………………… 397
전이성 간암 …………………………… 186
전이성 신종양 ………………………… 288
전자제어방식 ………………………… 12
전자주사 ……………………………… 12
전자집속 …………………………… 8, 10
점막하근종 …………………………… 323
점액생산성암 ………………………… 186
점액성 낭선암 …………………… 265, 352
점액성 낭선종 …………………… 265, 351
정낭 …………………… 126, 128, 438
정맥관삭 …………………………… 74, 85
정맥동 ………………………………… 191
정체낭종 …………………………… 345
제대 …………………………………… 366
제대동맥 …………………………… 386
제대정맥 …………………………… 386
제왕절개 수술 …………………………… 340
제정맥 ……………………………… 74
조정판 ………………………………… 32
종 주사 ……………………………… 69
종격중부 …………………………… 130
종단면 …………………………… 51, 53
종류형성성 만성췌장염증 …………… 260
종양색전 ………………… 173, 176, 285
종양성 낭종 …………… 265, 345, 349
종횡비 ……………………………… 426
좌간정맥 …………………… 75, 76, 82, 83
좌관상동맥 …………………………… 142
좌늑간 주사 …………………………… 52, 72
좌늑궁하 주사 ………………………… 73
좌신 ……………………………… 107
좌신동맥 ……………………………… 107

좌신정맥 …………………………… 107, 114
좌심방 ………………………………… 130
좌심실 ………………………………… 130
좌심실류 …………………………… 412
좌위 ……………………………… 56, 70
좌위정맥 …………………………… 165, 166
좌지 수평부 …………………… 74, 75, 91
좌지제부 ……………………………… 91
좌측와위 ……………………………… 56
주사 ………………………………… 13, 62
주엽 ………………………………… 38
주엽열 …………………… 76, 84, 239
죽종 ………………………………… 22
중간정맥 …………………… 75, 76, 82, 83
중격 자궁 ……………………………… 336
중독성 간염 …………………………… 208
중복 자궁 ……………………………… 336
중복감염 ……………………………… 265
중복신우 …………………………… 292
중심괴사 …………………………… 186, 187
중심에코복합체 ……………………… 107
증식기 ……………………………… 314
지방간 …………………………… 200
지방종 ……………………………… 431
직장 ……………………………… 126, 149
직장암 ……………………………… 423
직장자궁와 …………………… 169, 347, 355
직장팽대부 …………………………… 423
진동자 ……………………………… 3, 4
진성 낭종 ……………………………… 265
진전 ……………………………… 267
진폭 ……………………………… 8, 16, 35
진폭 표시법 …………………………… 16
질 ……………………………… 119
질 낭종 …………………… 333, 443
집속 ……………………………… 9, 10
집속거리 …………………………… 10
집속영역 ……………………………… 9

ㅊ

착상출혈······363
창······21, 22
채부······121
처녀막 폐쇄증······338
척수······365, 385
척수막류······385
척추······157
천재근막의 심층······154
천재근막의 천층······154
체류 낭종······265
초기의 전치태반······400
초음파······2
초음파 상······12, 16
초음파 장치······8, 29
초음파 체외 충격파쇄석술······233
초음파심장조영술······13
초점거리······9
총간관······91
총간동맥······75
총경동맥······150
총담관······87, 91, 97, 101, 218
총담관 결석증······255
총담관공장문합술······212
총담관암······257
총장골동정맥······121
쵸코렛낭종······347
출혈성 난소낭종······345
충수염······210
충실선관암······426
충실성 종류······285
췌관······101, 102, 103
췌석······260
췌석증······261
췌장······101, 258
췌장 낭선종······265
췌장암······262
측뇌실······377
측방 음영······28, 47

측방분해능······8
측부혈행로······165
측파에 의한 허상······38, 242
치골 결합······126, 318
침윤성유관암······426

ㅋ

카멜레온 사인······191
칼슘빌리루빈석······220, 224
콜레스테롤석······220
크론씨병······424

ㅌ

탐촉자······6, 10, 12
태낭······338, 358
태령······368
태반······338, 387
태아······338
탯줄······386
터너증후군······334
투명중격동······369

ㅍ

파장······6
판상 혈류······25
팽대부······121
펄스반복주파수······20
펄스파 도플러······20
펄스파법······4, 5
편측성 무신증······299
편평상피암······286
평면파······11
평활근······293
폐동맥판······130
폐색성 황달······185, 211, 262
폐형성부전······299

포막세포···314
포상기태···398
피막탈락막···358
피질···107
피질성 낭종 ··272
필름유방촬영법···426

후두···150
후방음향음영···28, 46
후방음향증강··45, 272
휘도··16
휘도 표시법···16
흉강···130
흉골상 절흔부 음향창···132
흉골좌연 음향창···132
흉막··76
흉막 공간···169
흉막강··449
흉부신··299
흉수···449
흑색석··225
흑색종··186
흡수··4, 32

ㅎ

하대정맥·································75, 130
하악골··376
하장간막정맥 ···104
하행결장··148
한국성 종대 ··262
합성 에스트로겐제···354
해면혈관종···191
허상··36
혈관계···130
혈관낭종··265
혈관신생··345
혈뇨···276
혈행장애···21, 22
호흡 조절···58
혼성석···222
혼합결절성···160
혼합석···223
혼합에코··6
화농성 간농양 ··210
환상 배열···12, 13
황달···185, 211
황체···121, 314
황체 호르몬 ···121, 342
황체낭종··345
황체형성호르몬···314
횡격막···42, 74, 117
횡격막 각···156
횡격막하··169
횡단면··································51, 53
횡주사···70
횡행결장···87

영문

A

A-mode ·· 16, 17

A. C. ·· 368, 371

abdominal circumference ················· 368, 371

abdominal trauma ································· 265

abortion ··· 390

abscess ··· 169, 205

absorption ·· 4, 432

accessory spleen ································· 308

acoustic enhancement ························· 45

acoustic impedance ···················· 2, 6, 204

acoustic lens ·································· 8, 10

acoustic shadow ································· 46

acoustic standoff ···························· 31, 54

acoustic window ······························· 4, 13

acute cholecystitis ···························· 240

acute gastritis ································· 414

acute hepatitis ································· 208

acute pancreatitis ····························· 259

acute pelvic inflammatory diseases ······· 355

acute renal failure ····························· 296

adenocarcinoma ································· 324

adenoma ··· 247

adenomyoma ····································· 329

adenomyomatosis ···················· 244, 245, 253

adenomyosis ·································· 329, 330

adnexal mass ····································· 323

adrenocortical hormone ······················ 200

air fluid level ································· 242

alcoholic hepatitis ····························· 208

aliasing ······························· 20, 23, 25, 28

amniotic cavity ································· 365

amniotic fluid ··································· 365

amniotic membrane ····························· 365

amplitude ···································· 8, 16, 35

amplitude mode ································· 16

ampulla ··· 121

amylase ··· 259

anecho ··· 6

anembryonic gestation ························· 392

angiocyst ··· 265

annular array ·································· 12, 13

anteflexed uterus ······························· 318

aorta ··· 75, 258

aortic aneurysm ································· 447

aortic arch ··································· 132, 379

aortic incompetence ···························· 410

aortic stenosis ································· 411

aortic valve ····································· 130

apex of heart ··································· 130

apical window ··································· 132

appendicitis ····································· 210

arcuate artery ··································· 107

arcuate artery and vein ······················· 331

area array ···································· 12, 13

arrhythmia ······································· 413

artifact ··· 36

ascending colon ································· 148

ascites ··· 165, 169

atheroma ··· 22

atresia of hymen ······························· 338

atrial fibrillation ······························· 413

atrioventricular septum ······················· 130

atrophy ··· 213

autosomal dominant disease ·················· 199

autosomal dominant inheritance ·············· 276

autosomal recessive inheritance ·············· 276

axial resolution ································· 8

axial scan ······································· 369

axis cordis ····································· 130

B

B-mode ·· 16, 17

B. P. D. ··· 368, 369

bandwidth ······································· 8

base of heart ··································· 130

basedow's disease ······························· 433

baseline ··· 20
basic ultrasound image ······································· 62
beam thickness artifact ······················· 40, 272
Bertin's column ·· 107
Bertin's columna hypertrophy ················ 289, 290
bilateral renal agenesis ···································· 299
bile duct ·· 74, 91
bile juice ··· 87, 91
bile sludge ··· 242
biliary system ·· 257
biparietal diameter ···························· 368, 369
black stone ·· 225
bladder ··· 126
blighted ovum ·· 392
blind zone ··· 449
borderline malignancy ·· 345
bright liver ·· 200
brightness ·· 16
brightness mode ·· 1616
broad-ligament ·· 323
bull's eye sign ····································· 186, 187

C

C. I. ·· 369
C. R. L. ································ 363, 367, 368
calcification ··· 186
calcium bilirubinate stone ··················· 220, 224
cancer of the common bile duct ····················· 257
cancer of the gallbladder ······························· 251
cancer of the rectum ·· 423
Cantlie line ··· 76, 78
carcinoma of lymph node ································· 444
cardia region ·· 416
caudate lobe ································· 74, 76, 160
cavernous hemangioma ······································ 191
cavum septi pellucidum ······································ 369
CEC ··· 107
celiac artery ··· 75, 101, 258
central echo complex ··· 107

central necrosis ······································ 186, 187
cephalad ·· 62
cephalic index ·· 369
cerebellum ··· 377
cervical erosion ·· 331
chameleon sign ·· 191
cheiloschisis ··· 376
chenodeoxycholic acid ······························· 233
chocolate cyst ··· 347
cholecystitis ··
choledochojejunostomy ································ 212
choledocholithiasis ·· 255
cholesterol crystal ·· 242
cholesterol polyp ··································· 244, 250
chordae tendineae ·· 130
chorioamniotic separation ································ 365
choriocarcinoma ··· 338
chorionic cavity ·· 365
chorionic membrane ··· 365
chorionic vesicle ··· 358
choroid membrane ·· 398
choroid plexus ·· 394
chronic cholecystitis ·· 241
chronic gastritis ·· 419
chronic hepatitis ·· 208
chronic pancreatitis ·· 260
chronic renal failure ·· 297
clean shadow ·· 235
cluster sign ·· 186, 187
coagulation necrosis ··· 295
collateral pathways ·· 165
colon cancer ··· 423
color flow imaging ··· 25
combination focusing ·· 9
combination stone ··· 222
comet tail echo ···························· 205, 244, 245
common bile duct ······················ 87, 91, 99, 218
common carotid artery ······································ 150
common hepatic artery ······································ 75
common hepatic duct ··· 91
common iliac artery and vein ··························· 121

compressing scan ·· 50, 62
conductivity gel ·· 54
congenital solitary kidney ····························· 299
contact compound scanner ·························· 40
continuous−wave Doppler ····························· 20
control panel ·· 32
convex electronic scanner ························· 13, 29
convex probe ·· 30
cooper's ligament ·· 154
corpus luteum··································· 121, 314, 362
corpus luteum cyst ····································· 345
corpus luteum of pregnancy ······················· 360
cortex ·· 107
cortical cyst·· 272
Couinaud's segment ····································· 76
crescent−shape ··· 222
critical angle ·· 18
Crohn's disease ··· 424
cross−image ·· 50
crown··· 363
crown−rump length ··························· 363, 368
cul−de−sac ························· 169, 347, 355
Curie ·· 3
cyst of adrenal gland ······························· 302
cyst of the bladder ··································· 441
cyst of the mammary gland ························ 429
cyst of the thyroid gland ··························· 435
cystadenoma ·· 196
cystic duct ·· 91
cystic pattern ·· 272

depth/width ratio ·· 426
dermoid cyst ······································ 265, 349
descending colon ·· 148
desquamation ·· 240
diaphragm ··· 42, 74
diaphragmatic crus ····································· 156
diffuse adenomyoma ···································· 329
diffuse disease ·· 160
dilatation of intrahepatic bile duct ·············· 211
dirty shadow ··· 235
disturbed flow··21, 22
dome ·································50, 62, 66
Doppler's effect ·································· 18, 19
Doppler color imaging ·························· 25
Doppler method ··· 18
double ring sign·· 358
Douglas pouch ································· 169, 355
dromedary hump ·· 289
duodenal bulb································ 87, 421
duodenal ulcer ·· 421
duplex renal pelvis ····································· 292
duplex scanner ·· 24
duplication of uterus ·································· 336
dynamic focusing ··· 9
dynamic range 32, 35

D

DCI ·· 25
debris echo ····································· 210, 240
decidua basalis ·· 358
decidua capsularis·· 358
decidua vera ··· 358
deep layer of superficial fascia ···················· 154
degeneration ···6, 194

E

echo ··· 2
echo−return time ······································· 46
echocardiography ······································· 13
echogenicity ···································· 6, 7, 32
ectopic pregnancy······························· 345, 399
edge refraction ··· 317
edge shadow ······························· 28, 47, 317
ejaculatory duct·· 128
electronic focusing ······························ 8, 10
embryo ··· 358, 362
embryonic heart activity································ 362
empyema ··· 228

endometrial calcification ···················· 338

endometrial canal ···························· 312

endometrial cavity ···························· 312

endometrial cyst ······················ 345, 347

endometrial hyperplasia ···················· 330

endometrial polyp ···························· 338

endometriosis ···························· 329, 330

endometritis ································· 338

endometrium ································· 119

endoscopic probe ····························· 31

entamoeba histolytica ······················ 210

epigastric oblique transverse scan ········· 70

epigastric window ···························· 132

epigastrium ································ 62, 421

epithelial hyperplasia ······················· 248

epithelium ·································· 196

erythrocyte ·································· 18

esophagus ·································· 144

estrogen ··················· 121, 314, 338, 342

exophytic growth ······················ 179, 183

extrahepatic bile duct ······················· 91

fibroadenoma of the mammary gland ········ 430

fibroid ·································· 323

fibrous replacement ························· 194

film-mammography ························· 426

fimbria ·································· 121

first trimester ····························· 368

floating gallbladder ························· 253

floating gallstones························· 230

fluid-fluid levels ························· 265

fluid filled stomach ··················· 143, 258

focal distance ····························· 10

focal length ································ 9

focal region ······························ 9

focus ································ 9, 10

folded gallbladder ························· 253

follicle ································· 314

follicle cyst ······························ 345

follicle stimulating hormone ················ 314

follicular phase ···························· 314

fronto-occipital diameter ·················· 369

FSH ································ 314, 342

fusiform aneurysm ························· 298

F

F. L. ····································· 372

F. L. B. ·································· 368

F. O. D. ·································· 369

falciform ligament ····················· 74, 76

false positive finding ······················ 36

fanning movement ·························· 49

far field ·································· 9

far portion ·································· 32

far zone ·································· 9

fat-fluid level························· 349

fatty liver ·································· 20

femur ·································· 372

femur length ····························· 372

fetal long bone ···························· 368

fetus ·································· 338

fibro-myoma ····························· 323

G

gain ································ 32, 33

gallbladder ······················ 74, 87, 218

gallbladder fossa ············· 76, 78, 87, 202

gallbladder stone ························· 219

gallstone colic························· 219

gartner duct ························· 333, 443

gastric cancer························· 416

gastric ulcer ····························· 417

gastro-intestinal system ············144, 414

gastroduodenal artery ····················· 99

gastroptosis························· 420

gate ·································· 25

gestational sac ························ 338, 358

Glisson's sheath ·····················75, 82

goiter ································· 432

gonadotropic hormone agent ·········· 354
granuloma ·········· 176
gray scale ·········· 27, 28
greater duodenal papilla ·········· 91

H

H-mole ·········· 398
H. C. ·········· 368, 373
habitual abortion ·········· 390
halo ·········· 174, 178, 307
hamartoma ·········· 293
Hartmann's pouch ·········· 87, 219, 228
head circumference ·········· 368, 373
heart ·········· 406
hematometra ·········· 338
hematuria ·········· 276
hemidiaphragm ·········· 117
hemilateral renal agenesis ·········· 299
hemispheric elevation ·········· 247
hemorrhage ·········· 205
hemorrhage infarction ·········· 253
hemorrhagic ovarian cyst ·········· 345
hepatic abscess ·········· 210
hepatic artery ·········· 74, 75, 99
hepatic cyst ·········· 196
hepatic dysfunction ·········· 165
hepatic triad ·········· 100
hepatic vein ·········· 75
hepatitis ·········· 208
hepatocellular carcinoma ·········· 165, 173, 174
hepatocholangiocarcinoma ·········· 185
hepatocystadenocarcinoma ·········· 196
hepatolithiasis ·········· 204
hepatomegaly ·········· 20, 207
heterogeneity ·········· 175
heterogeneous echo pattern ·········· 6, 173
hinge point ·········· 412
hollow organ ·········· 130
homogeneity ·········· 175

homogeneous echo pattern ·········· 6, 173
horizontal fluid-fluid level ·········· 242
hybrid stone ·········· 222
hydatidiform mole ·········· 398
hydrocele ·········· 442
hydrocephalus ·········· 394
hydrometra ·········· 338
hydronephrosis ·········· 107, 280, 403
hydropericardium ·········· 406
hydrops ·········· 397
hydrosalpinx ·········· 356
hyperecho ·········· 6
hyperlipidemia ·········· 259
hyperplasia ·········· 247
hyperplastic polyp ·········· 248
hypoalbuminemia ·········· 255
hypoecho ·········· 6
hypoechoic band ·········· 174, 186
hysterectomy ·········· 324
hystero-salpingography ·········· 336
hysterocele ·········· 335
hysteroscophy ·········· 336

I

implantation bleeding ·········· 363
incarcerated stone ·········· 219, 228
incomplete abortion ·········· 338, 390
inevitable abortion ·········· 390
inferior mesenteric vein ·········· 104
inferior vena cava ·········· 75, 130
insulinoma ·········· 267
interatrial septum ·········· 130
interlobar pleura ·········· 76
internal echo pattern ·········· 6
internal jugular vein ·········· 150
internal urethral orifice ·········· 126
interstitial myoma ·········· 323
interventricular septum ·········· 130
intraabdominal vessels ·········· 69

intrahepatic bile duct ·················· 91
intrahepatic biliary stone ·················· 204
intrahepatic calcification ·················· 204, 205
intrahepatic radicle ·················· 206
intramural portion ·················· 121
intramural stone ·················· 244
intussusception ·················· 415
irregular fatty liver ·················· 202
isoecho ·················· 6
IUCD ·················· 320
IUD ·················· 320

K

Kidney ·················· 109

L

lactiferous ducts ·················· 154
laminar flow ·················· 25
Langevin ·················· 3
laparoscopy ·················· 336
large bowel cancer ·················· 423
larynx ·················· 150
lateral resolution ·················· 8
lateral shadow ·················· 28, 47, 317
lateral ventricles ·················· 377
left atrium ·················· 130
left decubitus position ·················· 56
left gastric vein ·················· 165, 166
left hepatic vein ·················· 75, 76
left horizontal portion ·················· 74, 75, 77, 91
left intercostal scan ·················· 52, 72
left kidney ·················· 107
left parasternal window ·················· 132
left subcostal scan ·················· 73
left transverse portion ·················· 75
left umbilical portion ·················· 91
left ventricle ·················· 130
left ventricular aneurysm ·················· 412

lens effect ·················· 44
lesser sac ·················· 169
LH ·················· 314, 342
ligamentum teres ·················· 74, 84, 165
ligamentum venosum ·················· 74, 85
linea alba ·················· 54, 55
linear array ·················· 12, 30
linear electronic scanner ·················· 13, 29
linear phased array ·················· 12
linear probe ·················· 29
linear switched array ·················· 12
linearsequenced array ·················· 12
liver ·················· 78, 160
liver bed ·················· 253
liver cirrhosis ·················· 160
liver congestion ·················· 207
liver hemangioma ·················· 190
localized enlargement ·················· 262
lochia ·················· 402
logitudinal scan ·················· 69
longitudinal section ·················· 51, 53
lutein cysts ·················· 398
lutein hormone ·················· 121
luteinizing hormone ·················· 314
lymph vessel ·················· 438
lymphadenitis ·················· 446
lymphadenopathy ·················· 445

M

M-mode ·················· 16, 17
macronodular ·················· 160, 161
main lobar fissure ·················· 76, 84, 239
main lobe ·················· 38
malignant lymphoma ·················· 307
malignant melanoma ·················· 186
mammary carcinoma ·················· 426
mammary gland ·················· 150, 154
mammary papilla ·················· 74
mechanical vibration ·················· 4

medulla ··· 107

membranous structure ······················· 76

meninges ··· 385

meningocele ······································· 385

menstrual cycle ·································· 312

menstrual phase ································· 315

mesentery ·· 253

metastatic liver carcinoma················ 186

metastatic renal tumor ····················· 288

methyl−tert−butyl−ether ················· 233

microcalcification ······························ 426

micronodular ······························ 160, 161

middle hepatic vein ·······················75, 76

middle mediastinum························· 130

mirror artifact ······························· 42

missed abortion ································· 390

mitral stenosis ·································· 408

mitral valve ······································ 130

mixed echo ··· 6

mixed nodular ··································· 160

mixed stone ······································· 223

molar vesicle ····································· 398

Morrison s pouch ························169, 170

mosaik pattern ····················· 174, 175, 178

motion mode ······································ 16

mucin−producing carcinoma················ 186

mucinous adenocarcinoma···················· 352

mucinous cystadenocarcinoma ·············· 265

mucinous cystadenoma ······················· 351

multilocular cyst ······························ 272

multilocular renal cyst ····················· 275

multiple cysts ··································· 272

multiple simple cysts ······················· 275

Murphy s sign ··································· 240

musinous cystadenoma ······················· 265

myelomeningocele ······························ 385

myometrium ································119, 358

müllerian aplasia ······························ 334

müllerian duct ······························ 333, 443

N

naboth s ovule ··································· 331

near field ··· 9

near portion ······································ 32

near zone ··· 9

necrosis·· 6

neoplastic cyst ························· 265, 345, 349

nephrocalcinosis ································· 299

nipple··· 154

non−neoplastic cyst ···························· 345

nyquist limit ····································· 20

O

obstetrics ··· 358

oligohydramnios ································· 299

orbit ··· 376

oval shape ·· 369

ovarian cancer ··································· 352

ovarian fossa ···································· 121

ovarian masses ·································· 345

ovarian teratoma ································ 349

ovary ···121, 342

ovulation ··· 121

P

pancreas ····································· 102, 258

pancreatic cancer ······························ 262

pancreatic cyst ·································· 265

pancreatic cystadenoma ······················ 265

pancreatic duct ······························101, 102

pancreatic stone································· 260

pancreatolithiasis ······························ 261

papilla vateri ···································· 91

papillary muscle·····························130, 142

paracolic gutter ································· 169

parallel channel sign ··············· 211, 255, 262, 264

paralytic ileus····································· 259

parapelvic cyst ·································· 272
parasitic cyst ································· 265
parasitic granuloma ··························· 205
paraumbilical vein··························· 166
parotid gland ································· 150
particles ································· 4
pectoralis major muscle ······················ 154
pedicle ································· 323
pelvic ································· 169
pelvic cavity ···························· 119, 128
pelvic kidney ································ 299
penetrating duct sign ························· 260
perforation of uterus ························· 320
pericardium································· 130
perinephric ································· 169
peritoneal carcinoma ························· 255
peritoneal cavity ························ 74, 169
phased array ····························12, 30
phrygian cap ································ 253
phyllodes tumor································ 431
piezoelectric effect ·························· 3
piezoelectric element ························ 3
pigment granule ····························· 242
placenta ································· 338
placenta previa ······························ 400
plasticity ································· 213
pleural effusion ······························ 449
pleural space ························· 169, 449
pneumobilia··································· 212
polycystic disease ···························· 265
polycystic kidney ···························· 276
polycystic liver ·······················196, 199
porta hepatis ·············· 74, 75, 87, 91, 100, 167
portal thrombosis ·······················174, 182
portal tumor thrombus ··················174, 182
portal vein ······················ 74, 75, 101
portal venous obstruction ····················· 165
posterior acoustic enhancement ·············· 45, 272
posterior acoustic shadow ··············· 28, 46, 219
PRF ································· 20
probe ································ 6, 10, 12

progesterone ···························· 314, 342
proliferative phase ························· 314
prone position·························52, 56
properitoneal fat ·························· 44
prostate gland ····················· 31, 126, 128
prostatic carcinoma ························· 438
prostatic cyst ································ 440
prostatic hypertrophy ······················· 439
prostatic stone ······················ 440
prosthetic cardiac valve ···················· 412
proximal straight tubule····················· 285
pseudo cyst ································ 265
pseudo tumor ······················· 242
pseudocyst ································ 260
pseudogestational sac ······················· 358
pseudokidney sign········414, 415, 417, 419, 421, 423, 424
pseudotumor ······················· 289, 290
pseudotumor sign ··················· 202
pubic symphysis ·························· 318
pulmonary hypoplasia ························ 299
pulmonary valve ························· 130
pulse−wave Doppler···················· 20
pulse repitition frequency ····················· 20
pure cholesterol stone ··················· 20
pus cell ································· 210
pyloric stenosis ························ 421, 422
pylorus ································· 416

Q

Q−factor ································ 8, 20
quadrate lobe ································ 74
quartz ································· 3

R

real aneurysm································ 298
real time ·······························12, 13
reception ································· 3
rectum ·······························126, 149
rectus abdominal muscle ···················· 44

reflection ·· 4, 6, 32
regenerative ability ······························ 213
regenerative nodule ······························ 160
renal abscess ······································· 276
renal agenesis······································ 299
renal angiomyolipoma ···························· 293
renal aplasia ·· 299
renal artery ··· 107
renal calyx ···································· 107, 280
renal cell carcinoma ······························ 285
renal column ·· 107
renal ectopia ·· 299
renal hilum ·· 107
renal hypoplasia ···································· 299
renal impression ···································· 213
renal infarction ····································· 295
renal medulla ······································· 272
renal papilla ·································· 107, 294
renal parenchyma ···························· 107, 272
renal pelvic tumor································· 286
renal pelvis ···································· 107, 280
renal sinus ·· 107
renal stone ···································· 276, 278
renal tuberculosis ·································· 294
renal vein ··· 107
resolution ··· 8
retention cyst ································· 265, 345
retroflexed uterus·································· 318
retromammary space ······························ 154
retroverted uterus································· 318
reverberation artifact ············· 31, 36, 244, 272
rheumatic fever···································· 408
rib ·· 74
Riedel's lobe·· 214
right atrium ··· 130
right decubitus position ···························· 56
right gastroepiploic artery ························· 99
right hepatic vein ·······························75, 76
right hypochondriac oblique scan ················· 70
right intercostal scan ···························51, 66
right kidney··· 107

right subcostal scan ································· 62
right ventricle······································ 130
ring down time ······································· 8
ring sign ······································174, 178
rocking motion ································· 49, 62
rokitansky−aschoff sinus ··················· 244, 245
rolling stone sign ··································· 219
routine study ··························· 62, 368, 373
rump ·· 363

S

S−mode··· 21
saccular aneurysm ·································· 298
sacrum ·· 318
saddlelike ··· 213
sagittal plane ·································· 69, 70
salpinx ·· 119
sand stones ··· 225
sarcoma ······································· 186, 436
sarcomatous degeneration ························· 324
scalp edema··· 397
scan ·· 62
scanning ··· 13
scatter ······································· 4, 6, 32
screening ··· 62
second trimester ··································· 368
secondary degeneration ···························· 323
secretory phase ···································· 314
sector electronic focusing ··························· 11
sector electronic scanner ······················13, 29
sector mechanical scanner······················· 29
sector probe ··· 29
sectoring motion ······························· 49, 62
seminal vesicle ···························· 126, 128, 438
sensitivity·· 34
serosa ··· 87, 253
serous cystadenocarcinoma ··················· 265, 352
serous cystadenoma ································· 265
serpiginous structure ······························ 165

severe epigastric pain ·········· 259

shell sign ·········· 231

shot gun sign ·········· 211, 255, 262, 264

side lobe ·········· 38

side lobe artifact ·········· 38, 242

silent stone ·········· 219

simple cyst ·········· 265

simple hepatic cyst ·········· 196

simply linear array ·········· 12

sitting position ·········· 56, 70

skull ·········· 369

slender stalk ·········· 250

sludge ·········· 225, 242

sludge ball ·········· 242, 243

small hepatocellular carcinoma ·········· 176

small stone ·········· 226

smooth muscle ·········· 293

snowstorm ·········· 398

soft tissue ·········· 2, 4

solid mass ·········· 285

solitary cyst ·········· 272

sonolucent layer ·········· 240

specialized type scanner ·········· 29

spectral broadening ·········· 21, 22, 25

spectral wave form ·········· 20

spectrum mode ·········· 21

spina bifida ·········· 385

spinal cord ·········· 157, 365, 385

spleen index ·········· 304

spleen ·········· 117, 304

splenic artery ·········· 117

splenic calcification ·········· 309

splenic cyst ·········· 310

splenic hilum ·········· 117, 168

splenic vein ·········· 101, 117, 258

splenomegaly ·········· 165, 168

splenoportal confluence portion ·········· 101

steering ·········· 11, 13

stomach ·········· 31, 145

stone of the bladder ·········· 441

stone of the thyroid gland ·········· 434

stony gallbladder ·········· 231

storking cap ·········· 253

strong echo ·········· 219

subhepatic ·········· 169

submucosal myoma ·········· 323

subphrenic ·········· 169

subserosal myoma ·········· 323

superficial layer of superficial fascia ·········· 154

superinfection ·········· 265

superior mesenteric artery ·········· 258

superior mesenteric vein ·········· 101

superior panceaticoduodenal artery ·········· 99

superior vena cava ·········· 130

supernumerary kidney ·········· 299

supine position ·········· 56

suprasternal notch window ·········· 132

symphysis pubis ·········· 126

synthetic estrogen agent ·········· 354

T

tachycardia ·········· 267

target sign ·········· 307

testicle ·········· 150

testicular feminization syndrome ·········· 334

TGC ·········· 32

thalamus ·········· 369

theca interna ·········· 314

third trimester ·········· 368

thoracic kidney ·········· 299

thrombosis ·········· 182

thyroid carcinoma ·········· 434

thyroid cartilage ·········· 150

thyroid gland ·········· 150

time gain control ·········· 34

tomography ·········· 14

tonguelike ·········· 213

too many tube sign ·········· 211, 255, 262

torsion ·········· 362

toxic hepatitis ·········· 208

trachea ································· 150

transcatheter arterial embolization ············ 184

transducer ·······························3, 4

transitional cell carcinoma···················· 286

transmission ······························ 3

transrectal probe ························· 31

transvaginal probe ················ 31, 54, 119

transvaginal sonography ···················· 358

transverse colon ·························· 87

transverse scan ·························· 70

transverse section·······················51, 53

trauma ································· 259

tremor ································· 267

tricuspid valve ···························· 130

trigone of urinary bladder ················· 126

trophoblast ······························ 358

true cysts ······························ 265

tuber omentale ···················· 265, 269

tuberculous granuloma ··················· 205

tumefactive biliary sludge ··················· 242

tumor in tumor sign·····················174, 178

tumor thrombus···························· 285

turbulence ······························ 25

turbulent flow···························· 21

turner s syndrome ························· 334

twins ································· 389

U

ultrasonic tomography ····················· 14

ultrasonographic equipment ················ 8, 29

ultrasonographic image ··················· 12, 16

ultrasound ······························ 2

ultrasound cardiography···················· 16

umbilical cord ····················· 366, 386

umbilical vein ···························· 74

uncinate process 101, 104

ureter ····························107, 126

ureteral orifice ··························· 126

urethra ································· 126

urethral diverticulum ····················· 443

urosodeoxycholic acid ···················· 233

uterine adenomyosis ····················· 329

uterine cavity ·······················119, 358

uterine contractures······················ 388

uterine cornu ······················ 119, 121

uterine myoma ··························· 323

uterus ································· 312

uterus bicornis bicollis····················· 336

uterus bicornis unicollis ···················· 336

uterus septus and uterus subseptus ············ 336

uterus unicornis ························· 336

V

vagina ································· 119

vaginal cysts ······················ 333, 443

vascularization ·························· 345

velocity of sound ························· 10

vitreous ································· 4

W

wandering myoma ························· 323

water bath scanner ······················ 31

wave length······························ 6

white body ······························ 314

window ······························21, 22

X

xiphoid process ····················· 54, 74, 132

Y

yolk sac································ 358, 362, 365

초음파 진단의 이해 (둘째판)

첫째판 1쇄 인쇄 | 1995년 02월 22일
첫째판 1쇄 발행 | 1995년 03월 18일
둘째판 1쇄 발행 | 2000년 01월 17일
둘째판 2쇄 발행 | 2002년 04월 25일
둘째판 3쇄 발행 | 2004년 03월 10일
둘째판 4쇄 발행 | 2006년 08월 01일
둘째판 5쇄 발행 | 2023년 04월 20일

지 은 이 송한덕
발 행 인 장주연
출 판 기 획 김도성
편집디자인 이민지
표지디자인 김재욱
제 작 담 당 이순호
발 행 처 군자출판사(주)
　　　　　등록 제4-139호(1991. 6. 24)
　　　　　본사 (10881) 파주출판단지 경기도 파주시 회동길 338(서패동 474-1)
　　　　　전화 (031) 943-1888　　팩스 (031) 955-9545
　　　　　홈페이지 | www.koonja.co.kr

ISBN 89-7089-167-6

정가 70,000원